Gorau Arf

Gorau Arf

Hanes Sefydlu Ysgolion Cymraeg
1939 – 2000

Iolo Wyn Williams (gol.)

y Lolfa

Cyhoeddir ar ran Rhieni Dros Addysg Gymraeg

Diolch i'r ysgolion ac unigolion eraill a gyfrannodd luniau

Argraffiad cyntaf: 2002

© Hawlfraint: y cyfranwyr unigol a'r Lolfa Cyf., 2002

Clawr: Ceri Jones
Llun y clawr: Ysgol Gyfun Rhyd-y-waun

Rhif Llyfr Rhyngwladol: 0 86243 617 6

Cyhoeddwyd ac agraffwyd yng Nghymru
gan Y Lolfa Cyf., Talybont, Ceredigion SY24 5AP
e-bost ylolfa@ylolfa.com
gwefan www.ylolfa.com
ffôn (01970) 832 304
ffacs 832 782
isdn 832 813

C Y N N W Y S

RHAGAIR

IOLO WYN WILLIAMS

UN O RYFEDDODAU ail hanner yr ugeinfed ganrif yng Nghymru oedd datblygiad Ysgolion Cymraeg. Ysgolion, mewn ardaloedd Seisnigedig yn bennaf, yn defnyddio'r iaith Gymraeg fel iaith dysgu, iaith chwarae, iaith gweinyddu ac iaith cymdeithasu. Ysgolion y bu rhieni yn gofyn, yn ymdrechu, ac yn brwydro i'w cael, weithiau am flynyddoedd ac weithiau yn groes i ewyllys swyddogion a chynghorwyr sir. Ysgolion, yn y lle cyntaf, i blant o gartrefi Cymraeg, ond y gwelodd rhieni di-Gymraeg eu gwerth yn fuan iawn. Ysgolion sydd erbyn hyn wedi gweddnewid ystadegau siaradwyr Cymraeg, ac wedi atal y cwymp yn nifer y rhai sy'n siarad yr iaith. Cant o ysgolion cynradd Cymraeg ac ugain ysgol uwchradd Gymraeg. Saga ryfeddol yn wir.

Bu sefydlu Ysgol Gymraeg yr Urdd yn Aberystwyth yn 1939, gan Ifan ab Owen Edwards a'i gyfeillion yn drobwynt yn hanes addysg yng Nghymru, fel y bu ysgolion Griffith Jones a Thomas Charles, Brad y Llyfrau Gleision a Deddf Addyg Ganolraddol Cymru 1889 hwythau yn eu tro. Yr oedd digon o ysgolion gwledig yn defnyddio'r Gymraeg yn hollol naturiol erbyn 1939, diolch i ymdrechion cynnar O. M. Edwards, ond yr oedd cynnal ysgol Gymraeg mewn tref neu ardal ddiwydiannol Seisnig yn syniad chwyldroadol. (Gweler Penodau 1 a 2).

Yn y gyfrol hon mae Iorwerth Morgan (Pennod 1) yn cyflwyno tystiolaeth newydd fod R. A. Butler, Llywydd y Bwrdd Addysg yn llywodraeth ryfel Winston Churchill, wedi annog Awdurdodau Addysg Cymru i lunio cynlluniau i ddysgu'r Gymraeg yn fwy effeithiol. Ef hefyd oedd yn gyfrifol am baratoi Deddf Addysg 1944, ac am gynnwys yn y Ddeddf honno y cymal pwysig: *'Children shall be educated in accordance with the wishes of their parents.'* Bachodd Cymry brwdfrydig yn y cymal hwn, ac wedi agor Ysgol Dewi Sant yn Llanelli yn 1947 (Pennod 3) fe roddodd siroedd Fflint a Chaernarfon a Morgannwg hwb i'r achos trwy agor wyth ysgol Gymraeg yn 1949.

Sefydlodd pob ysgol newydd ei Chymdeithas Rhieni, ac yn fuan fe welwyd bod y cymdeithasau yn gefn i'w gilydd ac yn gymorth i rieni eraill oedd eisiau ysgol Gymraeg. Yn Eisteddfod Genedlaethol Aberystwyth, 1952 sefydlwyd Undeb Rhieni Ysgolion Cymraeg. Bu'r mudiad yn weithgar iawn yn y pum degau a'r chwe degau, a chafodd ddylanwad ar bolisi canolog y Llywodraeth ar addysg gynradd (Adroddiad Gittins, 1967). Yn yr wyth degau, wedi newid ei enw i Rhieni Dros Addysg Gymraeg (RHAG), cafodd y mudiad wynt newydd i'w hwyliau (gweler cyfraniad Meurig Royles – Pennod 27) ac fe ddaeth yn rym pwerus yn natblygiad addysg Gymraeg trwy waith ymchwil a chynllunio manwl, yn benodol ym Morgannwg Ganol, ond hefyd yng Nghlwyd, Powys a Gwent. Daeth yn fudiad yr oedd gwleidyddion a chynghorwyr yn fodlon gwrando arno a chafodd ddylanwad ar statws y Gymraeg yn y Cwricwlwm Cenedlaethol (1988).

Beth amser yn ôl, penderfynodd Pwyllgor Gwaith RHAG fod diwedd y ganrif a sefydlu'r Cynulliad Cenedlaethol yn cynnig cyfle da i ddathlu hanes yr Ysgolion Cymraeg tra bod yr hanes hwnnw yn dal ar gof yr arloeswyr cynnar. Aed ati yn 1998 i gasglu atgofion rhieni, athrawon a swyddogion addysg, a da hynny gan nad yw rhai fel Wendy Richards, G. Elwyn Richards, Lily Richards a Merfyn Griffiths gyda ni bellach.

Yn ddiweddarach cefais innau wahoddiad gan RHAG i olygu'r deunydd a gasglwyd ar gyfer ei gyhoeddi. Pan ddaeth y deunydd i law cefais lond bocs o ysgrifau, nodiadau, darluniau, llythyrau, cyhoeddiadau ac adroddiadau a chaniatâd i ddethol ohonynt fel y gwelwn yn dda. Braint a difyrrwch i mi fu cydio yn y gwaith a hoffwn fynegi fy niolch i'r holl gyfranwyr, ac ymddiheuro hefyd am na allwn gynnwys popeth a dderbyniwyd, ac am imi orfod cwtogi yn sylweddol ar lawer o ysgrifau swmpus. Maddeued yr awduron hynny imi yn y sicrwydd fod eu cyfraniadau oll wedi goleuo cynnwys y gyfrol. Ceisiais osgoi gormod o ailadrodd ond mae elfen o hynny yn anorfod gan mai'r un stori yw hi yn y bôn gan bawb.

Y broblem gyntaf i mi oedd penderfynu pa drefn i'w gosod ar y gyfrol. Cofiwn fod ad-drefnu llywodraeth leol wedi digwydd ddwywaith yn yr hanner can mlynedd diwethaf, yn 1974 ac 1996. Cyn 1974 yr oedd 13 o siroedd a phedair bwrdeistref (Caerdydd, Abertawe, Casnewydd a Merthyr) yn rheoli addysg yng Nghymru. Rhwng 1974 ac 1996, wyth sir (Clwyd, Gwynedd, Powys, Dyfed a Gwent, a Morgannwg wedi ei rhannu yn dair sir – De, Canol a Gorllewin). Erbyn heddiw chwalwyd y cyfan ac yn eu lle cafwyd 22 o siroedd newydd, gydag adnoddau a phwerau'r awdurdodau addysg wedi lleihau gryn dipyn. Er bod oddeutu hanner yr ysgolion Cymraeg presennol (Gweler Atodiad 1) wedi eu sefydlu yn y cyfnod cyntaf, mae wyth sir 1974 yn cynnig gwell fframwaith, a dyna yn fras a ddefnyddiais. Ysgrifennwyd llawer o'r cyfraniadau gwreiddiol yn 1998 ond, gan mai ar ddiwedd y flwyddyn 2000 y bûm i'n paratoi'r gyfrol ar gyfer y wasg, llwyddwyd i gynnwys gwybodaeth am ysgolion newydd hyd at ddiwedd y ganrif.

Wrth ddarllen y gyfrol hon fe welir bod yr un problemau ac anawsterau yn wynebu pob grŵp o rieni a ymgyrchodd dros addysg Gymraeg. Yn gyntaf, cael awdurdod addysg i gymryd eu cais o ddifri. Yn ail, cael adeilad addas ar gyfer yr ysgol o fewn cyrraedd rhesymol i gartrefi'r plant. Yn drydydd, darparu ar gyfer y cynnydd sylweddol mewn niferoedd a ddigwyddodd ym mhob ysgol o'r bron. Ac yn olaf, sicrhau dilyniant i addysg uwchradd Gymraeg wedi i'r plant adael yr ysgol gynradd.

Daeth yn amlwg i mi fod yna broblemau ac anawsterau yn wynebu'r awdurdodau addysg hefyd. Nid oeddent erioed wedi gorfod ymateb i ofynion rhieni fel hyn. Nid oedd ganddynt brofiad o gynllunio ar gyfer galw o'r fath. Fel arfer byddai cyfri genedigaethau yn rhoi pum mlynedd o rybudd iddynt o nifer y plant y byddai'n rhaid eu haddysgu, ond yn awr dyma rieni yn gofyn am ysgolion gwahanol i'w plant. Nid oedd ganddynt ganllawiau o fath yn y byd i rag–weld y cynnydd mewn addysg Gymraeg. Mae'n siwr fod llawer yn tybio (ac yn gobeithio efallai) mai llais lleiafrif bychan oedd y galw am ysgol Gymraeg ac na fyddai'r galw na'r ysgol yn parhau yn hir. Tacteg rhai siroedd oedd mynnu bod angen 30 neu 50 o blant i sefydlu ysgol, ond yr oedd yr arloeswr cynnar, Dr Haydn Williams, yn Sir Fflint yn barod i agor ysgol i bump neu ddeg o blant, gan fod ganddo'r ffydd y byddai'r ysgolion yn datblygu. Felly y bu ym mhob ysgol o'r bron, nes bod pedwar cant neu bump cant o blant yn rhai o'r ysgolion Cymraeg mwyaf. Fel y gwelir drwy'r gyfrol, achosodd hynny broblemau di-ben-draw ym mhobman.

Yr oedd, ac y mae adeiladau yn broblem i'r awdurdodau. Yn y cyfnod cynnar yr oedd adnoddau yn brin wedi'r Ail Ryfel Byd a nifer y plant yn cynyddu – y *baby boom*. Yn nes ymlaen pan welwyd gostyngiad o draean yn nifer y genedigaethau, yr oedd llai o blant o oed ysgol, a daeth yr awdurdodau addysg dan bwysau o du'r Llywodraeth i gau ysgolion, nid agor rhai newydd.

Gan fod nifer y plant yn yr ysgolion newydd yn fach ar y cychwyn agorwyd llawer ohonynt mewn festrïoedd capeli ac eglwysi, neu mewn adeiladau cyffelyb. Fel y tyfai'r ysgolion, cyfrifoldeb yr awdurdodau oedd darganfod adeiladau iddynt, ond dro ar ôl tro adeilad a oedd yn wag oherwydd ei fod mewn cyflwr gwael ac nad oedd ar neb arall ei eisiau fyddai'r unig ddewis. Dro arall deuai hen adeilad yn rhydd oherwydd bod ysgol Saesneg yn symud i adeilad newydd. Mae'n rhyfeddol fel y llwyddodd athrawon a rhieni brwdfrydig i oresgyn y fath amgylchiadau, ac mae'n deg dweud bod awdurdodau wedi gwario yn sylweddol i gynnal yr ysgolion.

Dewis arall fyddai gwacáu ysgol, trwy symud plant i ysgolion eraill cyfagos, i greu lle i Ysgol Gymraeg – dewis a fyddai, yng ngeiriau un swyddog addysg "yn sicr o arwain i ryfel cartrefol." Trwy wneud hynny yr oedd rhyw gymuned yn colli ei hysgol leol, er mwyn gwneud lle i blant nad oeddynt yn perthyn i'r gymuned honno ac a oedd, yn waeth fyth, yn siarad iaith wahanol. Ymylai ymateb y trigolion lleol ar hiliaeth, fel y gwelwyd yn achos y Mynachdy yng Nghaerdydd (Pennod 14).

Sefydlu dosbarthiadau neu unedau Cymraeg mewn ysgolion Saesneg oedd y dewis amlwg ym marn rhai awdurdodau. Gwnâi hynny ddefnydd o ystafelloedd gweigion, a châi'r unedau eu gwarchod gan brifathrawon profiadol mewn adeiladau cymen. Dadleuai RHAG na ellid creu cymuned naturiol Gymraeg dan amgylchiadau o'r fath, a dylanwad y Saesneg yn amgylchynu'r plant bob awr o'r dydd. Ni ellid bod yn siwr y byddai'r prifathrawon yn deall yr iaith, nac yn gefnogol iddi. Gwelir bod y ddadl hon wedi bod yn un hir a ffyrnig, a bod dadleuon RHAG wedi cario'r dydd i raddau. Er hynny mae unedau yn parhau yn elfen sefydlog mewn rhannau o Gymru, ac mae angen ystyried eu llwyddiant dan wahanol amodau. (Gweler sylwadau John Albert Evans ym Mhennod 4).

Anhawster arall a wynebai RHAG oedd bod llawer o gynghorwyr a swyddogion addysg yn wrthwynebus iawn i addysg Gymraeg. Dadleuai rhai mai magu cenedlaetholwyr oedd diben addysg Gymraeg, a hynny pan oedd Plaid Cymru wedi dechrau ennill pleidleisiau yng nghadarnleoedd y Blaid Lafur. Iaith ddibwys, ddiwerth oedd y Gymraeg i lawer ohonynt, ac yr oedd y ffaith eu bod hwy eu hunain wedi colli'r iaith, neu heb ei throsglwyddo i'w plant, yn ychwanegu elfen seicolegol gymhleth i'r gwrthwynebiad gwleidyddol hwn. Tân ar eu croen oedd gweld plant yn ennill mantais o ddewis addysg Gymraeg pan ddaeth yr iaith yn fanteisiol neu yn hanfodol ar gyfer rhai swyddi.

Mae'n deg dweud bod gwrthwynebiad i sefydlu ysgolion Cymraeg mewn ardaloedd Cymraeg hefyd. Credai llawer o Gymry y byddai hynny'n peri i'r ysgolion eraill laesu dwylo ynglŷn â'r Gymraeg ac yn gwanhau sefyllfa'r iaith yn hytrach na'i diogelu. Ofnai rhai prifathrawon y byddent yn colli rhai o'u plant gorau. Ofnai rhieni y byddai addysg Gymraeg yn rhwystro eu plant rhag 'dod ymlaen yn y byd.' Bu rhai o'r brwydrau caletaf wrth sefydlu ysgolion Cymraeg y siroedd Cymreiciaf (Penodau 22–25).

Ond yr oedd Deddf Addysg 1944 wedi dweud y dylid addysgu plant yn ôl dymuniad eu rhieni ac, ar ddiwedd y dydd, felly y bu. Cyfrol RHAG yw hon ac mae'n anorfod fod cyfraniad rhieni yn cael y lle blaenaf, ond ni ddylem anwybyddu cyfraniad yr Awdurdodau i addysg Gymraeg. Rhieni, swyddogion a chynghorwyr – i fynd â'r maen i'r wal yr oedd angen i ddwy ochr o'r drindod fod yn gefnogol. Nid ymladdodd neb yn galetach na rhieni Abertawe (Penodau 12 ac 13) ond bach iawn fu eu llwyddiant o gymharu â rhieni Morgannwg Ganol.

Diddorol yw sylwi ar wahaniaethau eraill rhwng y siroedd yn y penodau

Dr B. Haydn Williams, Cyfarwyddwr Addysg Sir Y Fflint, y sir gyntaf i roi arweiniad clir i addysg Gymraeg.

Gwyn M. Daniel 1904 - 1960. Sefydlydd Undeb Cenedlaethol Athrawon Cymru ac Undeb Rhieni Ysgolion Cymraeg.

sy'n dilyn. Yr arweiniad grymus gan y Cyfarwyddwr Addysg yn Sir Fflint a'r llusgo traed yng Ngorllewin Dinbych. Ymdrechion Powys i ddarparu mewn sir wasgaredig. Llwyddiant Gwent i droi unedau yn ysgolion a sefydlu ysgol uwchradd. Cynnwrf Caerdydd yn yr wyth degau a'r naw degau wedi dibynnu ar un ysgol gynradd Gymraeg am ddeg mlynedd ar hugain.

Yr wyf yn ymwybodol iawn nad yw datblygiad yr Ysgolion Cymraeg ond rhan o hanes y Gymraeg mewn addysg yng Nghymru. Cyfeirir yn gyson yn y penodau sy'n dilyn at bwysigrwydd ysgolion meithrin a'r Mudiad Ysgolion Meithrin. (Gweler Catrin Stevens, *Meithrin: Hanes Mudiad Ysgolion Meithrin 1971-1996*, Gomer 1996). Yn y Fro Gymraeg, yng Ngwynedd a Dyfed a rhannau o Glwyd a Phowys, yr oedd llawer o ysgolion cynradd traddodiadol Cymraeg yn defnyddio'r iaith yn naturiol fel cyfrwng addysg cyn bod sôn am Ysgolion Cymraeg, a chyfoethogwyd yr addysg honno gan gynlluniau datblygu megis *Cynllun y Porth* yn y saith degau. Yno bu rhaid ymladd brwydrau gwahanol i gynnal a gwarchod y Gymraeg yn wyneb mewnlifiad o Saeson, gan ddefnyddio Athrawon Bro a Chanolfannau Iaith ar gyfer newydd-ddyfodiaid. Bu Cymreigio'r ysgolion uwchradd yng Ngwynedd a Dyfed a thorri gafael y traddodiad Seisnig yn frwydr hir ac anodd sy'n haeddu cyfrol arall. Digon yma yw dweud mai dilyn, yn hytrach na dangos y ffordd i'r Ysgolion Uwchradd Cymraeg a wnaed. Lle mynnodd Gwynedd fod yr ysgolion uwchradd i gyd, i wahanol raddau, yn ysgolion Cymraeg, creodd Dyfed chwech o ysgolion Cymraeg penodedig. Ym Mhowys, am fod y boblogaeth mor denau ac mor wasgaredig fel nad oedd modd cludo plant i ysgolion Cymraeg canolog, ffrydiau ac unedau yn unig oedd yn ymarferol. Er mwyn cydnabod y gwahanol ffyrdd o ddatblygu addysg Gymraeg gwahoddodd RHAG gyfraniadau gwerthfawr gan swyddogion addysg o Wynedd, Dyfed a Phowys (Penodau 22, 23 a 26).

Am rai blynyddoedd defnyddiwyd y term 'Ysgol Gymraeg Benodedig' i wahaniaethu rhwng yr ysgolion Cymraeg newydd ac ysgolion Cymraeg traddodiadol, ond bellach diflannodd yr arfer hwn. Cyflwynodd Deddf Diwygio Addysg 1988 ddiffiniad newydd o 'Ysgolion Siarad Cymraeg' ('*Welsh Speaking Schools*') sef 'Ysgolion cynradd sydd â dosbarthiadau yn defnyddio'r Gymraeg fel y prif gyfrwng ar gyfer mwy na hanner eu disgyblion.' Mae'r cant, mwy neu lai, o ysgolion cynradd penodedig yn y categori hwn ynghyd â 350 o ysgolion eraill (27% o holl ysgolion Cymru, ond, gan fod llawer ohonynt yn ysgolion bach gwledig, 21% o'r holl ddisgyblion). Y diffiniad o ysgolion Uwchradd Cymraeg yw 'Ysgolion sydd yn dysgu mwy na hanner pynciau'r cwricwlwm trwy'r Gymraeg.' Mae oddeutu hanner cant ohonynt, yn cynnwys yr ugain Ysgol Uwchradd Gymraeg a enwir yn y rhestri yn yr Atodiad. Nid yw hyn wedi effeithio dim ar y galw am ysgolion Cymraeg. Yn y naw degau agorwyd nifer o ysgolion Cymraeg newydd a newidiodd rhai ysgolion Cymraeg traddodiadol i fod yn ysgolion Cymraeg penodedig. Mae'r rhieni felly yn cael dewis addysg drwyadl Gymraeg i'w plant ym mhob ardal bron yng Nghymru.

Daeth Deddf Addysg 1988 â newidiadau eraill i ysgolion Cymru, trwy'r Cwricwlwm Cenedlaethol. Rhoddodd statws newydd i'r iaith, a'r Gymraeg yn orfodol ym mhob ysgol i bob plentyn rhwng 5 ac 16 oed. Mae'n wir fod y Ddeddf yn gadael i ysgolion ofyn am ganiatâd i eithrio o'r cymal hwn ond mae'n rhyfeddol cyn lleied a wnaeth hynny. Cafwyd gwahaniaethau pwysig ym meysydd llafur hanes, daearyddiaeth, cerddoriaeth a chelf yng Nghymru, a mynnodd y Swyddfa Gymreig y dylai pob ysgol fabwysiadu Cwricwlwm Cymreig a fyddai'n cynnwys yr elfennau uchod ac yn cyflwyno Cymreictod yn ei wahanol weddau mewn amrywiol sefyllfaoedd diwylliannol ledled Cymru. Nid oedd hyn yn effeithio fawr ar yr ysgolion Cymraeg – dyma oeddynt yn ei wneud eisoes, ond ehangodd addysg Gymraeg ei gorwelion dros nos i gynnwys pob ysgol yng Nghymru. Agwedd arall ar y Cwricwlwm Cenedlaethol oedd profion i blant 7, 11, 14 ac 16 oed. Yn yr ysgolion Cymraeg, nid oedd profion Saesneg yn orfodol i blant 7 oed, ond erbyn 11 oed yr oedd yn rhaid iddynt gymryd yr un profion Saesneg â'u cyfeillion mewn ysgolion eraill. Derbyniwyd y newidiadau hyn yn weddol ddiffwdan yn ysgolion Cymru.

A ydyw Addysg Gymraeg yn llwyddiant? Mae'r ffaith fod y galw am addysg Gymraeg yn parhau i gynyddu ynddi ei hun yn fesur o lwyddiant. Rhesymau cymysg sydd dros ddewis rhieni – cyfleustra ysgol gyfagos (yn achos ysgolion cynradd yn arbennig), plant yn cael cychwyn yn iau, dosbarthiadau llai, cyswllt â grŵp Meithrin, ymwybyddiaeth o Gymreictod, awydd i gymathu â chymdeithas leol, gobaith cael manteisio ar swyddi dwyieithog, traddodiad teuluol, ymdeimlad fod ysgolion Cymraeg yn fwy llwyddiannus neu â llai o drafferthion. Nid yw'r rhesymau bob amser yn ddilys, mwy nag yw'r rhesymau dros ddewis ysgolion cyfrwng Saesneg.

Mynnodd Mrs Thatcher y dylai rhieni gael gwybod am lwyddiant neu ddiffyg llwyddiant ysgolion ac felly cyhoeddir yn flynyddol dablau o ganlyniadau arholiadau Lefel A a TGAU, a'r profion diwedd Cyfnodau Allweddol 1, 2 a 3. Bydd y wasg yn gwneud yn fawr o wybodaeth o'r fath. Gwelir ysgolion Cymraeg yn gyson yn uchel yn y tablau hyn ac y mae hynny'n dylanwadu ar ddewis rhieni. Dywed Stephen Gorard, yr ystadegydd o Gaerdydd, nad oes unrhyw ffactor Gymreig yn y llwyddiant hwn, ac mai statws cymdeithasol a chefnogaeth rhieni yw'r ffactorau allweddol. Credir yn gyffredinol ar y llaw arall fod brwdfrydedd ac ymroddiad athrawon ysgolion Cymraeg yn ffactor bwysig, fod cenhadaeth benodol i hyrwyddo'r iaith yn cael ei throsglwyddo i holl waith academaidd yr ysgol a bod addysg Gymraeg yn addysg dda i blant. Yn y pen draw, dyna sy'n bwysig i blant ac i rieni.

Ond nid canlyniadau arholiadau a phrofion ydyw'r unig faen prawf. Yn ôl un diffiniad, pwrpas addysg yw trosglwyddo diwylliant o genhedlaeth i genhedlaeth, a'r diwylliant hwnnw yn cynnwys pob agwedd ar ein bywyd: ein hiaith a'n gwaith, ein trefn gymdeithasol ac economaidd, ein celfyddydau a'n moesau, ein campau a'n difyrrwch. Nid pethau digyfnewid i'w hamddiffyn yn barhaol ydynt, ond rhai cyfnewidiol, a rhan o'r sialens i'r gyfundrefn addysg ydyw hyrwyddo newid ond gwarchod traddodiad. Mae'r Ysgolion Cymraeg yn llwyddo yn arbennig i'r cyfeiriadau hyn. Gwelwn hynny'n gyson ar y llwyfan ac ar y cyfryngau, ar y meysydd chwarae ac ym myd busnes. Mae addysg Gymraeg yn addysg gyflawn, ragorol. Ni allwn lai na diolch am hyn i'r arloeswyr a sefydlodd y gyfundrefn bresennol o Ysgolion Cymraeg.

Er bod fy mhwyslais i fel addysgwr wedi bod yn gyson ar ansawdd addysg Gymraeg a lles yr unigolyn, mae'n deg gofyn hefyd i ba raddau y mae addysg Gymraeg yn diogelu dyfodol y Gymraeg ei hun. Nid oes amheuaeth nad yw dylanwad yr ysgolion Cymraeg eisoes wedi amlygu ei hun yn ystadegau Cyfrifiad 1991 lle gwelwyd cynnydd yn nifer plant oedd yn siarad Cymraeg a chynnydd bychan yng nghyfanswm y siaradwyr Cymraeg, am y tro cyntaf er 1911. Ond a fydd y plant y dywedir eu bod yn siarad Cymraeg yn parhau i wneud hynny wedi gadael yr ysgol? A fyddant yn rhan o gymuned Gymraeg o unrhyw fath? Y mae'r mentrau iaith a sefydlwyd dan adain y Bwrdd Iaith yn ymgais i sefydlu cymunedau o'r fath yng nghymoedd y De.

Y mae ffactorau eraill y dylid eu hystyried. Ffyniant a llwyddiant dysgu Cymraeg i oedolion yw un ohonynt. Dylanwad y Cwricwlwm Cenedlaethol yn y 70% o ysgolion uwchradd lle dysgir y Gymraeg fel ail iaith fydd yr ail. Erbyn hyn mae plant yn gorffen eu haddysg ffurfiol wedi derbyn gwersi Cymraeg o 5 oed hyd 16. Dyma'r arbrawf mwyaf a wnaed erioed i ddysgu'r Gymraeg. Tybed pa ganran o'r disgyblion hyn fydd yn mynegi eu bod yn Gymry Cymraeg ymhen deng mlynedd wedi gadael yr ysgol?

Dylanwad y Cynulliad fydd y ffactor arall. Pa flaenoriaeth a roddir i'r iaith? Yn Iwerddon collodd y mudiad iaith ei nerth wedi sicrhau annibyniaeth. A fydd rhywbeth cyffelyb yn digwydd yng Nghymru? Neu a oes argoelion y gallai Cymru ddatblygu yn wlad drwyadl ddwyieithog? Cofiwn mai ar fin cyrraedd oed ymddeol y mae'r plant cyntaf a fynychodd yr ysgolion Cymraeg a bod dylanwad yr ysgolion yn parhau i ymledu trwy'r gymdeithas o genhedlaeth i genhedlaeth. Gorau arf, arf dysg!

Pennod 1

Dechreuadau'r Ysgolion Cymraeg

IORWERTH MORGAN

DAN DDYLANWAD anghydffurfiaeth, a'r ysgol Sul yn arbennig, daeth Cymru yn genedl lythrennog cyn bod cyfundrefn addysg ffurfiol o gwbl, ond pan ddaeth y gyfundrefn i fod ar ddiwedd y bedwaredd ganrif ar bymtheg, yr oedd yn hollol Seisnig. Un a welodd beryglon y sefyllfa oedd Owen M. Edwards, y gŵr o Lanuwchllyn a ddaeth yn diwtor mewn hanes ym mhrifysgol Rhydychen. Trwy ei lyfrau a'i gylchgronau (*Cymru* a *Chymru'r Plant*) cyhoeddodd ddeunydd darllen difyr i bobl Cymru, i greu ymwybyddiaeth o'u hanes a balchder yn eu hiaith a'u llenyddiaeth. Rhoddodd sylw arbennig i ddiffygion y gyfundrefn addysg Seisnig a hen arfer creulon y 'Welsh Not' a geisiai rwystro plant rhag siarad Cymraeg yn yr ysgolion. Daeth cyfle Owen Edwards i ddylanwadu yn uniongyrchol ar addysg yng Nghymru pan benodwyd ef yn Brif Arolygwr y Bwrdd Addysg newydd yn 1907. Gwelir ei ddylanwad yn gryf yn y 'Rheolau' a gyhoeddwyd ar gyfer ysgolion cynradd yn y flwyddyn honno:

    (a) 'Dylai cwrs addysg yr ysgol, fel rheol, gynnwys yr Iaith Gymraeg.'

    (b) 'Gellir dysgu unrhyw bwnc yng nghwrs addysg yr ysgol trwy gyfrwng y Gymraeg, pa le bynnag y bo amgylchiadau'n caniatáu.'[1]

Nid oedd gan y llywodraeth, felly, unrhyw wrthwynebiad i addysg Gymraeg, ond yn araf iawn y mabwysiadwyd yr awgrymiadau hyn hyd yn oed yn yr ardaloedd Cymraeg, ac ni welodd O. M. Edwards fawr o ffrwyth ei lafur cyn ei farw yn 1920. Yr adeg honno prin fod cyfeiriad at ysgolion Cymraeg eu cyfrwng yn yr ardaloedd Seisnigedig, ond erbyn diwedd 1926, roedd yr hinsawdd yn dechrau newid. Wedi marw O. M. Edwards roedd Ifan ei fab wedi dal ati i gyhoeddi *Cymru'r Plant* ac wedi sefydlu Urdd Gobaith Cymru – mudiad a roddodd hwb sylweddol i'r Gymraeg ac a fagodd genhedlaeth o arweinwyr a fyddai, maes o law, yn gefn i ymgyrchoedd dros addysg Gymraeg. Yr oedd Plaid Genedlaethol Cymru ac Undeb Athrawon Cymreig hefyd wedi eu sefydlu.

Yn 1927 cyhoeddwyd Adroddiad Pwyllgor Adrannol y Bwrdd Addysg, cyfrol wych o 90,000 o eiriau ar *Y Gymraeg mewn Addysg a Bywyd*. Yr oedd Cymry mwyaf blaenllaw eu dydd ar y pwyllgor: Yr Athro W. J. Gruffydd, Ellen Evans, E. T. Davies, Y Parchedig Thomas Rees, D. Lleufer Thomas a W. C. Watkins. Troswyd y cyfan i'r Gymraeg gan Griffith John Williams ac ef a baratôdd y pedwar ugain tudalen gwerthfawr o Ragymadrodd Hanesyddol.

Does dim dwywaith nad *Y Gymraeg Mewn Addysg a Bywyd* oedd un o'r adroddiadau mwyaf dylanwadol yn y cyfnod rhwng y ddau ryfel. Yn ei ddydd, ac yn ei gyd-destun, yr oedd yn rymus gefnogol i'r Gymraeg ac i addysg Gymraeg. Ond, ar waetha'r hyn a ddywedwyd gan rai haneswyr, ni chefnogodd yr Adroddiad y syniad o sefydlu ysgolion Cymraeg eu cyfrwng yn yr ardaloedd Seisnigedig. Dyma a ddywed ar y pwnc:

'Clywsom awgrymu un peth arall y gellid ei wneuthur mewn ardaloedd eang fel Caerdydd, sef troi un neu ddwy o'r ysgolion mwyaf canolog yn ysgolion Cymreig, lle y gellid hyfforddi'r plant yn yr un modd yn un-ion... ag ysgolion trwyadl Cymreig (sef ysgolion cynradd yr ardaloedd Cymraeg)... Yr oedd rhai aelodau o'r Pwyllgor yn bleidiol iawn i'r cynllun hwn, ond ni fynnai tystion Caerdydd mohono o gwbl ... gan fod y tystion' mor bendant yn erbyn yr awgrym hwn, ni fynnem bwyso arno ... eto rhaid inni ddywedyd yn groyw na ellir ystyried bod un ddarpariaeth ar gyfer plant Cymry'r ardaloedd hyn yn foddhaol oni chaiff yr iaith gymaint o sylw ag a gaiff yng Nghymru Gymreig.'[2]

Trwy wrthod argymell sefydlu ysgolion penodol Cymraeg yn yr ardaloedd Seisnigedig collwyd cyfle i hybu twf y Gymraeg fel cyfrwng yn ardaloedd mwyaf poblog Cymru. Dim ond prifathrawon anghyffredin

Pwyllgor Gwaith UCAC yn 1947, yn cynnwys llawer o arweinwyr addysg Gymraeg. (Sefyll): Eic Davies, J.Gwyn Griffiths, Mati Rees, V.Hampson Jones, A.H. Edwards. (Eistedd): Gwyn M. Daniel, Evan John Jones, Amrose Bebb, Hywel Thomas.

Plant cyntaf Ysgol Gwenffrwd yn 1949 gyda'u hathrawes Lisa Rowlands (Erfyl wedyn). Yr oedd Dr Haydn Willimas, y Cyfarwyddwr Addysg yn ffyddiog y byddai'r ysgol yn tyfu ac mae ynddi oddeutu ddau gant a hanner o blant erbyn heddiw. Y bachgen ar y chwith yn y rhes gefn yw'r Athro Gareth Roberts, sydd erbyn hyn yn Bennaeth yr Ysgol Addysg, Prifysgol Cymru Bangor, ac yn gyfrifol am hyfforddiant cyfran sylweddol o athrawon cyfrwng Cymraeg Cymru.

19

Y dosbarth cyntaf yn Ysgol Dewi Sant, Y Rhyl, gyda Mrs Dilys Bateman, eu hathrawes. Agorwyd yr ysgol ar Ionawr 4ydd, 1949.

Dosbarth yn Ysgol Gymraeg Llanelli ar ddechrau'r pumdegau, gyda'r brifathrawes Miss Olwen Williams.

iawn a feiddiodd geisio creu ysgolion Cymraeg yn yr ardaloedd Seisnig. Ar ffiniau Caerdydd, yn Sain Nicolas, llwyddodd David Jenkins i droi ei ysgol gynradd yn sefydliad Cymraeg i bob pwrpas yn nannedd Seisnigrwydd ei ddalgylch.[3] Mentrodd John Phillips greu ysgol Gymraeg unigryw yng Nghilfynydd, Morgannwg hefyd yn gynnar yn y tri degau. Ysgol gynradd oedd honno o tua 300 o blant. Yn wyneb pob gwrthwynebiad, llwyddodd yn rhyfeddol i gynnal sefydliad Cymraeg ei gyfrwng, a llwyddodd dwy ran o dair o'r disgyblion yn yr arholiad Saesneg i gael mynychu ysgol ramadeg ym Mhontypridd, gan ragori ar bob ysgol arall yn yr ardal.[4] Ac am flynyddoedd cyn dyfod o'r Ysgolion Cymraeg newydd, cafodd J. Caradog Williams hefyd ganmoliaeth ei swyddogion addysg sirol am gynnal 'ysgol Gymraeg naturiol' yn Nhrelogan, Sir y Fflint.[5] Ond eneidiau prin oedd y prifathrawon hyn.

Enaid prin oedd Gwyn M. Daniel hefyd: arweiniodd ef ymgyrch i sefydlu ysgol Gymraeg yng Nghaerdydd yn 1937. Yr oedd yn athro Cymraeg yng Nghaerdydd ac yn un o arweinyddion Tŷ'r Cymry, canolfan newydd a roddwyd at wasanaeth Cymry Cymraeg y ddinas gan Lewis Williams yn 1936. Yno ymgasglai dwsinau o athrawon ac eraill i gymdeithasu. Gan fod Gwyn Daniel hefyd yn ysgrifennydd Uwchadran yr Urdd ysgolion cynradd Caerdydd, yr oedd yn naturiol iddo ofyn barn Ifan ab Owen Edwards am yr ysgol Gymraeg arfaethedig. Pur annisgwyl oedd yr ateb a dderbyniwyd: '... teimlaf mai gwastraff ar amser ydyw ceisio adfer iaith i ardaloedd Seisnig Cymru heddiw ..'.[6] gan nodi mai'r cyfan y gellid anelu ato oedd 'canolbwyntio ar ddysgu darllen y Gymraeg yn yr ardaloedd cwbl Saesneg.'[7]

Ond fel y gŵyr Cymru gyfan, ymhen dwy flynedd, yn 1939, yr oedd Ifan ab Owen Edwards wedi sefydlu yr 'Ysgol Gymraeg' gyntaf yn Aberystwyth. Daeth nifer bach o rieni proffesiynol y coleg a'r dref at ei gilydd i wynebu problemau addysg Gymraeg yn sgil y lliaws o newydd-ddyfodiaid o drefi Lloegr a ddisgwylid i ysgolion Aberystwyth. Fis Medi 1939 agorwyd Ysgol Gymraeg i saith o blant dan nawdd Urdd Gobaith Cymru, gyda Norah Isaac yn athrawes (Gweler Pennod 2).

Nid oedd ildio ar egwyddor yn opsiwn i Gwyn Daniel. Parhaodd â'r ymgyrch am ysgol Gymraeg yng Nghaerdydd gan geisio sefydlu ysgol breifat. Mewn byr amser cododd addewidion am £100 y flwyddyn am saith mlynedd gan rai fel Cassie Davies (£10 y fl.), a Iorwerth Peate (£5 y fl.).[8] Danfonodd yr Urdd £20 at y fenter a gobeithiai Gwyn Daniel ddefnyddio'r Urdd fel elusen i gael ad-daliad treth incwm ar y cyfraniadau.

Yr oedd pwyllgor yr ysgol arfaethedig yn dal mewn cysylltiad â Chyngor Caerdydd. Yn ei ail lythyr, fis Mawrth 1940, holodd Henry Johns, Arglwydd Faer Caerdydd: 'A oes rhaid cychwyn ysgol arbennig er mwyn profi fod angen am drefniadau cyffelyb dan nawdd ac ar draul y Cyngor? A garech ddewis dirprwyaeth i ymweld â ni?'[9] Anodd fyddai cryfhau'r ddirprwyaeth a ymwelodd â Phwyllgor Addysg Caerdydd: Yr Athro W. J. Gruffydd, Jenkin James, Ifan ab Owen Edwards, Iorwerth Peate, Evan J. Jones, Yr Athro Morgan Watkin a Gwyn M. Daniel. Addo ystyried sefydlu dosbarth Cymraeg ei gyfrwng mewn un ysgol oedd y canlyniad. Oherwydd yr addewid hwn, ac oherwydd bod effeithiau'r rhyfel yn gwaethygu gyda chyrchoedd awyr enbyd ar y ddinas a channoedd o blant Caerdydd yn cael eu symud i gymoedd y de, rhoddwyd y gorau i'r syniad o ysgol breifat.

O Loegr y daeth yr arweiniad nesaf a hwnnw gan neb llai nag R. A. Butler, Llywydd y Bwrdd Addysg. Mewn anerchiad i'r Bwrdd Canol Cymreig (CWB) yn Abergele fis Mawrth 1942, anogodd awdurdodau lleol Cymru i ddyblu eu gweithgarwch dros yr iaith. Anfonodd UCAC lythyr at R. A. Butler i'w longyfarch a diolch iddo am yr anogaeth, gan alw arno hefyd i anfon yr anogaeth honno'n ysgrifenedig at gynghorau sir Cymru.[10] Cyrhaeddodd yr anogaeth ar ffurf Cylchlythyr 182: 'The Teaching of Welsh', fis Hydref 1942. Pwysigrwydd y Cylchlythyr oedd ei fod yn mynnu bod yr awdurdodau addysg yn paratoi cynlluniau i hyrwyddo dysgu'r Gymraeg yn eu hysgolion, a galw arnynt i drafod eu cynlluniau gydag undebau athrawon a chyrff perthnasol eraill. Arwyddocâd hyn yw bod Cymru gyfan yn gorfod trafod gwella statws y Gymraeg a'i dysgu yn 1943, ar yr union adeg pan oedd y Llywodraeth yn paratoi'r mesur addysg a ddaeth yn Ddeddf Addysg yn 1944.

Yr oedd yn fis Mai 1943 pan gyflwynodd cangen UCAC Rhondda ei hymateb i'r AALl. Diau fod canghennau o undebau eraill wedi cyflwyno tystiolaeth i'w hawdurdodau lleol drwy Gymru. Yr oedd datganiad UCAC yn ateb Cylchlythyr 182 a hefyd yn gwrthod barn undeb athrawon arall a fynnai fod dysgu'r Gymraeg 'yn milwrio yn erbyn lles plant y Rhondda.' Gwelir ynddo un o'r datganiadau cliriaf ar yr angen am ysgolion penodol Gymraeg yn ystod blynyddoedd y rhyfel:

The Minority Child

(a) We believe that the Welsh speaking child and many of those scheduled as understanding Welsh, should receive special attention; that it is the Authority's privilege and immediate responsibility to arrange for its instruction through the medium of Welsh throughout his school life; that English be taught him as a second language. No other provision can guarantee that this child obtains the deep spiritual consciousness and urge that will give to him the meaning of his own, his communal and his national life.

(b) To this end we submit ... that these children be grouped together in specific centres (e.g. Treorchy, Cwmparc, Treherbert, Ton Pentre ...)[11]

Bu rhaid aros am saith mlynedd am Ysgol Gymraeg yn y Rhondda. Er hynny, gwelwyd twf mewn syniadau a gweithgarwch. Cyflwynodd J. Gwyn Griffiths adroddiad ar 'Addysg yn y Rhondda' i Undeb Cymru Fydd (1943), a daeth Kitchener Davies i adrodd ar 'sefyllfa'r Rhondda' i 'Bwyllgor Gwaith Lleol' yng Nghaerdydd (1943). Meddai yn ei adroddiad: 'Mae rhwng 600 ac 800 o blant Cymraeg yn y Rhondda a rhaid oedd wrth ysgolion ar wahân iddyn nhw.'[12]

Fis Chwefror 1943 cyhoeddodd Urdd Gobaith Cymru femorandwm ar Yr Ysgol Gymraeg. Dangos a wnâi hwnnw y derbyniad gwresog a gawsai Ysgol Gymraeg Aberystwyth a'r cynnydd a wnaeth mewn ychydig dros dair blynedd. Yr oedd anogaeth glir i eraill efelychu'r fenter. Gwaetha'r modd, ni welwyd ysgol yn hollol fel un yr Urdd yn unman arall trwy gydol blynyddoedd y rhyfel. Ond fe agorwyd 'ysgol' gan gwmni Tŷ'r Cymry Caerdydd ym mis Tachwedd 1943. 'Ysgol Fore Sadwrn' oedd honno a fwriadwyd fel aelwyd Gymraeg i blant 'a feddai'r Gymraeg yn iaith naturiol eu hymgom.'[13]

Codwyd pwyllgor o ddeg dan gadeiryddiaeth Gwyn M. Daniel, gyda Hywel J. Thomas yn ysgrifennydd. Cytunodd dwy wraig adnabyddus, sef Gwyneth J. Evans (y genhades) ac Enid Humphreys, athrawes Gymraeg, i arwain yr ysgol. Yr oedd chwe athrawes arall wrth gefn ac yn cymryd y boreau Sadwrn yn eu tro: gwragedd fel Mrs Caroline Gibbs, Miss Hilda Price (Ethall nawr), Mrs Jennie Evans, Mrs T. J. Morgan, a Miss Enid Jones a ddaeth yn brifathrawes Ysgol Gymraeg Caerdydd.[14]

Ni ddatblygodd yr Ysgol Fore Sadwrn yn ysgol ddyddiol. Cofiwn am enbydrwydd y rhyfel, fod galw pob athro dan 35 oed i'r lluoedd, ac am yr anawsterau teithio a'r bomio parhaus. Chwe mis cyn dechrau'r 'Ysgol' yn Nhŷ'r Cymry, lladdwyd Ifor Williams, Ysgrifennydd y Cymmrodorion yn y ddinas, a'i wraig a'i ferch pan fomiwyd eu cartref yn y Mynydd Bychan. Y Cymmrodorion oedd prif gymdeithas Gymraeg Caerdydd ar y pryd.[15]

O fewn deufis i agor yr Ysgol Fore Sadwrn, yr oedd Margaret Parry, ysgrifenyddes Ysgol yr Urdd ac R. E. Griffith, Prif Drefnydd yr Urdd, yn holi am ei hynt. Mae'n amlwg fod yr ateb yn plesio'r Urdd. Dyfynnaf o lythyr gan R. E. Griffith yn Ionawr 1944: 'Carwn ddweud yn awr gymaint o fwynhad a gefais i'n bersonol wrth ddarllen hanes yr arbrawf diddorol a phwysig a wneir yng Nghaerdydd ... Ni synnwn i ddim gweld y Llywodraethwyr yma yn awyddus i gyfarfod ... a thrafod yn fanwl sut y gellid datblygu'r Ysgol Fore Sadwrn i fod yn debyg i'r ysgol sydd gennym ni yma.'[16]

Parhaodd y sefydliad fel Ysgol Fore Sadwrn drwy'r rhyfel a hyd ddiwedd 1947. Bydd o ddiddordeb gweld enwau rhai o blant yr ysgol hon: Nia Daniel (nawr Royles) ac Ethni Daniel (nawr Jones), Iolo Walters, Elunis Gibbs (nawr Dr Goodfellow) a Caryl Gibbs (nawr Dr Davies), Janie Guy (nawr Jones) ac Alun Guy, Prys a Rhodri Morgan ac Owain Arwel Hughes a thros ugain arall.[17] Rhai o'r plant hyn oedd disgyblion cyntaf Ysgol Gymraeg Caerdydd pan sefydlwyd hi ym mis Medi 1949.

Daeth y rhyfel i ben a chododd gobeithion a disgwyliadau am fywyd callach ym mhob agwedd, yn enwedig addysg plant. Yr oedd tri chymal yn Neddf Addysg 1944 oedd yn werthfawr i'r iaith Gymraeg.

    1.   Cynhwysai'r Ddeddf un adran gyfan, gryno (Adran 76) ynghylch hawliau rhieni i ddewis y math o addysg y dylai eu plant ei gael, a chyfrifoldeb yr Awdurdodau Addysg i roi ystyriaeth i'w dymuniadau. Meddai'r Ddeddf *'Pupils are to be educated in accordance with the wishes of their parents.'*

2.   Sefydlwyd Cyd-bwyllgor Addysg Cymru (yn 1948).

3.   Sefydlwyd hefyd y Cyngor Canol ar Addysg (Cymru).

Gwelodd amryw o arweinwyr addysg a diwylliant Cymru Adran 76 fel 'siarter rhieni' a roddai hawl i rieni fynnu ysgolion Cymraeg i'w plant.[18] Meddai Syr Ifan ab Owen Edwards wrth rieni Maesteg ym mis Chwefror 1949:

'Yn wyneb y ffeithiau hyn (am lwyddiant Ysgol Gymraeg Aberystwyth) a Deddf Addysg 1944, ni all unrhyw AALl wrthod cais rhieni am Ysgol Gymraeg.'[19]

Cyhoeddodd Undeb Rhieni Ysgolion Cymraeg mewn taflenni:

'Dan Ddeddf Addysg 1944, rhoddir yr hawl i rieni ddewis y math ar addysg a ddarperir i'w plant ... Gallwch, felly, fynnu bod eich AALl yn darparu ysgol Gymraeg i'ch plant.'[20]

Y gwir amdani, wrth gwrs, yw nad ar sail Adran 76 Deddf 1944 y sefydlwyd yr ysgolion o gwbl. Yr oedd yr adran yn bwysig fel dadl oherwydd bod gan ysgolion Cymraeg yr un hawliau ag ysgolion enwadol, fel y dangosodd y *'Manual of Guidance'* (1950) ar weithredu Adran 76. Nid aeth neb i'r llysoedd yng Nghymru ar gefn yr adran hon, ond parhawyd i ddadlau cryfder yr Adran hyd yn oed yn y saith degau. Rhesymau eraill a gynhyrfodd rieni ac a barodd i'r awdurdodau lleol ildio iddynt.

Yn dilyn dirwasgiad mawr y tri degau a rhyfel erchyll y pedwar degau, a heb neb i'w hamddiffyn, nid oedd y Gymraeg mewn sefyllfa iach yn unman. Gan na chynhaliwyd Cyfrifiad yn 1941, ni wyddom faint y gostyngiad yn nifer y siaradwyr Cymraeg yn ystod y degawd. Ond fe wyddai selogion y Gymraeg yn eu cymunedau drychineb y sefyllfa.

Un o'r pethau cyntaf a wnaeth y Cyngor Canol ar Addysg (Cymru), oedd gofyn i Gyd-bwyllgor Addysg Cymru, wneud arolwg manwl o safle'r Gymraeg yn holl ysgolion cynghorau sir Cymru. Gwnaed yr arolwg yn 1949–50, ac ystadegau'r arolwg hwnnw a ddehonglir yn adroddiad y Cyngor Canol, *Lle'r Gymraeg a'r Saesneg yn Ysgolion Cymru*, (1952). Dyma rai o ystadegau'r Gymraeg yn yr ysgolion pan sefydlwyd yr Ysgolion Cymraeg cyntaf, ddiwedd y pedwar degau.

Tabl 1

Niferoedd plant 5–11 oed Cymraeg iaith gyntaf neu'n siarad Cymraeg yn weddol rugl mewn detholiad o siroedd a bwrdeistrefi Cymru 1950.[21]

	Caernarfon	Caerfyrddin	Y Fflint	Caerffili	Rhondda	Caerdydd
1. Nifer y plant	9,055	12,596	11,703	6,870	8,983	18,986
2. Cymraeg Iaith Gyntaf	6,011	7,114	653	8	70	64
3. Gweddol rugl yn y Gymraeg	475	658	156	35	62	13
4. 2 a 3 fel Canran o 1	71.6	61.7	6.9	0.62	1.46	0.4

Nid oedd cwestiynau na dulliau'r Arolwg yn berffaith, gan mai barn athrawon a phrifathrawon am y niferoedd o Gymry Cymraeg a lled-Gymraeg yn eu hysgolion a gasglwyd. Mae'r Adroddiad ei hun yn cydnabod hynny, ond yn ystyried mai gronyn yn obeithiol oedd rhai o'r ffigurau. Ni chyhoeddwyd mo'r tabl hwn o'r blaen. Detholiad yn unig ydyw o'r Adroddiad ond mae'n dangos pa mor drist yr oedd y sefyllfa yn y de ddwyrain ac yn sir Fflint. Yng Nghaerdydd, nad oedd ar y pryd yn brifddinas swyddogol, tua phedwar o blant oed cynradd ym mhob mil a fedrai'r Gymraeg. Yn y Rhondda, efallai y ceid pymtheg o blant Cymraeg ym mhob mil. Gwaeth fyth oedd y sefyllfa yn un o ranbarthau mwyaf poblog yr hen Sir Forgannwg: dim ond wyth plentyn Cymraeg a 35 gweddol rugl eu Cymraeg ydoedd o bron 7,000 yng Nghaerffili a Gelligaer. Dim ond ychydig llai truenus oedd y sefyllfa yn sir y Fflint lle'r oedd tua saith ym mhob cant o'r plant oed cynradd yn Gymry bach Cymraeg neu'n weddol rugl yn yr iaith. Er bod amrywiaeth mawr ar hyd y cymoedd o Gwm Tawe i Gwm Rhymni, yr un oedd y patrwm trist. Drwy Sir Fynwy benbaladr, gyda phoblogaeth ysgolion cynradd o 27,897, yr oedd 25 o blant Cymraeg a 51 yn weddol rugl yn yr iaith. Yng Nghasnewydd, ymhlith y 7,000 o blant cynradd, dim ond un Cymro bach Cymraeg y daethpwyd o hyd iddo.[22]

Dengys tabl arall yn yr Adroddiad na fynnai, neu na fedrai rhieni Cymraeg fagu eu plant yn Gymry Cymraeg yn yr ardaloedd hyn.

Tabl 2

Plant yn siarad Cymraeg mewn perthynas â iaith eu rhieni, 1950.[23]

Canran o ddisgyblion Cymraeg iaith gyntaf o gartref lle mae'r:

	Tad a'r fam yn siarad Cymraeg	Tad yn unig yn siarad Cymraeg	Mam yn unig yn siarad Cymraeg
Cymru	70	6	11
Meirionnydd	96	19	43
Caernarfon	91	20	39
Morgannwg	42	4	7

Yn y pen draw methiant rhieni Cymraeg i fagu eu plant yn Gymry Cymraeg yn yr ardaloedd Seisnigaidd oedd wrth wraidd sefydlu'r ysgolion. Ochr arall y geiniog wrth gwrs oedd methiant ysgolion cynradd yr ardaloedd hyn i ymateb i bryderon rhieni Cymraeg.

Hynny yn sicr a ysgogodd yr ymgyrch am ysgol Gymraeg yn Llanelli. Ail iaith wan oedd y Gymraeg yn ysgolion y dref, er bod y Gymraeg yn gyfrwng yn y llawer o ysgolion cynradd cymoedd cyfagos fel y Gwendraeth a'r Aman. Dechreuodd y frwydr am ysgol Gymraeg yn 1945 ac ymddengys mai'r prif ysgogydd oedd y Dr Mathew Williams, AEM, brawd yr Athro Griffith John Williams, ond arweinydd yr ymgyrch am gryn ddeunaw mis oedd Olwen Williams. Yn dilyn nifer o gyfarfodydd cyhoeddus yn y dref, trefnwyd deiseb a gefnogwyd gan gapeli Cymraeg a chasglwyd enwau ugeiniau o blant a fyddai'n debyg o fynychu'r ysgol Gymraeg. Anfonwyd y ddeiseb at yr AALl ac at Adran Gymreig y Bwrdd Addysg ac ar Ddydd Gŵyl Ddewi, 1947, agorwyd Ysgol Dewi Sant Llanelli, gyda 34 o blant rhwng tair ac wyth oed ac Olwen Williams yn brifathrawes arni. (Gweler Pennod 3). Fel arwydd pendant o gefnogaeth Adran Gymreig y Bwrdd Addysg i'r datblygiad hwn, daeth Prif Arolygwr Ysgolion Cymru i agor yr ysgol yn swyddogol.[24]

Yr oedd y drws yn gilagored ac yr oedd Cymry brwd hwnt ac yma drwy Gymru yn barod i wneud yn siŵr na châi neb ei gau cyn bod ysgolion Cymraeg yn eu hardaloedd hwythau. Trwy gydol y ddwy flynedd nesaf, 1947–49, gwelwyd ymgyrchoedd am ysgolion Cymraeg mewn llawer o drefi ledled Cymru, megis Llandudno a Bae Colwyn, y Rhyl a'r Wyddgrug, Maesteg ac Aberdâr a'r Rhondda, Abertawe a Chaerdydd.

Y sir gyntaf i ddilyn esiampl sir Gaerfyrddin oedd sir Fflint. Dr Haydn Williams' a luniodd y mapiau iaith sirol ar gyfer *Y Gymraeg a'r Saesneg yn Ysgolion Cymru'* oedd y Cyfarwyddwr Addysg.[25] Gwnaeth gymwynas fawr â'i sir ac â Chymru cyn diwedd 1948. Fis Medi'r flwyddyn honno cyflwynodd adroddiad i Is-bwyllgor Datblygiad Cyngor Sir y Fflint yn galw am sefydlu 'cadwyn o ysgolion Cymraeg'[26] yn rhai o'r trefi a Seisnigwyd fwyaf yn ystod y pedwar degau.

Arwydd o gryfder Dr Haydn Williams yn fwy na dim, efallai, oedd i'w argymhellion gael eu derbyn gan y pwyllgorau perthnasol a'r Cyngor Sir ymhen tri mis. Ar y 4ydd o Ionawr 1949 agorwyd Ysgol Gymraeg Dewi Sant, y Rhyl ac Ysgol Gymraeg Glanrafon, yr Wyddgrug. Ym mis Mai 1949 agorwyd Ysgol Gymraeg Gwenffrwd, Treffynnon.[27] Er mai bach iawn oedd niferoedd y disgyblion – deg, naw ac wyth – roedd yr egwyddor wedi ei sefydlu yn sir y Fflint fel yn sir Gaerfyrddin. Yna ym Mehefin 1949, agorwyd Ysgol Gymraeg Llandudno gan Gyngor Sir Gaernarfon gyda 31 o ddisgyblion – mwy nag yn y tair ysgol yn Sir Fflint gyda'i gilydd. Byddai'n anodd i siroedd eraill wrthod ymgyrch rhieni am ysgol Gymraeg i'w plant bellach.

Yn ôl ym Morgannwg roedd ymgyrchu brwd am ysgolion ym Maesteg, Aberdâr a'r Rhondda. Yng Nghaerdydd aeth dirprwyaeth yn cynnwys gweinidogion Cymraeg y ddinas, y Cymmrodorion a Syr Ifan ab Owen Edwards i weld yr AALl. O'r diwedd yr oedd argoelion pendant am ysgol Gymraeg yn y ddinas. Yn 1948 y cafwyd addewid pendant, fel yn Abertawe yr un flwyddyn. Ym mis Medi 1949 yr agorwyd Ysgol Gymraeg Caerdydd ac Ysgol Gymraeg Llansamlet, Abertawe. Yn yr un mis agorwyd ysgolion Cymraeg ym Maesteg ac Aberdâr – trobwynt allweddol gan fod sir fwyaf poblog Cymru wedi dangos ei pharodrwydd i agor ysgolion Cymraeg. Blwyddyn fawr oedd 1949, blwyddyn sefydlu wyth ysgol Gymraeg, pedair yn y gogledd a phedair yn y de.

Gwelir yng ngweddill y gyfrol mai dim ond wedi ymdrechu ac ymgyrchu gan rieni yn lleol y cytunodd yr awdurdodau addysg i agor ysgolion Cymraeg newydd a'u cynnal, ond fe fyddai'r bennod hon yn annigonol heb gynnwys un enghraifft o ymgyrch leol, lwyddiannus. Edrychwn ar ymroddiad cymuned fel Maesteg.

Ordeiniwyd y Parchedig Geraint Owen yn weinidog Bethania, Maesteg yn 1946. Yr oedd ganddo 380 o aelodau ond dim ond dyrnaid o blant a phobl ifanc a fedrai siarad rhywfaint o Gymraeg. Ceisiodd roi Cymry Cymraeg yn athrawon yr Ysgol Sul a manteisiodd ar Gymry selog i bledio achos y Gymraeg yn gyson mewn cyfarfodydd ac oedfaon ym Methania. Erbyn 1947 gwelsai y byddai'n rhaid iddo gael cymorth ehangach yn y gymuned a galwodd ef a'i briod ddeuddeg o selogion y Gymraeg ym Maesteg ynghyd i ystyried sefydlu ysgol feithrin Gymraeg.

Penderfynodd y pwyllgor wneud y canlynol:

a) casglu enwau plant a fyddai'n debyg o fynychu ysgol feithrin Gymraeg;

b) trefnu â swyddogion Aelwyd yr Urdd yn y dref i gynnal ysgol feithrin yno ac addurno'r ystafelloedd yn briodol;

c) sicrhau bod athrawesau ar gael;

ch) dod o hyd i gadeiriau ac adnoddau angenrheidiol eraill;

d) codi arian.

Fis Ebrill 1948 agorwyd Ysgol Feithrin Gymraeg Maesteg. Pum plentyn yn unig a ddaeth yr wythnos gyntaf, ond yr oedd deg o athrawesau wedi addo cymryd eu tro i ofalu am y dosbarth.[28] Tyfodd y grŵp bach yn raddol nes bod 17 ar y gofrestr erbyn Chwefror 1949. Ar yr 17eg o Chwefror galwyd cyfarfod cyhoeddus i ystyried sefydlu ysgol Gymraeg ym Maesteg a daeth Syr Ifan ab Owen Edwards i annerch. Galwodd am sefydlu ysgol breifat Gymraeg, fel un Aberystwyth, nes bod yr awdurdod lleol yn darparu addysg Gymraeg yn unol â bwriadau Deddf Addysg 1944.[29]

Penderfynwyd agor Ysgol Gymraeg breifat ym mis Ebrill, sef ymhen deufis. Agorodd yr Ysgol Gymraeg yn festri Bethania ar yr 29ain o Ebrill a chynhaliwyd yr agoriad swyddogol ar yr ail o fis Mai. Yr oedd 30 yn bresennol ac eraill i'w disgwyl. Bu rhaid llogi bws i gario'r plant pellaf i'r ysgol a gwrthodwyd amryw oherwydd nad oedd ganddynt fawr o Gymraeg.

Rhagwelai'r pwyllgor rhieni y byddent mewn dyled erbyn diwedd y tymor cyntaf, ond nid oedd ildio'n bosibilrwydd. Ar y 26ain o Orffennaf

1949 cytunodd yr AALl i fabwysiadu'r ysgol a'i hagor ym mis Medi fel Ysgol Gymraeg i blant o 4 i 11 oed. Mewn tair ystafell yn Ysgol Gynradd Nantyffyllon yr agorwyd yr ysgol ar y 6ed o Fedi gyda 45 o blant, a Miss Nansi Roberts yn brifathrawes.[30]

Yn y saith mlynedd nesaf (1950–56) parhaodd y bwrlwm sefydlu ysgolion newydd. Ceir hanes manwl y datblygiadau hynny yn y penodau sy'n dilyn, ond yn y bennod hon rhown grynodeb i ddangos y patrwm a oedd yn datblygu. Yn y gogledd agorodd sir Fflint ddwy ysgol arall yn 1950, sef Coed Talon a Queensferry. Symudwyd ysgol Coed Talon i'r Treuddyn yn 1952 i greu ysgol o dros 100 o ddisgyblion, ond ychydig o gynnydd a welwyd yn Queensferry ac felly trosglwyddwyd y plant i Ysgol Glanrafon, yr Wyddgrug ymhen tair blynedd. Yn y cyfamser agorwyd Ysgol Ffynnongroyw (1954) gyda 76 o ddisgyblion. Daeth sir Ddinbych i'r gorlan mewn ymateb i ymgyrchu hir gan rieni Bae Colwyn (1950) a Wrecsam (1951)[31] – ysgolion llai i ddechrau. Yn Aberystwyth yr oedd costau cynnal ysgol yr Urdd yn mynd yn faich ar y mudiad ac yn 1951 derbyniodd sir Aberteifi y cyfrifoldeb amdani gan agor ysgol Gymraeg newydd yn y dref y flwyddyn ganlynol gyda 160 o ddisgyblion – yr ysgol fwyaf o'i bath ar y pryd. Penodwyd Hywel D. Roberts, a ddilynodd Norah Isaac yn ysgol yr Urdd, yn brifathro.[32]

Ond ym Morgannwg yr oedd y bwrlwm mwyaf. Yr oedd rhieni'r Rhondda yn anfodlon na sefydlwyd Ysgol Gymraeg yno yn 1949, ond bu'r AALl cystal â'i air a sefydlu dwy ysgol, un yn Nhreorci a'r llall ym Mhont-y-gwaith yn 1950. Hanes helbulus fu i sefydlu ysgol ym Mhontypridd yn 1951 a daeth Brwydyr Pont Siôn Norton yn rhan o chwedloniaeth addysg Gymraeg (Gweler Pennod 5). Fel mewn cynifer o achosion eraill adeiladau oedd asgwrn y gynnen a bu'r ysgol yn rhannu adeiladau gydag ysgol Saesneg. Pymtheg o blant oedd yn yr ysgol Gymraeg ar y cychwyn ond ymhen ugain mlynedd roedd wedi cynyddu i fwy na 300, gyda 30 yn unig yn yr ysgol Saesneg. Bu rhaid aros am ddeng mlynedd arall cyn i'r ysgol Gymraeg gael ei chartref ei hun.

Am resymau gwahanol, anodd iawn fuasai gwrthod sefydlu'r ysgol nesaf ym Morgannwg. 'Mae ynys yn y Barri', meddai R. Williams Parry. 'Mae yna ffynhonnell o Gymreictod yn y Barri ac mae eisiau iddi ymuno â ffrwd ysgolion Cymraeg Cymru', meddai T. Raymond Edwards, Swyddog Addysg y BBC ar y pryd, ac AEM wedi hynny. Ef a alwod y cyfarfod cyntaf o rieni ym mis Ionawr 1951 ac ymhen deufis yr oedd ysgol feithrin wedi ei sefydlu i blant dan bump oed.[33] Cyn pen tri mis arall yr oedd yr awdurdod wedi cytuno i'w hagor fel Ysgol Gymraeg Sant Ffransis ym mis Ionawr 1952.[33]

Bu'r Barri'n fwy ffortunus na'r rhan fwyaf o drefi. Am y deuddeng mlynedd gyntaf, talodd un gŵr busnes amlwg yn y dref gostau teithio'r plant oedd yn byw dros filltir a hanner o'r Ysgol Feithrin. Bu T. Raymond Edwards ei hun yn ysgrifennydd y rhieni am wyth mlynedd a chadwyd un athrawes ddisglair i arwain yr ysgol feithrin am dair blynedd ar ddeg. Disgwylid i bob rhiant arwyddo ffurflen yn addo y byddai'n anfon ei blentyn i'r ysgol gynradd Gymraeg wrth adael Ysgol Feithrin y Barri.[34]

Sefyllfa gwbl wahanol a wynebai'r AALl yng ngorllewin Morgannwg (Gweler Pennod 11). Hon oedd ardal Gymreiciaf yr hen sir Forgannwg – o Bontarddulais i Gwm Tawe, ond yr oedd niferoedd y plant rhugl Gymraeg yn gostwng mwy yma na'r ennill drwy'r chwe ysgol Gymraeg a sefydlwyd. Felly, ym mis Medi 1952, agorwyd Ysgol Gymraeg Pontybrenin, Gorseinon i brofi'r pwynt nad yn unig yn yr ardaloedd llwyr Seisnigedig yr oedd angen ysgolion Cymraeg. Yr oedd 47 o enwau ar y gofrestr y bore cyntaf a thyfodd yr ysgol yn gyson wedi hynny.[35]

Erbyn mis Ebrill 1954, yr oedd tair ysgol newydd wedi eu hagor yng ngorllewin Morgannwg, sef Glyn-nedd, Pont-rhyd-y-fen a Phontarddulais. Pentrefi lle'r oedd y Gymraeg yn diflannu ymysg plant oedd y ddau gyntaf a chafwyd cefnogaeth frwd gan rieni. Er bod Pontarddulais yn dref bur Gymreig, nid oedd y Gymraeg yn gyfrwng mewn unrhyw ysgol yno. Cytunodd yr AALl yn gymharol rwydd i apêl rhieni am agor ysgol, ond nid felly athrawon a chynghorwyr yr ysgolion yr effeithiwyd arnynt. Yr oedd 'dwyn ysgolion plant eraill' yn hen ddadl bellach ond yr oedd mwy o gasineb yn nadl y gwrthwynebwyr hyn.[36] Bu'r ysgol yn llwyddiant o fewn ei chragen ei hun, ond yn wahanol i bron pob ysgol Gymraeg o'i blaen, ni lwyddodd i gynyddu ei niferoedd yn ystod ei blynyddoedd cyntaf.

Wedi agor ysgol Glyn-nedd fis Ionawr 1954, cynyddodd y galw o dref Castell-nedd ei hun a symudwyd yn fuan i sefydlu ysgol feithrin. Er ei bod yn eithaf llewyrchus, ni lwyddwyd i gael lle i agor Adran Gymraeg yn Ysgol Gynradd y Gnoll, Castell-nedd tan 1956. Yr un drefn a ddilynwyd yn Nhonyrefail gan AALl Morgannwg. Yn dilyn ymgyrch frwd gan rieni'r dosbarth meithrin Cymraeg yno, agorwyd Adran Gymraeg yn Ysgol y Babanod yn 1955.[37]

Yn 1953 gwelwyd agor tair ysgol newydd: Ysgol Sant Paul, Bangor, sir Gaernarfon; Ysgol Min-y-ddôl, Cefn Mawr, sir Ddinbych; ac Ysgol Bryn Sierfel, ail ysgol Gymraeg Llanelli, yn sir Gaerfyrddin. Wedi brwydro hir agorwyd ysgol Gymraeg yn nhref Caerfyrddin ei hun yn 1955.

Yr oedd disgwyl mawr yn Rhymni i gyngor yr hen sir Fynwy sefydlu ysgol Gymraeg yno. Cwm Rhymni oedd y Cymreiciaf o ddigon o gymoedd Gwent, ac yr oedd ardal drefol Rhymni ei hun â bron 70 y cant yn medru'r Gymraeg ar droad y ganrif.[38] Er 1951 yr oedd selogion y Gymraeg yn y cylch, dan arweiniad y Parchedig Rhys Bowen yn bennaf, wedi cynnal Ysgol Gymraeg Fore Sadwrn yn y dref dan ofal Mrs Heulwen Williams. Cymerodd y bardd Idris Davies gryn ddiddordeb yn yr achos hefyd, fel amryw o weinidogion yr ardal.[39] Yr oedd yn fis Medi 1955 cyn sefydlu'r ysgol dan AALl Sir Fynwy a Lisi Wall yn brifathrawes arni. Daeth Heulwen Williams yn brifathrawes Ysgol Gymraeg Rhymni, hefyd, a gwyddai hi'n dda am y pedair blynedd o ymgyrchu. Po galetaf y talcen, mwyaf oll yw'r angen am fin ar y fandrel. Ond yr oedd hyd yn oed sir Fynwy yn awr ym mhrif ffrwd addysg Gymraeg. Felly hefyd sir Frycheiniog gydag agor Ysgol Ynysgedwyn yn Ystradgynlais yn 1956.

O fewn deng mlynedd (1947–1956), felly, yr oedd deg ar hugain o ysgolion Cymraeg wedi eu sefydlu, deuddeg ohonynt yn sir Forgannwg.

Cafodd yr ysgolion diweddaraf hyn gefnogaeth mudiad newydd a sefydlwyd i gynrychioli cymdeithasau rhieni ysgolion Cymraeg. Galwyd cyfarfod yn Nhreforys fis Chwefror 1952 i drafod yr angen, gydag un ar ddeg o gynrychiolwyr yn bresennol o siroedd Caerfyrddin a Morgannwg. Gwyn M. Daniel oedd cadeirydd y cyfarfod. Gan ei fod ef hefyd yn ysgrifennydd UCAC yr oedd mewn cysylltiad ag ugeiniau o athrawon drwy Gymru. Yn dilyn dau sesiwn arall o bwyllgora ym Morgannwg, sefydlwyd Undeb Rhieni Ysgolion Cymraeg yn yr Eisteddfod

Genedlaethol yn Aberystwyth ym mis Awst 1952.[40] Yr oedd amcanion y mudiad yn benodol o'r dechrau:

(a) Trefnu cyfarfodydd yn lleol a chenedlaethol i gefnogi ceisiadau gan rieni am ysgolion Cymraeg.

(b) Llunio memoranda ar farn rhieni i'w cyflwyno i'r Weinyddiaeth Addysg, CBAC, AALlau a chyrff proffesiynol.

(c) Rhoi cychwyn a chymorth i geisiadau rhieni am ysgolion meithrin neu gynradd a chynorthwyo'r rhai oedd yn bodoli eisoes.

Nid oes amheuaeth na fu'r Undeb Rhieni yn gynhaliaeth ac yn ysgogydd i'r mudiad Ysgolion Cymraeg, fel y pery hyd heddiw dan fantell Rhieni dros Addysg Gymraeg, enw a fabwysiadwyd yn 1983.

Cofiwn mai plant oedd yn medru siarad Cymraeg, a phlant rhieni Cymraeg o'r herwydd, yn unig a dderbynnid i'r ysgolion Cymraeg yn y blynyddoedd cynnar hyn. Efallai fod ambell un prin iawn ei Gymraeg wedi llithro i mewn i ysgol Gymraeg hwnt ac yma, ond eithriadau a brofai'r rheol i'r eithaf oedden nhw. Yn y pum degau cynnar, rheol gaeth pob AALl oedd mai ysgolion i blant Cymraeg yn unig oedd yr ysgolion Cymraeg. Megis y rheol a welir yn llyfr cofnodion Ysgol Sant Ffransis, y Barri:

'Ionawr 1952: Rheol yr AALl: Rhaid i bob plentyn fedru siarad Cymraeg wrth ddechrau'r ysgol.'[41]

Mae digon o le i gredu bod barn Adran Gymreig y Weinyddiaeth yn fwy blaengar nag eiddo'r AALlau ar rôl yr ysgolion Cymraeg. Gwaetha'r modd, y farn swyddogol Saesneg a fynegwyd yn *Lle'r Gymraeg a'r Saesneg yn Ysgolion Cymru*, 1953, nad oedd ysgolion Cymraeg yn addas i blant o gartrefi di-Gymraeg. Meddai'r adroddiad (yn yr iaith wreiddiol):

'It follows that the only children who should be admitted are children whose mother tongue or home language is Welsh and for whom English is a second language' er bod: *'Some instances are known to us where a small proportion of English speaking children with a strong Welsh background have benefited from these schools without detriment to the rest of the pupils.'*[42]

Er bod adroddiad y Cyngor Canol yn gefnogol ddigon i'r ysgolion cynradd Cymraeg, ac yn wir yn dweud y dylid sicrhau parhad addysg gyfrwng Cymraeg yn y sector uwchradd, ffaelodd yn lân â wynebu canlyniadau ei arolwg iaith ei hun.

Yn fuan iawn yn hanes yr ysgolion Cymraeg gwelwyd rhieni plant di-Gymraeg yn ceisio am lefydd i'w plant ynddynt. Yn Ysgol Sant Ffransis, y Barri (Pennod 16) llwyddwyd i anwybyddu rheol y sir a'u derbyn, gan eu troi yn siaradwyr Cymraeg cyn i swyddogion addysg ymweld â'r ysgol.

Ymddengys mai anwybyddu'r Adroddiad yn llwyr a wnaeth Undeb Rhieni'r Ysgolion Cymraeg a bwrw ati i gynllunio safleoedd i ysgolion Cymraeg newydd,[43] gan bwyso ar bwyllgorau rhieni i sefydlu dosbarthiadau meithrin i blant di-Gymraeg i fwydo'r ysgolion. Mae lle i gredu mai llwyddiant dosbarth o'r fath ym Mhort Talbot a arweiniodd Llewellyn Heycock i gefnogi addysg Gymraeg yn sir Forgannwg ac i lacio'r rheol iaith mynediad. Daeth ysgolion meithrin gwirfoddol yn rhan hanfodol o strategaeth addysg Gymraeg yn enwedig wedi 1971 pan sefydlwyd Mudiad Ysgolion Meithrin.

Un peth a boenai rhieni ac athrawon yr ysgolion Cymraeg cynnar oedd dilyniant addysg eu plant i'r ysgol uwchradd. Er bod cannoedd o'r disgyblion yn nesáu at yr un ar ddeg, nid oedd nac addewid nac argoel am ysgol uwchradd i barhau eu haddysg drwy'r Gymraeg. Yr oedd polisïau dewis disgyblion i'r ysgolion gramadeg yn gymysglyd a dweud y lleiaf, ac er y gellid profi'n hawdd fod plant yr ysgolion Cymraeg yn llwyddo'n well na phlant ysgolion eraill yn yr arholiadau 11 plws, ac mewn ysgolion uwchradd Saesneg eu cyfrwng, yr oedd yna bryder ymhlith y rhieni, ac awydd i barhau ag addysg Gymraeg.

Unwaith eto daeth arweiniad o sir y Fflint. Wrth gwrs fod galw taer o du'r rhieni a anfonodd eu plant i ysgolion cynradd Cymraeg, ond yr oedd gan y sir swyddogion addysg hynod hefyd: Dr B. Haydn Williams, y Cyfarwyddwr, a Moses J. Jones, ei ddirprwy. Yr oedd y ddau yn gwbl argyhoeddedig o werth addysg Gymraeg, ac oherwydd eu parodrwydd i anfon eu plant eu hunain i ysgolion Cymraeg, cawsant gefnogaeth llu o rieni eraill.[44] Dechreuwyd cynllunio yn 1954 a phenderfynodd Pwyllgor Addysg Sir y Fflint sefydlu ysgol uwchradd Gymraeg ar gyfer disgyblion y sir heb oedi rhagor. Agorwyd Ysgol Glan Clwyd yn y Rhyl yn 1956.

O'r bore gwyn hwnnw o Ŵyl Ddewi 1947, pan agorodd AALl sir Gaerfyrddin yr ysgol Gymraeg sirol gyntaf, hyd fis Medi 1956, sefydlwyd

30 o ysgolion cynradd Cymraeg eu cyfrwng yn ne a gogledd Cymru. Coronodd sir y Fflint yr ymgyrch trwy agor ysgol uwchradd Gymraeg Glan Clwyd. Dyma'r degawd a achubodd yr iaith Gymraeg rhag dinodedd llwyr, onid difodiant. Gosodwyd seiliau cadarn i ddatblygiad addysg Gymraeg gweddill y ganrif.

Tabl 3 Iorwerth Morgan Rhestr o'r Ysgolion Cynradd Cymraeg hyd at 1956

Awdurdod Addysg	Lleoliad yr ysgol	Enw'r ysgol	Dyddiad agor	Nifer ar y cychwyn
(Yr Urdd)	Aberystwyth	Lluest	Medi 1939	7
Sir Gaerfyrddin	Llanelli	Dewi Sant	1 Mawrth 1947	34
Sir y Fflint	Y Rhyl	Dewi Sant	Ionawr 1949	10
Sir y Fflint	Yr Wyddgrug	Glanrafon	Ionawr 1949	9
Sir y Fflint	Treffynnon	Gwenffrwd	Mai 1949	8
Sir Gaernarfon	Llandudno	Morfa Rhianedd	Mehefin 1949	31
Sir Forgannwg	Maesteg	Tyderwen	Medi 1949	45
Sir Forgannwg	Aberdâr	Ynys-lwyd	Medi 1949	28
Caerdydd	Caerdydd	Bryntaf	Medi 1949	19
Abertawe	Llansamlet	Lôn Las	Medi 1949	70
Sir y Fflint	Treuddyn	Terrig	Mawrth 1950	65
Sir Ddinbych	Bae Colwyn	Bod Alaw	Mawrth 1950	17
Sir Aberteifi	Aberystwyth		Medi 1952	160
Sir Forgannwg	Treorci	Ynys-wen	Mehefin 1950	36
Sir Forgannwg	Pont-y-gwaith		Medi 1950	13
Sir Forgannwg	Pontypridd	Pont Siôn Norton	Hydref 1951	16
Sir Ddinbych	Wrecsam	Bodhyfryd	Tachwedd 1951	14
Sir Forgannwg	Y Barri	Sant Ffransis	Ionawr 1952	15
Sir Forgannwg	Gorseinon	Pontybrenin	Medi 1952	41
Sir Gaernarfon	Bangor	Sant Paul	Medi 1953	
Sir Ddinbych	Cefn Mawr	Min-y-ddôl	Medi 1953	12
Sir Gaerfyrddin	Llanelli	Bryn Sierfel	Medi 1953	
Sir Forgannwg	Glyn-nedd		Ionawr 1954	63
Sir Forgannwg	Pontarddulais	Bryn Iago	Ebrill 1954	96
Sir Forgannwg	Pontrhydyfen		Ebrill 1954	44
Sir y Fflint	Ffynnongroyw	Mornant	Medi 1954	76
Sir Gaerfyrddin	Caerfyrddin	Y Dderwen	Ionawr 1955	21
Sir Fynwy	Rhymni		Medi 1955	12
Sir Forgannwg	Tonyrefail		Medi 1955	11
Sir Forgannwg	Castell-nedd		Medi 1956	18
Sir Frycheiniog	Ystradgynlais	Ynysgedwyn	Medi 1956	84

Cyfeiriadau

1. Y Bwrdd Addysg, *Y Gymraeg Mewn Addysg a Bywyd*, HMSO, 1927, tt. 84–85.
2. eto, t. 190
3. W. J. Gruffydd, *Y Llenor*, Nodiadau Golygyddol, Gaeaf 1932.
4. Dogfen ym meddiant Owen JohnThomas, Caerdydd.
5. Edward Williams, Traethawd M.Ed., Prifysgol Cymru, 1974, t. 25.
6. Syr Ifan ab Owen Edwards, Llythyr at Gwyn M. Daniel, 1937.
7. eto
8. Rhestr o atebion i lythyr cais am gymorth i sefydlu Ysgol Gymraeg Breifat, Gwyn M. Daniel, Tŷ'r Cymry, Caerdydd, 1939.
9. Henry Johns, Arglwydd Faer Caerdydd, Llythyr at Gwyn M. Daniel, Tŷ'r Cymry, Caerdydd, Mawrth 1940.
10. Llythyron at R. A. Butler, Llywydd y Bwrdd Addysg, 1942, Papurau UCAC.
11. Cangen Rhondda UCAC, Memorandwm ar Gylchlythyr 182 i Gyngor Bwrdeistref Rhondda, Mai 1943.
12. Kitchener Davies, Pwyllgor Gwaith UCAC, Caerdydd, 1943.
13. Llyfr Cofnodion Ysgol Fore Sadwrn Tŷ'r Cymry, Caerdydd, 13.11.43
14. eto
15. J. Gwynfor Jones, *Y Ganrif Gyntaf: Hanes Cymmrodorion Caerdydd*, 1885–1985, 1986, t. 35.
16. R. E. Griffith, Llythyr at J. Hywel Thomas, Ysgol Fore Sadwrn Tŷ'r Cymry, Caerdydd, Ionawr, 1944.
17. Cofrestr Ysgol Fore Sadwrn Tŷ'r Cymry, Caerdydd, 1943–46.
18. T. Raymond Edwards, 'Cwrs y Byd', *Y Faner*, 27.1.54.
19. Llyfr Cofnodion Ysgol Gymraeg Maesteg, Cofnod Chwefror 1949.
20. RHAG, Taflen 'Ysgol Gymraeg ym Mhob Ardal.' 1963.
21. Detholiad o Ystadegau Arolwg Iaith CBAC, o 'Lle'r Gymraeg a'r Saesneg yn Ysgolion Cymru', HMSO, 1952.
22. eto
23. 'Lle'r Gymraeg a'r Saesneg yn Ysgolion Cymru', HMSO, 1952, t. 38.
24. Merfyn Griffiths (Gol.), *Addysg Gymraeg*, CBAC, 1986, t. 17.
25. 'Lle'r Gymraeg a'r Saesneg yn Ysgolion Cymru', 1952, tt. 75–89.
26. eto, t. 35.
27. *Hanes Urdd Gobaith Cymru*, 1995, t. 35.
28. Edward Williams, uchod. t. 31.
29. eto
30. Llyfr Cofnodion Ysgol Gymraeg Maesteg, Cofnodion Ebrill 1948 – Gorffennaf 1949.
31. 'Lle'r Gymraeg a'r Saesneg yn Ysgolion Cymru', 1952, t. 35.
32. *Hanes Urdd Gobaith Cymru*, 1995, t. 35.
33. Llyfr Cofnodion Ysgol Gymraeg y Barri, Cofnod 9.4.51.
34. eto, Cofnodion 18.6.51, a Ionawr 1952.
35. I. W. Morgan, Traethawd M.Ed., Prifysgol Caerlŷr, 1972, Tabl 13, t. 69.
36. *South Wales Evening Post*, Adroddiad ar gyfarfod Cyngor Trefol Llwchwr, 11.6.54, t.1.
37. I. W. Morgan, uchod, t.71.
38. Siân Rhiannon Williams, *Oes y Byd i'r Iaith Gymraeg*, Caerdydd, 1992, tt. 122–124, Map 6.
39. Sgwrs â Mrs Heulwen Williams, Cyn-brifathrawes Ysgol Gymraeg Rhymni, 31.3.98.
40. Undeb Rhieni Ysgolion Cymraeg, Cofnodion, Awst 1952.
41. Llyfr Cofnodion Ysgol Sant Ffransis y Barri, Cofnod Ionawr 1952.
42. 'Lle'r Gymraeg a'r Saesneg yn Ysgolion Cymru', eto, t. 58.
43. Undeb Rhieni Ysgolion Cymraeg, Cofnodion, 30.12.53
44. Merfyn Griffiths (Gol.), *Addysg Gymraeg*, CBAC, 1986, t. 21.

O.N. Mae'r bennod hon yn cynnwys gwybodaeth nas cyhoeddwyd o'r blaen, ac fe fydd y cyfeiriadau yn werthfawr i ymchwilwyr eraill. Diolch i Iorwerth Morgan bydd llawer o'r dogfennau gwreiddiol ar gael yn Llyfrgell Prifysgol Cymru, Caerdydd. −*Gol.*

Pennod 2

Ysgol Gymraeg Aberystwyth

IOLO WYN WILLIAMS

CYFRES o gyd-ddigwyddiadau a arweiniodd at sefydlu Ysgol Gymraeg gyntaf Cymru yn Aberystwyth ym mis Medi 1939. Yno yr oedd Ifan ab Owen Edwards yn byw, darlithydd yn adran allanol y Coleg, golygydd *Cymru'r Plant* a sefydlydd Urdd Gobaith Cymru. Yno yr oedd Canolfan yr Urdd, mewn adeilad pwrpasol ar Ffordd Llanbadarn. Yr oedd Owen, mab Ifan ab Owen Edwards, yn ddisgybl yn ffrwd Gymraeg y babanod yn ysgol Aberystwyth pan dorrodd y rhyfel allan ar Fedi 3ydd, ac yr oedd Norah Isaac, athrawes ifanc o Faesteg, ar fin colli ei swydd ar staff yr Urdd.

Pan ddeallwyd bod llu o ifaciwîs o Lerpwl ar fin cyrraedd y dref tybid y byddai hynny yn dinistrio yn llwyr addysg Gymraeg y babanod, ac unrhyw arlliw o Gymreictod yn yr ysgol iau. Cynigiodd Ifan Edwards ystafelloedd yng nganolfan yr Urdd yn rhad ac am ddim i'r Pwyllgor Addysg, yn lloches i ddosbarthiadau'r babanod Cymraeg, a derbyniwyd y cynnig yn llawen. Ond ymhen pythefnos yr oedd yr athrawesau yn anfodlon ar y sefyllfa, ac yn ôl â hwy i'r hen ysgol.

Penderfynodd grŵp o rieni dan arweiniad Ifan Edwards mai'r unig ateb i ddiogelu Cymreictod eu plant oedd sefydlu ysgol breifat Gymraeg. Cafwyd cefnogaeth Cwmni'r Urdd, cyflogwyd Norah Isaac yn athrawes am £160 y flwyddyn ac agorodd yr ysgol ar Fedi'r 25ain, gyda saith o ddisgyblion: Owen Edwards, Non Gwynn, James Jenkin, Daniel G. Jones,

John Wyn Meredith, John Parry a Ruth Thomas. Prin bod arbrawf mor bwysig erioed wedi ei gynllunio a'i weithredu mewn amser mor fyr nac mor gynhyrfus. Pe na bai rhyfel, a phe na bai Owen yn bump oed, beth tybed fyddai hanes addysg Gymraeg? Flynyddoedd wedyn byddai Ifan Edwards yn mynnu nad oedd dim yn newydd yn y syniad o addysg Gymraeg. Onid oedd ei dad wedi pregethu'r egwyddor honno ar ddechrau'r ganrif, ac onid oedd llu o ysgolion gwledig Cymru bellach yn naturiol Gymraeg eu dulliau a'u hawyrgylch? Ond yr oedd profiad yr Urdd wedi dangos iddo pa mor boenus o anodd oedd cadw plant yn Gymry yn y trefi a'r ardaloedd diwydiannol.

Aed ati i wneud trefniadau ymarferol ar gyfer y dosbarth bach, cytunwyd ar gyfraniad y rhieni at gost yr ysgol, etholwyd Llywodraethwyr, a'r cyfan ar gyfer saith o blant. Cofnodwyd hanes yr ysgol yn fanwl yng nghyfrolau R. E. Griffith ar hanes yr Urdd, fel hyn:

'Yn ystod y flwyddyn gyntaf hon, llwyddodd Norah Isaac i greu yn y plant ryw falchder rhyfeddol eu bod yn Gymry. Er mor ifanc oeddynt, gwyddai hi y gallai ddibynnu arnynt i siarad Cymraeg ar bob achlysur ac o flaen unrhyw un. Nid am y teimlent fod hynny'n orfodaeth arnynt, ond yn syml oherwydd i "Miss Isaac" ddangos mai dyna'r peth cywir a naturiol iddynt hwy ei wneud. Nid oedd yn mennu dim ar y plant hyn fod plant eraill o'u cwmpas y tu allan i'r ysgol yn parablu Saesneg. O ran hynny, gallent hwythau hefyd siarad yr iaith honno, ond ni welent fod unrhyw angen iddynt wneud hynny ymhlith ei gilydd. Cymry oeddynt hwy – a dyna ddiwedd arni. Ychydig o blant eraill y dref – hyd yn oed Gymry Cymraeg – a ddangosai'r balchder hwn, a mynych y clywid y rhieni yn siarad Saesneg â'i gilydd. Arbenigrwydd plant yr Ysgol Gymraeg oedd y ffaith bod y Gymraeg yn iaith cymdeithas ac yn iaith chwarae iddynt, a gwelid pobl yn clustfeinio arnynt ar y stryd ac ar y traeth ac yn dotio ar eu naturioldeb.'

Yr oedd yr ysgol yn ferw o syniadau newydd, a chynyddodd nifer y plant yn gyson, fel y daeth rhieni'r dre i wybod am ei llwyddiant: 17 yn 1940, 32 yn 1942, a 56 yn 1944. Yn 1944 daeth y prawf llymaf – y tro cyntaf i ddisgyblion o'r ysgol sefyll arholiad mynediad yr ysgol uwchradd; llwyddodd pob un o'r wyth disgybl a safodd yr arholiad, a lleddfwyd amheuon rhieni eraill. Erbyn 1945 yr oedd pedair athrawes yn yr ysgol, Olwen Griffith, Mary Vaughan Jones, Mari Wynn Meredith a Norah Isaac a 71 o blant. Erbyn hynny hefyd yr oedd yr ysgol yn rhy fach a gwelodd Ifan Edwards ei gyfle i brynu Lluest, plasty bychan uwchlaw Llanbadarn, gyda'r bwriad o sefydlu adran breswyl maes o law, er na wireddwyd mo'r freuddwyd honno. Symudodd yr ysgol yno yn 1946 a mabwysiadwyd yr enw, Ysgol Lluest.

Yn 1948 mentrodd y Llywodraethwyr wahodd Arolygwyr ei Fawrhydi i arolygu'r ysgol yn swyddogol, ac ymhen amser (1949) derbyniwyd adroddiad boddhaol iawn:

The Head Mistress is quite exceptional in her practical skill as a teacher, in her breadth of vision, and in her general influence upon the School.

The culmination of the sound basic training is to be seen in the top class where the teaching is of a very high order and the standard of attainment in Welsh and English, in oral and written work, is particularly good. The teaching of Arithmetic, too, is also sound. A striking feature is the extent of the children's general knowledge and their range of ideas.

To sum up, the School successfully reflects in the classroom and in its general activities the ideal set out by the founders. That ideal is the belief in the value of a rich spiritual, cultural education based on Welsh life and language as the best means of releasing the Welsh child to full capacity. With this ideal in mind the teachers help the children to live the Welsh life joyously. Their growth is marked; they are stimulated to a desire for knowledge; their whetted appetites are satisfied and their memories are stored with treasures of Welsh lore, poetry, song and legend. The atmosphere is one of a lively Welsh community living together in freedom, joy and activity, learning to grow richly from their own native soil and later branching out to embrace a knowledge of English language, literature, song and story, and to some understanding of the way of life of peoples of other lands.

Iaith dra gwahanol i adroddiadau arolygwyr y dyddiau hyn yn wir, ond dyfarniad yr Arolygwyr oedd bod yr ysgol yn haeddu cael ei chynnwys *in the Ministry's list of efficient schools* felly mae rhai pethau yn ddigyfnewid!

Yn y cyfnod hwn yr oedd Ifan ab Owen Edwards a Norah Isaac yn gwneud gwaith cenhadol dros addysg Gymraeg ledled Cymru. Nid dros addysg breifat i'r sawl a fedrai dalu am hynny, ond dros yr egwyddor y dylai pob plentyn fod â hawl i addysg yn ei famiaith, ar gost y wlad. Yr

Miss Norah Issac. Prifathrawes yr Ysgol Gymraeg gyntaf yn Aberystwyth o 1939 hyd 1949. Oddi yno aeth yn ddarlithydd i Goleg y Barri ac yn ddiweddarach i Goleg y Drindod, Caerfyrddin lle bu'n ysbrydoli cenhedlaeth ar ôl cenhedlaeth o athrawon ifanc.

Syr Ifan ab Owen Edwards

oedd adroddiad yr Arolygwyr ar Ysgol Lluest yn gaffaeliad mawr yn yr ymgyrchoedd hyn. Ar ddiwedd 1949 gadawodd Norah Isaac Aberystwyth am swydd yng Ngholeg y Barri, a phenodwyd Hywel D. Roberts yn ei lle, un arall a roddodd oes o wasanaeth i addysg Gymraeg.

Ond yr oedd sefyllfa ariannol yr ysgol yn dirywio yn gyflym a'r gwariant fil o bunnoedd y flwyddyn yn uwch na'r incwm. Mynegwyd amheuon a fedrai'r Urdd barhau i gynnal y gost honno a hithau yn brin o grantiau ac yn wynebu gwariant sylweddol ar Langrannog, Glanllyn a Phantyfedwen. Dechreuwyd sôn am gau yr ysgol, neu dyna a ddywedir yn hanes swyddogol yr Urdd. Tybed, ar y llaw arall, nad oedd rhai o leiaf o'r Llywodraethwyr yn gweld ysgolion Cymraeg yn agor yn Llanelli, sir Fflint a sir Forgannwg, Abertawe a Chaerdydd ac yn tybio ei bod yn bryd i sir Aberteifi rannu'r baich ac ymestyn breintiau addysg Gymraeg i bawb yn rhad.

Pe bai'r ysgol yn cau byddai cost addysg bron i gant o blant yn syrthio ar ysgwyddau'r Awdurdod Addysg beth bynnag, ond nid oedd y Llywodraethwyr am weld addysg Gymraeg yn diflannu. Wedi tipyn o fargeinio cytunodd yr Urdd i gynnal yr ysgol tan 1951. Cytunodd Sir Aberteifi i dderbyn y cyfrifoldeb am Ysgol Lluest yn y flwyddyn honno, ac yno yr arhosodd y plant am flwyddyn nes sefydlu'r Ysgol Gymraeg newydd yn Aberystwyth yn 1952, gyda nifer y disgyblion yn codi yn syth i 160. Wedi cyfnod byr yn Wigan, dychwelodd Hywel D. Roberts yn brifathro'r ysgol ac yn olynydd teilwng iawn i Norah Isaac.

Yr Arloeswyr

Detholiad o gyfrol dathlu hanner can mlwyddiant Ysgol Dewi Sant, Llanelli

ELENID JONES

YCHYDIG a sylweddolai'r dyrfa fechan a ddaeth ynghyd ar Fawrth y 1af, 1947, yn Ysgoldy Seion yn Llanelli eu bod yn cychwyn chwyldro a oedd yn mynd i lwyr newid addysg Gymraeg yng Nghymru a newid holl agwedd y Cymry yn ogystal â Saeson at yr iaith Gymraeg. Doedden nhw ddim yn edrych yn debyg i chwyldroadwyr – anaml y bydd y bobl sy'n creu hanes yn ymwybodol eu bod yn gwneud hynny. Pobl gyffredin oeddynt yn mynnu'r hawl hollol resymol i gael addysg i'w plant yn eu mamiaith. Pa ddymuniad a allai fod yn fwy naturiol?

Sefydlwyd yr ysgol Gymraeg gyntaf gan Ifan ab Owen Edwards, yn Aberystwyth yn 1939, ond ysgol breifat ydoedd a rhaid oedd talu am yr addysg yno. Teimlai llawer, gan gynnwys fy nhad, D. Matthew Williams, na ddylai plant Cymru orfod talu am gael eu dysgu trwy gyfrwng eu mamiaith. Pan ddarllenodd fy nhad Ddeddf Addysg Butler yn 1944 yn rhinwedd ei swydd fel Arolygwr Ysgolion, sylweddolodd ar unwaith arwyddocâd y ddeddf i'r Cymry Cymraeg. Ychydig amser yn ddiweddarach, digwyddodd gyfarfod â Miss Olwen Williams ar y stryd yng Nghaerfyrddin ac wrth iddynt drafod sefyllfa echrydus y Gymraeg ymhlith plant ysgol Llanelli, soniodd ef wrth Miss Williams am arwyddocâd y ddeddf newydd ac fe'i hanogodd i gasglu enwau rhieni a fynnai gael addysg Gymraeg i'w plant yn Llanelli. Fe'i siarsiodd hefyd i gadw'r ddeiseb yn un hollol amhleidiol gan mai llais rhieni, neb arall, fyddai'n cario'r dydd.

Sefydlwyd pwyllgor â'r Cynghorydd Loti Hopkin yn gadeirydd a Mr Aneurin Williams yn ysgrifennydd; lluniwyd deiseb; cynhaliwyd cyfarfodydd cyhoeddus ac anfonwyd y ddeiseb ganlynol gydag enwau dros ddau gant o rieni arni at y Cyfarwyddwr Addysg yng Nghaerfyrddin ac i'r Weinyddiaeth Addysg yn Llundain:

> Yr ydym ni, corff o rieni yn nhref Llanelli, yn gofyn am eich ystyriaeth caredig i'n cais i sefydlu ysgol Gymraeg i'n plant yn y dref.
>
> Y mae Deddf Addysg Butler yn rhoi cyfle arbennig i ddymuniad y rhieni yn addysg eu plant. Dymunwn ni, yn rhesymol iawn mi ddyliwn, gael addysg i'n plant yn iaith eu mam ac apeliwn at Gyngor Addysg Llanelli i weithredu yn unol ag ysbryd Deddf Addysg Butler yn y mater yma ....
>
> Carem gyfeirio eich sylw at ysgol Gymraeg Aberystwyth a brofodd yn llwyddiant diamheuol yng ngolwg arbenigwyr ym myd Addysg ac Arolygwyr Ysgolion.
>
> Nod ysgol Aberystwyth ydyw meithrin dinasyddiaeth a bywyd Cristnogol, a chariad at brydferthwch ar sail diwylliant Cymru.
>
> Byddai'n dda gennym ninnau allu danfon ein plant i ysgol wedi ei seilio ar ddelfrydau cyffelyb. Cymraeg yw iaith ein haelwydydd a phriodol ydyw i'n plant gael cyfle i fynychu ysgol felly lle mae y Gymraeg yn iaith gyntaf a lle dysgir y Saesneg fel ail iaith.
>
> Teimlwn yn sicr ei bod yn werth sefydlu Ysgol Gymraeg yn nhref Llanelli a pharod ydym i fentro lles a dyfodol ein plant er ei mwyn.

Yr oedd argyhoeddiad y rhieni yn amlwg. Cawsant gefnogaeth yr eglwysi yn Llanelli ynghyd â'r Cymmrodorion a hefyd Joseph Jenkins, gohebydd colofn Gymraeg y *Llanelly Mercury*. Diau i'r ffaith bod Cymry brwd ymhlith Arolygwyr ei Fawrhydi a phresenoldeb Syr Ben Bowen Thomas (oedd â chysylltiad teuluol â'r dre) yn rhengoedd uchaf y Weinyddiaeth Addysg yn Llundain helpu i droi'r freuddwyd yn ffaith. Eto, aeth dwy flynedd heibio rhwng cyflwyno'r ddeiseb a'r cadarnhad bod ysgol i'w sefydlu.

Agorwyd yr ysgol yn swyddogol yn Ysgoldy Capel Seion ar ddydd Sadwrn, Mawrth y 1af 1947 – dydd ein nawdd sant. Fel yr ysgol Gymraeg yr adnybyddid hi ar y cychwyn ond pan agorwyd Ysgol Brynsierfel fel ail

Agoriad swyddogol Ysgol Gymraeg Llanelli, ar Fawrth 1af 1947 yn Ysgoldy Seion. Mae Miss Olwen Williams y brifathrawes yn y rhes gefn.

Syr Ifan ab Owen Edwards yn rhoi tystysgrifiau i'r disgyblion cyntaf, gyda Miss Olwen Williams wrth ei ochr yn Ysgoldy Seion, ym mis Tachwedd, 1947.

Gwaith gwehyddu a wnaed gan y disgyblion hŷn i ddathlu hanner can mlwyddiant yr ysgol yn 1997. Mabwysiadwyd yr enw Ysgol Dewi Sant yn 1953 pan agorwyd ail ysgol Gymraeg yn Llanelli, Ysgol Brynsierfel.

ysgol Gymraeg yn y dref yn 1953 penderfynwyd rhoi iddi yr enw 'Ysgol Gymraeg Dewi Sant'. Yr oedd 1947 hefyd yn arwyddocaol: union gan mlynedd ers Brad y Llyfrau Gleision a fu'n fodd i fygu addysg yn y Gymraeg ac am Gymru am ddegawdau lawer. Gyda sefydlu'r ysgol Gymraeg gyntaf o dan awdurdod addysg lleol yng Nghymru, 'daeth cyfle i wrthwneud y cam a ddioddefodd ein cenedl gan mlynedd yn ôl' meddai'r prif siaradwr, Dr William Thomas, Prif Arolygwr ei Fawrhydi yng Nghymru, gan orffen ei araith gyda geiriau adnabyddus Saunders Lewis: 'Fel y cadwer i'r oesoedd a ddêl y glendid a fu.'

Nid oes syndod i sawl cenhedlaeth o blant yr ysgol orfod dysgu ar eu cof yr araith o 'Buchedd Garmon' ar ei hyd; mae iddi le arbennig yng nghalonnau disgyblion Ysgol Dewi Sant.

Cofrestrwyd 34 o blant rhwng 3 ac 8 oed y bore Sadwrn cyntaf hwnnw. Ar y dydd Llun, Mawrth 3ydd y dechreuodd y gwersi gyda dwy athrawes – Miss Olwen Williams yn brifathrawes a Miss Inez Thomas. Drannoeth, Mawrth y 4ydd, daeth eira mawr 1947 ac er i bob ysgol arall gael ei chau, nid oedd neb o'r Swyddfa Addysg wedi cofio am yr ysgol fwyaf newydd! Felly, brwydrodd yr ysgol fechan ymlaen heb gau a chariwyd y plant lleiaf i'r ysgol ym mreichiau eu rhieni.

Cwta ddwy flynedd oedd er diwedd yr Ail Ryfel Byd ac yr oedd adnoddau'n brin. Cofia Miss Thomas mor anodd oedd hi i ddiddori'r plant lleiaf heb fod ganddi unrhyw deganau dysgu nac offer. Eu dysgu hwy i ganu rhigymau ar eu cof ac i ddawnsio oedd bron yr unig ffordd i'w cadw'n ddiddig ar y dechrau.

Yr oedd creu awyrgylch iach dan amodau materol mor anodd yn orchestwaith. Nid oedd iard chwarae iawn o gylch ysgoldy Seion, ac nid oedd lle i'r athrawon hwythau fynd am gwpanaid o goffi adeg toriad y bore ar wahân i gaffe Sartori's ar draws y ffordd! Cyfyng, a dweud y lleiaf, oedd yr ysgoldy ac felly, wrth i'r niferoedd ddringo heibio i'r 50, llwyddwyd i sicrhau adain o ysgol gynradd Hen Heol ar gyfer yr Ysgol Gymraeg – ond eto nid heb ymdrech, dadlau a thipyn o ddrwgdeimlad.

Daethom ni'r plant yn gyfarwydd â chael ein galw'n 'Welshies'; byddai cryn bwysau arnom i ddangos bod ein meistrolaeth ar yr iaith Saesneg hyd yn oed yn well nag un y Saeson. Yr oedd y syniad o addysg ddwyieithog yn un anghyfarwydd a chredai pobl na fyddem yn medru siarad ac ysgrifennu Saesneg os Cymraeg oedd iaith swyddogol yr ysgol. Am hynny, mewn cyngherddau ar hyd y lle, yn ogystal ag eitemau Cymraeg, byddem yn cydadrodd barddoniaeth Saesneg fel '*Daffodils*' gan William Wordsworth a '*The Lake Isle of Innisfree*' gan Yeats.

'Nid da lle gellir gwell' oedd un o hoff ddiarhebion Miss Williams. Fel gydag unrhyw brosiect arbrofol, yr oedd gofyn i ni brofi i'r byd fod addysg yn y Gymraeg (heb esgeuluso'r Saesneg) yn gweithio. A chymaint oedd yr ymroddiad, yr asbri a'r mwynhad a drosglwyddwyd i ni'r plant gan Miss Williams, Miss Thomas, Miss Evans a'r athrawon eraill a ddaeth yn eu tro fel bod yr arbrawf yn llwyddo, y freuddwyd yn dod yn ffaith ac yn ymledu yn gyflym nes bod gofyn am addysg Gymraeg heddiw yn cael ei ystyried yn gais hollol naturiol a rhesymol.

Ni allem lai nag amsugno'r awyrgylch Gymreig, ddiwylliedig o'n cwmpas. Yr oedd dysgu rhigymau a barddoniaeth ar y cof yn bwysig – arfer nas gwelir i'r un graddau yn ysgolion Lloegr (o'm profiad i) ond un sy'n dal mewn bri mewn gwledydd llai megis yr Iseldiroedd. Nododd yr arolygwyr yn 1952: 'Y mae'r stôr o ddeunydd sydd wedi ei drysori yn eu cof a'r llu o ganeuon a ddysgwyd ganddynt yn syndod, a gallant adrodd rhyddiaith a barddoniaeth yn Gymraeg ac yn Saesneg, yn rhagorol o dda.' A oes ryfedd i'r ysgol ddod yn Mecca i addysgwyr o wledydd eraill?

Daeth Rhion Herman Jones yn ddisgybl naw oed i'r ysgol o ysgol Saesneg : 'Cerddais i mewn i'r ystafell gotiau – a dyna ddiarhebion ar y to, a chwedlau ar y wal – i mewn i'r dosbarthiadau, ac englynion ar y pared, barddoniaeth, enwau gwŷr enwog, lluniau gwahanol wledydd – a phopeth eto yn Gymraeg. Mi gofiaf syllu ar "Y Glowr" gan Gwilym Tilsli, ac yn nesaf ato "Y Llwynog" gan R. Williams Parry. I mewn i ystafell Miss Thomas, a gweld siartiau am y Cenhedloedd Unedig ar un ochr i'r dosbarth ac ôl llafur gwau y merched (a'r bechgyn!) ar yr ochr arall.'

Cofiaf innau am fy niwrnod cyntaf yn yr ysgol drannoeth i fy mhenblwydd yn 8 oed. Yr oedd y dosbarth yn astudio a dysgu cerdd ddigri Idwal Jones 'Ymadawiad Neli.' Nid oeddwn i erioed o'r blaen wedi astudio darn o farddoniaeth yn y dosbarth ac yr oedd fel agor drws i ogof Ali Baba!

Mawr yw ein dyled i asbri ymroddedig a chadernid tawel yr arloeswyr cynnar, boed athrawon neu rieni. Dywed Dr Rowland Wynne, un o'r disgyblion cyntaf: 'Cefais y cyfle yn ystod fy ngyrfa i gyfrannu at benodau newydd ym myd addysg; y ddau fel ei gilydd yn ymwneud â datblygiadau arloesol. Sefydlu'r Brifysgol Agored oedd y cyntaf dros bum mlynedd ar hugain yn ôl; creu cyngor cyllido addysg uwch ar gyfer Cymru yn 1992 oedd yr ail. Mewn llawer ffordd ystyriaf fy hun yn lwcus i'r cyfleon yma ddod i'm rhan. Serch hynny gallaf ddweud fy mod yn trysori'n fwy y ffaith i mi fod ymysg disgyblion cyntaf Ysgol Gymraeg Llanelli. Ni allaf ond diolch i'r arloeswyr a osododd y seiliau a throi y freuddwyd yn ffaith, a datgan fy nyled i Miss Williams fel prifathrawes am roi gwerth ar fod yn Gymro ac iddi hi a Miss Thomas am agor drws iaith a llên Cymru i mi. Braint yn wir yw cael dweud – "Roeddwn i yno".

Morgannwg Ganol – Pair Dadeni Addysg Gymraeg

MICHAEL JONES
gydag atodiad gan John Albert Evans

Er bod twf addysg Gymraeg, o ddyddiau Aberystwyth ymlaen, yn gyffrous ar draws Cymru benbaladr, yn yr hen sir Forgannwg y gwelwyd y datblygiadau mwyaf cynhyrfus a syfrdanol. Hi, y sir fwyaf o ran poblogaeth, oedd y sir bwysicaf i'w hennill os oedd gwreichionyn adfywiad y Gymraeg i gydio o ddifri.

Ymateb Morgannwg i'r galw cynnar, wedi i sir Gaerfyrddin agor ysgol Gymraeg yn Llanelli yn 1947, oedd sefydlu pedair ysgol Gymraeg mewn un flwyddyn, 1949, ac wyth arall erbyn 1956. Cofnodwyd hanes y cyfnod hwn gan Iorwerth Morgan ym Mhennod 1. Pan rannwyd Morgannwg yn dair sir yn 1974 daeth chwech o'r ysgolion hynny dan adain Morgannwg Ganol.

Yn y cyfamser yr oedd brwydr allweddol arall wedi ei hennill, gyda sefydlu Ysgol Uwchradd Rhydfelen yn 1962. Rhoes hyn hyder i rieni fod dilyniant i addysg Gymraeg yr ysgolion cynradd, ac yn y blynyddoedd a ddilynodd tyfodd yr ysgolion hynny'n gyson. Cyfnod o dwf araf a welwyd yn nifer yr ysgolion rhwng 1956 ac 1974 – deg ysgol neu uned o'r newydd a phedair uned yn datblygu yn ysgolion annibynnol. Fel y rhan fwyaf o ysgolion Cymraeg y de-ddwyrain fe'u sefydlwyd mewn adeiladau nad oedd eu hangen ar gyfer addysg cyfrwng Saesneg.

O Forgannwg i Forgannwg Ganol

Pan ad-drefnwyd llywodraeth leol yng Nghymru yn 1974 newidiwyd trefn a oedd wedi bodoli er 1889 trwy uno nifer o siroedd llai eu poblogaeth â'r bwrdeistrefi a rhannu'r sir fwyaf, sef Morgannwg, yn dair. Etifeddodd Morgannwg Ganol drefi deheuol Porth-cawl a Phen-y-bont, yr hen gymoedd glo – Llynfi, Garw ac Ogwr, Rhondda, Cynon, Taf a Rhymni gan gynnwys rhan helaeth o Gwm Rhymni a oedd yn perthyn i'r hen sir Fynwy – rhannau o sir Frycheiniog, a bwrdeistref Merthyr Tudful. Sir fawr, a'r Gymraeg bron â diflannu ohoni o fewn tair cenhedlaeth, ond yn parhau yn Gymreig ei naws. Dioddefodd y cymoedd yn fawr pan ddiflannodd y diwydiant glo, ac ar bob mesur cymdeithasol ac economaidd hi yw'r sir fwyaf difreintiedig yng Nghymru.

Ond os ydyw'n ddifreintiedig yn economaidd, bu'n freintiedig iawn yn ei harweinwyr. Bu Morgannwg Ganol yn ddigon doeth i benodi Mr John Brace fel ei Chyfarwyddwr Addysg cyntaf, gŵr a chanddo brofiad helaeth o'r system addysg fel uchel swyddog yn Sir Forgannwg. Penodwyd y Cynghorydd Philip Squires yn gadeirydd y Pwyllgor Addysg newydd a sicrhaodd y ddau ŵr hyn, a swyddogion brwd eraill, fod polisi'r Awdurdod newydd tuag at y Gymraeg yr un mor oleuedig ag yr oedd polisi yr hen Sir Forgannwg, ar waethaf gwrthwynebiad ffyrnig rhai aelodau o'r Cyngor. Ychydig flynyddoedd ynghynt mewn ysgrif ar 'Addysg ym Morgannwg' dywedodd John Brace: 'Mae Pwyllgor Addysg Morgannwg yn cydnabod, os ydym i adfer yr iaith, mai ym Morgannwg yn anad unman arall, y mae'r ffrwydr fwyaf. Mae gan yr Awdurdod bolisi pendant, sef sefydlu Ysgolion Cymraeg ar y naill law, ac ar y llall dysgu'r Gymraeg yn ail iaith ym mhob ysgol Saesneg ei chyfrwng'.

Gweithio o fewn y polisi gwreiddiol wnaeth pob un a ddilynodd John Brace ac mae'r ffigurau yn y tabl isod, sy'n dangos y nifer o blant oedd yn derbyn addysg trwy gyfrwng y Gymraeg ar ddechrau ac ar ddiwedd cyfnod yr Awdurdod (1974–1996) yn profi pa mor llwyddiannus y bu'r polisi hwnnw mewn cyfnod pan oedd niferoedd plant yn gostwng.

Blwyddyn	1974	1996
Disgyblion mewn ysgolion cynradd	65,448	56,247
Disgyblion yn derbyn addysg Gymraeg	2,445	7,479

Mae amryw o resymau am y twf sylweddol yma, gan gynnwys safon yr addysg a ddarperid yn yr ysgolion Cymraeg ac ymroddiad y swyddogion a'r cynghorwyr wrth weithredu'r polisi. Bu gwaith Mudiad Ysgolion Meithrin hefyd yn dra phwysig ond efallai mai i bwysau gan y rhieni y dylid rhoi'r clod mwyaf. Yr oedd gan fudiad Rhieni dros Addysg Gymraeg weithwyr brwd a dygn ym Morgannwg Ganol trwy gydol ei bodolaeth. Mewn cyfarfod o Gymdeithasau Rhieni ysgolion ac unedau Cymraeg Morgannwg Ganol a gynhaliwyd ar y 6ed o Fai, 1980, penderfynwyd sefydlu gweithgor i gynorthwyo gyda'r problemau a oedd ar y pryd hwnnw yn bodoli yn Ysgol Gynradd Gymraeg Pont Siôn Norton, Pontypridd ac i ymchwilio i ddarpariaeth addysg Gymraeg yn y sir.

Aelodau'r gweithgor yn y cyfnod 1980–1984 oedd Y Parchedig Eric Jones (Cadeirydd), Wyn Rees (Ysgrifennydd), Eleri Betts (tan Hydref 1981), Cennard Davies, Margaret Francis, Gwyn Griffiths (o Hydref 1982), Alan James (o Dachwedd 1981), Gareth Miles, John Preece (o Fehefin 1980), Arfon Rhys (Ysgrifennydd tan Orffennaf 1980), Anthony Rees ac Ifan Wyn Williams (tan Orffennaf 1982)

Treuliodd y gweithgor y rhan fwyaf o'r ddwy flynedd gyntaf yn cynorthwyo ac yn cyd-weithio â Chymdeithas Rhieni Ysgol Pont Siôn Norton gan gyhoeddi memorandwm ym mis Ionawr 1981 ar ddarpariaeth addysg gynradd Gymraeg yn ardal Pontypridd a memorandwm atodol ym mis Chwefror 1982. Dechreuodd y gwaith o ymchwilio i ddarpariaeth addysg Gymraeg yn y sir ym mis Mai 1981. Penderfynwyd y dylid ymweld â phob ysgol ac uned Gymraeg yn y sir ac y dylid ceisio casglu ystadegau a gwybodaeth o'r Awdurdod Addysg, yr ysgolion a'r unedau, y Cymdeithasau Rhieni a Mudiad Ysgolion Meithrin. Wedi casglu'r wybodaeth penderfynwyd y dylid ei chyflwyno i'r Awdurdod Addysg ac i Fudiad Ysgolion Meithrin fesul Ardal – y chwe rhanbarth gweinyddol o fewn y sir. Gwnaed hynny rhwng Chwefror a Gorffennaf 1984.

Casglodd y gweithgor ystadegau manwl yn rheolaidd yn nodi nifer y rhieni o fewn y sir a oedd am i'w plant dderbyn addysg Gymraeg, y lleihad yn niferoedd plant mewn ysgolion fel y cwympai poblogaeth y sir, a'r lleoedd gwag mewn adeiladau lle y gellid sefydlu ysgolion Cymraeg newydd. Gwaith cynllunio y dylai'r Awdurdod fod wedi ei wneud oedd hwn, ond fe'i gwnaed mor drylwyr gan y gweithgor, a'i gyflwyno mor eglur fel na ellid gwrthsefyll ei gasgliadau. Bu Cennard Davies, Alan James, Eric Jones a Wyn Rees yn ymwelwyr cyson â'r Swyddfa Addysg i drafod y sefyllfa â'r Cyfarwyddwr a'r Trefnydd Cymraeg. Pan fyddai ysgol gynradd yn gorlenwi byddai pwysau aruthrol, a oedd yn cael ei atgyfnerthu â ffigurau manwl, yn cael ei roi ar yr Awdurdod gan y pedwar yma i agor ysgol gynradd Gymraeg arall yn yr ardal. Hwy fyddai'r cyntaf i gydnabod, fodd bynnag, fod cefnogaeth y rhieni'n gyffredinol wedi bod yn gwbl allweddol i'w llwyddiant.

Hogodd y gweithgor ei arfau ar achos Pont Siôn Norton. Adroddir yr hanes gan Gareth Miles mewn pennod ddiweddarach, o safbwynt rhiant, a oedd hefyd yn aelod o'r gweithgor, ond mae'n werth tynnu sylw at rai o brif nodweddion y frwydr. Agorwyd yr ysgol, gyda 15 o blant ym mis Hydref 1951 mewn cornel o ysgol gynradd Norton Bridge – ysgol a chanddi ddigon o le mewn tri adeilad. Erbyn mis Ionawr 1981 yr oedd nifer y plant yn yr ysgol Gymraeg wedi codi i 299, ac 17 yn unig ar ôl yn yr 'ysgol' Saesneg. Gosododd yr Awdurdod uchafrif o 300 ar yr ysgol Gymraeg a bu rhaid gwrthod disgyblion a oedd yn awyddus i gychwyn yn yr ysgol.

Byddai trosglwyddo'r plant o'r dosbarthiadau Saesneg i ysgolion eraill yn rhyddhau dau ddosbarth, ond ateb tymor byr yn unig fyddai hwn ac nid dyma oedd amcan y gweithgor a'r rhieni. Yr oedd eu brwydr hwy yn un ddeublyg: brwydr am ysgol ychwanegol, a brwydr yn erbyn bwriad yr Awdurdod i sefydlu unedau Cymraeg mewn ysgolion Saesneg, cynllun a fyddai, ym marn yr Awdurdod, yn gwneud defnydd mwy effeithlon o adeiladau.

Bu cwestiwn yr unedau Cymraeg yn un llosg am flynyddoedd mewn llawer ardal. Gallai'r cefnogwyr ddadlau y byddai unedau Cymraeg yn Cymreigio ysgolion yn gyffredinol, ac yr oedd enghreifftiau lle'r oedd hynny wedi digwydd. Ond yr oedd gan y gweithgor ddwy ddadl gref yn erbyn unedau. Yn gyntaf, gan fod yr ardal a chartrefi'r plant mor Seisnig, dim ond yn yr ysgol y gallent gael y profiad o fod mewn cymdeithas hollol Gymraeg. Byddai plant uned Gymraeg yn lleiafrif mewn ysgol, a Saesneg o'u cwmpas ymhobman. Y Saesneg fyddai prif iaith yr ysgol, ac iaith y plant hŷn i gyd, ac ni ellid bod yn sicr y byddai'r prifathro neu'r brifathrawes yn medru'r Gymraeg hyd yn oed. Byddai hynny'n cyfleu neges anffodus i'r disgyblion ynghylch statws y Gymraeg.

Yn ail, yr oedd Adroddiad Gittins wedi cydnabod mai un o gryfderau'r ysgolion Cymraeg oedd eu perthynas â rhieni, a bodolaeth Cymdeithasau Rhieni cryf a gweithgar. Nid oedd hynny'n gyffredin yn y rhan fwyaf o ysgolion y cylch, ac fe fyddai'n anodd creu Cymdeithas Rhieni ar gyfer uned yn unig. Pe bai Cymdeithas Rhieni yn bod i'r ysgol gyfan, Saesneg yn anorfod fyddai ei hiaith.

Pwysodd yr Awdurdod ar rieni Pont Siôn Norton i dderbyn unedau ar gyfer babanod mewn ysgolion eraill yn y cylch, ond gwrthodwyd hynny'n bendant gan y rhieni. Gwelent hyn fel ymgais i ffrwyno twf addysg Gymraeg gyflawn yn y sir. Aeth y gweithgor yn ei flaen â'i waith cynllunio manwl a chyflwyno adroddiadau i'r Pwyllgor Addysg yn 1984. Yn y pen draw, wedi blynyddoedd o frwydro, ildiodd yr Awdurdod a sefydlwyd Ysgol Evan James ym Mhontypridd yn 1985.

Edrychwn yn awr ar argymhellion y gweithgor ar gyfer y chwe ardal yn y sir.

Ardal Cwm Cynon

Yr oedd Ysgol Gymraeg Aberdâr yn un o'r ysgolion cynnar, ac erbyn 1983 yr oedd yn llawn, gyda 260 o ddisgyblion. Dengys yr adroddiad fod 11 o blant wedi eu gwrthod ym mis Medi 1983 ac y byddai'r nifer hwnnw yn codi i 28 yn y flwyddyn ganlynol. Yr oedd yr uned Gymraeg a sefydlwyd ym Mhenderyn ym mhen uchaf y cwm yn 1976 hefyd yn tyfu, gyda 73 o ddisgyblion (allan o 193) yn yr uned. Yr oedd rhai o blant y Rhigos yn mynychu Ysgol Gymraeg Cwm-nedd. Er hynny yr oedd y cyfartaledd a fynychai ysgolion Cymraeg, sef 4.9%, yn is nag ydoedd yn ardaloedd Rhondda, Taf Elai a Rhymni.

Cyflwynwyd ystadegau i ddangos mai dim ond un plentyn o Abercynon, ym mhen isa'r cwm, oedd yn mynychu ysgol Gymraeg, a hynny mae'n debyg oherwydd y pellter o ddeg milltir o Aberdâr. Nid oedd Mudiad Ysgolion Meithrin wedi llwyddo yn y rhan hon o'r cwm chwaith.

Casgliad y gweithgor oedd y dylid sefydlu ail ysgol Gymraeg yn Aberpennar i ysgafnhau'r pwysau ar Ysgol Gymraeg Aberdâr ac er mwyn darparu addysg Gymraeg ar gyfer plant Abercynon. Pwyswyd ar y Mudiad Ysgolion Meithrin i gryfhau ei drefniadaeth yn y cwm yn gyffredinol. Mewn ymateb agorwyd uned yn ysgol y babanod Abercynon a ddatblygodd yn ysgol gynradd ar safle hen Ysgol Gyfun isaf Aberpennar. Cododd nifer y plant oedd yn derbyn addysg Gymraeg yn y cwm i 440 erbyn 1988.

Ardal y Rhondda

Yn y Rhondda yr oedd tair ysgol Gymraeg: Ysgol Ynys-wen (1950) ym mhen ucha'r cwm, Ysgol Bodringallt, Ystrad Rhondda (1979) tua'r canol; ac ysgol Llwyncelyn, y Porth, sef ysgol gynnar Pont-y-gwaith (1950) a symudwyd i'r Porth yn 1979. Yr oedd Morgannwg Ganol eisoes wedi gweithredu yn y Rhondda trwy sefydlu un ysgol a symud un arall, ond erbyn 1984 yr oedd y tair yn llawn a'r sefyllfa yn Llwyncelyn yn ddifrifol. Yr oedd cynlluniau ar y gweill i ddarparu adeilad newydd i Ysgol Ynys-wen ar gyfer 240 o blant yn 1986.

Yr oedd y gweithgor yn bryderus rhag i'r Awdurdod Addysg rwystro plant dan bump oed rhag cael eu derbyn i'r Ysgolion Cymraeg er mwyn creu lle i blant hŷn, a rhybuddiant rhag hynny. Byddai hyn yn ergyd i ysgolion Cymraeg gan fod yr ysgolion Saesneg yn derbyn plant iau.

Casgliad y gweithgor oedd fod angen dwy ysgol Gymraeg ychwanegol ar frys yn y Rhondda, un yn y Rhondda Fach, ac un yn Rhondda Ganol. Gwelid bod perthynas agos rhwng gwaith y Mudiad Ysgolion Meithrin a llwyddiant ysgol Gymraeg.

Mewn ymateb agorwyd ysgol Gymraeg yn Ferndale yn y Rhondda Fach yn 1985, Ysgol Llyn y Forwyn, i leihau'r pwysau ar Ysgol Llwyncelyn a thyfodd nifer y plant mewn ysgolion Cymraeg o 587 yn 1981 i 838 yn 1988. Yna yn 1990 agorwyd Ysgol Bronllwyn, yn y Gelli ynghanol y Rhondda Fawr.

Rhanbarth Ogwr

Tair ysgol oedd yn y rhanbarth hwn (sylwer bod ardaloedd wedi troi'n rhanbarthau): Ysgol Gymraeg Maesteg (1948), Ysgol Gymraeg Pen-y-bont (agorwyd fel uned yng Nghoety yn 1962 a symudodd i Ben-y-bont yn 1974), ac Ysgol Gymraeg y Ferch o'r Sger, Corneli (1982).

Yr oedd ysgol Maesteg wedi sefydlogi ar oddeutu 227 o ddisgyblion, 10% o blant y dalgylch, ac yn agos at fod yn llawn. Canran lai o'r dalgylch oedd yn ysgol Pen-y-bont (4%) ond hi oedd un o ysgolion Cymraeg mwyaf y sir gyda 341 o blant ym mis Mawrth 1984. Pryder i'r gweithgor oedd sylweddoli nad oedd plant tair i bedair oed yn yr ysgol, er bod ysgolion Saesneg y cylch â dosbarthiadau meithrin. Yn ysgol newydd y Corneli, a fwriadwyd ar gyfer rhyw 120 o ddisgyblion, yr oedd arwyddion eisoes fod y galw am lefydd ddwywaith yn uwch na'r disgwyliad, a hynny heb fanteision dosbarth meithrin.

Casgliadau'r gweithgor oedd y dylai'r Awdurdod weithredu polisi cyson ynghylch mynediad i ddosbarth meithrin, ac y dylai Mudiad Ysgolion Meithrin wneud ymdrech i godi'r ganran o blant mewn addysg Gymraeg yn agosach i'r ganran sirol. Bernid y byddai angen ysgolion newydd yn nalgylch Ysgol Pen-y-bont o fewn dwy flynedd, un i wasanaethu Cwm Ogwr a Chwm Garw, ac un arall ym Mhencoed.

Mewn ymateb agorwyd Ysgol Cwm Garw ym Mhontycymer yn 1988.

Rhanbarth Rhymni

Yr oedd canran y plant mewn ysgolion Cymraeg yn uwch yn y rhanbarth hwn nag yn y sir yn gyffredinol, ac mewn dau bentref, Senghennydd ac Abertridwr, yr oedd yn 22% a 27%. Pedair ysgol ac uned oedd yn y rhanbarth yn 1984: Ysgol Gymraeg Rhymni (1955), Ysgol Ifor Bach, Senghennydd (1961), Ysgol Gilfach Fargod (1963), Ysgol Gymraeg Caerffili (1970) ac Uned Fabanod yn Llanbradach (1979). Ceir hanes yr ysgolion hyn yn fanylach ym Mhennod 7 gan Ben Jones a'r diweddar Mrs Lily Richards.

Barn y gweithgor oedd bod Ysgol Ifor Bach yn orlawn ac mai'r ffordd orau i leihau'r pwysau oedd sefydlu ail ysgol Gymraeg yn nhref Caerffili, a newid dalgylchoedd yr ysgolion. Awgrymwyd sefydlu ysgol arall yn nalgylch Ysgol Gilfach Fargod gan fod yr ysgol eisoes yn llawn, ac yr oedd y gweithgor yn ymwybodol o wrthwynebiad y rhieni i sefydlu uned fabanod yn ysgol Tir-y-berth. Caiff Mudiad Ysgolion Meithrin ganmoliaeth am ei ymdrechion yn yr ardal, ac anogaeth i sefydlu grwpiau newydd mewn mannau penodedig.

Fel y dengys Ben Jones, fe weithredwyd yr argymhelliad cyntaf pan agorwyd Ysgol y Castell yng Nghaerffili, er bod deng mlynedd wedi mynd heibio cyn iddi agor ei drysau. Nid agorwyd ysgol newydd yn Gilfach Fargod, ond ychwanegwyd at y ddarpariaeth pan ddaeth Ysgol Trelyn, Pengam – pentref cyfagos yng Ngwent – i ddwylo Awdurdod newydd Caerffili yn 1996. Bu'r uned fabanod yn Nhir-y-berth yn agored o 1984 hyd nes y sefydlwyd Ysgol Gymraeg Bro Allta yn Ystradmynach yn 1993.

Rhanbarth Merthyr Tudful

Mantais i'r ardal hon oedd dod yn rhan o Forgannwg Ganol yn 1974. Llusgo'i thraed a wnaeth y dref ynghylch addysg Gymraeg, ond yn 1972, pan oedd Dafydd Wigley yn gynghorydd yno, llwyddodd rhieni Merthyr i ddarbwyllo'r cyngor i agor Ysgol Santes Tudful. Ceir yr hanes hwnnw yn atgofion difyr Dafydd Wigley o'i ddyddiau cynnar fel gwleidydd (Pennod 6). Tyfodd yr ysgol yn gyflym, ac wedi i Forgannwg Ganol gymryd yr awenau agorwyd Ysgol Rhyd-y-grug ym Mynwent y Crynwyr i wasanaethu rhan ddeheuol y cwm yn 1976.

Gwelodd y gweithgor fod sefyllfa ryfedd yn Rhyd-y-grug. Sefydlwyd yr ysgol yn hen adeiladau Ysgol Gynradd Saesneg Mynwent y Crynwyr ond arhosodd adran feithrin yr ysgol honno yn yr un adeilad oherwydd pwysau gan y cynghorydd lleol. Sefyllfa chwithig iawn oedd i ysgol Gymraeg fod â dosbarth meithrin Saesneg ond dim dosbarth meithrin Cymraeg. Pwysodd y gweithgor ar i'r Awdurdod unioni'r sefyllfa wirion hon. Pwysodd hefyd ar y Mudiad Ysgolion Meithrin i ychwanegu at y ddarpariaeth oedd ganddo yn y cylch.

Rhanbarth Taf Elái

Yr oedd canran y plant a oedd yn derbyn addysg gynradd Gymraeg yn y sir ar ei huchaf yn y rhanbarth hwn – 17.9% ym mis Medi 1982, mewn pedair ysgol a phedair uned:

Pont Siôn Norton, Pontypridd (1951), Gartholwg, Pentre'r Eglwys

Athrawon Ysgol Gymraeg Cynwyd Sant, Maesteg yn 2000. Agorwyd yr ysgol yn 1948 a daeth dan ofal Sir Forgannwg fel Ysgol Gymraeg Maesteg yn 1949. Newidiwyd yr enw i Ysgol Gymraeg Tyderwen, ond pan symudwyd i hen safle Ysgol ramadeg Maesteg yn 1990 mabwysiadwyd yr enw presennol. Mewn hanner canrif ni chafodd yr ysgol ond tri o brifathrawon: Nansi Roberts (1949-62), Gerallt Jones (1962-83) a Iwan Guy (1983-2000). Y pennaeth presennol yw Mrs Tegwen Ellis sydd ar law dde Mr Guy yn y darlun.

Pump o ddisgyblion yn ysgol Gymraeg wreiddiol ym Maesteg: Dafydd Bowen, Mai Jones, Non Bowen, Lynne John a Royston Thomas. Bu Mai Jones yn athrawes yn yr ysgol hyd iddi ymddeol yn 2000, a daeth Royston Thomas yn un o lywodraethwyr yr ysgol, tad i un o'r athrawon a thadcu un o'r disgyblion.

(1966 – o uned Llanilltud Faerdre 1960), Tonyrefail (1970), Llantrisant (1976), ac unedau Gwaelod-y-Garth (1968), y Dolau, Llanharan (1971), Heolycelyn, Rhydyfelin (1974) a'r Creigiau (1977).

Pan ysgrifennwyd yr adroddiad, yr oedd y sir eisoes yn cynllunio i agor ysgolion newydd ym Mhontypridd, sef Ysgol Evan James a agorwyd yn 1985, ac Ysgol Castellau, y Beddau, yn 1988 – yr ysgol Gymraeg gyntaf i'w hagor yn y de-ddwyrain mewn adeiladau newydd sbon. Gobeithiai'r gweithgor y byddai agor yr ysgolion hyn yn dileu'r gwahaniaeth yn oed mynediad rhwng ysgolion Cymraeg a rhai Saesneg. Erbyn hyn, yn yr adroddiad terfynol, yr oedd y gweithgor yn ddigon hyderus i gyhuddo'r Awdurdod Addysg o ddiffyg cynllunio ar gyfer twf addysg Gymraeg, gan sylweddoli efallai fod y cyfnod hwnnw yn dirwyn i ben.

Yn y bennod hon anwybyddwyd datblygiad addysg uwchradd Gymraeg – rhan hanfodol o gyfundrefn addysg gyflawn a fyddai'n effeithiol ac yn ddeniadol i rieni a disgyblion. Ceir yr hanes hwnnw ym Mhenodau 8, 9 a 10, gan Maxwell Evans, Gwilym Humphreys a Merfyn Griffiths.

Y Darlun o Du'r Awdurdod – John Albert Evans

Bûm i'n ddigon ffodus i fod yn gweithio fel Ymgynghorydd Cymraeg ym Morgannwg Ganol yn y saith degau a'r wyth degau pan oedd y sir ar flaen y gad yn natblygiad addysg Gymraeg yn ne Cymru, dan y drefn sirol newydd a ddaeth i fod yn 1974. Dysgais fod bywyd swyddogion addysg yn gallu bod yn ddyrys iawn, yn wyneb pwysau gan rieni a chynghorwyr, gwleidyddion a newyddiadurwyr. Yr oedd swyddogion y sir, dan arweiniad John Brace, yn awyddus iawn i gefnogi addysg Gymraeg a dilyn polisïau yr hen Sir Forgannwg, ond nid mater rhwydd oedd llunio cynlluniau ymarferol a fyddai yn dderbyniol i bawb.

Ar ôl cau'r pyllau glo, gwelwyd gostyngiad sylweddol ym mhoblogaeth y sir a nifer y plant yn yr ysgolion, ac oherwydd hynny yr oeddent yn hanner gwag. Nid oedd obaith yn y byd cael adeiladu ysgolion newydd i ateb y galw am ysgolion Cymraeg. Anodd iawn hefyd oedd cau unrhyw ysgol a gwasgaru'r plant i ysgolion cyfagos; anoddach fyth oedd gwneud hynny er mwyn creu lle i ysgol Gymraeg. Byddai teyrngarwch cynghorwyr i'w hetholwyr, yn gymysg â gwrthwynebiad gwleidyddol a oedd yn gweld dylanwad Plaid Cymru mewn unrhyw ddatblygiad Cymraeg. Yn wir yr oedd sefydlu ysgol Gymraeg yn gyfystyr â sefydlu cangen newydd o Blaid Cymru yng ngolwg llawer o gynghorwyr. Mae'n wir fod y Gymraeg yn fwy canolog i bolisïau Plaid Cymru yn y dyddiau hynny nag ydyw heddiw, ond mae'n anodd sylweddoli pa mor unllygeidiog yr oedd llawer o gynghorwyr yn y cyfnod. Cofiaf un yn datgan yn groch nad oedd un ysgol benodol yn dysgu pynciau craidd fel mathemateg ond yn rhoi ei holl sylw i gyflwyno dogma Plaid Cymru. Anodd credu bod cynghorydd cyfrifol yn gallu meddwl yn y fath fodd.

Un ffordd a fabwysiadwyd gan y sir i oresgyn yr anawsterau hyn oedd sefydlu unedau Cymraeg mewn ysgolion Saesneg. Felly, wrth gwrs, y sefydlwyd llawer o ysgolion Cymraeg eraill, fel pan sefydlwyd ysgol Gymraeg Bryntaf yn ysgol Courtmead yng Nghaerdydd. Tua'r un adeg yr oedd y Cyngor Ysgolion yn cynnal arbrawf mewn addysg ddwyieithog mewn nifer o ysgolion cynradd Saesneg ledled Cymru. Yn yr arbrawf hwn dysgid popeth trwy gyfrwng y Saesneg yn y bore, a'r prynhawn i gyd trwy gyfrwng y Gymraeg. Dyna oedd y bwriad, waeth beth a ddigwyddai ar lawr y dosbarth. Er bod mesur o lwyddiant wedi ei ganfod yn yr arbrawf ni chydiodd y trefniant yn yr hir dymor. Ofnaf ein bod, fel Awdurdod, wedi methu argyhoeddi'r rhieni fod unedau Morgannwg Ganol, yn wahanol i rai'r Cyngor Ysgolion, yn rhedeg yn union fel ysgolion Cymraeg lle dysgid popeth trwy gyfrwng y Gymraeg o'r dechrau cychwyn. Ta beth, nid oedd y cynllun hwn yn dderbyniol gan rieni ysgolion Cymraeg a oedd yn dadlau bod angen amgylchedd hollol Gymraeg i ysgol Gymraeg ffynnu, ac aeth yn destun dadlau a brwydro dros nifer o flynyddoedd yn y sir.

Teimlaf na chafodd cynllun yr unedau Cymraeg sylw teg fel ymgais ddilys i gyfrannu at dwf addysg Gymraeg. Rwy'n cofio'n dda ein Cyfarwyddwyr Addysg, John Brace, yn dweud y byddai'n braf gallu sefydlu uned Gymraeg ym mhob ysgol gynradd ym Morgannwg Ganol. Cofiwn fod ysgol Pont Siôn Norton ym Mhontypridd wedi gweithredu ar yr un safle ag ysgol Saesneg o'r cychwyn cyntaf yn 1951; dros y blynyddoedd tyfodd yr ysgol Gymraeg ac edwinodd yr ysgol Saesneg, a arweiniodd at gau'r ysgol honno yn 1990. Bu bron i'r un peth ddigwydd yng Ngwaelod-y-garth ar un adeg pan oedd 140 o blant yn yr uned Gymraeg a rhyw 30 yn yr adran Saesneg. Yr oedd yr ysgol hon bellach yn ysgol Gymraeg gydag uned Saesneg.

Enghraifft arall o uned lwyddiannus oedd yr un yn ysgol Heolycelyn y tu allan i Bontypridd. Dymuniad y rhieni a'r ysgol oedd cael uned yno a chofiwn am lwyddiant ysgubol yr ysgol hon yn Eisteddfodau Cenedlaethol yr Urdd. Yr ardal Gymreiciaf yn y sir oedd ardal Penderyn yng Nghwm Cynon. Yn yr ardal wledig amaethyddol hon agorwyd uned dra llwyddiannus yn 1976, uned sy'n dal i dyfu. Ar un adeg yr oeddwn yn dra hyderus y byddai'r uned hon yn datblygu i fod yn ysgol Gymraeg, ac yn wir mae'n dal yn bosibilrwydd gyda sefydlu Ysgol Gyfun Gymraeg Rhyd-y-waun, sy'n nes at Benderyn nag unrhyw ysgol uwchradd arall.

Cafodd cannoedd o blant addysg gyfrwng Cymraeg mewn uned lle na fyddai modd darparu ysgol Gymraeg, ac ni wn am unrhyw ymchwil yn dangos bod safon yr addysg a ddarparwyd yn yr unedau Cymraeg yn is nag addysg ysgolion Cymraeg.

Bu'r galw am sefydlu ysgol gyfun Gymraeg yn y Rhondda yn niwedd yr wyth degau yn aruthrol. Erbyn hynny yr oedd ein tair ysgol gyfun yn orlawn a chan fod pedair ysgol gynradd Gymraeg yn y Rhondda (ac un arall ar y ffordd) yr oedd yno ddigon o blant i sefydlu'r ysgol gyfun Gymraeg gymunedol gyntaf yn y sir. Fel erioed, nid mater syml oedd darganfod cartref priodol i'r ysgol newydd. Gwelwyd posibilrwydd yn y Porth a chyflwynodd ein Cyfarwyddwr Addysg ar y pryd, Mr Ken Hopkins, gynllun dewr ac uchelgeisiol i gau Ysgol Gyfun Saesneg y Cymer er mwyn sefydlu'r Ysgol Gyfun Gymraeg. Dan yr amgylchiadau, yr oedd cael uwch swyddog a oedd yn flaenllaw yn y Blaid Lafur yn holl bwysig ac, fel y gwelir ym Mhennod 10, llwyddwyd i fynd â'r maen i'r wal yn drefnus ym mis Medi 1988. Bellach gall y Rhondda fod yn falch iawn o lwyddiant ei hysgol gyfun gymunedol Gymraeg. Un mesur o lwyddiant addysg Gymraeg yn y de-ddwyrain yw bod naw ysgol gyfun Gymraeg bellach yn gwasanaethu'r un dalgylch ag a wasanaethai Ysgol Rhydfelen o 1962 hyd 1974.

Nid yw'r awdurdodau newydd a gymerodd le Morgannwg Ganol

wedi llwyddo i ymestyn y ddarpariaeth addysgol Gymraeg hyd yn hyn, ond yn hytrach gwelwyd twf cyfatebol yng Nghaerdydd a Bro Morgannwg. Er hynny, rwy'n sicr y gwelir galw eto maes o law am ragor o addysg Gymraeg, heb sôn am wella cyflwr yr ysgolion sydd gennym. Pan ystyrir cyflwr echrydus nifer o'n hadeiladau mae'n wyrthiol bod cymaint o alw am addysg Gymraeg. Go brin bod adeiladau gwaeth eu cyflwr ym Mhrydain nag sydd yng Nghwm Rhymni a Rhydfelen, ond bu'r rhieni yn werthfawrogol iawn o safon yr addysg a ddarparwyd i'w plant yn yr ysgolion hyn. Braf yw deall y bydd ysgol newydd sbon yn cymryd lle Rhydfelen erbyn 2004.

O du'r Awdurdodau Addysg bu hanes addysg gyfrwng Cymraeg yn llwyddiant digamsyniol. Mae pob ysgol yn llawn, a chanlyniadau profion yr ysgolion cynradd yn dda. Mae canlyniadau TGAU a Lefel A yr ysgolion cyfun Cymraeg yn cymharu'n deg iawn ag ysgolion cyfun Saesneg er bod lle o hyd i godi disgwyliadau ac adfer hyder plant a rhieni holl ysgolion yr ardaloedd hyn.

Mae nifer o gwestiynau y dylid eu dwys ystyried, hyd yn oed ar ôl hanner can mlynedd o addysg Gymraeg. Y defnydd o'r iaith Gymraeg ei hun fel iaith gyfathrebu yn yr ysgol ac o'r tu allan yw un ohonynt. Â mwy na 95% o'r disgyblion yn dod o gartrefi Saesneg, ydyw hi'n bosibl sicrhau mai Cymraeg yw'r unig iaith a siaredir gan y plant yn yr ysgol? Sylweddolodd athrawon fod 'Peidiwch â siarad Saesneg' yn aml iawn yn wrthgynhyrchiol, a bod anogaeth a chanmoliaeth yn llawer mwy boddhaol, ond a ydyw ein disgyblion yn gweld y Gymraeg fel iaith ysgol ac addysg yn unig? Pam mae disgyblion o gartrefi Cymraeg yn teimlo'n anghysurus yn siarad eu mamiaith mewn aml i sefyllfa yn yr ysgol? A oes angen ailystyried 'dulliau dysgu'r Gymraeg i blant o gartrefi Saesneg er mwyn sicrhau iaith raenus ar wefusau'r plant? Pam mae cynifer o gyn-ddisgyblion yn troi eu cefnau'n llwyr ar y Gymraeg wedi gadael ysgol, yn anghofio'r iaith yn fuan iawn ac yna'n ailymddangos mewn dosbarthiadau nos i ail ddysgu'r iaith pan fydd eu plant hwythau yn mynd i ysgolion Cymraeg? Os yw addysg Gymraeg i ffynnu yn yr unfed ganrif ar hugain bydd angen atebion i'r cwestiynau hyn. Bydd angen i rieni gadw llygad barcud ar ddatblygiadau mewn Awdurdodau ac ysgolion gan fod cynifer ohonynt yn aml yn ddigon llugoer eu hagwedd at addysg Gymraeg. Mawr obeithiaf y bydd gweledigaeth RHAG yn parhau â'r nod o sicrhau yn yr hir dymor y bydd ein hysgolion i gyd yn naturiol ddwyieithog.

Cyfraniad Trefor a Gwyneth Morgan

Yr oedd Trefor Morgan, a'i wraig Gwyneth yn gymwynaswyr mawr i addysg Gymraeg ym Morgannwg Ganol, a thu hwnt i'r sir. Gŵr busnes o Donyrefail oedd Trefor, Cymro a chenedlaetholwr pybyr, a Gwyneth – a ddeuai o Aberdâr – o'r un anian. Sefydlodd Trefor gwmni yswiriant Undeb yn Aberdâr, yn gweithredu trwy'r Gymraeg, a nifer o fusnesau eraill. Yn 1963 sefydlodd Gronfa Glyndŵr yr Ysgolion Cymraeg i estyn cymorth ariannol i rieni ac ysgolion er mwyn helpu plant i fynychu'r ysgolion Cymraeg. Gwelir nifer o gyfeiriadau yn y gyfrol hon at gyfraniadau'r gronfa tuag at gostau teithio plant i'r ysgolion; bu hefyd yn gymorth i sefydlu llawer o ddobarthiadau meithrin.

Erbyn 1968, pan oedd plant Morgannwg yn teithio ymhell bob dydd i ysgolion uwchradd Rhydfelen ac Ystalyfera, a'r Awdurdod yn gyndyn i ddarparu ysgolion newydd, penderfynnodd Trefor a Gwyneth Morgan agor ysgol breifat eu hunain ym Mhen-y-bont ar Ogwr, sef Ysgol Glyndŵr. Hon fyddai'r ysgol Gymraeg breifat gyntaf ar ôl dyddiau ysgol Lluest, Aberystwyth, a'i bwriad oedd darparu addysg gynradd ac uwchradd. Un o athrawon yr ysgol, ym mis Medi 1968, oedd Gerallt Lloyd Owen (y Prifardd a'r Meuryn yn ddiweddarch), ond yr oedd iechyd Trefor Morgan yn fregus, ac fe fu farw yn sydyn ym mis Ionawr, 1970. Daeth yr ysgol i ben yn fuan wedyn. –*Gol.*

Pennod 5

Brwydr Pont Siôn Norton

GARETH MILES

'*Pont Siôn Norton Welsh School will move into the English School over my dead body.*'
– Y Cynghorydd Emrys Peck, ychydig ddyddiau cyn ei farwolaeth.

'*He shouldn't have said that, should he?*'
– Un o rieni Ysgol Gymraeg Pont Siôn Norton, pan glywodd am farwolaeth y Cynghorydd.

AGORWYD Ysgol Gynradd Gymraeg Pont Siôn Norton Hydref y 15fed, 1951 gyda 15 o blant a dwy athrawes, yn cynnwys y Brifathrawes, Miss Gwenllian Williams (Mrs Netherway yn ddiweddarach). Cartrefwyd yr ysgol newydd yn un o dri adeilad a berthynai i'r Norton Bridge County Primary School, ar fin hen briffordd yr A470, filltir a hanner o ganol tref Pontypridd a rhyw filltir o bentref Cilfynydd.

Cynyddodd nifer y disgyblion yn gyson drwy'r pum degau a'r chwe degau. Erbyn 1964, yr oedd dros 190 ar gofrestri'r ysgol; deng mlynedd yn ddiweddarach, yn 1974, â'r nifer dros 250, lleolwyd dosbarthiadau o'r Ysgol Gymraeg yn ail adeilad yr ysgol Saesneg. Erbyn diwedd y degawd, defnyddid dau o'r tri adeilad ar y campws yn gyfan gwbl gan ddisgyblion yr Ysgol Gymraeg ac yr oedd dau ddosbarth ohonynt yn y trydydd adeilad, gan fod dros 300 ohonynt hwy a llai na 30 yn yr Ysgol Saesneg.

Pan agorodd Ysgol Pont Siôn Norton ei drysau ar gyfer Tymor y Gaeaf,1980, anfonwyd adref, ar orchymyn y Pwyllgor Addysg, wyth o'r newydd-ddyfodiaid, plant o Ynys-y-bwl a Glyncoch. Dywedwyd bod nifer y disgyblion wedi cyrraedd y 'nenfwd' o 300. Penderfynodd rhieni'r wyth a wrthodwyd brotestio yn erbyn dyfarniad y Pwyllgor Addysg trwy drefnu i garfan ohonynt hwy a'u cefnogwyr gysgu yn un o ystafelloedd dosbarth yr ysgol, bob nos, hyd nes y ceid newid agwedd a pholisi.

Daeth dros ddau gant a hanner o rieni a charedigion Addysg Gymraeg o bob cwr o Forgannwg Ganol i gyfarfod protest cynhyrfus a gynhaliwyd yn yr ysgol ar Fedi y 3ydd. Cafwyd cefnogaeth unfrydol i rieni yr Wyth a'r rhai a gysgai yn yr ysgol, a gwirfoddolodd eraill i ymuno yn y brotest.

Drannoeth, Medi y 4ydd, daeth gorchymyn o'r Swyddfa Addysg i'r gwrthdystwyr godi eu sachau cysgu a rhodio o gyffiniau'r ysgol, rhag blaen. Anwybyddwyd y siars ond yn ystod y mis cynhaliwyd cyfarfodydd ffurfiol ac anffurfiol rhwng swyddogion y Gymdeithas Rhieni ar y naill law ac aelodau etholedig a swyddogion Pwyllgor Addysg Morgannwg Ganol ar y llall.

Perthynai nifer o athrawon yr ysgol i UCAC, ac fel y gellid disgwyl, bu swyddogion yr undeb hwnnw'n dadlau'n daer â'r Awdurdod o blaid manteision cyflwyno addysg Gymraeg mewn ysgolion 'sofran ac annibynnol' yn hytrach nag mewn unedau a fyddai'n rhan o ysgolion Saesneg eu cyfrwng, a thros fuddiannau plant, rhieni ac athrawon – o bob undeb – a goleddai'r egwyddor honno.

Trwy sefydlu Unedau Cymraeg yr arfaethai'r Pwyllgor Addysg Sirol 'ddatrys y problemau' a achosid gan y twf aruthrol yn y galw am addysg trwy gyfrwng y Gymraeg. Cyfeiriai ambell i Swyddog Addysg a oedd hefyd yn Gymro pybyr at lwyddiant digamsyniol ambell uned o blith y dyrnaid a fodolai eisoes, gan honni y byddai llu o unedau newydd megis haint ieithyddol, iachusol a Gymreigiai holl ysgolion cynradd y sir, maes o law. Diau eu bod mor ddiffuant â'r diweddar Jac L. Williams pan ddadleuai ef, tua'r un pryd, yn erbyn sefydlu sianel deledu annibynnol Gymraeg ac o blaid y *status quo*. Yr hyn a welai'r rhieni a'u cefnogwyr oedd cynllwyn i israddoli Addysg Gymraeg yn y sir ac i ysigo momentwm yr ymgyrch o'i phlaid. Petai angen prawf o hynny, digon yw cyfeirio at wrthodiad llwyr y Pwyllgor Addysg i droi Norton Bridge County Primary School yn Uned Saesneg mewn Ysgol Gynradd Gymraeg.

Sut mae egluro gelyniaeth eithafol rhai o gynghorwyr Llafur yr hen Sir Forgannwg Ganol at y Gymraeg? Credaf mai adwaith seicolegol a gwleidyddol ydoedd i dwf Cenedlaetholdeb yn y chwe degau a'r saith degau. Yr oedd Cymreictod yn her i hunaniaeth eu mamwlad, sef, *South Wales;* a Phlaid Cymru, ar un adeg, wedi bygwth cipio eu seddi ar gynghorau ac yn San Steffan. Eironi a dagrau'r sefyllfa oedd bod cynghorwyr y Blaid ar Gyngor Sir Morgannwg Ganol yn awyddus iawn, iawn i osgoi rhoi carn i'w gwrthwynebwyr eu cyhuddo o fod yn gefnogol i'r Gymraeg.

Ffactor ychwanegol ym Mhontypridd oedd dylanwad un cynghorydd Llafur blaenllaw o Bontypridd, y diweddar Brynmor Jones, yn nhrafodaethau carfan lywodraethol y Cyngor Sir ar faterion addysgol. Bu Mr Jones, a oedd yn Gymro Cymraeg, yn Swyddog Addysg Lleol ym Mhontypridd cyn ymddeol. Trwy gydol cyfnod ei wasanaeth fel rhaglaw addysgol, bu gweinyddiad Ysgol Gyfun Rhydfelen yn uniongyrchol o Swyddfa'r Sir yng Nghaerdydd, yn hytrach nag o Bontypridd, yn ddân ar ei groen. Cyhoeddodd Brynmor Jones mai'r datblygiad nesaf yn y polisi o gyflwyno addysg gynradd Gymraeg trwy unedau yn hytrach na thrwy ysgolion annibynnol fyddai disodli Ysgolion Cyfun Cymraeg Rhydfelen a Llanhari gan unedau dwyieithog yn ysgolion cyfun eraill y Sir.

Ar y 29ain o Fedi 29, 1980, cyfarfu cynrychiolwyr y Gymdeithas Rhieni â'r Cyfarwyddwr Addysg a Chadeirydd y Pwyllgor Addysg i geisio datrys yr anghydfod. Gan na ddigwyddodd hynny, aeth rhieni yr Wyth a'u plant i'r ysgol fore trannoeth. Toc wedyn, cyrhaeddodd Cyfreithiwr y Sir (menyw) yng nghwmni'r Swyddog Addysg Lleol, gŵr dymunol iawn a chanddo lawer o gydymdeimlad â'r protestwyr. Aethant â'r wyth plentyn 'anghyfreithlon' i ystafell yn yr Ysgol Saesneg. Cynddeiriogwyd y rhieni gan y weithred honno ac meddai un o'r tadau wrth y Swyddog Addysg: '*If that happens again, blood will flow. Your blood.*'

Efallai mai dyna'r trobwynt. Ar y 3ydd o Dachwedd, pan ailagorodd yr ysgol ar ôl gwyliau'r hanner tymor, caniatawyd i'r wyth plentyn aros yn yr ysgol ond heb eu cofrestru'n swyddogol. Daeth yr hwyrol wrthdystiad i ben, y 26ain o Dachwedd, ac ar 29ain o Ionawr 1981, cofrestrwyd yr Wyth.

Eithr nid oedd y frwydr drosodd. Yr oedd yr Awdurdod wedi cyhoeddi y byddid yn cadw plant dan saith oed o Ysgol Pont Siôn Norton o'r mis Medi canlynol ymlaen ac y derbynient eu haddysg tan hynny mewn unedau a sefydlid mewn nifer o ysgolion cynradd Saesneg eu cyfrwng. Gwrthwynebwyd y cynllun gan y rhieni, ac o ganlyniad, ar ddechrau tymor y Gaeaf 1981, cofrestrwyd 310 disgybl ac ataliwyd 19. I'r Mudiad Meithrin y mae'r diolch fod y gwrthodedigion hynny a'r rhai a'u dilynodd yn ystod y pedair blynedd nesaf wedi eu cadw yn y gyfundrefn Gymraeg.

Esgorodd yr *impasse* newydd ar gyfres o gyfarfodydd cyhoeddus cythryblus i drafod dyfodol Addysg Gymraeg ym Mhontypridd ac i alw am sefydlu ail ysgol gynradd Gymraeg yn yr ardal.

Digwyddodd hynny ym mis Medi 1985, pryd yr agorwyd Ysgol Evan James yn hen adeilad Ysgol Uwchradd Mill Street.

Y 26ain o Orffennaf, 1990, caewyd Norton Bridge County Primary School, gan fod llai nag ugain o ddisgyblion yno, a daeth y campws cyfan yn eiddo i Ysgol Gynradd Gymraeg Pont Siôn Norton.

Enillwyd Brwydr Pont Siôn Norton gan gynghrair anorchfygol cydrhwng gwerin weithiol, wlatgarol, ddi-Gymraeg, frodorol, a dosbarth canol Cymraeg, proffesiynol, mewnfudol yr oedd llawer o'i aelodau'n meddu ar arbenigedd mewn meysydd fel Addysg, y Gyfraith a'r Cyfryngau.

Yr oedd buddugoliaeth Pont Siôn Norton yn garreg filltir bwysig yn yr ymgyrch dros Addysg Gymraeg, a'i heffeithiau'n bellgyrhaeddol. Y pwysicaf o'r rhain oedd claddu'r 'Polisi Unedau' am byth ac argyhoeddi arweinwyr y Blaid Lafur ym Morgannwg Ganol mai camgymeriad gwleidyddol difrifol fyddai parhau i wrthwynebu'r galw cynyddol ymhlith eu hetholwyr am Addysg Gymraeg gyflawn i'w plant.

Protest as 200 back sit-in

A MASS protest in support of eight parents who are staging a sit-in at a Pontypridd school will be held outside the Mid Glamorgan County Hall, Cardiff, on Saturday.

This was decided last night when more than 200 packed the Pont Sion Norton Welsh School, Cilfynydd, where the sit-in is taking place.

The row has blown up because of the introduction of the authority's policy to contemplate the development of Welsh language education small units attached to ordinary primaries rather than in whole schools.

BUS CUTS: Plans for extensive cuts in South Wales bus services were put by National Welsh to the Traffic Commissioners yesterday.

The cuts involve the reduction in frequency of some services, the introduction of one-man operation of all buses, a big reduction in the number of vehicles in the company fleet and 300 job losses. A pu~

School protesters to hold city demo

HUNDREDS of Mid Glamorgan parents are to demonstrate outside County Hall, Cardiff, on Saturday in support of a school sit-in.

For the parents believe that the outcome of the sit-in over the education of their children could prove decisive to the future of Welsh schools in the county. The sit-in began on Monday when parents moved into Pont Sion Norton Welsh School at Cilfynydd after their children were barred from taking up places at the school.

The parents insist that there are places available, and they want their children to be allowed to occupy them — but the county council have said that they should go instead to a Welsh unit at an English speaking primary school.

But last night hundreds of parents with children at Welsh schools all over Mid Glamorgan packed into the Pont Sion Norton Hall for a meeting to work out ways to support the sit-in.

Mrs Denise Smith, one of the protest parents, said the meeting had decided to form an action committee, hold the County Hall demonstration and send letters to all county councillors explaining the parents' case. She said a rota of volunteers had been drawn up to spread the burden of the sit-in, though there will always be at least one of the original parents in the school.

The parents see the Pont Sion Norton case as a test case, said Mrs Smith. She added: "If they force us to send our children to this unit"

Court move on parents' sit-in

MID GLAMORGAN County Council are to take High Court action in a bid to end a five-day sit-in at a county school.

But Dewi Hughes, chairman of the parent-teacher association at Pont Sion Norton Welsh School, at Cilfynydd, has warned that the parents may have to be physically carried from the premises.

Mr K S Hopkins, the county's deputy director of education, said they had decided to take legal action after talks with the parents failed to move them.

He said a solicitor and senior council officer had visited the school yesterday and spoken with the parents, warning them of possible court moves.

The parents remained at the school so the council were now preparing to go before the High Court, Mr Hopkins said.

Legal process

Mr Michael Davies, the deputy county clerk, said the council were seeking an order of possession — a legal instrument which would instruct any trespassers to leave the premises.

The sit-in began at the start of the new term on Monday after demands by a group of parents to have their children admitted to Pont Sion Norton were turned down.

The education authority want the eight children involved to go to a new Welsh unit at the English speaking Craig-yr-Hesg Primary School at Glyncoch.

The parents turned up with their children on Monday and after they were refused admittance the occupation began. They have maintained a 24-hour presence in the school since then, though during the day they keep out of classrooms so as not to disrupt lessons.

Toriadau papur newydd o gyfnod y brwydro yn 1980

Pennod 6

BRWYDRAU CYNGOR MERTHYR

DAFYDD WIGLEY

NI DDEFNYDDID yr un gair o Gymraeg yn siambr y Cyngor, ac yr oedd yn rhaid i minnau fod yn ofalus rhag gorbwysleisio ystyriaethau'r iaith, gan mai mêl ar fysedd Llafur fyddai dangos nad oeddwn yn adlewyrchu blaenoriaethau'r ward a'm hetholodd. Penderfynais felly mai'r cyfraniad pwysicaf y gallwn ei wneud dros yr iaith oedd ceisio sicrhau ysgol gynradd Gymraeg i Ferthyr. Bryd hynny, nid oedd gan Bwyllgor Addysg Merthyr yr un ysgol Gymraeg yn y cwm, er bod Cyngor Sir Forgannwg wedi arloesi yn y maes drwy ddylanwad caredigion yr iaith megis y Cynghorydd Llew (yn ddiweddarach yr Arglwydd) Heycock.

Yr oedd brwdfrydedd dros addysg Gymraeg ar gynnydd yn y Cymoedd bryd hynny. Deilliai i raddau helaeth am fod to newydd o rieni ifanc yn teimlo iddynt gael eu hamddifadu o'r iaith. O ganlyniad yr oeddynt yn benderfynol y byddai eu plant yn adfeddiannu'r etifeddiaeth. Dan arweiniad pobl fel y Cynghorydd Glyn Owen, cafwyd brwydrau ffyrnig a llwyddiannus yng Nghwm Cynon, dros y mynydd o Ferthyr, i sefydlu a datblygu ysgolion Cymraeg. Gwnaed cynnydd sylweddol hefyd i'r dwyrain yng Nghwm Rhymni. Oherwydd diffyg ysgolion Cymraeg ym Merthyr, yr oedd yn rhaid i blant yr ardal deithio i'r cymoedd cyfagos i gael addysg Gymraeg. Yr oedd yn siwrnai hir, flinedig ac anghyfleus, yn enwedig i blant ifanc.

Bu ymdrechion cynharach yn y chwe degau i sicrhau ysgol Gymraeg ym Merthyr ond gwrthwynebwyd hyn yn styfnig gan Bwyllgor Addysg y fwrdeistref ac, fe ymddengys, gan y Cyfarwyddwr, Mr John Beale. Yn ôl yr hyn a glywais, yr oedd yr ymdrechion blaenorol wedi methu oherwydd i'r Awdurdod fynnu bod rhaid wrth 50 o blant o'r cychwyn ar gyfer ysgol newydd fel hyn – er bod profiad bron pob ardal ym Morgannwg yn dangos mai cychwyn gyda llawer llai na hynny a wnâi'r ysgolion Cymraeg, a thyfu'n raddol a chadarn nes eu bod yn ysgolion llewyrchus a phoblogaidd.

Nid oeddem ni wedi dychwelyd o Loegr i fyw yng Nghymru er mwyn i'n plant gael eu magu drwy'r Saesneg. Aed ati i gychwyn ymgyrch dros ysgol Gymraeg ym Merthyr. Cawsom griw brwdfrydig at ei gilydd: Graham a Mari Davies, a oedd wedi symud yno o'r Barri, ac wedi arfer â manteision ysgol Gymraeg; Raymond Gethin, athro Cymraeg yn ysgol Cyfarthfa; Mrs A. M. Protheroe, Cymraes naturiol o Ferthyr, a drefnai uned feithrin Gymraeg i blant bychain yn ysgoldy Capel Soar yn y dref; ei mab, David, plismon bryd hynny, a'i wraig Ann a hanai o Loegr ond a oedd yn frwd dros i'w phlant ddysgu'r Gymraeg; Gwyn ac Ann Griffiths o Droed-y-rhiw; a T. Eyton Jones, cyn-athro a drigai yn Nowlais ac a fu'n ddiwyd yn yr ymdrechion blaenorol i gael ysgol Gymraeg i'r ardal. Fel pe na bai'r criw yma yn ddigon nerthol a phenderfynol, manteisiais ar fy nghyfeillgarwch â Cennard Davies, Treorci, y daethwn i'w adnabod yn dda yn ystod isetholiad y Rhondda, 1967, i'n cynorthwyo; dyn yn troi ym myd addysg, a brwydrwr heb ei ail dros sefydlu ysgolion Cymraeg.

Ffurfiwyd yr ymgyrch ddiweddaraf hon cyn yr isetholiad, ond yn sicr fe roddwyd nerth i'r mudiad gan y cynnydd mewn ymwybyddiaeth Gymraeg a ddaeth yn sgil yr isetholiad. Bûm braidd yn amhoblogaidd gan rai o'm cyd-Bleidwyr am sbel, oherwydd imi bwyso am gael yr aelod seneddol newydd, Ted Rowlands, yn llywydd y mudiad dros ysgol Gymraeg. Gwyddwn fod ei wraig, Janice, yn frwd dros y Gymraeg, a chan fod ganddynt fab ifanc, tybiwn, yn enw pob synnwyr, mai peth doeth fyddai cael yr AS yn rhan o'r frwydr. Yn un peth byddai hynny yn gosod cynghorwyr Llafur Merthyr mewn sefyllfa ddigon anodd! Ac mae'n deg cyfaddef, o edrych yn ôl dros ugain mlynedd, fod Ted a Janice Rowlands wedi gwneud llawer i hybu'r Gymraeg yn yr ardal. Pwy na chofia eu hymdrechion dros Eisteddfod yr Urdd ym Merthyr yn 1987?

Yn unol â'u hagwedd at ymdrechion cynharach i sefydlu ysgol Gymraeg ym Merthyr, dywedodd y Pwyllgor Addysg unwaith eto fod eisiau o leiaf 50 o blant i gychwyn yr ysgol. Byddai gofyn hefyd i'r rhieni ddarbwyllo'r Pwyllgor eu bod o ddifri ynglŷn â'u dymuniad i gael addysg Gymraeg i'w plant a'u bod yn gwybod holl oblygiadau hynny. Yn ymarferol, golygai hyn y byddai'r Cyfarwyddwr Addysg ynghyd â chadeirydd ac is-gadeirydd y Pwyllgor Addysg yn cyf-weld y cyfan o'r rhieni, fesul teulu. Nid oeddynt yn fodlon i'r rhieni gael neb gyda hwy i'w cynghori neu i'w cynrychioli yn y cyfweliad. Mewn geiriau eraill, yr oedd y Pwyllgor Addysg yn sefydlu rhyw ffurf ar 'Inquisition' i berswadio'r rhieni na wyddent beth a geisient, ac y dylent ailfeddwl. Y tro cynt fe lwyddwyd i atal sefydlu ysgol Gymraeg. Disgwylid llwyddo eto.

Ond yn awr, yr oedd yr ymgyrch dros yr ysgol Gymraeg yn drefnus a phenderfynol, yn ogystal â brwdfrydig. Sicrhawyd lobi gref i fynychu'r Swyddfa Addysg ym Merthyr ar y noson yr oedd y swyddogion yn cyf-weld y rhieni. O boptu drws swyddfa'r Cyfarwyddwr safai Cennard Davies a minnau yn annog y rhieni wrth iddynt fynd i mewn eu bod yn cloi'r drafodaeth, ni waeth beth arall a ddywedid, â'r geiriau hyn:

'Rwyf, fel rhiant, ar ôl ystyried yr holl bwyntiau sydd wedi codi heno, yn dal yn argyhoeddedig fy mod eisiau i'm plentyn fynychu'r ysgol Gymraeg ym Merthyr, a bydd yn dechrau yno ar y diwrnod cyntaf y bydd yr ysgol ar agor.'

Chwarae teg, gydag un eithriad, fe safodd y rhieni fel un gŵr ac fe orfodwyd y Cyngor i agor ysgol Gymraeg ym Merthyr. Ond nid dyna'r cyfan o'r stori ychwaith. Ar gyfer yr ysgol Gymraeg cynigiwyd ysgol Gellifaelog, hen adeilad mewn cyflwr difrifol, yr iard yn beryglus, a'r safle'n ddigalon. Ond fe gadwodd y rhieni at eu gair, ac fe agorwyd yr ysgol ar y 12fed o Fedi 1972. O fewn rhai blynyddoedd, yr oedd yno ormod o blant ar gyfer yr adeilad, ac ym mis Rhagfyr 1979 cafwyd ysgol Queens Road, adeilad llawer mwy deniadol, ar eu cyfer. Erbyn heddiw, mae ail ysgol Gymraeg yn y cwm, Ysgol Rhyd-y-grug ym Mynwent y Crynwyr ger Treharris. Mae honno bellach yn rhy fach hefyd. Yr oedd yn hwb i'r galon y llynedd pan ofynnodd y rhieni i mi helpu i gael darpariaeth helaethach. Gelwais yn yr ysgol ychydig cyn etholiad 1992. Yr oedd llond iard o blant Cymraeg eu hiaith yno i'm croesawu. Rhwng y ddwy ysgol rhoddir addysg drwy gyfrwng y Gymraeg i bron 700 o blant yn y cwm heddiw.

Nid yr hyn a adroddais gynnau oedd diwedd y brwydro dros addysg Gymraeg ar y Cyngor. Cofiaf i'r Cyngor ar un achlysur ystyried ehangu darpariaeth addysg feithrin yn y fwrdeistref. Chwarae teg iddynt, credai'r Cyngor mewn sefydlu addysg feithrin yn eang, ac yr oedd ysgol eisoes ym mhob un o'r wyth ward. Pan ddaethpwyd ag adroddiad gerbron ynglŷn â chael ysgolion meithrin ychwanegol, bachais ar y cyfle i gynnig bod y nawfed ysgol feithrin yn un Gymraeg. Ffieiddio a wnaeth y cynghorwyr Llafur ond cefais gefnogaeth y cynghorydd Llafur annibynnol, Megan Phillips, a ymunodd â Phlaid Cymru'n ddiweddarach. Nid anghofiaf byth ymateb un cynghorydd Llafur, a oedd fel rheol yn greadur gweddol ddeallus a dymunol. '*We should satisfy the needs of normal children first,*' meddai.

Yr oedd hynny'n ddigon i roi'r 'myll' i mi. Am y tro cyntaf – ond nid yr olaf – fe ffraeais yn gacwn â'r mwyafrif ar y Cyngor, gan rwygo fy agenda yn yfflon a cherdded o'r siambr. Gwyddwn y byddai hynny'n ddigon i sicrhau bod y stori'n cyrraedd y papurau ac y byddai'r cyhoedd yn gweld yn union beth oedd agwedd y cynghorwyr Llafur tuag at yr iaith Gymraeg.

(Cyhoeddwyd y bennod hon gyda chaniatâd Gwasg Gwynedd. Cyhoeddwyd yn wreiddiol yn O Ddifri – Cyfrol 1, Dafydd Wigley, Gwasg Gwynedd, 1992)

Dosbarth cyntaf Ysgol Santes Tudful, Merthyr yn 1972 gyda'r Aelod Seneddol Ted Rowlands a fu'n gefnogol i'r ymgyrch i sefydlu'r ysgol, a'u hathrawes Mrs Ann Lewis.

Ysgol Santes Tudful, 2000, gyda 450 o blant.

Ysgolion Cymraeg Cwm Rhymni - 2000 Erbyn 2000

BEN JONES A LILY RICHARDS

PLANNWYD HEDYN cyntaf addysg Gymraeg yng nghwm Rhymni pan agorwyd ysgol wirfoddol fore Sadwrn yn Ysgol Rhymni Uchaf, dan arweiniad y Parchedig Rhys Bowen ac eraill, yn 1951. Yr adeg honno yr oedd Rhymni yn rhan o Sir Fynwy ac, ym mis Medi 1955, fe ddilynodd y sir esiampl siroedd eraill a sefydlu dosbarth Cymraeg yn ysgol fabanod Rhymni Ganol. Felly y sefydlwyd **Ysgol Gymraeg Rhymni.**

Yn 1971 yr oedd y dosbarthiadau Cymraeg wedi meddiannu'r holl adeiladau ac, yn wir, erbyn 1984 yr oedd yr adeilad hwnnw'n rhy fach. Erbyn hyn yr oedd yr ysgol dan ofal Morgannwg Ganol a rhoddwyd adeilad safle isaf Ysgol Gyfun Rhymni i'r Ysgol Gymraeg. Mrs Heulwen Williams oedd y brifathrawes erbyn hyn. Yn 1992 symudodd yr ysgol eto i brif adeilad Ysgol Ramadeg y Lawnt, pan gafodd yr ysgol honno adeilad newydd sbon.

Rhywbeth tebyg fu hanes holl ysgolion Cymraeg y Cwm, symud o adeilad i adeilad, ac weithiau o bentref i bentref fel y cynyddai'r niferoedd.

I lawr yn nhref fwyaf deheuol y Cwm yr ymddangosodd y blagur nesaf, sef yn nhref hanesyddol Caerffili. Yng nghysgod y castell hynafol, mewn cinio Gŵyl Ddewi yn 1959, gwnaed penderfyniad a arweiniodd at sefydlu dosbarth babanod cyfrwng Cymraeg yn Ysgol y Gwyndy, gydag 11 o ddisgyblion, ym mis Ionawr 1960. Cofnodwyd y dyddiau bore hyn a'u darlunio yn fywiog iawn gan y diweddar Mrs Lily Richards, un o arloeswyr addysg Gymraeg yng Nghaerffili a Rhydfelen. Gwelir ei chyfraniad hi ymhellach ymlaen yn y bennod hon.

Ni chafodd yr ysgol fechan aros yn ei hunfan yn hir. Yn 1963 daeth adeilad yn wag yn Senghennydd a sefydlwyd Ysgol Gymraeg Senghennydd yno yn 1963 dan brifathrawiaeth Mrs Moyra Davies. Wrth i'r nifer yn yr ysgol godi'n uwch na'r nifer a fynychai ysgol y pentref fe gyfnewidiwyd adeiladau â'r ysgol honno. Erbyn hyn Ysgol Nant-y-Parc yw ysgol y pentre ar safle newydd ond mae'r Ysgol Gymraeg yn llenwi'r ddau hen adeilad. Newidiodd ei henw i Ysgol Ifor Bach, ar ôl tywysog Cantref Senghennydd yn y ddeuddegfed ganrif.

Erbyn 1970 yr oedd angen ysgol Gymraeg newydd ac yr oedd hen ysgol y Gwyndy yn wag eto gan fod y disgyblion wedi symud i adeilad newydd Plasyfelin. Manteisiwyd ar yr adeilad gwag i sefydlu Ysgol Gymraeg Caerffili dan arweiniad Mr Idwal Jones o Nelson. Dwyrain y dref, Llanbradach ac, yn fuan, pentrefi ochr ddwyreiniol afon Rhymni a ddaeth at Forgannwg Ganol wedi ad-drefnu 1974 oedd dalgylch yr ysgol newydd. Arhosodd plant Abertridwr, Senghennydd, Penyrheol, Trecenydd a Genau'r Glyn yn Ysgol Ifor Bach.

Prin fod yr ysgol wedi ymsefydlu yn ôl yn y dref nad oedd angen adeiladau dros dro. Bu'r twf mor fawr nes penderfynodd yr Awdurdod agor Uned Gymraeg yn ysgol fabanod Coed-y-brain, Llanbradach yn 1977 ar gyfer plant Llanbradach, Bedwas, Tretomos, Machen a Chraig y Rhacca. Wrth i'r plant hyn drosglwyddo yn ôl i'r ysgol iau yng Nghaerffili tyfodd yr ysgol honno'n aruthrol nes cyrraedd penllanw o 391 o blant.

Yn y cyfamser, gyda'r achos yn ffynnu yn ne a gogledd y Cwm yr oedd criw ymroddedig wrthi'n ymladd yr achos yn y canol hefyd. Yn dynn ar sodlau arloeswyr Rhymni a Chaerffili, aed ati i gychwyn dosbarth gwirfoddol yn festri capel Hanbury Road, Bargoed yng ngwanwyn 1963. Yr un flwyddyn, ym mis Hydref, sefydlwyd Uned yn Ysgol Gynradd Gogledd Bargoed dan arweiniad Mrs Eirlys Thomas. Ym mis Ionawr 1970 y symudodd yr ysgol i'w safle bresennol gan gymryd yr enw Ysgol Gilfach Fargod a darparu ar gyfer y boblogaeth oedd yn byw ar ochr orllewinol afon Rhymni o Ystradmynach i fyny hyd at Bontlotyn.

Erbyn 1976 yr oedd yr adeiladau eto'n annigonol a dechreuwyd brwydr ddygn, hir yn erbyn cynigion yr Awdurdod Addysg i ddarparu ar gyfer y cynnydd drwy addysgu'r plant mewn unedau o fewn ysgolion cyfrwng Saesneg. Yr oedd hon yn frwydr o egwyddor sylfaenol o gofio bod nifer o gynghorwyr ac uwch swyddogion yr Awdurdod Addysg yn gweld mai dyma oedd y ffordd ymlaen i addysg Gymraeg. Yr oedd y rhieni yn bendant fod angen safle annibynnol i sicrhau awyrgylch Cymraeg i ysgol. Collwyd y frwydr yn 1977 pan sefydlwyd Uned Coed-y-brain yn Llanbradach a bu'n rhaid ildio, dros dro, yn 1984 pan agorwyd Uned ddwyieithog yn ysgol Tir-y-berth. Yr oedd hon ar gyfer y babanod yn unig, y rhai oedd yn byw rhwng Pengam ac Ystradmynach. Trosglwyddai'r plant hyn i Gilfach Fargod pan yn saith mlwydd oed ar gyfer cyfnod yr ysgol iau.

Gwelwyd brwydro hir a blin a rhieni yn meddiannu dosbarthiadau. Gwrthododd y rhieni anfon eu plant i Uned Tir-y-berth pan agorodd yn 1984 ac aethant i gyfraith yn erbyn Morgannwg Ganol ar sail yr egwyddor. Wedi i bethau dawelu bu'r Uned yn dra llwyddiannus a thyfodd yn sylweddol yn y degawd nesaf. Colli brwydr? Dim o gwbl – nid oedd hyn ond cadoediad! Drwy barhau i ymgyrchu, gwireddwyd y freuddwyd o Ysgol Gymraeg ar gyfer canol y Cwm pan agorwyd Ysgol Bro Allta yn Ystradmynach ym mis Medi 1993. Trosglwyddwyd y plant o Uned Tir-y-berth i'r ysgol newydd. Lleolwyd yr ysgol yn hen safle isaf Ysgol Lewis i Ferched dan brifathrawiaeth Mr Dafydd Idris Edwards. Ymunodd plant o Nelson â'r rheiny o Ystradmynach, Maesycwmer, Hengoed, Cefn Hengoed a Phenpedairheol. Yr oedd yr ysgol newydd, felly, yn fodd i liniaru y galw cynyddol am le yn Ysgol Rhyd-y-grug ym Mynwent y Crynwyr.

Yn yr un modd talodd dycnwch rhieni, ac eraill o weledigaeth, pan symudwyd yr Uned arall yn Llanbradach i ysgol Gymraeg ddiweddaraf y Cwm, sef Ysgol y Castell, Caerffili ym mis Medi 1995. Trist nodi i brifathrawes gyntaf yr ysgol honno, Mrs Meinir Llywelyn, farw o fewn dwy flynedd i sefydlu'r ysgol.

Ffactor allweddol iawn yn nhwf addysg Gymraeg yn y Cwm oedd sefydlu Ysgol Gyfun Gymraeg Cwm Rhymni. Dechreuwyd yn Aberbargoed yn 1981 ac ymlaen wedyn i feddiannu ei phrif safle yn nhre

Bargoed ddwy flynedd yn ddiweddarach. Ceir mwy o hanes yr ysgol honno gan Merfyn Griffiths (Pennod 10) ond ein gobaith ar gyfer y dyfodol yw safle unedig newydd a theilwng ar gyfer yr ysgol hon yn fuan.

Mae ad-drefnu pellach llywodraeth leol yn 1996 wedi golygu bod Ysgol Gymraeg Cwm Gwyddon, Aber-carn ac Ysgol Gymraeg Trelyn, Pengam wedi eu trosglwyddo o Went i Sir Caerffili. Bydd gan ysgolion cynradd Cymraeg Sir Caerffili yn agos i 2,000 o ddisgyblion erbyn y flwyddyn 2000, gydag arwyddion digamsyniol o dwf pellach.

Sefydlu Ysgol Gymraeg Gyntaf Caerffili
Lily Richards

Dewch gyda mi i Westy'r Clive Arms yng Nghaerffili ar Ddydd Gŵyl Ddewi 1959. Gwesty urddasol oedd hwn a chwalwyd i adeiladu siop Tesco gyferbyn â'r castell. Mr Trefor Jenkins, Cyfarwyddwr Addysg Morgannwg oedd y gŵr gwadd a ddisgwyliem i Ginio Undeb Cymru Fydd Caerffili, ond ni allai ddod ac fe awgrymodd inni wahodd Mr Emyr Currie Jones. Yr oedd ef yn siaradwr ardderchog, ac awgrymodd mor fanteisiol y byddai dechrau Ysgol Feithrin Gymraeg yn y cylch. Yr oedd hyn wedi bod ym meddwl sawl un ohonom. Edrychom ar ein gilydd a theimlo ein bod yn cyd-ddweud, 'Ie, daeth yr awr i weithredu. Gadewch i ni ddechrau.' Ac fe wnaethom.

Daeth pedwar ohonom at ein gilydd ar ôl y cinio, sef Fred Williams, athro yn Ysgol Fodern y Bechgyn; Glyn Tilley, athro Cymraeg yn Ysgol Gyfun Penarth; Miss Betty Peters, a oedd yn dysgu Cymraeg yn Ysgol Ramadeg y Merched, Caerffili; a minnau, nad oeddwn mewn swydd barhaol yr adeg honno. Cawsom ein cynorthwyo'n wych gan dîm o yrwyr ceir, casglwyr plant, a phobl â'r tan yn eu boliau dros yr achos. Pobl megis y Parchedig E. M. Thomas, y Cynghorydd Bryn John, y Cynghorydd H. P. Richards, Miss Mair Williams a rhieni niferus; yr oeddent yn ardderchog.

Pwy oedd yn mynd i anfon eu plant? Menter fawr oedd hi. Buom yn ymweld â rhieni, ac er bod amheuaeth yma ac acw – wedi'r cyfan yr oedd yn rhywbeth hollol newydd mewn ardal mor Seisnig – fe gawsom ein hysgol feithrin gyntaf yn festri Bethel, Caerffili ar fore Sadwrn, yr

'Gêm y dathlu' – Urdd Gobaith Cymru yn dathlu hanner can mlwyddiant yn 1972.
Tîm Barry John v Tîm Carwyn James. Yn y llun hwn gwelir bechgyn Uned Gymraeg
Risca ac Uned Gilfach Fargod a fu'n chwarae 'rygbi-mini' cyn y gêm fawr, gyda thîm
Barry John.

Ysgol y Castell, Caerffili. Ysgol Gymraeg ddiweddaraf Cwm Rhymni (1994) ynghyd
â'r adeilad hynaf yn yr ardal.

21ain o Fehefin, 1959 a saith o blant bach yno.

Ie saith o blant bach ym mis Mehefin 1959. Amrywiai'r niferoedd o wythnos i wythnos, weithiau i fyny i bymtheg, weithiau i lawr i bump. Nid oedd gennym ni ddim offer o gwbl. Yn festri Bethel yr oedd mainc, a rhyfedd yw'r hyn y gellir ei wneud â mainc! Gellwch ddysgu berfau ac arddodiaid wrth y degau – gellwch eistedd ar fainc, gorwedd ar fainc, neidio dros fainc, cripiad o dan y fainc, a mynd ar flaenau eich traed ar ei phen. Handi iawn oedd y fainc! A byddem o hyd yn prynu dau baced o Smarties – un i'w ddefnyddio yn y wers i gyfri, dysgu lliwiau ac ati, a'r llall i'w rannu â'r plant bach ar eu ffordd tua thre.

Yr oeddem yn defnyddio llawer o gerddoriaeth, canu a symud, meimio a dawnsio, dweud storïau a channoedd o dunelli o ddychymyg. Cawsom lawer o hwyl gyda'r plant bach yma. Cofiaf enghraifft o fachgen bach a fu'n dawel iawn am fisoedd, ond erbyn y Nadolig, a ninnau bellach yn festri Tonyfelin, yr oedd brawddegau hir i'w clywed ganddo. Bellach mae'n ŵr amlwg yn y Cwm, ac yn gefnogwr brwd i addysg Gymraeg.

Ond nid chwarae â phlant am ddwyawr oedd ein bwriad. Yr oeddem am gael ein cydnabod gan Bwyllgor Addysg Morgannwg. Mr Eric Evans a Miss Ena Grey oedd y ddau a ddaeth i'n harolygu ac adrodd yn ôl i'r Awdurdod. Gan amlaf fe ddeuent ar fore Sadwrn diflas, pan fyddai'r nifer i lawr i bump efallai. Wrth edrych ar y gofrestr, a'r niferoedd yn amrywio o bump i bymtheg fe ddywedent, 'Na, nid ydych yn gyson: disgwyliwn o leiaf ddeg enw yn gyson yn bresennol'.

Yn ystod y gaeaf hwn, daeth cyfeillion o ardal Rhiwbeina a oedd yn ceisio trefnu Ysgol Feithrin Gymraeg i ofyn a fyddem yn fodlon uno ag ysgol yng Ngwaelod-y-garth. Anfonwyd cylchlythyron o gwmpas a daeth nifer dda i gefnogi. Yn eu plith yr oedd rhieni merch fach bum mlwydd oed. Gwyneth Lewis oedd ei henw, ac fe ddaeth i Rydfelen ac ennill deg Safon Un yn ei Lefel O a thri A yn Lefel A. Erbyn heddiw mae'n awdur ac yn fardd o fri.

Pwy o'n Pwyllgor Rhieni yng Nghaerffili a anghofia'r noson oer, a'r eira yn drwch dros bob man, pan drefnwyd cyfarfod ar y cyd yn Festri'r Twyn. Yr oedd Mynydd Caerffili wedi cau gan y tywydd, ond tua naw o'r gloch dyma sŵn traed Gwyn a Gwilym yno. Hwre!! Ar ôl llawer o drafod penderfynwyd gweithredu ar ein liwt ein hunain.

Bu'n gyfnod anodd o hyn ymlaen. Yr ergyd waethaf oedd colli Glyn Tilley yng ngwanwyn 1960. Bu ef a minnau yn yr Ysgol Feithrin fore Sadwrn ac mi gofiaf ef yn adrodd ei fersiwn ef o 'Goldilocks' – Nia Ben Aur. Y noson honno bu farw Glyn yn gwbl ddisymwth. Yr oeddem i gyd wedi bod yn teimlo'n ddigalon gan feddwl na chaem ein cydnabod gan yr Awdurdod Addysg, ond wedi marwolaeth Glyn buom yn hybu ein gilydd i ddal ymlaen, er ei fwyn ef. Yna fe adawodd Fred Williams am swydd yn Ysgol Gymraeg Treorci. Yn yr hydref fe aeth Beti Peters i gymryd swydd yng Nghaerfyrddin. A minnau a adawyd ar ôl.

Tua diwedd 1960 clywsom si fod ystafell ddosbarth wag yn Ysgol y Gwyndy a allai fod ar gael i ddosbarth Cymraeg. Tybed? 'Na' meddent, gan nad oedd toiledau i fabanod yn Ysgol y Gwyndy. Mr H. P. Richards a ddywedodd wrthynt am dynnu un o'r toiledau allan a gosod un i fabanod yn ei le. Dyna a wnaed ac ar y 30ain o Ionawr, 1961 fe gyfarfu deg o blant gyda Mrs Moyra Davies yn athrawes a Mr T. H. Williams, prifathro'r Gwyndy yn brifathro ar yr Ysgol Gymraeg hefyd.

Rwy'n sicr bod llwyddiant yr Ysgol Gymraeg wedi dibynnu ar un person, sef yr athrawes Mrs Moyra Davies. Yr oedd ganddi ddwy ferch, Ann a Nia, yn yr ysgol. Gyda'i gwelediad eang o addysgu, ei gwybodaeth o anghenion plant, ei brwdfrydedd a'i doethineb, dyma ydoedd dechrau da.

Pennod 8

Y GOBAITH NEWYDD

G. MAXWELL EVANS

HANNER CAN mlynedd o addysg swyddogol trwy gyfrwng y Gymraeg, a gallwn lawenhau wrth edrych yn ôl dros yr hyn a gyflawnwyd. Heb os nac onibai dyma un o'r cyfnodau pwysicaf erioed yn hanes ein cenedl. Daw i'r meddwl eiriau Syr O. M. Edwards:

'Y mae i Gymru ei hiaith ei hun, ac ni fedr gadw ei henaid hebddi. Nid hyn a hyn o eiriau mwy neu lai nag mewn ieithoedd eraill, ydyw. Y mae ynddi brydyddiaeth bywyd a gobaith mil o flynyddoedd wedi ei drysori.'

Ie, dim ond mewn pryd y digwyddodd gwyrth yr Ysgolion Cymraeg! Cefais innau'r fraint o fod ynghanol y gwaith yn ystod y cyfnod tyngedfennol rhwng 1958 ac 1981, yn gyntaf yn fy nghysylltiad â'r Mudiad Rhieni ac yna fel Trefnydd Iaith ym Morgannwg a Morgannwg Ganol, gyda chyfrifoldeb arbennig dros ddatblygiad addysg ddwyieithog. Maddeuer imi, felly, am fod ychydig yn bersonol wrth fwrw golwg yn ôl dros y cyfnod, ond yr oedd y gwaith, yn enwedig yn ystod y pum degau diweddar a dechrau'r chwe degau yn rhan feunyddiol o'm bywyd – y cyfnod pan gefais y fraint o weithio ochr yn ochr â chewri ymroddedig fel Gwyn Daniel, T. Raymond Edwards, Richard Hall Williams, Cassie Davies, ac eraill.

Pan ddaethom yn ôl fel teulu o Aberteifi i Gaerdydd yn 1958 yr oedd angen penodi ysgrifennydd newydd ar Gymdeithas Rhieni Ysgol Bryntaf

– a dyna'r dechrau! Yn fuan wedyn aethom ati i sefydlu pwyllgor i ymgyrchu dros addysg uwchradd trwy gyfrwng y Gymraeg ac mewn cyfarfod o'r cyd-bwyllgor hwn ar yr 20fed o Fehefin, 1959 ym Mhontypridd cofnodir bod cynrychiolwyr o'r cymdeithasau rhieni canlynol yn bresennol: Aberdâr, y Barri, Caerdydd, Pontypridd, Rhondda Fawr, Rhondda Fach, Rhymni a Thonyrefail. Esboniodd Gwyn M. Daniel mai diben y cyfarfod oedd 'sicrhau symud pendant tuag at sefydlu Ysgol Uwchradd Gymraeg yn Nwyrain Morgannwg.' Cafwyd araith gan T. Raymond Edwards, y Barri yn egluro'r camau a'r amcanion, a chytunwyd ein bod yn mynd ati ar unwaith i wneud dau beth, sef dewis dirprwyaeth i ymweld â Chyfarwyddwr Addysg Morgannwg, Dr Emlyn Stephens, a threfnu cyfarfodydd cyhoeddus ym mhob cylch. Enwau'r cynrychiolwyr oedd:

> Y Parchedig Glyndwr Davies, Cilfynydd, Pontypridd;
> Mr Gwilym Jones, Ynys-hir, Rhondda Fach;
> Y Parchedig Emrys Jones, Treherbert, Rhondda Fawr;
> Mr David Jones, Aberdâr;
> Mr Dewi Morgan, Rhymni;
> Mr J. Idris Evans, Caerdydd;
> Mr T. Raymond Edwards, y Barri;
> Y Parchedig Meidrym Mainwaring, Tonyrefail.

Gyda hwy byddai Gwyn Daniel fel Cadeirydd a minnau fel Ysgrifennydd.

Symudwyd ymlaen ar unwaith. Cafwyd cyfarfod â'r Dr Stephens ar y 18fed o Orffennaf. 1959. Dyma rai o'r ffeithiau a gyflwynwyd iddo:

'Bod wyth o ysgolion cynradd ag oddeutu 700 o blant yn yr ardal;'

'Yn y flwyddyn gyntaf byddai 80–90 o blant yn dechrau yn yr ysgol uwchradd newydd;'

'Golygai hyn ysgol o ryw 400 ymhen pedair neu bum mlynedd;'

'Byddai dros hanner y plant yn y ffrwd ramadeg ac yn aros ymlaen hyd at 16 oed, o leiaf;'

Trafodwyd hefyd gwestiwn cludiant y plant o'r ardaloedd pellaf i ffwrdd, y Barri a Rhymni, i gylch Pontypridd ond cytunwyd na fyddai

Staff a disgyblion Ysgol Rhydfelen yn y flwyddyn gyntaf, 1962-63.

Yr adeiladau o gyfnod y Rhyfel Byd Cyntaf a etifeddwyd gan Ysgol Rhydfelen yn 1962.

hynny'n fawr o broblem.

Yn y cyfarfod nesaf o'r cyd-bwyllgor datganodd Gwyn Daniel yn hyderus fod y seiliau yn awr wedi eu gosod ac na fyddai troi'n ôl rhagor.

Llusgo ymlaen a wnaeth pethau am flwyddyn a mwy ond bu llawer o gyfarfodydd, casglu enwau, sefydlu grwpiau meithrin a chynllunio i sefydlu mwy o ysgolion cynradd. Cam pwysig ymlaen yn yr ymgyrch oedd pan fynegodd Pwyllgor Addysg Caerdydd cyn diwedd 1961 y byddent yn caniatáu i ddisgyblion Ysgol Bryntaf gael y dewis i fynd i'r ysgol uwchradd newydd yng nghylch Pontypridd. Ar y pryd yr oedd dros 150 o blant ym Mryntaf.

Yn drist iawn taflwyd cwmwl dros y gwaith ym mis Hydref pan ddaeth y newydd am farwolaeth sydyn Gwyn Daniel ac yntau ar ei ffordd i Fangor yn gennad dros Undeb Cenedlaethol Athrawon Cymru. Fodd bynnag, dan ei arweiniad yr oedd yr arloesi mwyaf wedi ei gwblhau. Pan ddaeth yr amser i agor Ysgol Rhydfelen yn 1962 gofynnodd y Pwyllgor Rhieni i'r Pwyllgor Addysg enwi'r ysgol yn Ysgol Gwyn Daniel, ond yn anffodus gwrthodwyd ein cais. Mr Idwal Rees, prifathro ymroddgar Ysgol Gymraeg Aberdâr a ddaeth yn gadeirydd ar bwyllgor yr ymgyrch i olynu Gwyn.

Mewn cyfarfod ym Mhontypridd ar y 3ydd o Fawrth 1962 darllenwyd llythyr oddi wrth y Dirprwy Gyfarwyddwr Addysg yn ein sicrhau y gellid disgwyl i'r ysgol yn Rhydyfelin agor ym mis Medi 1962. Derbyniwyd y llythyr gyda llawenydd.

Do, fe agorwyd Ysgol Rhydfelen ym mis Medi 1962 ac mewn dim amser adlewyrchwyd hyn yn nhwf y galw am addysg gynradd Gymraeg. Cyn diwedd y chwe degau yr oedd dros 1,150 o blant mewn addysg gynradd trwy gyfrwng y Gymraeg yn y dalgylch ac ysgolion newydd yng Ngartholwg, Caerffili a Gilfach Fargod.

Yna digwyddodd un cam allweddol arall. Hyd yma yr oedd rheol gan Bwyllgor Addysg Morgannwg yn mynnu bod o leiaf un o rieni yn siarad Cymraeg cyn y gellid derbyn plentyn i Ysgol Gymraeg. Yn raddol dechreuwyd caniatáu i blant o gartrefi di-Gymraeg gael eu derbyn i'r ysgolion ar gymeradwyaeth y trefnyddion iaith wedi iddynt ymweld â'r cartrefi a sicrhau bod y rhieni yn ddilys yn eu bwriad ac yn deall y sefyllfa'n iawn. Am gyfnod byr y parhaodd hynny gan ei bod yn gwbl amhosibl i'r ddau drefnydd (y diweddar John Morgan yn y gorllewin a minnau yn y dwyrain) gadw i fyny â'r galw cynyddol. Felly ar ddiwedd y chwe degau agorwyd drysau addysg Gymraeg i bawb oedd yn dewis. Ond cofier, yr oedd Ysgol Sant Ffransis, y Barri wedi tyfu i 150 erbyn 1964, Tyderwen, Maesteg i 250 ac Aberdâr i 116.

Cam aruthrol ymlaen oedd agor Ysgol Glan Clwyd yn Sir y Fflint yn 1956 – dyna osod y sylfaen – ond credaf fod ysbrydoliaeth agor Rhydfelen yn 1962 wedi dylanwadu hyd yn oed yn ehangach. Nid oedd dim amheuaeth am ei llwyddiant o'r dechrau dan arweiniad y Prifathro cyntaf, Mr Gwilym Humphreys, a'i dîm bach o athrawon ymroddedig. Erbyn mis Chwefror 1963 yr oedd cylchlythyrau wedi eu dosbarthu trwy orllewin Morgannwg yn galw am ddarpariaeth gyffelyb.

Yr oeddwn i erbyn 1961 yn is-lywydd cenedlaethol Undeb Rhieni Ysgolion Cymraeg a chefais y fraint o fod yn lywydd Cenedlaethol o 1964–1968. Edrychaf yn ôl ar y cyfnod hwn fel cyfnod mawr y sefydlogi – cyfarfodydd cyson yn y Borth ac yn Aberystwyth; cynllunio sut i dyfu'n gyson o'r gwreiddiau a blannwyd; ymgyrchu trwy Gymru gyfan; cynnal cyfarfodydd lleol, cyhoeddi pamffledi, cenhadu, a dilyn yn ofalus unrhyw arwyddion gobeithiol am gynnydd mewn unrhyw ardal. Yna, erbyn y saith degau cynnar roedd Rhydfelen yn orlawn ac yn 1974 agorwyd drysau Ysgol Gyfun Llanhari – cam pwysig arall yn profi i'r rhieni fod yr Awdurdod Addysg erbyn hyn o ddifrif yn eu hawydd i ddarparu Addysg Uwchradd Gymraeg yn ôl y galw.

Bydd eraill, mi wn, yn manylu ar wahanol ardaloedd ac ysgolion ac atgofion lu. Ond i mi y wyrth fawr yw'r modd y tyfodd y fesen fach yn goeden gadarn, na ddichon neb ei dadwreiddio byth mwy. Yng nghanol y dathlu a'r diolch i gyd bydd gennym le cynnes bob amser i gofio am Gwyn Daniel, T. Raymond Edwards, a'r arloeswyr cynnar, penderfynol, a osododd y seiliau ym Mhontypridd ddeugain mlynedd yn ôl.

Pennod 9

YSGOL RHYDFELEN 1962-74

GWILYM E. HUMPHREYS
(Prifathro cyntaf yr Ysgol)

Gan i mi groniclo arolwg o flynyddoedd cynnar Rhydfelen yn y gyfrol *Rhydfelen – Y Deng Mlynedd Cyntaf* (Gomer, 1973), yr hyn y ceisir ei wneud yn y bennod hon yw edrych yn ôl ar y cyfnod o bellter 36 blynedd a cheisio cyfleu yr hyn oedd yn gyrru'r bwrlwm yn y dyddiau cynhyrfus hynny; a does dim gwadu mai dyddiau felly oeddent, er prin y sylweddolem yn iawn pa mor bwysig i ddyfodol addysg Gymraeg oedd llwyddiant yr hyn yr oeddem ynglŷn ag ef.

Bydd eraill mwy cymwys, rhai a oedd yn rhan ohoni, yn croniclo'r frwydr i sefydlu Rhydfelen – brwydr hir a brwydr benderfynol yn ôl pob hanes o du rhieni a Chymry blaengar eraill y de-ddwyrain. Pan ddeuthum i a'm cydathrawon i'r maes, yr oedd rhan gyntaf y frwydr, sicrhau bodolaeth yr ysgol, wedi ei hennill; y dasg bellach i ddisgyblion, athrawon a rhieni cynta'r ysgol oedd gofalu nad ofer yr ymgyrchoedd a'r dirprwyaethau a fu'n curo ar ddrws Awdurdod Addysg Morgannwg, a chael, yn y diwedd, yr Henadur Llew Heycock (fel yr oedd bryd hynny – yr Arglwydd Heycock yn ddiweddarach) i arwain y Pwyllgor Addysg i'r farn mai rhesymol oedd sefydlu ysgol uwchradd ddwyieithog yn barhad i'r addysg yn yr ysgolion cynradd Cymraeg a oedd yn codi fel madarch ledled y sir. Efallai y gŵyr rhywun pwy a beth a argyhoeddodd y cawr o Dai-bach ar ôl iddo fod yn gyndyn am sbel; ond o ddyddiau agor Rhydfelen ymlaen, bu'n gyfaill da i addysg Gymraeg – ar bob lefel, fel y nodir yn ddiweddarach.

Y teimlad oedd gennyf fel prifathro ifanc (ifanc iawn yn 30 oed!) oedd ein bod ynglŷn â chrwsâd go fawr ac na feiddiem fethu. I mi'n bersonol, yr oedd cael fy mhenodi'n brifathro ar ysgol uwchradd Gymraeg yn gwireddu breuddwyd llanc; dyna fu fy uchelgais cyn bod sôn fod y fath beth yn bosib. Yr oedd ysgolion Glan Clwyd (1956) a Maes Garmon (1961) wedi braenaru'r tir yn y gogledd-ddwyrain, a'n tro ni yn y de-ddwyrain oedd hi bellach i dorri ein cwys ein hunain wrth ddiwallu'r galw taer, os cyfyngedig bryd hynny, am ysgol uwchradd a fyddai'n rhoi bri ar y Gymraeg.

Diddorol yw sylwi ar y gwahaniaeth rhwng Sir y Fflint a Morgannwg: y Cyfarwyddwr Addysg penderfynol, y Dr Haydn Williams (gŵr o Rosllannerchrugog fel finnau) a fu'r grym symudol yng ngogledd Cymru, ond y rhieni yn y de. Eto yn ddiweddarach, yn y gogledd wedi ffurfio Gwynedd yn 1974, yr Awdurdod Addysg ac nid y rhieni oedd yn frwd dros sefydlu polisi iaith blaengar i'r sir.

Yr oedd ymdeimlo â brwdfrydedd y garfan fach o rieni Morgannwg yn brofiad ysbrydoledig, yn ennyn ein hedmygedd ohonynt ac yn codi ein hymwybyddiaeth o'n cyfrifoldeb i sicrhau gwireddu eu breuddwyd.

Pan agorodd Rhydfelen ym mis Medi 1962, gydag 80 o ddisgyblion, 8 o athrawon (5 yn rhan amser), mewn hen adeilad pren a fu yno fel canolfan hyfforddi er y Rhyfel Byd Cyntaf ond wedi cael gwlychiad o baent, heb lyfrau a heb gyfarpar, dim ond yr optimydd pennaf fyddai'n proffwydo ei thwf i 1,020 erbyn 1973 ynghyd â gweld agor dwy ysgol arall yn yr un dalgylch (Ystalyfera 1969, Llanhari 1973). Yr oedd y nifer a dderbyniai addysg uwchradd Gymraeg wedi codi o 80 yn 1962 i dros 2,000 erbyn 1973, ac yr oedd mwy i ddod! Rhagwelsai Awdurdod Addysg Morgannwg ysgol o 250 ar y mwyaf, ysgol heb chweched dosbarth; cyrhaeddwyd y rhif yma erbyn mis Medi 1964! Er cael dau estyniad i'r adeiladau dros flynyddoedd y twf mawr, bu prinder lle ac ansawdd yr adeiladau yn broblem o'r cychwyn cyntaf, a phery felly hyd heddiw.

Fel y nodwyd, yr oedd cael rhieni brwd a chefnogol yn gynhaliaeth fawr inni fel staff ac yn ein hannog i roi hyd eithaf ein gallu a'n hegni i'r disgyblion. Pan ffurfiwyd y Gymdeithas Rhieni yn ystod y tymor cyntaf yn hanes yr ysgol, cymdeithas ac iddi yn y man ganghennau ledled y sir, prin y gellid bod wedi credu maint ei dylanwad a'i brwdfrydedd a'r cefn aruthrol a fu i'r ysgol, yn ariannol ac yn ysbrydol. Yr oedd hon yn gymdeithas mewn gwirionedd a'i nod yn glir; yr oedd y berthynas rhwng rhieni y gwahanol ardaloedd yn gynnes, gynnes ac i bara oes, fel y gall amryw dystio. Dyma'r gymdeithas oedd yn pwyllgora yn aml yn yr ysgol ar fore Sadwrn (pwyllgorau ffyddiog, byrlymus, gwerth bod ynddynt), yn cynnal garddwest flynyddol yn ogystal â nosweithiau llawen a thwmpathau dawns, yn cynnal Darlith Rhydfelen gan bersonau amlwg bob blwyddyn, yn gefn aruthrol i gyngherddau, dramâu, eisteddfodau ac oratorios, yn genhadon gloyw dros yr ysgol ac yn ymfalchïo yn ei thwf a'i llwyddiant.

Er mai rhieni brwd de-ddwyrain Morgannwg oedd y grym symudol y tu ôl i'r ysgol, rhieni oedd yn ffyddiog y byddai eu plant yn derbyn gwell addysg mewn ysgol o'r fath, teg yw nodi hefyd fod yna rai amheuwyr ymhlith rhieni'r ysgolion cynradd Cymraeg ar y cychwyn – rhieni oedd yn ofni 'peryglu' addysg eu plant wrth eu hanfon i ysgol nad oedd wedi ei phrofi ei hun, yn enwedig rhieni plant galluog. Gwnaeth hyn inni fel athrawon fod yn fwy penderfynol nag erioed o brofi ein safonau, a bu twf yr ysgol yn arwydd clir inni lwyddo i sefydlu ein hygrededd yn fuan iawn ac ennill ymddiriedaeth y mwyafrif llethol o rieni ysgolion cynradd Cymraeg y dalgylch. Diolch wrth gwrs am y rhieni ffyddiog o'r cychwyn, ond efallai mai iawn oedd inni orfod profi i eraill ein safonau yn gynnar yn ein hanes – ymhell cyn bod sôn am gynghreiriau canlyniadau a'u tebyg. Ond heb ganlyniadau da a sicrwydd safonau, a hynny drwy'r Gymraeg, ni fyddai twf wedi bod yn bosib i addysg Gymraeg yn y dalgylch arbennig hwn ym Morgannwg.

Ac yr oedd yn ddalgylch eang iawn – hanner Morgannwg yn cynnwys ardaloedd Caerdydd, y Barri, y Rhondda, Aberdâr, Cwm Nedd, yn ogystal â Phontypridd ei hun, wrth gwrs. Gallasai fod yn ehangach fyth oni bai am y cyfyngiad o du'r Weinyddiaeth o awr a chwarter o amser teithio bob ffordd; llwyddodd rhieni Blaendulais i ddod dros yr 'anhawster' yma drwy roi eu plant i 'aros' gyda pherthnasau oedd dipyn nes na'u cartrefi! Pan holai ymwelwyr â'r ysgol faint oedd y daith bob ffordd, byddai disgyblion o Flaendulais yn ateb ag un llais: 'awr a deng munud!'

Yr oedd i ehangder y dalgylch ei phroblemau yn sicr, a'i manteision. Yr oedd yn yr ysgol gymysgedd cymdeithasol a diwylliannol diddorol a chyfoethog a bu i'r gwahanol garfanau elwa ar gyfraniad a lliw y gwahanol ardaloedd. Yr oedd mwynder Cwm Nedd, cynhesrwydd y Rhondda a soffistigedigrwydd y Barri a Chaerdydd yn amlwg, heb sôn am yr amrywiaeth ar draws yr ardaloedd o ran cefndir ieithyddol.

Er bod cymaint o'r disgyblion yn teithio o bell, chlywais i fawr o gwyno, dim ond ar adegau pan fyddai rhai ohonynt wedi colli'r bws adref – a ni'r athrawon fyddai'n cwyno fwyaf o'n cael ein hunain yng Nglyn Nedd a mannau pellennig eraill am bump o'r gloch ar ôl diwrnod caled o waith. Er gwaetha'r pellter, ni fyddai rhieni byth yn cwyno, hyd yn oed wrth orfod dod i nôl eu plant ar ôl ysgol wedi iddynt ymarfer rhyw weithgaredd neu'i gilydd, neu ar ôl cyngerdd neu ddrama neu steddfod. Gall rhieni fod yn rhyfeddol o gefnogol os yw eu plant yn hapus ac yn datblygu'n addysgol, yn ddiwylliannol ac yn gymdeithasol.

Gobeithiaf hefyd inni gyfrannu i'w datblygiad ysbrydol. O'r cychwyn cyntaf, bu pwyslais mawr ar ein gwasanaethau boreol – yn ysgol gyflawn yn y blynyddoedd cyntaf ac yna mewn llysoedd (gweler isod), ac yn ysgol iau, ganol a hŷn yn ddiweddarach. Un 'broblem' oedd bod tuedd i rai o'r gwasanaethau fynd yn gyrddau mawr! Byddai ambell ysgol yn falch o gael y 'broblem' yma erbyn heddiw, yn ôl a ddeallaf.

Athrawon ifanc oedd staff cynnar Rhydfelen (y cyfartaledd oedran yn 28 yn 1970); yr oeddent yn frwd a mentrus ond yr oeddent, nes i gynnyrch yr ysgolion uwchradd Cymraeg ddechrau dod trwodd o 1967 ymlaen, heb dderbyn eu haddysg eu hunain, mewn ysgol uwchradd na choleg, drwy'r Gymraeg. Nid oedd ganddynt ddim ofn gwaith, oedd yn cynnwys ysgrifennu eu llyfrau a'u geiriaduron eu hunain, arbrofi gyda dulliau newydd o addysgu, a threfnu a chynnal llu o weithgareddau allgyrsiol – yn yr ysgol a thu hwnt.

Yr oedd cefndir iaith cartref y disgyblion yn gymysg iawn ar y dechrau: 58% o gartrefi Cymraeg, ond yr oedd y ganran hon wedi disgyn i 23% erbyn 1972, ac i 5% erbyn 1982. Dyma arwydd o'r torri drwodd mawr yn ieithyddol ym Morgannwg, ac yn arbennig yn ardaloedd Pontypridd a'r Rhondda lle mae'r mwyafrif o'r plant erbyn hyn mewn ysgolion Cymraeg! Bydd eraill yn trafod hyn yn y gyfrol hon yn ddiamau.

Cafwyd rhyddid gan yr Awdurdod Addysg i ddatblygu o ran polisi a strategaeth. Yr oedd cwricwlwm y dyddiau hynny yn sefydlog – yn rhy sefydlog o bosib. Yr oedd polisi iaith cychwynnol yr ysgol yn weddol syml. Dysgid popeth ond mathemateg a gwyddoniaeth drwy gyfrwng y Gymraeg; dyma yn fras a osodwyd yn bolisi gan yr Awdurdod Addysg pan sefydlwyd yr ysgol, er i ni ychwanegu o'r cychwyn Ffrangeg, Lladin a'r pynciau ymarferol – gwaith coed, gwaith metel, coginio a gwnïo – at y rhestr wreiddiol. Fel y nodais yn *Rhydfelen – y deng mlynedd cyntaf*, credaf ein bod yn iawn i addysgu mathemateg a gwyddoniaeth drwy'r Saesneg (yn bennaf) yn ystod y blynyddoedd cynnar; dyna oedd yn dderbyniol gan y rhan fwyaf o'r rhieni, rhieni brwd o blaid addysg uwchradd ddwyieithog.

Yn y fan hon, mae'n briodol cyfeirio'n fyr at fater cymhleth dwyieithrwydd yn yr ysgolion uwchradd. Yn Rhydfelen a'r ysgolion cynnar eraill, y polisi oedd ceisio sicrhau bywyd cymdeithasol yr ysgol yn y Gymraeg. Credaf i Rydfelen lwyddo hyd heddiw i gynnal y Gymraeg yn iaith y mae canran uchel o'i disgyblion yn ei defnyddio'n naturiol gyda'i gilydd, er bod y ganran ohonynt o gartrefi di-Gymraeg yn 95% a mwy erbyn hyn. (Trafodir rhai o'r strategaethau fu'n gyfrifol am hyn yn ddiweddarach.) O ran yr addysg academaidd, fel y nodwyd, penderfynwyd ar y cyfrwng i'r gwahanol bynciau a honno oedd iaith yr arholiadau allanol. Mae stori ymdrechion cynnar i safoni termau yn y pynciau a ddysgid drwy'r Gymraeg a chael cytundeb â'r Cyd-Bwyllgor Addysg, sef y bwrdd arholi, yn haeddu pennod iddi hi ei hun mewn gwirionedd, heb sôn am yr ymdrech o du'r athrawon i lunio geiriaduron ar gyfer Ffrangeg a Lladin a gwerslyfrau ar gyfer yr holl bynciau. I hyrwyddo hyn y lluniwyd 'Cymdeithas Ysgolion Uwchradd Cymraeg' yn 1963, i geisio sicrhau cydweithrediad rhwng yr ysgolion uwchradd cynnar – Glan Clwyd, Maes Garmon, Rhydfelen a Morgan Llwyd (Wrecsam, 1963) – ar ddarparu deunyddiau Cymraeg. Aeth y cyswllt hwn â ni i feysydd eraill a chynhaliwyd mabolgampau'r ysgolion Cymraeg yn flynyddol – de a gogledd am yn ail.

Yn y dyddiau cynnar, pan nad oedd fawr ddim gwerslyfrau Cymraeg safonol ar gael, byddai disgyblion yn gorfod darllen llawer o'r gwaith yn y Saesneg, hyd yn oed yn y pynciau a ddysgid drwy'r Gymraeg. Prinder deunyddiau Cymraeg a arweiniodd i'r drefn hon, ond ni fu'n drefn anfanteisiol at ei gilydd o ran datblygu'r ddwy iaith yn gyfochrog. Â'r sefyllfa heddiw o ran gwerslyfrau safonol yn y Gymraeg wedi gwella tu hwnt i bob disgwyl o'i chymharu â'r hyn oedd hi yn ôl yn y chwe degau, nid yw hyn yn digwydd i'r un graddau, ond fe bery'r mwyafrif o ysgolion uwchradd i hyrwyddo dwyieithrwydd drwy rannu pynciau yn gyfrwng Cymraeg a Saesneg – sef trefn y chwe degau. Credaf fod gofyn i ysgolion weld dwyieithrwydd mewn modd mwy soffistigedig bellach, a rhoi mwy o ystyriaeth i gydbwysedd cyfrwng drwy ddefnyddio'r ddwy iaith o fewn pwnc, ar gyfer addysgu modiwlau gwahanol er enghraifft, a chadw golwg ar gydbwysedd ieithyddol y disgybl unigol yn ôl ei gefndir, a'i ddymuniad wrth gwrs.

Er i amcanion Rhydfelen gael eu ffurfioli yn ddiweddarach (gweler y llyfr), gellir dweud i'r ysgol gael ei gyrru gan dri amcan syml o'r cychwyn cyntaf – hapusrwydd, cynnydd a Chymreictod. Gall y disgyblion a fu yno ddweud yn well na mi a fu'r ysgol yn llwyddiannus yn ei hamcanion fel yr effeithiwyd arnynt, ond mae'n amlwg i rieni gredu inni lwyddo i raddau helaeth neu ni fyddai'r twf syfrdanol wedi digwydd.

Ystyrid hi'n bwysig creu ysgol lle'r oedd perthynas o barch a chyfeillgarwch rhwng disgyblion ac athrawon ac yn sicr ddigon bu hyn yn nodwedd o'r ysgol ar hyd y blynyddoedd. Ffurfiwyd Cyngor yr Ysgol yn 1969 lle clywid llais y disgyblion ar amrywiol faterion yn ymwneud â hwy. Bu ei llwyddiannau academaidd yn amlwg drwy waith dygn, caled y disgyblion, eu rhieni a'r athrawon, gan fwy na chyfateb i gefndir cymdeithasol ei dalgylch, dalgylch a grebachodd yn fawr wrth i ysgolion eraill agor dros y blynyddoedd. Yn ogystal â diogelu safonau academaidd, gweithiwyd yn galed i hybu Cymreictod yr ysgol drwy strategaethau a amrywiodd o gyfnod i gyfnod. Mae'n werth tynnu sylw at rai ohonynt; rhoddodd fy olynydd, y diweddar Ifan Wyn Williams, bwyslais mawr ar hyn.

Polisi bwriadol yr ysgol oedd cynnal bwrlwm o weithgareddau

Staff Ysgol Rhydfelen 1967-68.

Gwilym Humphreys yn annerch cyfarfod gwobrwyo Ysgol Rhydfelen, Hydref 1967.

cymdeithasol Cymraeg oedd yn apelio i'r garfan ehangaf posib o ddisgyblion ac fe chwaraeodd y llysoedd ran amlwg yn y gweithgareddau. Dilynwyd patrwm gwych Ysgol Glan Clwyd yn eu galw yn 'llysoedd' yn hytrach na 'thai' yr hen ysgolion gramadeg; Ifor Hael, Sycharth a Dinefwr oedd enwau llysoedd gwreiddiol Rhydfelen; yna, Dafydd, Gruffydd, Hywel, Iolo, Llywelyn, Owain, pan aeth yr ysgol yn rhy fawr i dri llys. Cynhwysai'r gweithgareddau bnawniau llawen, gwyliau drama a siarad cyhoeddus, heb sôn am eisteddfodau, chwaraeon a mabolgampau. Y nod, er enghraifft drwy'r ŵyl ddrama a siarad cyhoeddus, oedd tynnu cannoedd o ddisgyblion i ymuno yn y bwrlwm. A dyna a lwyddwyd i'w wneud drwy gyfrwng y perfformiadau gloyw o'r oratorios – *Y Greadigaeth, Meseia, Elias* a *Requiem* (Verdi) – y dramâu hirion (yn Saesneg yn achlysurol), ac fel y digwyddodd yn achos y sioeau cerdd afieithus yn ddiweddarach. Golygai trefnu ac ymarfer y gweithgareddau hyn waith caled cyson, ar ben yr addysgu, ond fe ymdaflai athrawon Rhydfelen i'r gwaith am eu bod yn credu yn ei werth o safbwynt cynnal ethos a diwylliant, a rhoi profiadau cofiadwy i ddisgyblion drwy'r Gymraeg. Y gamp oedd darganfod gweithgareddau a oedd at ddant pawb, a diau i rai gael eu siomi yn y pwyslais ar berfformiadau cyhoeddus. Ond yr oedd magu hyder cyhoeddus, yn y ddwy iaith, yn bolisi bwriadol – a llwyddiannus at ei gilydd. Y gamp, o fewn oriau cyfyngedig ysgol, oedd diogelu safonau gwaith academaidd ac yn ogystal, darparu gweithgareddau allgyrsiol eang eu hapêl. Ond problem fach oedd honno o'i chymharu â phroblemau rheoli ysgolion heddiw.

Nodwedd amlwg Rhydfelen dros y blynyddoedd fu'r cyrsiau y tu allan i furiau'r ysgol ac fe gafodd y rhain gryn sylw yn y gyfrol y cyfeiriwyd ati eisoes. Yr oeddent i gyd yn amcanu i ledu gorwelion y disgyblion ac i ehangu'r defnydd o'r Gymraeg. Datblygodd Rhydfelen enw da iddi ei hun ym myd chwaraeon; enillwyd sawl cap i Gymru mewn rygbi ar bob lefel gan gynnwys tîm hŷn. Sefydlwyd Clwb Ieuenctid ar ôl oriau ysgol yn 1967, gyda chefnogaeth hael yr Awdurdod Addysg i gynllun lletty dros nos mewn tai cyfagos yn Rhydyfelin. Bu teithiau bwrw Sul yr adran Gymraeg i fannau â chysylltiadau llenyddol yn y gogledd a'r gorllewin yn llwyddiant mawr, ac felly hefyd y teithiau rygbi. Defnyddiwyd canolfan ieuenctid y Presbyteriaid yn Nhre-saith yn aml ar gyfer cyrsiau wythnos i holl ddisgyblion y flwyddyn gyntaf, a bu'r Ysgol Haf anwytho a gynhelid yn yr ysgol gyda chefnogaeth disgyblion y chweched yn ystod mis Awst (ie, mis Awst) yn fodd o bwysleisio'n gynnar yr arfer o ddefnyddio'r Gymraeg gyda chyfoedion mewn gweithgareddau byrlymus a diddorol. Pan ddaeth Canolfan Cwrt-y-cadno yn eiddo i'r ysgol, canolfan y chwaraeodd y Gymdeithas Rhieni rôl allweddol yn ei sefydlu a'i chynnal, bu'n bosib mynd â disgyblion yr ysgol yn gyson i ardal Gymraeg naturiol. Anodd yw mesur gwir effaith y gweithgareddau allgyrsiol hyn; yr hyn sy'n amlwg yw nad wrth gyfrif oriau yr oedd athrawon Rhydfelen yn gweithio ond drwy weld y manteision i'r disgyblion o'r gweithgareddau a drefnwyd ganddynt ar gyfer rhai oedd â'u gwreiddiau mewn ardaloedd mor Seisnigedig. Croniclwyd hanes y gweithgareddau hyn, a chofnodwyd gwaith creadigol y disgyblion, yn y cylchgrawn blynyddol *Na Nog* ac yn y papur newydd tymhorol *Oriel*.

Mae'n rhaid cydnabod mai ymdrech barhaus oedd cynnal y Gymraeg ar wefusau'r disgyblion. Byddai angen gwneud rhywbeth i annog a chymell yn aml, ac i siocio o bryd i'w gilydd. Bu adwaith ffyrnig gan ddisgyblion un tro oherwydd imi gymryd (yn hollol fwriadol) y gwasanaeth boreol yn gyfan gwbl drwy'r Saesneg! Pan wahoddwyd rhieni i drafod Cymreictod yr ysgol, daeth 600 ohonynt i neuadd yr ysgol gyda'r nos yn 1972 i glywed am y strategaeth newydd a gytunwyd gennym fel athrawon, ac i ymateb iddi. Mae hyn yn pwysleisio eto maint diddordeb y rhieni ac yn nodi ein harfer fel staff o gytuno ar strategaeth yn ein cyfarfodydd misol, a gynhelid ar ôl ysgol bron yn ddi-feth.

O edrych yn ôl, rwy'n credu y gellir hawlio bod Rhydfelen yn bur flaengar o ran ei dulliau addysgu a'i threfniadaeth. Er enghraifft, yr oedd ein cysylltiadau â'r ysgolion cynradd yn rhai clòs iawn, a hynny mewn cyfnod pan nad oedd sôn am ffurfioli'r rhain mewn ysgolion eraill. Byddai'r prifathrawon cynradd a minnau yn cyfarfod bob tymor; sefydlwyd paneli pwnc i hyrwyddo dilyniant a pharhad cwricwlaidd; byddai athrawon o'r cynradd yn ymweld, a'r ffordd arall, a châi'r plant oedd yn trosglwyddo yn un ar ddeg o'r ysgolion cynradd dreulio diwrnod yn Rhydfelen i gael sawru'r drefn uwchradd. Ar ben arall yr ysgol addysgol, gwnaethom gysylltiadau â'r colegau, yn arbennig er ceisio sicrhau parhad i addysg Gymraeg yn y sector uwch. Mewn Ffrangeg, Lladin ac astudiaethau clasurol, mewn ffiseg a mathemateg, buom yn rhan o brosiectau datblygu cwricwlwm. Mabwysiadwyd trefn, newydd ar y pryd, o gyflwyno'r pynciau ymarferol a fyddai heddiw yn cael eu galw'n ddylunio a thechnoleg, ac arbrofwyd gyda'r defnydd o gyrsiau safonol ar dâp mewn hanes – cyrsiau gan arbenigwyr ond y byddai disgyblion (ac ambell riant) yn cael y dasg anodd o'u cyfieithu. Mae'n debyg mai Rhydfelen oedd yr ysgol gyntaf i gyflogi cyfieithydd amser llawn; digwyddodd hynny yn 1971. Sefydlwyd cyrsiau cyffredinol i'r chweched llai academaidd yn yr un flwyddyn a dyfarnu ein tystysgrif ein hunain. Ac mewn cyfnod pryd y câi rhieni eu hesgeuluso gan ysgolion yn gyffredinol, rhoddai athrawon Rhydfelen oriau ac oriau gyda'r nos i drafod gwaith y plant gyda'u rhieni. Yn achlysurol hefyd byddai adrannau'n cynnal noson i egluro natur a dulliau cyrsiau newydd, megis mathemateg SMP, ffiseg Nuffield a chwrs clasuron Caer-grawnt. Ad-daliad bach oedd hyn mewn gwirionedd i'r ffydd a'r ffyddlondeb a ddangoswyd gan rieni'r ysgol.

Breintiwyd yr ysgol gan ymweliadau llu o addysgwyr, o bob math ac o sawl gwlad, a chan wleidyddion, gan gynnwys dau weinidog addysg – Syr Edward Boyle yn 1962 pan agorodd yr ysgol yn swyddogol, a Mr Edward Short yn 1968. Yn y blynyddoedd cynnar, deuai cymdeithasau rhieni o sawl ardal i edrych amdanom a bu prifathrawon ac athrawon yr ysgolion uwchradd a agorwyd ar ôl Rhydfelen yn ymweld i geisio manteisio ar ein profiad. Bu'r chweched dosbarth, a dyfodd yn ei faint yn 155 erbyn 1974, yn hynod o ffodus i gael cyfarfod â gwŷr a merched amlwg y genedl a gwrando ar sgyrsiau a draddodwyd ganddynt. Yr oedd ein lleoliad o fewn taith hwylus i'r brifddinas yn fantais inni yn hyn o beth yn sicr.

Fel y soniwyd eisoes, yr oedd yn bwysig ceisio sicrhau dilyniant drwy'r Gymraeg yn y colegau a'r Brifysgol. Ni fu'n anodd argyhoeddi'r colegau addysg – Y Normal a'r Drindod – o hyn ond bu cael y Brifysgol i symud yn ymdrech hir. Mewn un cyfarfod yn Nghofrestrfa Prifysgol Cymru yn 1966, Llewelyn Heycock oedd yr un a ysbardunodd yr academyddion amheugar i symud mewn ffydd, ond yr oedd hi'n 1968 pan gefais gyfle i gynnig yn Llys Coleg y Brifysgol Aberystwyth, a chael cefnogaeth, sefydlu rhai cyrsiau drwy'r Gymraeg yn y coleg hwnnw. Ar ôl cyfnod o bwyllgora'n ffisol yn Aberystwyth, cadarnhaodd y Llys yn 1969 y gwneid penodiadau ar fyrder mewn saith o feysydd yn y celfyddydau. Aeth cannoedd o ddisgyblion Rhydfelen dros y blynyddoedd i ddilyn y cyrsiau hyn. Bron ddeng mlynedd ar hugain yn ddiweddarach, ni ellir dweud i ysgolion uwchradd Cymru, gan gynnwys y rhai dwyieithog, barhau'r frwydr hon i'r un graddau; siomedig fu'r galw am gyrsiau drwy'r Gymraeg gan ddarpar fyfyrwyr a gwantan fu gweledigaeth a dulliau marchnata'r colegau. Da yw gweld ymgyrch ar droed unwaith eto i ymgodymu â'r broblem hon, ond mewn dyddiau o ariannu drwy'r Cyngor Cyllido a'r codi muriau rhwng colegau a rhwng adrannau, nid oes ateb rhwydd.

Darlun cryno gan un o brifathrawon Rhydfelen yw'r uchod. Mae llawer mwy i'w ddweud am y cyfnod dan sylw. Yn sicr bu methiannau, ac fe adawodd rhai Rydfelen, lleiafrif bach fe hyderir, wedi eu siomi ac efallai wedi syrffedu ar y pwyslais parhaus ar y Gymraeg. Cafwyd awgrym mewn cynhadledd yn ddiweddar mai gor-bwyslais ar y Gymraeg drwy eu gyrfa yn yr ysgol sy'n gyfrifol am y diffyg cefnogaeth gan ddisgyblion i Brifysgol Cymru! Bu i rai droi eu cefn ar y Gymraeg ar ôl gadael a chael eu boddi gan Seisnigrwydd eu hardaloedd ac iaith eu cyfeillion. Stori arall, stori drist, a phroblem sylweddol yw hon. Y mae, fodd bynnag, rai sy'n dystion amlwg i lwyddiant y math o addysg a gynigid yn Rhydfelen a'i thebyg ac sy'n ddiolchgar am ymroddiad a brwdfrydedd tîm o athrawon a wnaeth eu llwyddiant yn bosibl. I mi, a gafodd brofiadau proffesiynol diddorol a chyfoethog eraill ar ôl gadael Rhydfelen 23 blynedd yn ôl, yr oedd cael ymateb i ffydd rhieni Rhydfelen a chydweithio ag athrawon na chaed eu gwell, yn un o brofiadau mawr fy ngyrfa. Mae canfod bod saith a fu'n athrawon yn Rhydfelen yn yr un cyfnod â mi ac un cyn-ddisgybl wedi eu penodi'n benaethiaid ar ysgolion uwchradd Cymraeg yn destun llawenydd ac yn obaith o barhad y gwerthoedd y ceisiwyd eu harddel yn Rhydfelen o 1962 ymlaen, a hyd heddiw fe obeithir.

Llwyddais, ac yn fwriadol felly, i osgoi enwi unrhyw berson byw, gan gynnwys fy nghyd-athrawon, yn y bennod hon. Yr oedd hynny'n anodd ond yn ei hanfod, cywaith oedd Rhydfelen ac oherwydd cydweithio diarbed y llwyddodd, ond fe wêl athrawon unigol, a rhieni a disgyblion, gyfeiriad at eu gwaith a'u dylanwad. Ysywaeth, nid oes raid i mi dorri fy rheol fy hun wrth gyfeirio at Lily Richards. Fe fu farw ar y 19eg o fis Mawrth 1998 ar ôl brwydr ddewr yn erbyn yr hen elyn. Ni ellir peidio â sôn am gyfraniad y Gymraes ryfeddol hon mewn cyfrol ar addysg Gymraeg. Hi oedd yn bennaf cyfrifol am adfywiad y Gymraeg yng Nghaerffili a bu hi a'i gŵr, Herbert, yn gynheiliaid yr ysgol feithrin a'r ysgol Gymraeg yno ar hyd y blynyddoedd. Gan mai pennod ar Rydfelen yw hon, rhaid nodi i'w chyfraniad hi, un a fu'n bennaeth cerddoriaeth ac yn ddirprwy bennaeth yr ysgol, fod yn gwbl allweddol i lwyddiant yr ysgol. Mewn gair, hi oedd calon Rhydfelen a bu ei llaw hi ar gynifer o'r gweithgareddau y soniwyd amdanynt uchod: 'Yr hyn a allodd hon, hi a'i gwnaeth'.

Ysgolion Uwchradd Cymraeg Morgannwg Ganol

MERFYN GRIFFITHS

MEWN ERTHYGL a ymddangosodd yn *Y Faner* yn 1948 dywedodd Saunders Lewis, 'Un o'r pethau mwyaf arwyddocaol sy'n digwydd yng Nghymru y misoedd diwethaf hyn yw twf a lledaeniad y gofyn am ysgolion Cymraeg. Fe'i ceir, nid mewn un man yn unig, ond mewn llawer ardal yng Nghymru.' Mae'n debyg mai yn ne-ddwyrain Cymru y bu'r twf mwyaf syfrdanol ac yn ystod y chwarter canrif diwethaf ni chyfrannodd yr un awdurdod yn fwy i'r llwyddiant nag Awdurdod Addysg Morgannwg Ganol. Pe bai pob awdurdod addysg arall yng Nghymru wedi llwyddo i'r un graddau yn ystod yr un cyfnod byddai sefyllfa'r iaith wedi ei gweddnewid yn llwyr.

Pan ffurfiwyd Morgannwg Ganol yn 1974 yr oedd yr hen Sir Forgannwg eisoes wedi sefydlu dwy ysgol uwchradd Gymraeg lwyddiannus iawn, yn Rhydfelen (1962) ac Ystalyfera (1969), ac yr oedd disgyblion yn teithio i'r naill neu'r llall o bob rhan o'r sir, o'r bwrdeistrefi, ac o Sir Fynwy hefyd. Yr oedd llwyddiant y ddwy ysgol, a'r twf yn nifer y disgyblion yn yr ysgolion cynradd oedd yn eu bwydo, wedi gorfodi Awdurdod Addysg Sir Forgannwg i edrych am leoliad arall ar gyfer trydedd ysgol uwchradd i ddarparu addysg Gymraeg o fewn ei ffiniau. Ar y pryd, yr oedd yr Awdurdod hefyd yn ad-drefnu ei ysgolion uwchradd o'r drefn ddwyochrog – ysgolion gramadeg ac ysgolion uwchradd modern – i'r drefn gyfun a'i gorfodai i sefydlu ysgolion llawer mwy drwy ychwanegu at adeiladau rhai, gwagio eraill ac adeiladu ysgolion newydd pan oedd arian ar gael. Bu'r Awdurdod yn edrych yn fanwl ar y posibilrwydd o sefydlu'r drydedd ysgol yn y Bont-faen ond cafwyd gwrthwynebiad cryf i'r cynllun gan bobl Cwm Ogwr, yn enwedig ym Mhen-y-bont.

Yng nghynllun ad-drefnu'r awdurdodau lleol aeth Ystalyfera yn rhan o ofalaeth Awdurdod Addysg Gorllewin Morgannwg a Rhydfelen yn rhan o ofalaeth Awdurdod Addysg Morgannwg Ganol. Rhan o wrthwynebiad pobl Cwm Ogwr i sefydlu'r drydedd ysgol yn Y Bont-faen oedd bod plant Maesteg yn gorfod teithio i Ystalyfera a gweddill plant y cwm i Rydfelen i dderbyn eu haddysg uwchradd trwy gyfrwng y Gymraeg. Eu teimlad hwy oedd y dylid sefydlu ysgol yng Nghwm Ogwr ei hun neu o leiaf mewn man a fyddai'n golygu llai o daith i'r plant. Y penderfyniad terfynol oedd sefydlu'r Ysgol Uwchradd Gymraeg ym mhentref Llanhari er bod hwnnw ychydig y tu allan i Gwm Ogwr.

Yr oedd ysgol uwchradd fodern wedi ei sefydlu yn Llanhari yn y pum degau i wasanaethu'r gymdeithas leol pan chwyddwyd poblogaeth y pentref gyda dyfodiad glowyr o Loegr (o Wlad yr Haf a Swydd Efrog yn bennaf) i weithio yn y gwaith glo brig a agorwyd yn Llanharan. Arferai plant y pentref a oedd yn pasio'r arholiad 11+ deithio i'r Bont-faen i dderbyn eu haddysg uwchradd yn yr ysgol ramadeg yno. Erbyn mis Ebrill 1974, fodd bynnag, yr oedd y Bont-faen yn Ne Morgannwg a Llanhari ym Morgannwg Ganol ac yr oedd gan Forgannwg Ganol ysgol gyfun newydd sbon danlli ym Mhen-coed gyda lle ynddi i holl blant Pen-coed a'r cylch a phentref Llanhari. Y canlyniad naturiol felly oedd bod adeilad cymharol newydd (adeiladwyd 1958) er yn un braidd yn fach ar gyfer ysgol gyfun, ar gael yn Llanhari a phenderfynwyd sefydlu'r ysgol Gymraeg ynddo. Er mai Awdurdod Addysg Sir Forgannwg oedd yn gyfrifol am leoli'r ysgol Gymraeg yn Llanhari, Awdurdod Addysg Morgannwg Ganol fu'n gyfrifol am ei sefydlu a'i gweinyddu o'r dechrau, ond ni fu'r ddeuoliaeth yn unrhyw rwystr i'w datblygiad.

Yr awgrym cyntaf a gafodd pentrefwyr Llanhari bod eu hysgol i'w chau, neu o leiaf i newid ei chymeriad, oedd i'r prifathro, Mr Harry Williams, wneud cyfeiriad digon annelwig at yr ad-drefnu posibl yn ei araith ar ddydd gwobrwyo'r ysgol ym mis Mawrth 1973, ond parhau dipyn yn annelwig wnaeth y trefniadau am tua blwyddyn arall. Yn ystod 1973 y cynhaliwyd yr etholiadau ar gyfer yr awdurdod newydd ac nid oedd Awdurdod Addysg Morgannwg Ganol yn bodoli'n swyddogol tan fis Ebrill 1974. Fe'm penodwyd i yn brifathro ym mis Mai 1974 ac agorodd yr ysgol Gymraeg newydd ei drysau am y tro cyntaf ym mis Medi y flwyddyn honno gan dderbyn 147 o ddisgyblion un ar ddeg mlwydd oed i ddosbarthiadau'r flwyddyn gyntaf (blwyddyn 7 erbyn hyn). Daeth y disgyblion cyntaf o saith ysgol gynradd Gymraeg, pedair ym Morgannwg Ganol, sef ysgolion cynradd Cymraeg Gartholwg (Tonteg), Tonyrefail, Tyderwen (Maesteg) a Phen-y-bont a thair yn Ne Morgannwg, sef ysgolion cynradd Cymraeg Bryntaf (Caerdydd), Sant Baruc (y Barri) ac Ysgol Gynradd Gymraeg Penarth. Cyn mis Medi 1974 yr oedd yr ysgolion hyn i gyd, heblaw Maesteg, yn bwydo Rhydfelen. Yr oedd plant ysgol Gymraeg Maesteg wedi bod yn mynd i Ystalyfera ers pan agorodd yr ysgol honno yn 1969.

Bwriadwyd adeilad gwreiddiol ysgol Llanhari ar gyfer tua 350 o ddisgyblion, a chan y disgwylid i'r ysgol Gymraeg dderbyn oddeutu 180 o ddisgyblion yn flynyddol, a chael 1,050 yn ei llawn dwf, tybiwyd y byddai'r adeilad yn orlawn erbyn y drydedd flwyddyn. Yr oedd yn rhaid dechrau cynllunio ac adeiladu estyniad ar unwaith ac erbyn mis Medi 1978, pan dderbyniwyd bron i 300 o ddisgyblion i'r flwyddyn gyntaf, yr oedd yno adeiladau newydd a modern ychwanegol i letya'r 850 o ddisgyblion oedd yn nosbarthiadau blynyddoedd 1–4 (blynyddoedd 7–10) erbyn hynny.

Yr oedd meddiannu'r adeiladau newydd, gyda'u hadnoddau modern, yn brofiad pleserus iawn ond ni ellir dweud yr un peth am gyfnod yr adeiladu! Bu cryn drafod ac ymgynghori ynglŷn â'r cynllun a chafwyd pob cydweithrediad gan swyddogion addysg a phensaernïol yr Awdurdod. Yn y pen draw, fodd bynnag, yr arian oedd ar gael oedd yn torri pob dadl ac oherwydd ei wneuthuriad ni ddisgwylir i'r adeilad oroesi mwy na rhyw hanner can mlynedd. Yr oedd cyfnod adeiladu'r ysgol a'r draffordd M4 yn yr ardal yn cydredeg, ac yn sgil dyfodiad yr M4 gwellhawyd y ffyrdd llai sydd yn arwain i bentref Llanhari. Yr oedd hyn o fudd mawr i'r pentrefwyr, a chan fod rhaid i bron pob disgybl yn yr ysgol Gymraeg gael ei gludo iddi, bu gwella'r ffyrdd llai yn fendith hefyd i yrwyr yr ugain bws a'u cludai i'r ysgol yn ddyddiol.

Y rheswm pennaf am y cynnydd sylweddol yn nifer y disgyblion a drosglwyddodd o'r ysgolion cynradd ym mis Medi 1978 oedd i Ysgol Llanhari dderbyn plant o ysgolion cynradd Cymraeg y Rhondda hefyd. Er iddi 'golli' disgyblion De Morgannwg pan agorodd Llanhari yn 1974, parhau i dyfu wnaeth Ysgol Rhydfelen ac oherwydd ei safle cyfyng nid oedd modd ymestyn rhagor yno. Yr oedd trosglwyddo disgyblion o ysgolion cynradd Cymraeg y Rhondda i Lanhari yn lle i Rydfelen yn fodd o godi pwysau y rhifau oddi arni, am y tro beth bynnag! Newidiodd dalgylch Ysgol Llanhari eto pan agorodd Ysgol Gyfun Gymraeg Glantaf yng Nghaerdydd yn 1979 gan i'r ysgol newydd hon yn Ne Morgannwg dderbyn y plant o holl ysgolion cynradd Cymraeg y sir o hynny ymlaen.

Yr oedd newid dalgylch yr ysgolion fel hyn yn rheolaidd yn peri cryn dipyn o broblemau, nid y lleiaf oherwydd yr anhwylustod yr oedd yn ei greu i rieni. Mae pob ysgol uwchradd Gymraeg a agorwyd yn ne Cymru, heblaw Rhydfelen yn 1962 ac Ystalyfera yn 1969, wedi dechrau trwy dderbyn plant i ddosbarthiadau'r flwyddyn gyntaf yn unig. Golyga hyn yn aml fod gan sawl teulu blant mewn dwy ysgol uwchradd, yn ogystal ag mewn ysgol gynradd ambell waith, ac yr oedd hyn nid yn unig yn golygu rhannu eu teyrngarwch ond hefyd yn ychwanegu'n ddirfawr at faich eu hymdrechion cefnogol. Er enghraifft, yr oedd Ysgol Gynradd Gymraeg Maesteg yn bwydo Rhydfelen o 1962–1968, Ystalyfera o 1969– 1973 a Llanhari o hynny ymlaen. O safbwynt yr ysgol yr oedd y newid dalgylch yn golygu torri cysylltiad â rhai ardaloedd a theuluoedd a oedd wedi cyfrannu'n sylweddol i'r ysgol cyn hynny. Mae'n anodd dan y fath amgylchiadau feithrin ymdeimlad o gymuned ac o wasanaethu cymdeithas glòs benodedig.

Bu sefydlu Ysgol Glantaf yn fodd i leihau'r pwysau rhifyddol ar Ysgol Llanhari, am rai blynyddoedd o leiaf. Tyfodd i'w llawn dwf, o safbwynt cael disgyblion ym mhob blwyddyn, ym mis Medi 1980, gyda thua 1,100 o ddisgyblion ynddi. Erbyn hynny yr oedd y pwysau yn ôl ar Ysgol Rhydfelen ac oherwydd ei safle cyfyng, a chyda mwy na'i siâr o ystafellodd dros dro, nid oedd modd ehangu dim rhagor yno. Yr oedd rhieni'r disgyblion o Gwm Rhymni a oedd yn derbyn addysg Gymraeg yn ymwybodol bod nifer sylweddol o ddisgyblion Rhydfelen yn dod o'r Cwm ac o Went a bod y niferoedd yn ysgolion cynradd y ddwy ardal gyda'i gilydd yn dangos y gallent gynnal ysgol uwchradd chwe ffrwd. Dymuniad clir y rhieni oedd sefydlu ysgol ar wahân i blant y cwm ond nid tasg hawdd oedd darbwyllo'r cynghorwyr sir o gyfiawnder eu hachos a gwrthodwyd eu cais ar y dechrau. Ar ôl dwyn rhagor o bwysau ar y cynghorwyr, fodd bynnag, cynigiodd yr Awdurdod sefydlu unedau dwyieithog yn ysgolion uwchradd cyfrwng Saesneg y Cwm. Bu gwrthwynebiad ffyrnig i'r cynnig hwn o du'r rhieni a dim ond ar ôl ymgyrch hir, a nifer o ymweliadau gan bedwarawd ymroddgar Rhieni dros Addysg Gymraeg â Neuadd y Sir i gwrdd â Chyfarwyddwr a Chadeirydd y Pwyllgor Addysg, a swyddogion eraill, y llwyddwyd i berswadio'r Awdurdod i sefydlu ysgol ar wahân yng Nghwm Rhymni.

Fodd bynnag, yr oedd yr Awdurdod, fel pob awdurdod addysg lleol arall yn y cyfnod hwnnw, yn dioddef gwasgfa ariannol enbyd ac o'r herwydd ni chafwyd adeilad newydd. Yn hytrach cynigiwyd 'clytwaith o hen adeiladau gwasgaredig a oedd yn dirwyn i ben o ran eu haddasrwydd ar gyfer yr addysg cyfrwng Saesneg a ddarperid ynddynt', fel y dywedodd y Prifathro rai blynyddoedd yn ddiweddarach. Yr oedd yr Awdurdod wedi ad-drefnu'r ddarpariaeth uwchradd yn yr ardal rai blynyddoedd ynghynt trwy sefydlu Ysgol Gyfun Heol Ddu ym Margod ac Ysgol Gyfun Bedwellty gyda'r naill a'r llall yn defnyddio adeiladau ar wahanol safleoedd. Byddai adeilad yr hen ysgol uwchradd fodern yn Aberbargod, a oedd yn cael ei ddefnyddio gan Ysgol Gyfun Bedwellty, ar gael yn 1981, a chan fod Ysgol Heol Ddu i symud i adeilad newydd sbon ar un safle yn 1983, byddai'r pedwar adeilad yr oedd hi yn eu gadael, yn wag y pryd hynny. Mae'r pedwar adeilad yn nhref Bargod yn sefyll ar wahân, filltir a hanner o bentref Aberbargod, a'r holl adeiladau yn perthyn i'r cyfnod cyn, neu yn syth ar ôl, y Rhyfel Byd Cyntaf.

Yn naturiol nid oedd y rhieni a chwenychai addysg Gymraeg i'w plant yn hapus â'r cynnig ond gan nad oedd yn ymddangos y gellid cael unrhyw welliant arno, ei dderbyn fu raid. Ond, yn annisgwyl efallai, cafwyd cryn wrthwynebiad iddo o du pwyllgor a oedd eisoes wedi ei sefydlu i ddwyn pwysau ar yr Awdurdod i wella safon adeiladau'r ysgolion cynradd yn yr ardal, a gwnaeth athrawon yr NAS/UWT eu gwrthwynebiad hwy yn gyhoeddus hefyd. Yr oedd aelodau'r pwyllgor yn ddig oherwydd na fu unrhyw drafodaeth gyhoeddus yn lleol ynglŷn â'r cynlluniau a'r modd y byddent yn effeithio ar eu plant ac yr oeddent hefyd yn gwrthwynebu gwario ar yr adeiladau ar gyfer yr ysgol Gymraeg yn hytrach nag ar wella adeiladau'r ysgolion Saesneg eu cyfrwng a fynychai eu plant hwy. Yr oeddent o'r farn y byddai'r ysgol Gymraeg yn rhannu'r gymdeithas ac yn gosod rhagfuriau rhwng y plant a fedrai siarad Cymraeg a'r rhai a fedrai siarad Saesneg yn unig. Yn ychwanegol i leisio'u pryder ynglŷn â'u swyddi, cefnogai'r athrawon y rhieni trwy wrthwynebu'r gost o sefydlu'r ysgol Gymraeg a'r effaith a gâi colli'r adeilad yn Aberbargod ar Ysgol Gyfun Bedwellty. Teimlent y byddai'n well gwario'r arian ar ysgolion eraill yn y cylch a oedd yn wael eu cyflwr ac y byddai'r ad-drefnu yn golygu y byddai'n rhaid i Ysgol Gyfun Bedwellty barhau ar dri safle gwahanol bedair milltir oddi wrth ei gilydd.

Rhoddwyd cyhoeddusrwydd i wrthwynebiadau'r cyhoedd a'r athrawon mewn cyfres o erthyglau a ymddangosodd yn y papur wythnosol lleol a rhoddwyd sylw hefyd i'r ymateb gan gynrychiolydd Undeb Cenedlaethol Athrawon Cymru yn y Cwm. Teimlai ef fod gwrthwynebiad yr athrawon yn ddi-sail oherwydd na ddylid edrych ar sefydlu'r ysgol Gymraeg fel bygythiad i'r drefn gynhenid ond yn hytrach fel dimensiwn newydd i addysg uwchradd yn y Cwm. Yr oedd y plant a chwenychai addysg trwy gyfrwng y Gymraeg eisoes wedi gwneud eu dewis, yn mynychu'r ysgolion cynradd Cymraeg, ac ni ddylid eu gorfodi i deithio mor bell i dderbyn eu haddysg uwchradd. Onid gwell fyddai darparu ar gyfer y plant yn eu hardal eu hunain ac o fewn ffiniau'r Cwm? Yr oedd pob un o'r ysgolion cynradd Cymraeg yn y Cwm yn llawn a phrin y gellid anwybyddu dymuniad cynifer o rieni.

Ar ôl i'r Pwyllgor Addysg Lleol benderfynu cysylltu â'r rhieni cynhaliwyd nifer o gyfarfodydd yn yr ardal i egluro'r cynllun yn llawn. Galwyd un o'r pwysicaf gan Bwyllgor Rhieni Ysgol Gyfun Heol Ddu gyda chadeirydd y pwyllgor yn y gadair. Yr oedd prifathrawon y ddwy ysgol gyfun, Heol Ddu a Bedwellty, yn bresennol hefyd ynghyd â'r ddau gynghorydd sir lleol. Rhoddwyd gwahoddiad i unrhyw un fynychu'r cyfarfod ac fe'i hysbysebwyd yn eang ond, fel y digwyddodd pethau, er bod 1,500 o ddisgyblion yn Ysgol Gyfun Heol Ddu ar y pryd, a rhieni pob un wedi eu gwahodd i'r cyfarfod, dim ond 32 o bobl oedd yn bresennol ac ni fu sefydlu'r ysgol Gymraeg yn destun mor ddadleuol ag y disgwylid. Ceir blas o awyrgylch y cyfarfod yn y cyfraniadau canlynol fel y'u cofnodwyd yn y *Rhymney Valley Express,* 3 Mai 1979:

> *Just because I want my children to learn through the medium of Welsh, it doesn't make them any different. We have been shabbily treated by the education people. We had to take over a condemned school in Gilfach to get a Welsh School, and I can tell you that interest in the language is increasing. There is far too selfish an attidude among people in this area, and the sooner a mature view is taken, the better.*
>
> (Mr Arwyn Preest, Cadeirydd Cymdeithas Rhieni Ysgol Gynradd Gymraeg Gilfach.)

> *Nobody is going to suffer by it, and, in fact, everyone will be better off because Heol Ddu will be on one site. Children in the north of the valley can go to a school nearer home, and we can also cater for those who wish to be educated through the medium of Welsh.*
>
> (Y Cynghorydd Walter Bowen, Cadeirydd Bwrdd Rheolwyr Ysgol Gyfun Heol Ddu.)

Er gwaethaf y gwrthwynebiadau cadwodd yr Awdurdod at y penderfyniad i sefydlu'r ysgol ac aethpwyd ymlaen â'r trefniadau i agor Ysgol Gyfun Cwm Rhymni ym mis Medi 1981. Penodwyd y Prifathro cyntaf, Mr Huw Thomas, gŵr a chanddo brofiad helaeth o addysg trwy gyfrwng y Gymraeg ac a oedd ar y pryd yn Ddirprwy Brifathro yn Rhydfelen, ym mis Rhagfyr 1980 a dechreuodd ar ei waith o baratoi ar gyfer agor yr ysgol newydd ym mis Ebrill 1981. Yn ystod 1980–81, ac er bod rhai o ddosbarthiadau Ysgol Gyfun Bedwellty yn cael eu cynnal ynddo, addaswyd adeilad hen Ysgol Uwchradd Fodern Aberbargod er mwyn cael labordai, campfa, cegin ac ystafell athrawon ar gyfer yr ysgol Gymraeg newydd. Hefyd gosodwyd ystafelloedd dros dro ar y buarth. Yr oedd y dalgylch i gynnwys Cwm Rhymni a Gwent yn gyfan, ac fe ddaeth 156 o ddisgyblion un ar ddeg mlwydd oed i'r adeilad ym mhentref Aberbargod ar y diwrnod cyntaf hwnnw. Yr oedd dros 95% o'r plant yn dod o gartrefi di-Gymraeg ac fe'u croesawyd i'r ysgol gan yr 11 o athrawon a oedd eisoes wedi eu penodi.

Erbyn mis Medi 1983, yr oedd adeiladau newydd Ysgol Gyfun Heol Ddu wedi eu cwblhau, ac fe symudodd disgyblion hynaf yr ysgol Gymraeg i'r adeiladau yn nhref Bargod. Bellach dysgir y disgyblion blynyddoedd 7 ac 8 yn Aberbargod a disgyblion blynyddoedd 9, 10, 11, 12 ac 13 ym Margod.

Yn 1985/86 cynhaliodd yr Awdurdod arolwg o'r ddarpariaeth ar gyfer addysg gyfrwng Cymraeg o fewn ei ffiniau. Gwelwyd nad oedd digon o le yn y tair ysgol uwchradd a feddai ar y pryd sef Rhydfelen, Llanhari a Chwm Rhymni, ar gyfer y disgyblion a oedd eisoes yn yr ysgolion cynradd Cymraeg yn y sir ac a fyddai eisiau parhau â'u haddysg trwy gyfrwng y Gymraeg mewn ysgol uwchradd. Un ffordd o leihau'r nifer arfaethedig yn yr ysgolion uwchradd oedd gwrthod derbyn plant o'r tu allan i'r sir. Penderfynodd y Pwyllgor Addysg felly hysbysu Awdurdod Addysg Gwent na fyddai yn derbyn plant un ar ddeg mlwydd oed o Went i Ysgol Cwm Rhymni ar ôl mis Medi 1987 ac agorodd yr awdurdod hwnnw ei ysgol uwchradd Gymraeg gyntaf, sef Ysgol Gyfun Gwynllyw, gyda 52 o blant un ar ddeg oed yn Aber-carn yn 1988.

Yr oedd hyn wrth gwrs yn ysgafnhau'r pwysau ar Ysgol Cwm Rhymni ond er nad oedd bellach yn derbyn disgyblion o'r tu allan i'r Cwm, parhau i dyfu'n ddi-baid a wnaeth gan ddwysâu'r problemau y mae'r ysgol yn eu dioddef oherwydd cyflwr yr adeiladau a'u lleoliad. Beirniadwyd eu cyflwr yn llym gan Arolygwyr Ei Mawrhydi yn eu hadroddiad yn dilyn arolygiad o'r ysgol ym mis Hydref 1987 a chanlyniad hyn fu sefydlu Pwyllgor Datblygu'r Ysgol gyda'r nod o sicrhau adeilad newydd. Er dydd ei sefydlu cynhaliodd y Pwyllgor ymgyrch ddwys i ddwyn pwysau ar yr Awdurdod Addysg Lleol a'r llywodraeth ganolog i gydnabod yr angen am adeiladu ysgol newydd. Enillwyd cydymdeimlad a chefnogaeth yr Awdurdod lleol a thri Ysgrifennydd Gwladol ond, hyd yn hyn, oherwydd nad oes digon o arian cyfalaf ar gael, ni lwyddwyd i fynd â'r maen i'r wal. Bellach, wrth gwrs, Awdurdod Addysg Cyngor Unedol Caerffili sy'n gyfrifol am weinyddu'r system addysg yn y Cwm.

Yr oedd agor Ysgol Gyfun Cwm Rhymni yn 1981 yn lleihau'r pwysau rhifyddol ar Ysgol Rhydfelen yn sylweddol, gan ei bod yn colli holl blant Cwm Rhymni a Gwent, a gwelodd yr Awdurdod y byddai lle ynddi i dderbyn disgyblion un ar ddeg oed y Rhondda a chwenychai addysg uwchradd trwy gyfrwng y Gymraeg. Penderfynodd felly y byddai'r disgyblion hynny yn trosglwyddo i Rydfelen yn lle i Lanhari o hynny ymlaen. Penderfynwyd trosglwyddo disgyblion Gwaelod-y-garth i Rydfelen hefyd ym mhen rhyw ddwy flynedd wedi hynny. Golygai hyn bod ysgolion cynradd Cymraeg y Rhondda, a'r uned yng Ngwaelod-y-garth, yn dychwelyd i ddalgylch Ysgol Rhydfelen unwaith eto ac yn ysgafnhau'r pwysau ar Lanhari. Bu gwrthod derbyn plant Gwent i Ysgol Cwm Rhymni a newid dalgylchoedd y ddwy ysgol uwchradd arall fel hyn yn fodd i'r Awdurdod gynnal y sefyllfa am beth amser ond yr oedd arolwg 1985/86 hefyd wedi dangos y byddai ysgolion Rhydfelen a Llanhari yn orlawn ymhen ychydig flynyddoedd. Dangosai'r ffigurau hefyd fod ysgolion cynradd Cymraeg y Rhondda yn tyfu'n sylweddol ac y byddai'r cwm Cymreig hwn yn medru cynnal ysgol uwchradd Gymraeg i dderbyn tua 120 o ddisgyblion yn flynyddol ymhen rhyw ddwy flynedd. Byddai agor ysgol uwchradd Gymraeg yn y Rhondda nid yn unig yn lleihau'r nifer yn ysgol Rhydfelen ond hefyd yn gwireddu'r nod o gael ysgol uwchradd Gymraeg i wasanaethu pob cymuned. Yr oedd llawer iawn o bobl Cwm Rhondda wedi bod yn dra awyddus ers blynyddoedd i gael ysgol uwchradd Gymraeg yn y Cwm.

Yn y cyswllt hwn dylid nodi bod y Swyddfa Archwiliadau, o ddechrau'r wyth degau, wedi bod yn dwyn pwysau ar bob Awdurdod Addysg lleol i leihau nifer y lleoedd gweigion mewn ysgolion oherwydd bod nifer plant oed ysgol yng Nghymru a Lloegr yn gostwng. Yr oedd y lleihad hwn yn fwy felly efallai yng Nghwm Rhondda nag ydoedd mewn rhannau eraill o'r sir. Yng nghanol yr wyth degau yr oedd pump ysgol gyfun yng Nghwm Rhondda a dwy ohonynt yn yr un dref, y Porth. Yr oedd llawer iawn mwy o ddisgyblion yn y *Porth Comprehensive School* nag oedd yn y *Cymmer Comprehensive School, Porth*, a rhoddwyd pwysau ar yr Awdurdod

Ysgol Gyfun Rhyd-y-waun, Aberdâr, Morgannwg Ganol. Yr ysgol gyfun Gymraeg gyntaf i'w hagor mewn adeilad newydd (1995).

Pabell Llanhari yn Eisteddfod Genedlaethol Pen-y-bont ar Ogwr, 1998.

Brodwaith i goffau chwarter canrif Ysgol Gyfun Llanhari. Griffith John Williams piau'r cwpled: "Yr iaith sy'n haeddu mawrhad
A drysorwn drwy'i siarad."

Parti Telynau Glisandi, Ysgol Gyfun Llanhari, 1995/96.

Dosbarth gofal plant, Ysgol Gyfun Llanhari, 1994.

Ysgol Gyfun Llanhari, 1995/96.

i gau yr ail a sefydlu ysgol uwchradd Gymraeg ar y safle yn ei lle. Mae'n deg dweud i Mr Ken Hopkins, Cyfarwyddwr Addysg Morgannwg Ganol ar y pryd, a gŵr sydd wedi uniaethu ei hun yn llwyr â'r Cwm, sylweddoli manteision y cynllun a gweithio'n ddyfal i'w gyflawni gyda chefnogaeth nifer o gynghorwyr dylanwadol a oedd yn cynrychioli'r ardal ar y Cyngor Sir.

Daeth sibrydion am fwriad yr Awdurdod i sylw rhieni disgyblion y *Cymmer Comprehensive School* ar ddechrau 1986 a chodwyd storm o wrthwynebiad i'r bwriad ar unwaith. Mewn cyfarfod cyhoeddus a gynhaliwyd i leisio'u gwrthwynebiad yr oedd y rhieni'n awyddus iawn i'w gwneud hi'n glir mai yn erbyn y bwriad o gau'r ysgol Saesneg ei chyfrwng yr oeddynt yn hytrach nag yn erbyn y bwriad o sefydlu ysgol Gymraeg ei chyfrwng. Fel y dywedodd Mrs Val Hughes, un o'r rhieni ar Fwrdd Rheolwyr *Cymmer Comprehensive School*, a oedd yn arwain y gwrthwynebiad:

> 'They have a right to a school, but not our school.'
> (*Rhondda Leader,* 27 Chwefror 1986)

Teimlai'r rhieni yn ddig iawn tuag at y ddau gynghorwr a gynrychiolai'r ardal ar y cyngor sir am eu bod yn cefnogi'r bwriad, a hwythau ar Fwrdd Rheolwyr yr ysgol, a galwyd am i'r ddau ymddiswyddo. Trefnwyd i ddirprwyaeth sylweddol o rieni fod yn bresennol mewn cyfarfod o Bwyllgor Addysg Morgannwg Ganol ym mis Mai er mwyn dwyn rhagor o bwysau ar y cynghorwyr, ond eu siomi a gawsant gan i'r aelodau bleidleisio'n unfrydol i sefydlu'r ysgol Gymraeg yn y Cymer. Disgrifiwyd y penderfyniad gan Glyn James, Maer y Rhondda ar y pryd, fel 'diwrnod hanesyddol i addysg Gymraeg yn y cwm.'

Wedi i'r Pwyllgor Addysg benderfynu cysylltu â'r rhieni cynhaliodd y swyddogion nifer o gyfarfodydd cyhoeddus yn yr ardal i egluro'r cynllun yn llawn gan danlinellu'r ffaith fod nifer y disgyblion yn *Cymmer Comprehensive School* wedi syrthio'n sylweddol mewn ychydig flynyddoedd ac nad oedd bellach unrhyw gyfiawnhad dros ei chadw ar agor. Gallai'r plant fynychu'r ysgol oedd agosaf i'w cartref, naill ai'r ysgol gyfun arall yn y Porth neu Ysgol Gyfun Tonypandy. Dim ond nifer fechan iawn o'r disgyblion a fynychai'r *Cymmer Comprehensive School* oedd yn gorfod cael eu cludo iddi ac yr oedd y bobl leol yn anfodlon iawn colli'r ysgol a wasanaethai eu cymuned glòs hwy. Yr oedd agor ysgol Gymraeg ar y safle hefyd yn golygu cludo plant iddi o bob rhan o'r cwm a chan mai mynedfa gyfyng iawn oedd i'r safle poenai'r bobl a oedd yn byw yn yr ardal na fedrai'r bysiau gymryd y corneli a thramwyo'r lonydd culion at y safle heb beri cryn anhwylustod iddynt hwy.

Yr oedd yr Awdurdod hefyd yn argymell caniatáu i'r disgyblion a oedd eisoes yn yr ysgol gwblhau cyfnod eu haddysg orfodol yno a pheidio â'u trosglwyddo i ysgolion eraill. Yr oedd yr argymhelliad hefyd yn cynnwys peidio derbyn disgyblion i'r ysgol o gwbl am un flwyddyn a thrwy hynny adael blwyddyn wag rhwng y disgyblion a dderbyniai eu haddysg trwy gyfrwng y Saesneg a'r disgyblion cyfrwng Cymraeg. Yr oedd y drefn hon yn wahanol i'r drefn a fabwysiadwyd ar gyfer pob ysgol uwchradd Gymraeg arall a sefydlwyd gan yr Awdurdod a chododd yr argymhelliad gryn bryder ym meddyliau'r rhieni a chwenychai addysg gyfrwng Cymraeg yn ogystal ag ym meddyliau rhieni'r disgyblion a oedd eisoes yn yr ysgol. Pryderai'r ddwy ochr am yr anawsterau a allai godi trwy orfodi'r naill garfan o ddisgyblion a'r llall i rannu'r un adnoddau.

Yn sgil y gwrthwynebiad a ddilynodd rybudd ffurfiol yr Awdurdod trosglwyddwyd y penderfyniad terfynol i'r Ysgrifennydd Gwladol dros Gymru. Gwrthod y gwrthwynebiad a wnaeth ef a mynegi ei obaith y byddai'r Awdurdod yn cymryd y camau priodol i sicrhau'r safonau addysgol uchaf yn ystod cyfnod y trawsnewid ac yn gweithredu ar y cynllun i sicrhau mynedfa addas i'r bysiau a lle diogel i'w parcio.

Agorwyd Ysgol Gyfun Cymer Rhondda ym mis Medi 1988 gydag 86 o ddisgyblion yn trosglwyddo iddi o'r ysgolion cynradd Cymraeg yn y Cwm a oedd wedi tyfu i'w llawn dwf ar y pryd, sef Ysgol Ynys-wen, Treorci, Ysgol Gynradd Gymraeg Bodringallt ac Ysgol Llwyncelyn, y Porth. Yr oedd yno hefyd ddisgyblion yn derbyn addysg trwy gyfrwng y Saesneg yn nosbarthiadau blwyddyn 9 (blwyddyn 3 gynt) ac i fyny. Yr oedd yr Awdurdod wedi penderfynu y byddai Prifathro'r *Cymmer Comprehensive School*, Mr T. T. Williams, Cymro Cymraeg ei iaith, ynghyd â nifer sylweddol o'r staff, yn parhau yn eu swyddi tra byddai'r ysgol yn dal i gyflwyno addysg trwy gyfrwng y Saesneg. Yr oedd amryw o'r staff hefyd yn Gymry Cymraeg a bu rhai ohonynt yn dysgu'r ddwy garfan o ddisgyblion cyn trosglwyddo'n gyfan gwbl maes o law i'r ysgol Gymraeg ei chyfrwng.

Wrth gwrs bu'n rhaid gwneud rhai penodiadau ychwanegol ar gyfer yr ochr Gymraeg a'r un mwyaf allweddol efallai oedd penodi Mrs Eirlys Pritchard Jones yn Ddirprwy Brifathrawes. Mae Mrs Jones yn frodor o'r Cwm a addysgwyd yn yr ysgolion lleol ac ar adeg ei phenodiad yr oedd yn Ddirprwy Brifathrawes yn Rhydfelen. Llwyiodd yr ochr Gymraeg yn llwyddiannus o'r dechrau ac er holl bryderon y rhieni a'r anawsterau a wynebai'r ysgol pan agorodd yn 1988, ni fu gwrthdaro amlwg. Tyfodd yr ysgol Gymraeg ac edwinodd yr ochr Saesneg ac erbyn mis Medi 1992 dim ond addysg gyfrwng Cymraeg a ddarperid yn Ysgol Gyfun Cymer Rhondda ac yr oedd Mrs Jones wedi ei phenodi yn Brifathrawes arni ar ymddeoliad Mr Williams.

Mewn adroddiad i Is-bwyllgor Addysg Cyfrwng Cymraeg Morgannwg Ganol ym mis Rhagfyr 1990 rhoddodd y Cyfarwyddwr Addysg, Mr Eddie Roberts, grynodeb o'r sefyllfa o safbwynt niferoedd ym mhedair ysgol uwchradd gyfrwng Cymraeg y sir. Dywedodd fod y pedair ysgol a feddai'r Awdurdod bryd hynny wedi eu cynllunio i dderbyn y niferoedd canlynol:

	Derbyniad Blynyddol (o ddisgyblion)	Dosbarthiadau (30 yn y dosbarth)
Cymer	120	4
Rhydfelen	180	6
Cwm Rhymni	180	6
Llanhari	210	7
	690	23

Gallai'r ysgolion hyn felly, gyda'i gilydd, dderbyn uchafswm o 23 dosbarth yn flynyddol ond yr oedd y niferoedd yn yr ysgolion cynradd yn dangos y byddai'r gofyn am addysg uwchradd gyfrwng Cymraeg yn cynyddu i 31 dosbarth, sef diffyg o 8 dosbarth, neu 240 o ddisgyblion, yn flynyddol yn y lleoedd oedd ar gael. Byddai'r diffyg yn dechrau ymddangos yn 1991 ac yn cyrraedd yr 8 dosbarth erbyn 1996. Yr oedd y ffigurau hefyd yn dangos y byddai angen chwech ysgol uwchradd Gymraeg erbyn diwedd y ganrif, hynny yw, lle ar gyfer 36 dosbarth o 30 disgybl neu, mewn geiriau eraill, byddai 1,080 o ddisgyblion yn trosglwyddo o'r ysgolion cynradd i'r ysgolion uwchradd bob blwyddyn. Yr oedd y ffigurau a gyflwynwyd yn dangos cynnydd o tua 5% yn flynyddol yn nifer y plant oedd yn derbyn addysg Gymraeg o fewn y sir ac yr oedd pob argoel y byddai'r cynnydd yn cael ei gynnal.

Ond, wrth gwrs, yr oedd yn rhaid i'r Awdurdod fanylu ar sefyllfa pob ysgol uwchradd Gymraeg yn unigol er mwyn gallu ymdopi â'r twf aruthrol. Gwelwyd bod modd cynnal y sefyllfa tan 1996 yn Ysgol Cwm Rhymni (er y byddai peth gwasgedd ar yr ysgol isaf yn 1994 ac 1995, ac ar yr ysgol yn gyffredinol trwy gydol y cyfnod oherwydd cyflwr yr adeiladau) ac na fyddai Ysgol y Cymer yn gorlenwi yn y cyfnod hyd 1996. Yr oedd y sefyllfa yn Rhydfelen yn dangos y byddai hi yn gorlenwi ar ôl 1993/94 oherwydd y byddai tair ysgol gynradd Gymraeg newydd, sef ysgolion cynradd Cymraeg Rhyd-y-grug (Mynwent y Crynwyr), Evan James (Pontypridd) ac Abercynon, yn ei bwydo. Ond, yn nalgylch Ysgol Llanhari yr oedd y twf mwyaf. Byddai hon yn gorlenwi ar ôl 1991 – roedd eisoes wedi ei hymestyn, trwy adeiladu ystafelloedd dros dro, i gynnwys 1,150 o ddisgyblion ond byddai angen lle i 1,183 ynddi erbyn 1992 a byddai'n tyfu'n flynyddol wedi hynny.

Yr oedd yn amlwg bod angen ystyried agor ysgol uwchradd Gymraeg arall eto, y bumed, o fewn y sir erbyn 1993. Yr oedd digon o le ar safle Ysgol Llanhari i adeiladu rhagor o ystafelloedd dros dro ond nid felly ar safle cyfyng Ysgol Rhydfelen, ac er bod yr Awdurdod yn cydnabod bod Ysgol Llanhari braidd yn bell o ran helaeth o'i dalgylch, ac y byddai sefydlu ysgol yng Nghwm Ogwr yn lleihau'r broblem, penderfynu agor ysgol newydd yn nalgylch Rhydfelen a wnaethpwyd yn y pen draw. Yr oedd y Cyfarwyddwr yn ei adroddiad wedi nodi y gallai ysgolion cynradd Cymraeg Cwm Cynon a Merthyr gyda'i gilydd, a oedd ar y pryd yn bwydo Ysgol Rhydfelen, gynnal ysgol uwchradd o bum dosbarth yn flynyddol ac awgrymodd y gellid datblygu safle yn Rhyd-y-waun, Aberdâr i'r pwrpas hwn. Ond wrth gwrs yr oedd yn rhaid edrych hefyd ar yr effaith a gâi agor ysgol yn Rhyd-y-waun ar y nifer o blant a fyddai'n trosglwyddo'n flynyddol i Ysgol Rhydfelen ac a fyddai h'n medru parhau yn hyfyw.

Yr oedd argymhelliad y Cyfarwyddwr yn cynnwys:

i) Sefydlu ysgol uwchradd newydd i dderbyn 150 o ddisgyblion yn flynyddol ac i gynnwys dosbarth chwech (blynyddoedd 12 ac 13) i wasanaethu Cwm Cynon a Merthyr.

ii) Gwneud iawn i Ysgol Rhydfelen am golli rhan o'i dalgylch (5 dosbarth o blant yn flynyddol) trwy drosglwyddo iddi ran o ddalgylch Ysgol Llanhari sef, Ysgol Gynradd Gymraeg Gartholwg yn Nhon-teg, ac Ysgol Gynradd Gymraeg Castellau ym Meddau.

iii) Hyd yn oed ar ôl colli rhan o'i dalgylch fel hyn byddai Ysgol Llanhari'n parhau i dyfu ac felly yr oedd angen ei hymestyn ar unwaith, trwy adeiladu ystafelloedd dros dro, i dderbyn naw dosbarth o ddisgyblion (hynny yw 270 i gyd) yn flynyddol.

Rhybuddiodd hefyd y byddai angen chweched ysgol uwchradd Gymraeg i wasanaethu Cwm Ogwr yn fuan ar ôl 1997 gan fod ysgolion cynradd Cymraeg y Cwm, a oedd ar y pryd yn bwydo Ysgol Llanhari, yn tyfu'n sylweddol.

Ar ôl llawer iawn o ystyriaeth a thrafodaethau lu â Bwrdd Rheolwyr pob ysgol yr effeithid arni, cytunodd y Pwyllgor Addysg i argymhellion y Cyfarwyddwr a chyhoeddwyd y manylion yn llawn yn y rhybudd cyhoeddus statudol i sefydlu Ysgol Rhyd-y-waun.

Yn briodol iawn Mr Keith Davies, Cyfarwyddwr Addysg olaf Morgannwg Ganol, gafodd y cyfrifoldeb o baratoi ar gyfer sefydlu'r ysgol yn Rhyd-y-waun. Bu Mr Davies yn gweithio yn y sir trwy gydol ei bodolaeth, fel trefnydd uwchradd a Phrif Drefnydd i ddechrau ac yna fel Dirprwy Gyfarwyddwr cyn esgyn i'r swydd uchaf un. Heb os, bu'n bleidiol iawn i addysg trwy gyfrwng y Gymraeg ym mhob un o'i swyddi ac yn ddylanwad pwysig o blaid y Gymraeg ym mhencadlys y sir. Trwy ryw ryfedd wyrth llwyddodd i sicrhau y byddai Ysgol Gyfun Rhyd-y-waun yn cael adeiladau a godwyd i'r pwrpas – yr unig ysgol uwchradd Gymraeg yng Nghymru gyfan a gafodd adeiladau newydd o'r diwrnod cyntaf. Fe'i hadeiladwyd ar safle gwledig yng nghysgod mynydd y Rhigos rhwng Hirwaun ac Aberdâr ac mewn man canolog i'w dalgylch sy'n cynnwys Merthyr yn ogystal â Chwm Cynon. Mae ei chynllun yn fodern iawn a defnyddir llawer o wydr i greu amgylchfyd agored a golau. Agorodd ei drysau ym mis Medi 1995 pan dderbyniwyd cyfanswm o 111 o ddisgyblion un ar ddeg oed o Ysgol Gynradd Gymraeg Santes Tudful (Merthyr) ac Ysgolion Cynradd Cymraeg Ynys-lwyd (Aberdâr), Rhyd-y-grug (Treharris) ac Abercynon, ynghyd â'r Uned Gymraeg ym Mhenderyn. Yno i'w derbyn yr oedd 11 o athrawon, ynghyd â'r Brifathrawes, Mrs Katherine Davies, a oedd eisoes wedi gwneud enw iddi ei hun fel person egnïol a deinamig yn ei swydd gyntaf yn Ysgol Gyfun Glantaf, Caerdyddd, yna fel Pennaeth yr Adran Ieithoedd Modern yn Ysgol Gyfun Gŵyr ac fel Dirprwy Brifathrawes yn Ysgol Gyfun Bro Myrddin, Caerfyrddin.

Bellach nid yw sir Morgannwg Ganol yn bod ac mae pedwar Awdurdod Addysg lleol newydd wedi cymryd lle yr hen Awdurdod. Y gobaith yw y bydd swyddogion a chynghorwyr yr Awdurdodau newydd – Caerffili, Merthyr, Rhondda-Cynon-Taf a Phen-y-bont yn parhau â'r un ymroddiad â'u rhagflaenwyr tuag at addysg trwy gyfrwng y Gymraeg ac y gwelwn sefydlu ysgol uwchradd Gymraeg yng Nghwm Ogwr yn fuan.

O.N. Bu farw Mr Merfyn Griffiths yn fuan wedi llunio'r bennod hon. Gwnaeth waith rhagorol yn llywio ysgol Llanhari yn ei blynyddoedd cynnar, ac fe fyddai'n llawen iawn o glywed fod Ysgol Uwchradd Gymraeg arall i'w hagor yn fuan ar safle hen Ysgol Ramadeg y Merched, Maesteg i wasanaethu cymoedd Ogwr a Llynfi. Byddai'n falch o glywed hefyd fod Ysgol Gyfun Cwm Rhymni yn symud i adeilad newydd braf ym mis Medi 2002, ac fod cynllun i adeiladu ysgol newydd i Rhydfelen ar y gweill. −Gol.

Ysgolion Cymraeg Gorllewin Morgannwg ac Abertawe

WENDY RICHARDS ac eraill

Y NG NGHYFNOD CYNNAR yr ysgolion Cymraeg yr oedd Sir Forgannwg yn ymestyn o bont Casllwchwr, dafliad carreg o Lanelli, hyd at Gaerffili yn y dwyrain ac yr oedd dinas Abertawe yn Awdurdod Addysg annibynnol. Wedi ad-drefnu 1974 daeth ysgolion y sir i'r gorllewin o Fargam, ac Abertawe hefyd, dan reolaeth Gorllewin Morgannwg, ond yn 1996 fe'u rhannwyd rhwng dwy sir newydd – Abertawe, a Nedd ac Afan. Mae'n briodol felly inni ystyried datblygiad addysg Gymraeg y cylch hwn fel uned, er bod problemau unigryw Abertawe yn haeddu sylw ychwanegol yn y penodau nesaf.

Ysgol Lôn-las, Abertawe oedd yr ysgol Gymraeg benodol gyntaf yn y cylch yn 1949 a cheir mwy o'i hanes ym Mhennod 12. Tua'r un adeg yr oedd Morgannwg wedi agor ysgolion Cymraeg ym Maesteg ac Aberdâr, ac yna ym Mhontypridd a'r Barri, cyn sefydlu ei hysgol Gymraeg gyntaf yn y gorllewin, Ysgol Pontybrenin, Gorseinon, i wasanaethu ardal a oedd yn prysur Seisnigo. Miss Cassie Davies, AEM, a oedd yn byw yn yr ardal ar y pryd, oedd y person allweddol yn yr achos hwn, gyda chydweithrediad yr Henadur William Evans, a'r swyddog addysg rhanbarthol Mr T. Gwyn Jones. Penderfynasant gau ysgol fabanod y pentref, a symud y plant i'r ysgol iau er mwyn creu lle i agor yr ysgol Gymraeg. Achosodd hyn ddrwgdeimlad enbyd am flynyddoedd lawer rhwng y ddwy ysgol, a oedd yn rhannu buarth. Digwyddodd rhywbeth tebyg wedyn ym Mhontarddulais ac ym Mhontardawe. Fe wnaeth Cassie Davies waith mawr dros addysg Gymraeg ond ni allai ei brwdfrydedd hi hyd yn oed danio dychymyg mwyafrif ysgolion y cylch. Bu'r talcen caletaf yn aml mewn ardaloedd lle'r oedd y Gymraeg yn dirywio, heb neb yn gweld ei cholli.

Agorwyd ysgol Pontybrenin ym mis Medi 1952, gyda 45 o blant yno y bore cyntaf. Y brifathrawes oedd Miss Mari Lewis, a ddaeth o Garn-swllt ac a fu yn ei swydd tan 1968. Daeth Miss Harriet Lewis (*Pobl y Cwm* yn ddiweddarach) o ysgol gyfagos Casllwchwr â llawer o'i chywion gyda hi. Symudodd Edwin Courtney Lewis yn athro ifanc o'r ysgol Saesneg, ac mae'n rhaid bod y plant yn teimlo mai ysgol teulu'r Lewisiaid oedd hi! Dychwelodd ef i Bontybrenin yn brifathro o 1968 hyd 1982. Hanes o dwf cyson fu hanes yr ysgol hon, ac mae ynddi bellach 266 o blant a 40 yn y dosbarth meithrin.

Yr oedd sefyllfa ardal Pontarddulais yn wahanol. Mewn ardal a oedd yn dal yn un Gymraeg, gellid bod wedi disgwyl gweld yr iaith yn gyfrwng dysgu'r ysgolion lleol, ond nid felly yr oedd. Gweithiodd y Parchedigion Dr Lewis Evans (Hope) a J. E. Davies (y Gopa) yn galed dros gael ysgol Gymraeg yn y pentre. Cafwyd ymateb cadarnhaol gan y Cyngor Sir, er bod angen ad-drefnu'r ysgol iau a'r ysgol fabanod yma eto er mwyn cael adeilad i'r ysgol Gymraeg. Agorwyd Ysgol Gymraeg Bryniago ym mis Ebrill 1955. Yr oedd Miss Ruth Price wedi ei phenodi yn brifathrawes ond oherwydd iddi ddioddef gwaeledd, bu rhaid i Edwin Courtney Lewis o Bontybrenin ddod draw am flwyddyn i lenwi'r bwlch.

Nid oedd ymateb pobl Pontarddulais mor ffafriol. Bu rhai'n ymosod yn chwyrn ar y syniad o gael ysgol Gymraeg yno o gwbl. Yr oedd prifathro ysgol iau Pontarddulais, gŵr na siaradai Gymraeg ond a oedd yn gynghorydd lleol, yn mynnu y byddai ysgol Gymraeg yn gwneud drwg addysgol a chymdeithasol i'r Bont, ac nad oedd cyfiawnhad ariannol drosti. Wrth gwrs yr oedd ofn y byddai'r Ysgol Gymraeg yn mynd â disgyblion yr ysgol Saesneg yn sail i sylwadau o'r fath ond rhoddai'r wasg leol sylw helaeth iddynt.

Yr oedd 96 o blant yn yr ysgol ar y diwrnod cyntaf, ac yr oedd gobaith y byddai'n tyfu'n gryf. Cymharol araf fu ei thwf, serch hynny, tan yn gymharol ddiweddar. Mae yn yr ysgol erbyn hyn 179 o blant a 39 yn y dosbarth meithrin.

Yn y cyfamser yr oedd rhieni cymoedd Nedd ac Afan yn dechrau ymgyrchu. Egin cynnar Ysgol Gymraeg Castell-nedd oedd yr Ysgol Fore Sadwrn yng nghapel Bethlehem Green yn ôl yn 1948–50. Criw bychan a welodd yr angen, yn rhieni ac athrawon. Yn eu mysg yr oedd Elwyn ac Elen Jones, Mair Richards, W. S. ac Euryl Morgan, Bet Williams, Tom Thomas, Beth Owen a'r Parchedig J. M. Davies. Dewiswyd y tri olaf i fynd â'u cais am addysg Gymraeg o flaen y Pwyllgor Addysg ond fe'u gwrthodwyd yn bendant.

Ym mhen ucha'r cwm yr oedd un o gymwynaswyr mawr pentref Glyn-nedd, y meddyg teulu, Dr B. B. Evans, yn frodor o Drelech ac yn ddi-briod ei hun, yn awyddus iawn i weld ysgol Gymraeg yn cael ei sefydlu yn y pentref. Ef a arweiniodd y frwydr. Un arall a wnaeth gyfraniad gwirfoddol clodwiw dros yr iaith am 18 mlynedd oedd Mrs Mary Annie Walters a fu'n gyfrifol am sefydlu a rhedeg y dosbarth meithrin.

Ar ôl i'r Awdurdod Addysg leoli dosbarth Cymraeg yn ysgol y babanod yn 1951, ac i'r nifer godi i 65 erbyn 1954, ffurfiwyd Ysgol Gymraeg Glyn-nedd mewn tair ystafell yn y Neuadd Les. Yn 1957 symudwyd yn ôl i ysgol y babanod, i hanner yr adeilad, ac ym mis Medi 1968 cafodd yr ysgol ei chartref ei hun yn adeilad yr ysgol gynradd gyda 160 o blant.

Cafodd yr ysgol brifathrawon nodedig yn Miss Harriet Lewis (1959–1964), Mr D. G. Walters (1964–1980), Alun Wyn Bevan a Rita Dyer, un o ddisgyblion cyntaf yr ysgol; mae hithau wedi ymddeol erbyn hyn. Yr oedd Max Boyce yn un o'r disgyblion cyntaf.

Aeth gweinidogion ardal Cwmafan ati i drafod agor Ysgol Gymraeg yn lleol. Yn eu plith yr oedd y Parchedigion Gomer Roberts, Robert Ellis, Eurof Jones ac Idris Hopkins. Cynhaliwyd cyfarfodydd â rhieni, a Raymond Edwards a Gwyn Daniel yn annerch. Aed â dirprwyaeth i gwrdd â'r swyddogion addysg ym Mhort Talbot, a Merle Davies, Hilda Owen (chwaer Richard Burton) a Vanwen Davies yn cynrychioli'r rhieni. O'r cychwyn yr oedd yr Henadur Llewellyn Heycock yn gefnogol iawn i'r syniad o gychwyn Ysgol Gymraeg. Derbyniwyd y syniad, a sefydlwyd hi yn 1954 ar hanner safle Ysgol Pont-rhyd-y-fen. Yn y cyfamser yr oedd rhieni ardal Port Talbot wedi cychwyn dosbarth meithrin a ddaeth yn ddosbarth bwydo effeithiol i Ysgol Gymraeg Pontrhydyfen.

Mrs Gwyneth Lewis a Mrs Lloyd oedd yr athrawesau cyntaf; Miss Miles oedd y brifathrawes gyntaf ac, wedi i'r ysgol ddechrau tyfu, daeth Alwyn Samuel, trefnydd yr Urdd yng ngorllewin Morgannwg, i'r swydd. Dan ei arweiniad ef bu pentref Pont-rhyd-y-fen yn gornel fach o ddiwylliant gwledig–ddiwydiannol. Yn 1987 symudwyd yr ysgol o Bont-rhyd-y-fen i Sandfields, Port Talbot, ystad tai cyngor enfawr, a rhoi iddi'r enw newydd Ysgol Rhosafan. Collwyd cyfle yma i gadw Pont-rhyd-y-fen yn ysgol i'r cwm ac agor ysgol newydd i'r glannau.

Yr oedd hi'n 1953 cyn i'r ysfa i sefydlu ysgol Gymraeg ailgydio yng Nghastell-nedd. I Wendy Richards a Trefor Evans mae'r diolch am wthio'r cwch i'r dŵr yr ail waith. Erbyn hynny yr oedd Wendy a'i gŵr Bryn wedi symud o Gwmtawe i Ben-y-wern, a'u plentyn cyntaf wedi ei eni yn 1952. Daethant i adnabod Mr a Mrs Trefor Evans a dod i wybod am yr ymdrechion dros addysg Gymraeg ym Mlaendulais a rhannau eraill o dde Cymru. Aethant i gyfarfod yn festri Maes-yr-haf a chlywed sut y brwydrodd grwpiau o rieni Lôn-las a Maesteg yn llwyddiannus dros eu hysgolion. Dyma gychwyn ar y cenhadu, y siarad ar y radio, yr ysgrifennu i'r wasg, y casglu enwau teuluoedd a oedd yn mynychu'r capeli Cymraeg, a'r curo drysau.

Daethpwyd o hyd i ryw 20 teulu a oedd â diddordeb mewn sefydlu ysgol Gymraeg. Cafwyd cyfres hir o bwyllgorau, cyfarfodydd a gohebu. Diflasodd rhai o'r rhieni, ac nid oedd y Pwyllgor Addysg fel pe bai'n credu eu bod o ddifrif. Mr Owen Thomas o Lansawel oedd cadeirydd cyntaf y pwyllgor, a Wendy Richards yr ysgrifennydd. Penderfynwyd codi arian tuag at yr ymgyrch a chafwyd cefnogaeth rhai o'r tu allan i'r cylch, gan gynnwys Gwyneth a Trefor Morgan, Ystradgynlais; y Parchedig Geraint Owen, Maesteg; Norah Isaac; Cassie Davies AEM; Raymond Edwards AEM; y Parchedig Trebor Lloyd Evans; Dr Iorwerth Hughes Jones a Gwyn Daniel, Caerdydd.

O'r diwedd penderfynodd y rhieni gychwyn ysgol er eu lliwt eu hunain heb gymorth y Pwyllgor Addysg, gan gynnal yr ysgol yn Festri Capel Bethania, a hynny am dâl y goleuo a'r gwresogi yn unig. Penodwyd Mrs Gwenifer Burger o Ystalyfera yn athrawes a daliodd y rhieni i bwyso ar y

Estyniad cyntaf Ysgol Gymraeg Bryniago, Pontarddulais a adeiladwyd yn 1997 oherwydd cynnydd yn nifer y disgyblion, ond oddi ar hynny bu angen estyniad i'r estyniad hefyd.

Ensemble offerynnol fuddugol o Ysgol Gyfun Ystalyfera yn Eisteddfod Genedlaethol yr Urdd Bro Conwy 2000. Bu Ysgol Ystalyfera yn nodedig am ei gwaith cerddorol ar hyd y blynyddoedd.

Ysgol Gymraeg Pontarddulais 1981 a dau ddisgybl a chwaraeodd rygbi i Gymru: Derwyn Jones yn y llun uchaf (canol y rhes gefn) a Darryll Williams yn y llun isaf (ar y dde yn yr ail res).

121

Pwyllgor Addysg i gydnabod yr ysgol. O dipyn i beth dechreuodd rhieni lleol ymddiddori yn yr ysgol, a daeth cais i dderbyn plant di-Gymraeg.

Wrth weld yr ysgol yn tyfu, ildiodd y Pwyllgor Addysg yn 1955 a mabwysiadu'r ysgol, a phenodi athrawes, Mrs Jane Evans. Caban yn iard ysgol Ynysmaerdy, Llansawel oedd cartref cyntaf Ysgol Gymraeg Castell-nedd, ac yr oedd pellter yr ysgol o Gastell-nedd yn achosi tipyn o broblem cludiant i blant ardaloedd Sgiwen, Mynachlog Nedd, Bryn-coch a Thonna. Aeth y rhieni ati i drefnu bws preifat yn ystod y misoedd cyntaf, a bu rhai o'r rhieni hefyd yn rhoi cymorth gyda'u ceir.

Ymhen ychydig, symudwyd i ystafell yn yr ysgol ei hun cyn symud wedyn i Gastell-nedd yn 1958, i dŷ y drws nesaf i Ysgol y Gnoll. Yr oedd y lleoliad hwn yn well, ond nid oedd yr ysgol eto yn un annibynnol er bod Mr Enoch Davies, prifathro newydd y Gnoll, yn rhoi pob cefnogaeth iddi, a 31 o blant ynddi ar y pryd. O dipyn i beth cododd y rhif, ac nid oedd yr adeilad yn ddigon mawr i roi lle i bawb. Un o'r disgyblion cyntaf, gyda llaw, oedd Siân Lloyd, y ferch dywydd, a enillodd goron Eisteddfod yr Urdd a hithau'n ddim ond 16 oed.

Wedi tair blynedd, symudwyd yr ysgol i Ysgol y Bechgyn, Mynachlog Nedd, a ddaethai'n wag, a phenodwyd Mr Bernant Hughes yn brifathro. Cyn pen dim, yr oedd 100 o ddisgyblion yn yr ysgol. Ym mis Medi 1973 gyda 178 o blant bu'n rhaid symud eto, y tro hwn i adeilad ysgol fabanod y Gnoll. Tyfodd yr ysgol yn gyson, a phroblemau gorlenwi'n ei hwynebu yn ystod yr wyth degau a'r naw degau. Lliniarwyd ychydig ar y problemau hyn pan benderfynodd Cyngor Sir Gorllewin Morgannwg agor ysgol ychwanegol yn yr ardal, yn ysgol Hengwrt, ac agorwyd hon o dan yr enw newydd, Ysgol Tyle'r Ynn, yn 1999.

Yr oedd dechreuad Ysgol Gymraeg Blaendulais yn 1961 yn enghraifft dda o berson neu, yn y cyswllt hwn, bersonau yn digwydd bod yn y man iawn ar y adeg iawn ac o dan amgylchiadau ffaffriol. Yr oedd dwy chwaer – y ddwy Miss Fees – yn brifathrawesau ar ysgol y babanod a'r ysgol iau yn y pentre, ac yr oedd y ddwy ysgol yn orlawn. Ar yr un pryd yr oedd gweinidog ifanc a'i wraig – y Parchedig a Mrs Erastus Jones – yn awyddus i'w plant gael addysg Gymraeg. Yn wyneb ymateb brwd gan rieni'r pentref, cymerodd y ddwy brifathrawes yr awenau a symud y Cymry Cymraeg i

Glwb y Bechgyn – a hynny heb unrhyw wrthwynebiad gan y cyngor lleol! A dyna gychwyn ar addysg Gymraeg ym Mlaendulais yn 1961. Dau o gefnogwyr selog y pentrefwyr oedd Mr Trefor Evans, prifathro'r Ysgol Fodern a'i wraig, Gwladys, a fu'n gyfrifol am y dosbarth meithrin gwirfoddol yn festri Soar, Capel yr Annibynwyr yn ystod y pum degau.

Agorwyd ail ysgol Gymraeg Abertawe yng Nghwmbwrla yn 1961, ond yr Ysgol Gymraeg swyddogol nesaf i'w hagor yn y sir oedd un Pontardawe, a sefydlwyd yn 1967 yn festri'r Tabernacl, gydag 17 o ddisgyblion. Mae rhai'n dadlau y dylai'r Sir fod wedi sicrhau bod ysgolion Cwm Tawe i gyd yn rhai Cymraeg, ysgolion fel yr Allt-wen, y Rhos a Godre'r- graig. Nid felly y bu, serch hynny, a chafodd yr ysgolion eraill hyn ryddid i raddau i barhau'n gymharol ddi-Gymraeg wedi i'r ysgol Gymraeg agor. Ochr arall y geiniog, serch hynny, yw llwyddiant Ysgol Gymraeg Pontardawe, sydd bellach yn un o'r ysgolion Cymraeg mwyaf yn y sir.

Am yr ugain mlynedd nesaf dibynnai'r Gymraeg ar yr ysgolion hyn. Cafwyd rhai datblygiadau eraill, megis cydnabod ysgol y Wern, Ystalyfera ac ysgol Trebannws yn ysgolion traddodiadol Gymraeg, ac felly hefyd ysgolion ardal Gwauncaegurwen, Cwm-gors, Cwmllynfell, Felindre, Garn-swllt, a'r Glyn, Brynaman. Yn wahanol i Forgannwg Ganol, a welodd dwf cyflym yn ystod y saith degau a'r wyth degau, aros yn llonydd fu hanes Gorllewin Morgannwg. Gellir priodoli hyn i raddau i agwedd wrthwynebus Cyfarwyddwr Addysg y sir rhwng 1974 ac 1993. Gwelwyd y Gymraeg yn colli tir yn raddol ar aelwydydd yr ardal, ond gwnaed iawn am hynny yn yr ysgolion wrth i nifer cynyddol o blant di-Gymraeg gael eu derbyn. Mae addysg Gymraeg yr ardal bellach yn dibynnu'n helaeth ar y di-Gymraeg. Rhieni di-Gymraeg yn bennaf a fu'n gyfrifol am droi ysgol ddwyieithog Login Fach, Waunarlwydd yn ysgol Gymraeg yn 1991. Fel y gwelir ym Mhennod 12 daeth datblygiadau pwysig yn y sir wedi 1993. Yn unol â dyheadau pwyllgor sirol RHAG gwelwyd agor ysgolion newydd yn Nhirdeunaw, Abertawe (1994), Gelli-onnen, Clydach (1997) a Thyle'r Ynn, Llansawel (1999).

Mae hanes sefydlu ysgolion uwchradd Cymraeg yn y cylch yn saga arall. Wedi agor Ysgol Uwchradd Rhydfelen yn 1962, bu nifer o blant yn teithio ar draws y sir i gyrraedd yno tra'r oedd eraill yn trosglwyddo i ysgolion lleol

Saesneg. Sefydlwyd pwyllgor gan y rhieni a Gwyn Davies o Bontardawe yn gadeirydd, a'r Parchedig Vivian Jones, yr Allt-wen, yn ysgrifennydd, gan ymgyrchu am godi ysgol uwchradd i orllewin y sir yng Nghastell-nedd. Wedi cryn drafod, addawodd y Sir agor ysgol yn ardal Pontardawe, mewn adeilad newydd, ond cafwyd gwrthwynebiad lleol chwyrn i'r syniad.

Yn 1964 galwodd llywodraeth Lafur y dydd ar i'r Awdurdodau Addysg sefydlu ysgolion cyfun ym mhob ardal. Gwelodd Morgannwg gyfle i sefydlu ysgol gyfun fawr ym Mhontardawe, lle'r oedd ysgolion modern, technegol a gramadeg ar un safle, a lle i'r dosbarthiadau iau yng Nghlydach a Gwaencaegurwen, gan ryddhau ysgol ramadeg Ystalyfera i'r ysgol Gymraeg. Gwelwyd rhieni a staff yr ysgol honno'n ffynigo yn eu tro, ond wedi misoedd o ansicrwydd agorwyd Ysgol Gyfun Ystalyfera ym mis Medi 1969 gyda 330 o ddisgyblion, a buan yr enillodd ei phlwyf.

Yr oedd yn fantais iddi ei bod mewn ardal gymharol Gymraeg, ac yn gallu denu plant yr ysgolion traddodiadol Gymraeg y soniwyd amdanynt uchod. Ond o safbwynt rhieni Cymraeg eraill, yr oedd Ystalyfera ym mhen draw'r sir ac yn y man mwyaf gogleddol, yn bell o brif ganolfannau poblogaeth y sir. Ar y cychwyn cyn sefydlu Ysgol Gyfun Llanhari teithiai plant Maesteg i'r ysgol, taith awr a hanner fore a nos am saith mlynedd.

Ar y cychwyn nid oedd Cyngor Abertawe yn caniatáu i ddisgyblion fynd i Ystalyfera ond newidiwyd y rheol honno ym mis Medi 1971, er mawr ryddhad i'r rhieni. Yn fuan gwelwyd nifer y disgyblion yn Ystalyfera yn codi dros 1,000 a bu'n rhaid codi adeiladau newydd. Dechreuodd rhieni ymgyrchu am ail ysgol uwchradd, brwydr hir arall fel y gwelir yn y bennod nesaf. Wedi agor Ysgol Gyfun Gŵyr yn 1985 gwelwyd nifer y disgyblion yn Ystalyfera'n syrthio i 750, ond bellach cododd eto i 1,200 ac mae argoel am gynnydd pellach. Erbyn hyn mae'r ddwy ysgol yn ffynnu, Gŵyr yn sir Abertawe ac Ystalyfera yn Nedd ac Afan, a chanddynt wyth ysgol gynradd yr un yn eu bwydo. Gellir tybio bod angen o leiaf un ysgol uwchradd arall yn y cylch.

O.N. Lluniwyd y bennod hon ar sail cyfraniadau y ddiweddar Wendy Richards, Winnie Preece, Edwin Courtney Lewis, Heini Gruffudd, a gwybodaeth bersonol y Golygydd. *−Gol.*

Pennod 12

Ysgolion Cymraeg
Abertawe

HEINI GRUFFUDD

Sefydlu Ysgol Lôn-las

MAE MODD olrhain cychwyn y frwydr am addysg Gymraeg yn Abertawe i alwad gan Gyngor yr Eglwysi Rhyddion yn Nhreforys yn 1945 am gychwyn dosbarth Cymraeg mewn ysgol yn Nhreforys. Yn y cyfnod hwnnw byddai rhyw gymaint o ddysgu Cymraeg ac o ddysgu trwy gyfrwng y Gymraeg yn digwydd yn Abertawe, ond byddai hyn yn digwydd yn ôl mympwy penaethiaid ysgolion unigol. Ni fyddai dilyniant ieithyddol rhesymegol i addysg o'r fath. Yn ôl tystiolaeth Dr John Lewis, a ddaeth yn ffisegydd o fri, ac a gafodd ei addysg yn Ysgol Lôn-las cyn iddi droi yn ysgol Gymraeg, byddai rhyw gymaint o'r addysg yno yn y Gymraeg yn adran y babanod, ond yn y Saesneg y cyflwynid addysg yr adran iau. Ni chafwyd ymateb gan yr Awdurdod Addysg i'r cais cyntaf hwn.

Cafwyd ail gais am sefydlu dosbarth neu ysgol Gymraeg yn yr ardal, pan gynhaliwyd cyfarfod yn Nhreforys ar y 1af o Orffennaf, 1947 gyda Norah Isaac ac Ifan ab Owen Edwards yn annerch, ac yn ystod haf y flwyddyn honno paratowyd memorandwm gan Eglwysi Cymraeg y dref, Y Cymmrodorion, Undeb Cymru Fydd, Undeb Ysgolion Sul, yr Urdd ac UCAC yn gofyn i gyngor y dref wella dysgu Cymraeg yn gyffredinol trwy'r dref. Yr oedd y Parchedig Trebor Lloyd Evans yn allweddol yn y symudiad hwn ac eraill o Gymry blaenllaw Abertawe. Erbyn yr hydref

1947 dechreuwyd sôn am sefydlu ysgol Gymraeg, a chasglwyd deiseb yn galw am hyn. Aeth dirprwyaeth i annerch y Pwyllgor Addysg ar y 9fed o Fawrth 1948 a chafwyd penderfyniad gan y Pwyllgor i sefydlu ysgol Gymraeg yn ardal Treforys. Ym mis Mai, serch hynny, penderfynodd cyfarfod nesaf y Pwyllgor roddi arbrawf ar gychwyn Ysgol Gymraeg yn Ysgol Lôn-las, Llansamlet.

Pan ymatebodd rhieni 231 o blant 5–8 oed Abertawe y byddent am i'w plant gael addysg Gymraeg, penderfynodd y Pwyllgor Addysg roi'r gorau i'r syniad am fod y nifer hwn yn ganran fach o'r 7,000 o blant a addysgid yn y ddinas ar y pryd ac am y byddai'r costau cludo'n rhy uchel. Yn wyneb safbwynt unllygeidiog o'r fath, cynigiodd Dr Iorwerth Jones, meddyg a oedd yn gynghorwr annibynnol ar y Cyngor, ond a feddai ar ddaliadau cenedlaethol, welliant yn awgrymu sefydlu'r ysgol Gymraeg mewn man mwy canolog. Eiliwyd ef gan Rowe Harding, a ddaeth yn farnwr yn nes ymlaen, a chafodd gefnogaeth tri chynghorwr. Ond trechwyd ei awgrym, gyda 34 o gynghorwyr yn ei erbyn.

Wedi'r siom hwn, ceisiodd Ifan ab Owen Edwards berswadio'r rhieni i gychwyn ysgol Gymraeg annibynnol fel y gwnaethai ef yn Aberystwyth. Aeth rhieni'r dref, a oedd yn cynnwys Dr Gwent Jones, Gwyn Griffiths, y Parchedigion W. M. Rowlands a Robert Thomas ati i drefnu ysgol yng Nghae Bailey, Mount Pleasant, o dan nawdd yr Urdd. Prynwyd yr adeilad hwn gan Dr Annie Owen i fod yn ganolfan i Gymry'r dref ac i weithgareddau'r Urdd. Daeth Norah Isaac ac Ifan ab Owen Edwards i annerch cyfarfod arall, lle y trefnwyd i fwrw ymlaen â'r cynllun. Nid oedd Ifan ab Owen Edwards, ar y llaw arall, wedi rhoi heibio pob gobaith o gael yr Awdurdod Addysg i gefnogi ysgol Gymraeg, a bu mewn cysylltiad â Mr Drew, y Cyfarwyddwr Addysg a Fred Shail, Maer y dref. Llwyddodd i'w ddarbwyllo i ailgydio yng nghynllun Lôn-las, gan addo y byddai'r Urdd yn talu £300 am dair blynedd i gludo'r plant. Awgrymwyd gan Dr Gareth Evans yn ddiweddarach fod rhan Mr Drew yn natblygiad addysg Gymraeg Abertawe wedi bod yn fwy allweddol nag y dychmygid gan rieni ar y pryd.

Yn y pen draw, er i rai rhieni ddymuno cadw at y syniad o sefydlu ysgol breifat, agorwyd Ysgol Lôn-las ym mis Medi 1949, gyda 71 o blant yn hytrach na'r 231 a oedd wedi mynegi dymuniad yn y lle cyntaf. Nid oedd y penderfyniad yn un terfynol gan fod y Pwyllgor yn dal i ystyried y fenter yn arbrawf, a bu cryn ddadlau am y symiau y byddai'n rhaid i rieni eu talu am gludo'r plant. Er bod Lôn-las ym mhen eithaf y dref, a phlant pump oed yn gorfod teithio am dri chwarter awr bob bore a nos o orllewin Abertawe, tyfodd yr ysgol dan brifathrawiaeth Miss Doris M. Evans.

Bu dadlau hefyd am iaith y plant a ganiateid i'r ysgol. Yr oedd Ysgol Dewi Sant Llanelli yn derbyn rhai o gartrefi di-Gymraeg, ond barnai prifathrawes Lôn-las y byddai hyn yn andwyol i addysg gweddill y plant. Yr oedd rhieni ar y cyfan yn cytuno â hi, ac er i Iorwerth Jones ddadlau yn 1949 y dylai'r ysgol gadw pedwar plentyn di-Gymraeg, pasiodd y Pwyllgor Addysg yn erbyn hyn a gorfu i'r pedwar plentyn ymadael â'r ysgol. Am flynyddoedd lawer gwasanaethai'r ysgol blant cartrefi Cymraeg yn unig, ac yr oedd hyn yn dal yn wir i ryw raddau hyd at ddiwedd y saith degau. Gellir dadlau bod y polisi hwn wedi llesteirio twf addysg Gymraeg yn Abertawe, ond yr oedd wrth fodd y Pwyllgor Addysg yn gyffredinol, er i rai fynegi y dylai rhieni di-Gymraeg gael y cyfle i roi addysg Gymraeg i'w plant. Wrth i natur ieithyddol cartrefi'r ardal ymseisnigo, bu'n rhaid newid y polisi.

Wrth i Ysgol Gymraeg Lôn-las dyfu bu gwrthdaro rhyngddi ar adegau a'r ysgol Saesneg a rannai'r un safle. Oherwydd diffyg lle, penderfynodd y Pwyllgor Addysg yn 1950 na châi rhan Gymraeg yr ysgol dderbyn plant meithrin o dan bump oed. Yr oedd hyn yn ymdrech eto i gwtogi'r ysgol.

Bu adroddiad cadarnhaol Arolygwyr ei Mawrhydi ar yr ysgol yn 1951 yn sbardun i'r Pwyllgor Addysg dderbyn bod arbrawf Lôn-las wedi llwyddo. Wrth wneud hyn, derbyniodd yr Awdurdod Addysg gyfrifoldeb am gostau cludo plant i'r ysgol, a derbyn bod angen edrych ar y posibilrwydd o sefydlu ysgol Gymraeg arall yn Abertawe.

Nid cyfraniad lleiaf y rhieni a fu'n gefn i Lôn-las yn y cyfnod hwn oedd iddynt fod â rhan allweddol yn sefydlu Cymdeithas Rhieni Ysgolion Cymraeg yn 1952. Daeth cynrychiolwyr ysgolion Cymraeg Abertawe, Caerdydd, Pontypridd a Llanelli ynghyd yn festri'r Tabernacl, Treforys ar y 23ain o Chwefror, 1952 pan etholwyd Mr Gwyn Daniel, un o sylfaenwyr UCAC, yn Gadeirydd y mudiad newydd a'r Parchedig Trebor Lloyd Evans yn ysgrifennydd. Dyna sylfaen Rhieni dros Addysg Gymraeg heddiw.

Brwydro dros ail ysgol gynradd

Yr oedd rhieni gorllewin y dref yn awyddus i gael ysgol yn nes at eu cartrefi, ac ym mis Tachwedd 1952 penderfynodd y rhieni gychwyn dosbarth babanod yn Fforest-fach a dosbarth meithrin yng nghyffiniau Sgeti. Datblygwyd y syniad o ddarparu addysg Gymraeg yn Abertawe wrth i'r Pwyllgor Addysg yn 1953 lunio dogfen a awgrymai sefydlu ysgolion Cymraeg yn nes i ardaloedd Cymraeg Abertawe, gyda'r bwriad o gau Lôn-las wedi i ysgolion eraill agor.

Ni wireddwyd y cynllun hwn. Er bod rhieni gorllewin a chanol Abertawe o'r cychwyn wedi bod â'u bryd ar gael ysgol yn nes atynt, ni chawsant fawr lwyddiant yn eu hymdrechion i argyhoeddi'r Pwyllgor Addysg i wireddu'r nod hwn wrth i'r Pwyllgor geisio cyfyngu ar y nifer a âi i Lôn-las trwy ddal i osod costau teithio beichus ar rieni a thrwy rwystro plant dan bump oed rhag mynd i'r ysgol.

Aeth rhieni gorllewin Abertawe ymlaen â'u cynlluniau. Wedi apêl gan Dr Gwent Jones, cytunodd swyddogion Eglwys Bethel, Sgeti i ganiatâu i ysgoldy'r capel yn y Cocyd gael ei ddefnyddio bum bore o'r wythnos i blant dan bump oed, a hynny heb dderbyn rhent. Er mwyn brwydro am ail ysgol yn Abertawe sefydlwyd Cymdeithas Rhieni Ysgolion Cymraeg Abertawe yn 1953. Ym mis Rhagfyr y flwyddyn honno derbyniwyd 24 o blant i ddosbarth meithrin yn Festri'r Cocyd, a sicrhawyd llwyddiant yr ysgol yn y Cocyd trwy waith gwirfoddol rhai fel Mrs Julia Jones, Mrs Wynne Griffiths, Mrs Gwladwen Jones, Mrs Mari Davies, Mrs Leonard Hughes, Mrs G. Hughes Jones a Mrs Annie Cousins.

Yr oedd arbrawf y Cocyd yn arloesol am fod nifer o blant o gartrefi Saesneg yn cael eu derbyn i'r ysgol, a byddai hyn yn ei dro yn herio'r polisi Cymraeg-yn-unig a oedd gan Abertawe. Erbyn 1954 tyfodd nifer y plant yn y Cocyd i 45, ac er i Dr Gwent Jones apelio at Bwyllgor Rheoli Ysgolion Cynradd y dref, ni phenderfynwyd dim ar fater cael ysgol iddynt. Yn wyneb hyn aeth y rhieni ati i drefnu deiseb yn mynnu

Plant Ysgol Tirdeunaw, Abertawe yn aros i groesawu'r fflam yn 1999. Sefydlwyd yr ysgol yn 1994 wedi blynyddoedd o ymgyrchu.

Plant Ysgol Pontybrenin, Gorseinion – un o ysgolion Cymraeg cynnar Gorllewin Morgannwg – yn aros i groesawu'r fflam o flaen castell Abertawe.

ysgol Gymraeg arall yn Abertawe. Cafodd y rhieni eu calonogi gan adroddiad Arolygwyr ei Mawrhydi yn 1954 a argymhellodd sefydlu ysgol ychwanegol.

Wedi ceisiadau gan y rhieni i'r Pwyllgor Addysg benodi athrawes i'w hysgol ac i'r dref gymryd cyfrifoldeb amdani, caniatawyd athrawes i blant dros bump oed yn y Cocyd, a hynny trwy drefniant ag ysgol fabanod y Gors, ysgol Saesneg gyfagos. Ystyriai rhieni fod hyn yn dipyn o fuddugoliaeth, gan ragweld y byddai ysgol newydd yn dilyn yn fuan. Un anhawster i'r fenter hon oedd bod plant yn dal i symud i Lôn-las yn bump oed, a bod problemau'n codi gyda chludo'r plant bach i'r ysgol. Byddai Dr Gareth Evans a Mrs Gwent Jones yn cymryd eu tro bob yn ail i gludo plant a Mrs Cousins yn dod â rhai plant o ardal Treboeth ar gludiant cyhoeddus. Byddai rhaid i'r plant chwarae ym muarth ysgol y Gors, ac arweiniai hyn ar brydiau at elyniaeth rhwng plant y ddwy ysgol. Wedi hyn, defnyddiwyd ardal barcio tafarn y Cockett Inn ar gyfer ymarferion corff y plant Cymraeg.

Ymhen blwyddyn gwnaed cais i Mr Drew, y Cyfarwyddwr Addysg, am ysgol arall, ac addawodd y byddai Ysgol y Cocyd yn symud i'r Cadle, ac y sefydlid dosbarth meithrin yn Nhreforys i fwydo Lôn-las. Derbyniodd y dref gyfrifoldeb am gludo'r plant. Caewyd ysgol y Cocyd ym mis Rhagfyr 1956, er i'r dosbarth meithrin barhau yno am gyfnod byr, ond oherwydd cyflwr y tai bach, symudodd y plant i Ysgol y Gors cyn trosglwyddo i'r Cadle ym mis Ionawr 1957. Yr oedd 48 o blant yn nau ddosbarth Cymraeg Ysgol Gynradd Cadle erbyn canol y flwyddyn.

Flwyddyn yn ddiweddarach penderfynodd y Pwyllgor Addysg symud y dosbarthiadau i hen ysgol uwchradd i ferched yng Nghwmbwrla, gan rannu'r safle ag ysgol fabanod Saesneg a oedd yno. Ym mis Medi 1958 agorwyd yr Ysgol Gymraeg yno'n swyddogol, er nad oedd eto yn ysgol annibynnol, a hynny bedair blynedd ar ôl i'r Awdurdod Addysg gydnabod yr angen am ysgol o'r fath. Nid tan fis Awst 1961 y penderfynodd y Pwyllgor Addysg dderbyn bod Ysgol Gymraeg Cwmbwrla'n ysgol annibynnol, a hyd yn oed y pryd hwnnw penderfynwyd cyfyngu maint yr ysgol i 100 o blant oherwydd nifer yr ystafelloedd a oedd ar gael. Nid ystyriwyd codi adeiladau newydd parhaol na thros dro. Ni phenodwyd prifathro ar yr ysgol tan fis Mawrth 1962 pan ddaeth Mr Hamilton Davies i'r swydd.

Hanes o symud petrus ac araf ar ran y Pwyllgor Addysg oedd hanes sefydlu Ysgol Cwmbwrla ar y gorau. Pe bai hanesydd am fod yn angharedig â'r Pwyllgor Addysg, byddai digon o fodd dadlau i'r Pwyllgor geisio'i orau i lesteirio twf addysg Gymraeg yn Abertawe trwy oedi penderfyniadau, peidio gweithredu ar sail addewidion, gwrthod ac yna oedi darparu addysg feithrin, creu anawsterau cludiant a olygai faich cyson ar rieni, gwrthod dod o hyd i adeilad teilwng, a rhoi cyfyngiad ar niferoedd plant.

Yn 1960, â'r rhieni eisoes wedi trefnu dosbarth meithrin gwirfoddol i blant pedair oed yn Festri Ebenezer, Abertawe, penderfynodd y Pwyllgor Addysg drefnu addysg feithrin i blant Cwmbwrla a Lôn-las, ond gyda'r dosbarth ar gyfer Lôn-las wedi ei leoli yn Ynystawe. Agorwyd y rhain yn 1961, ond y rhieni oedd yn gyfrifol am gostau cludo'r plant iddynt. Yn Ynystawe, Mr Gwynfor Bowen, Cymro Cymraeg cadarn oedd y prifathro. Miss Ann Morris Jones oedd yr athrawes tan 1963 pan ddechreuodd Mrs Pam John ar y gwaith. Wedi ymddeoliad Mr Bowen cafwyd prifathrawes ddi-Gymraeg a wrthodai blant oni fyddai un o'u rhieni'n siarad Cymraeg. Ar un cyfnod gwrthododd fynediad i'r plant i'r ysgol yn gyfan gwbl, ac ym mis Chwefror 1973 cadwodd rhieni eu plant o'r ysgol am dridiau.

Yn 1977 yr oedd y dosbarth wedi symud i Ysgol Heol Nedd, ysgol Saesneg yn Nhreforys, gyda phrifathrawes ddi-Gymraeg eto. Yr oedd y rhieni am i'r dosbarth symud i safle Lôn-las, ond mewn ymateb i lythyr gan Mr D. G. John, y prifathro, dywedodd Mr John Beale, a ddaeth yn Gyfarwyddwr Addysg Gorllewin Morgannwg yn 1974, ei fod am aros i weld beth fyddai llwybr yr M4 newydd cyn penderfynu. Pan ysgrifennais ato fel rhiant, gwrthododd Mr Beale wneud unrhyw sylw. Daeth rhieni'n raddol yn ymwybodol o anfodlonrwydd John Beale i ddatblygu addysg Gymraeg yn Abertawe. Yr oedd y modd y ceisiodd rwystro addysg Gymraeg ym Merthyr Tudful yn ystod cyfnod Dafydd Wigley yn y dref honno eisoes yn hysbys. Erbyn 1978, serch hynny, yr oedd y dosbarth meithrin wedi cael lle yn Lôn-las.

Yr oedd y plant cynradd yn cael eu cludo am ddim tan 1962, ond yna penderfynwyd cwtogi ar hyn. Bu'r rhieni'n ymgyrchu'n frwd i gael system gludiant addas i'r plant, a threfnwyd ganddynt eu bws eu hunain i gludo'r plant i Gwmbwrla. Bygythid erlyn Mr Harry Clark Jones, trysorydd y rhieni, pe bai bws y rhieni'n dal i redeg, am na chawsid trwydded gan y Comisiwn Trafnidiaeth i redeg y bws. Daethpwyd i drefniant callach ar hyn erbyn 1963, a'r rhieni'n cael prynu llefydd ar fws y dref.

Erbyn 1964 yr oedd gan Gwmbwrla 104 o blant, ac ym mis Ebrill caniatawyd i'r nifer godi'n uwch na 100 o blant trwy ddefnyddio ystafelloedd rhydd yn yr ysgol Saesneg ar yr un safle. Yr oedd tystiolaeth fod cyflwr yr adeilad yn dirywio, a'r Pwyllgor Addysg yn gwrthod cymryd sylw. Tybiai'r prifathro na allai dderbyn neb i'r ysgol y mis Medi hwnnw oherwydd diffyg cyfleusterau. Yn ystod y blynyddoedd nesaf araf fu twf yr ysgol oherwydd y prinder lle. Pan benodwyd Mr Huw Phillips yn brifathro Ysgol Cwmbwrla yn 1968 yr oedd gan yr ysgol 122 o blant, a chafwyd cyfnod hir o ddiffyg ymateb gan y Pwyllgor Addysg i'r argyfwng lle.

Gellid bod wedi cynnig cychwyn ysgol Gymraeg arall yn y ddinas, a chael trydedd ysgol Gymraeg erbyn diwedd y chwe degau. Yn lle hynny chwiliwyd yn boenus o araf am safle arall i'r ysgol. Yn y pen draw, cynigiwyd ysgol fabanod Brynmill, ger maes San Helen, Abertawe, safle ryw bedair milltir i ffwrdd o ysgol Cwmbwrla.

Mae lle i amau bod y cynnig hwn wedi ei wneud unwaith eto gydag elfen gref o gynllwyn yn erbyn addysg Gymraeg: dyma gynnig i symud yr ysgol o ardal o fewn pellter cymharol hwylus i ardaloedd traddodiadol Gymraeg Treboeth a Glandŵr, a'i gosod mewn ardal a oedd bron yn gwbl Saesneg. Yn wyneb anawsterau teithio gellid disgwyl gostyngiad yn nifer y plant a fyddai am gael addysg Gymraeg. Yr oedd gwrthwynebiad chwyrn cynghorwyr ardal Brynmill i symud yr ysgol i'w hardal yn ymdebygu i elyniaeth hiliol, ac yr oedd y broses ymgynghori fel pe'n gyfle i gorddi barn leol yn erbyn addysg Gymraeg. Ond ymhen hir a hwyr symudwyd yr ysgol i Frynmill yn 1976, dan yr enw Ysgol Bryn-y-môr.

Cafwyd y gostyngiad disgwyliedig o blant o ardal Cwmbwrla. Yr hyn oedd yn annisgwyl oedd y twf mewn diddordeb yn y Gymraeg gan rieni

Brynmill a'r Uplands, ac o fewn ychydig dôi 20% o blant yr ysgol o'r ardaloedd hynny. Ym mis Gorffennaf 1977 yr oedd 214 ar lyfrau'r ysgol, a diddordeb newydd mewn addysg Gymraeg gan rieni ardaloedd Sgeti a'r Mayals. Ym mis Medi 1997 yr oedd gan yr ysgol 338 o blant gan gynnwys plant meithrin, a'r ysgol ers blynyddoedd lawer yn orlawn hyd yr ymylon a'r coridorau. Erbyn hyn yr oedd galw wedi hen godi am drydedd ysgol Gymraeg i Abertawe.

Addysg uwchradd

Ym mis Ionawr 1958 ystyriodd Awdurdod Addysg Abertawe'r posibilrwydd o sefydlu ffrwd Gymraeg mewn ysgol uwchradd. Er bod 262 o ddisgyblion oed uwchradd yn siarad Cymraeg yn Abertawe, ac 87 wedi mynychu Lôn-las, penderfynwyd nad oedd y nifer yn ddigon. Cytunodd yr is-bwyllgor addysg ym mis Mai 1958 y gellid gwneud trefniadau arbennig i ddysgu grwpiau bach o Gymry Cymraeg, ond ni ddaeth dim o hynny. Byddai'n rhaid i ddisgylion Lôn-las a Chwmbwrla ddilyn eu holl addysg uwchradd trwy gyfrwng y Saesneg.

Erbyn canol y chwe degau yr oedd rhieni yng nghwm Tawe a Chastell-nedd yn yr hen Forgannwg yn anfon eu plant i Rydfelen, a rhai o'r plant yn teithio awr a hanner fore a nos. Teimlai rhieni Abertawe, yn wyneb y datblygiadau hyn, eu bod o dan anfantais. Ym mis Chwefror 1963 bu i'r rhieni ailafael yn yr ymgyrch i gael addysg uwchradd, gan bwyso ar Gyngor Morgannwg i agor ysgol uwchradd yng ngorllewin y sir. Ym mis Mai aeth dau fws o rieni Lôn-las a Chwmbwrla i Ysgol Rhydfelen i brofi bod addysg uwchradd Gymraeg yn bosibilrwydd mewn ardal ddi-Gymraeg.

Gwnaed cais i'r Pwyllgor Addysg ystyried darpariaeth addysg uwchradd Gymraeg. Gwrthododd Pwyllgor Addysg Abertawe ddarparu ysgol ddwyieithog annibynnol a chafwyd awgrym y gallai Ysgol yr Olchfa gychwyn adain ddwyieithog. Yr oedd llawer o'r rhieni'n teimlo'n anniddig gan na fyddai adain o'r fath yn debyg o allu cynnig yr amrywiaeth llawn o bynciau a geid mewn ysgol ddwyieithog ac ni fyddai chwaith yn gallu darparu'r amodau cymdeithasol Cymraeg angenrheidiol.

Wedi chwe blynedd o bwyso, ac yn wyneb gwrthwynebiad ffyrnig gan drigolion cwm Tawe, sefydlodd Pwyllgor Addysg Sir Forgannwg

Ysgol Gyfun Gymraeg Ystalyfera yn 1969. Elwodd Abertawe o'r datblygiad hwn pan ddaethpwyd i gytundeb â rhieni Cymraeg Abertawe. Golygai hyn y gallai disgyblion Abertawe deithio i'r ysgol newydd. Yr oedd hyn yn golygu taith ddeg milltir o Dreforys, pymtheg milltir o Abertawe, a hyd at 25 milltir i ddisgyblion penrhyn Gŵyr. Ymhen pum mlynedd, yn 1974, daeth Abertawe ac Ystalyfera dan yr un awdurdod newydd, Gorllewin Morgannwg

Ysgolion cynradd Cymraeg eraill

Yn fuan ar ôl i Ysgol Cwmbwrla symud i Brynmill yn 1976, yr oedd yn orlawn. Lle i 125 o blant oedd ar fuarth bach yr ysgol honno, ond yr oedd yn yr ysgol ryw 220 o'r cychwyn, a'r nifer yn tyfu'n gyson. Byddai Mr Huw Phillips yn gwrthod rhai plant am fod yr ysgol yn llawn. Llwyddwyd i gael cabanau dros dro, ond cwtogodd y rhain y lle ar y buarth. Yn ddiweddarach prynwyd llain fach o dir islaw'r ysgol a chodi dosbarth yno. Dechreuwyd defnyddio'r coridorau i ddysgu ac i gynnal y llyfrgell. Y gwir amdani, o ddechrau'r wyth degau, oedd bod Bryn-y-môr yn llawn, a bod angen trydedd ysgol gynradd Gymraeg yn Abertawe.

Ddiwedd 1981 cafwyd cyfle euraid i sefydlu trydedd ysgol Gymraeg yn Waunarlwydd, bellter teg o Bryn-y-môr a Lôn-las, y ddwy ysgol arall. Yr oedd ysgol gynradd wedi ei hadeiladu ar gyfer ystad o dai, ond ni lwyddodd y datblygwyr i orffen yr ystad. Yr oedd ysgol gynradd wag ar ddwylo'r Awdurdod. Â Mr Beale wrth y llyw, nid yw'n syndod na wnaed yr ysgol hon yn ysgol Gymraeg. Agorwyd Ysgol Login Fach ddechrau mis Ionawr 1982 fel ysgol ddwyieithog a ddilynai gynllun dwyieithog y Cyngor Ysgolion.

Ar un wedd yr oedd y nod hwn yn ddigon canmoladwy. Cyfiawnhawyd y nod gan Mr Vic John, swyddog addysg gyda'r Sir, a ddywedodd fod yma gyfle i ddenu rhieni heb argyhoeddiad at addysg Gymraeg. Gobaith Mr John oedd gweld y math hwn o ysgol yn ehangu i ysgolion eraill. Nid y bwriad, yn sicr, oedd denu plant Cymraeg eu hiaith, ac felly nid oedd yr ysgol yn rhan o rwydwaith ysgolion Cymraeg y Sir. Serch hynny, gobaith Mr John oedd y byddai plant yr ysgol yn mynd ymlaen i gael addysg ddwyieithog, gan ddatblygu ffrydiau dwyieithog yn yr ysgol uwchradd leol.

Ni wireddwyd y freuddwyd hon. Ymhen amser byddai rhai o'r plant yn mynd ymlaen i Ysgol Gyfun Gŵyr, ond cydnabyddid yn gyffredinol fod ansawdd Cymraeg y plant yn bur ddiffygiol. Cafodd yr ysgol hwb sylweddol pan benodwyd Mrs Davida Lewis, arweinydd côr ieuenctid Waunarlwydd, yn brifathrawes. Wrth geisio wynebu problem iaith y plant nid oedd yn syndod i rieni'r ysgol benderfynu troi'r ysgol yn ysgol Gymraeg benodedig ym mis Hydref 1991.

Yn y cyfamser parhaodd y frwydr hir a phoenus am ysgol Gymraeg arall i dynnu'r pwysau oddi ar Bryn-y-môr a Lôn-las. Gellir honni i bresenoldeb John Beale, y Cyfarwyddwr Addysg, fod yn faen tramgwydd gan nad agorwyd yr un ysgol gynradd Gymraeg yn ystod ei deyrnasiad yng Ngorllewin Morgannwg rhwng 1974 ac 1993, ac eithrio Login Fach, wrth gwrs, a ddaeth yn ysgol Gymraeg ar ei waethaf. Yn dilyn cyfnod o ddeunaw mlynedd yn llesteirio twf addysg Gymraeg yng Ngorllewin Morgannwg, gwobrwywyd Mr John Beale â'r CBE ym mis Ionawr 1994.

Ei olynydd oedd Mr Gareth Roberts, ac yn y cyfnod hwnnw Mr Meirion Prys Jones, a ddaeth wedyn yn swyddog addysg Bwrdd yr Iaith Gymraeg, oedd yr ymgynghorydd iaith. Manteisiodd yntau ar y newid rheolwr i greu cynllun datblygu addysg Gymraeg i Orllewin Morgannwg a ddaeth â newidiadau sydyn.

Gwnaed dwy o ysgolion traddodiadol Gymraeg y Sir yng Nghwm Tawe, sef ysgolion Trebannws ac Ysgol y Wern, a oedd i wahanol raddau wedi crwydro tuag at y Saesneg, yn ysgolion Cymraeg. Gwnaed hyn gyda chefnogaeth y rhieni, a gosodwyd sail gadarn i'r wannaf ei hiaith o'r ysgolion hyn, Trebannws, gan y brifathrawes ar y pryd, Mrs Rhiannon Harris. Daeth hithau wedyn yn brifathrawes Ysgol Gymraeg Lôn-las. Y peth mwyaf calonogol o ran ymgyrchoedd y rhieni oedd gweld y cynllunio hir a fu i sefydlu ysgol yn ardal Mynydd-bach yn dwyn ffrwyth. Sefydlwyd Ysgol Tirdeunaw yn 1994, ar safle ysgol uwchradd Mynydd-bach, a thyfodd yn rhyfeddol o gyflym, nes cyrraedd 190 o ddisgyblion mewn pum mlynedd.

Dyna wireddu breuddwyd nifer o swyddogion lleol RHAG, sef sefydlu ysgol Gymraeg ar un o stadau cyngor enfawr Abertawe, a chael bod ysgol

Gymraeg yn llwyddo cystal yno ag yn ardaloedd brasach y ddinas. Dyna roi diwedd am byth ar gyhuddiadau John Beale ynglŷn â natur elitaidd addysg Gymraeg.

Rhan o'r cynllun datblygu oedd sefydlu dwy ysgol Gymraeg arall newydd sbon. Cynlluniwyd i sefydlu'r naill yng Nghlydach, lle'r oedd Sali Wyn ab Islwyn wedi sefydlu pwyllgor a chasglu enwau hanner cant o ddarpar ddisgyblion, a'r llall yn ardal Hengwrt, Llansawel, ger Castell-nedd. Byddai'r naill yn datrys problemau gorlenwi Lôn-las a'r llall yn ateb i orlenwi yng Nghastell-nedd.

Gyda phryder y gwelsom Orllewin Morgannwg yn dod i ben ac Abertawe yn dod yn gyngor dinas a sir, gan ehangu ei ffiniau i gynnwys Clydach, cyn sefydlu'r ysgolion newydd. Ond fe sefydlwyd Ysgol Gellionnen, Clydach yn 1997 yn ôl yr addewid ac y mae eisoes wedi tyfu dros gant o ddisgyblion, gyda Mrs Linda Gruffudd yn bennaeth. Agorwyd Ysgol Tyle'r Ynn yn Llansawel gan Gyngor Nedd ac Afan hefyd yn 1999. Yn y cyfamser ni ddisgynnodd y niferoedd yn Ysgol Gymraeg Lôn-las ryw lawer. Ym mis Medi 1999 yr oedd 371 o blant yn yr ysgol.

Ni ddisgynnodd y niferoedd chwaith yn Ysgol Gymraeg Bryn-y-môr yr ochr arall i'r ddinas. Cafodd yr ysgol Arolwg ddiwedd 1997 a nododd fod prinder lle yn amharu ar addysg y plant, bod y buarth yn beryglus i blant dan bump oed, nad oedd cyfleusterau chwaraeon cyfleus ar gael ac yn y blaen – yr union bethau yr oedd rhieni wedi bod yn sôn amdanynt am bymtheng mlynedd. Erbyn hyn yr oedd pum swyddog addysg uchaf y Sir yn dod o Loegr, ac er i RHAG eu goleuo ynghylch addysg Gymraeg, ac er eu bod yn sylweddoli'r pwysau ar yr ysgolion, nid oedd ganddynt na'r weledigaeth na'r grym gwleidyddol i roi blaenoriaeth i hyn yng nghynllluniau addysg y Sir.

Lluniwyd cynllun posibl i gael ysgol Gymraeg yn Sgeti, ar safle ysgol Saesneg a fyddai'n symud i safle newydd (yr hen stori) ond, heb gyllid preifat i ariannu'r datblygiad, daeth yr holl gynllun i ben. Cafwyd bygythiad hefyd i Ysgol Tirdeunaw yn sgil ad-drefnu addysg uwchradd yn Abertawe pan awgrymwyd y gellid ei symud i rannu safle ag ysgol gynradd Saesneg. Yn y cyfamser bu'n rhaid i'r Sir gyflwyno cynllun datblygu addysg Gymraeg i Fwrdd yr Iaith, ac wedi derbyn ffigurau a gyflwynwyd gan

RHAG yn y ddogfen 'Cynllun Normaleiddio Addysg Gymraeg yn Abertawe', penderfynodd yr Awdurdod Addysg sefydlu ysgol gynradd Gymraeg newydd sbon yng ngorllewin Abertawe. Y gobaith oedd cael adeilad newydd erbyn Medi 2001, ond bellach bydd rhaid bodloni ar safle dros dro ar dir Ysgol Gyfun Esgob Gore, gan gychwyn ym mis Medi 2002, a symud i adeilad newydd, yn ardal y Mayals yn ôl pob tebyg, ym mis Medi 2005. Enillwyd y frwydr gan RHAG a rhieni Tirdeunaw i gadw'r ysgol ar ei safle gwreiddiol hefyd.

Casgliad

Wrth fwrw golwg yn ôl dros yr hanner can mlynedd diwethaf, gwelir bod dycnwch rhieni Abertawe wedi bod yn allweddol yn nhwf addysg Gymraeg y dref. Trwy ymdrechion cyson a dygn Mudiad Ysgolion Meithrin llwyddwyd i ddenu nifer cynyddol o blant i'r cylchoedd chwarae Cymraeg, a gorfodwyd yr Awdurdod Addysg i ymateb i'r galw. Erbyn 2002 bydd chwech ysgol gynradd Gymraeg o fewn yr hyn y gellid ei alw'n ddinas Abertawe, sef Lôn-las, Bryn-y-môr, Tirdeunaw, Login Fach, Gelli-onnen a'r ysgol newydd. Yn Sir Abertawe mae dwy ysgol sylweddol arall, sef Pontybrenin, yng Ngorseinon, a Bryniago, ym Mhontarddulais, a dwy ysgol fach leol Gymraeg, Felindre a Garn-swllt sydd hefyd wedi troi'n ysgolion Cymraeg penodedig. Mae hyn oll yn sylfaen addawol ar gyfer y dyfodol.

Serch hynny, ni ellir gwadu mai hynod o araf y bu'r twf yng nghyfnod Mr Beale fel Cyfarwyddwr Addysg, ac mae'r twf cymharol sydyn diweddar i'w briodoli i raddau i'r dagfa a grëwyd ganddo ef.

Mae rhai brwydrau digon allweddol ar ôl i'w hennill, yn y sector cynradd ac uwchradd. Lluniodd RHAG ddogfen datblygu addysg Gymraeg yn Abertawe, gan nodi bod angen pump ysgol gynradd mewn mannau strategol yn y sir er mwyn sicrhau bod addysg Gymraeg ar gael yn hwylus i bawb. Y gobaith yn awr yw gweld y Sir yn mynd ati i greu cynllun strategaeth tymor byr a thymor hir i ddatblygu addysg Gymraeg. Dylai strategaeth o'r fath nodi bod cludo plant i'r ysgol yn rhan annatod o'r ddarpariaeth addysg Gymraeg, gan fod rhieni wedi wynebu llu o broblemau cludiant yn ystod yr hanner can mlynedd.

Bu cymdeithasau rhieni, a RHAG yn benodol, yn wyliadwrus ac yn filwriaethus yn ystod yr hanner can mlynedd diwethaf. Trefnwyd ar y naill law nifer helaeth o ymgyrchoedd a phrotestiadau. Trefnwyd cyhoeddusrwydd yn y wasg, llythyrwyd â chynghorwyr a cheisiwyd ar bob cyfle posibl gael cyfarfod â'r Cyfarwyddwr Addysg a'i swyddogion. Ar y llaw arall ceisiodd RHAG fod yn greadigol trwy gadw cofnod manwl iawn o holl niferoedd y plant a dderbyniai addysg Gymraeg, a llunio ei adroddiadau ei hun ar ddyfodol addysg Gymraeg yn Abertawe. Nid yw'n gyd-ddigwyddiad bod y Sir yn gyson wedi ymateb i'r dogfennau hyn, ac wedi gweithredu yn y pen draw ar yr argymhellion.

O. N. Yr wyf wedi dibynnu yn helaeth ar draethawd M.Phil Gareth Hopkin, Craig-cefn-parc, *Twf Addysg Gymraeg mewn Ardal Seisnigedig*, Prifysgol Cymru Abertawe, 2000 ac ar draethawd hir Mari Gwenllian Gwent, *Arolwg o Ddatblygiad Addysg drwy'r Gymraeg yn Abertawe 1947– 1967*, a oedd yn rhan o'i gradd anrhydedd yng Ngholeg Prifysgol Cymru, Aberystwyth, 1967.

Pennod 13

SEFYDLU AIL YSGOL UWCHRADD GORLLEWIN MORGANNWG

HEINI GRUFFUDD

DWY YSGOL gynradd Gymraeg oedd yn ninas Abertawe yn 1974, pan ad-drefnwyd llywodraeth leol, ffurfio Sir Gorllewin Morgannwg ac Abertawe'n rhan ohoni, a phenodi John Beale, Cyn-Gyfarwyddwr Addysg Merthyr Tudful yn Gyfarwyddwr Addysg y sir newydd. Yr oedd disgyblion y ddinas yn gorfod teithio i Ystalyfera am eu haddysg uwchradd, siwrne hyd at dair awr y dydd mewn bysiau yn ôl a blaen. Yr oedd nifer o ddisgyblion yn cael eu colli i addysg Gymraeg oherwydd y pellter teithio afresymol i Ystalyfera. Mae brwydr rhieni'r cylch i sefydlu ail ysgol uwchradd Gymraeg yng Ngorllewin Morgannwg yn un arwrol iawn sy'n haeddu ei hadrodd mewn manylder i ddangos y math o wrthwynebiad y bu rhaid ei drechu cyn llwyddo yn yr ymgyrch honno.

Dan y drefn newydd, ac Ysgol Gyfun Ystalyfera'n llanw'n gyflym, barnai rhieni Abertawe y byddai yn ysgolion Abertawe, Gorseinon, Pontarddulais a Phort Talbot ddigon o ddisgyblion i gynnal ysgol uwchradd ddwyieithog yn Abertawe. Ym mis Medi 1977 anfonodd Dr John Davies, ysgrifennydd pwyllgor rhieni Ysgol Gymraeg Bryn-y-môr at Mr Beale yn nodi bod angen ail ysgol uwchradd gan restru pellter teithio, cost cludiant, a nifer y plant yn Ystalyfera yn rhesymau dros sefydlu ysgol o'r fath. Cafodd rhieni Bryn-y-môr gefnogaeth cyfarfod o 200 o rieni Ysgol Pontybrenin, Gorseinon, lle sefydlwyd pwyllgor o dan gadeiryddiaeth y bargyfreithiwr, Mr T. Glanville Jones, i alw am ysgol uwchradd ddwyieithog i Abertawe.

Yr oedd ymateb cyntaf Mr Beale yn galonogol. Ym mis Hydref, mewn cyfarfod rhieni yn Ysgol Gyfun Ystalyfera, dywedodd y byddai'r Pwyllgor Addysg yn gorfod ystyried cychwyn ysgol arall yn fuan. Daeth rhieni ysgolion Lôn-las, Pontybrenin, Pont-rhyd-y-fen, Pontarddulais, Bryn-y-môr a Chastell-nedd at ei gilydd i sefydlu Cymdeithas Ysgolion Cymraeg Gorllewin Morgannwg gyda'r nod o hybu addysg Gymraeg yn y sir, a daeth y gymdeithas hon yn rhan o RHAG. Ni chafodd y rhieni hyn fawr o gefnogaeth gan brifathro Ystalyfera ar y pryd gan mai ei farn ef oedd mai datblygu un ysgol ddwyieithog gref yn y sir oedd eisiau.

Gwelwyd yr arwydd amlwg cyntaf o agwedd Mr Beale at y Gymraeg ym mis Tachwedd 1977 pan luniodd adran addysg Gorllewin Morgannwg gynllun iaith a fyddai'n rhoi lle uwch i'r Ffrangeg nag i'r Gymraeg yn ysgolion uwchradd y sir. Dan y cynllun hwn dim ond mewn un ganolfan chweched dosbarth a dwy ysgol uwchradd y byddai'r Gymraeg yn cael ei dysgu hyd at Lefel A. Ymhen amser, wedi gwrthwynebiad rhieni ac ysgolion, taflwyd y cynllun hwn i'r fasged sbwriel. Yr oedd gallu llunio'r fath gynllun yn arwydd o ffobia yn erbyn y Gymraeg.

Erbyn mis Mehefin 1978 nid oedd y Pwyllgor Addysg wedi cymryd camau i sefydlu ail ysgol gyfun ddwyieithog ac yr oedd 1,200 o blant yn mynychu Ystalyfera, gydag amcangyfrif o 1,400 erbyn 1980. Yr oedd y pwyllgor rhieni wedi paratoi adroddiad yn nodi y gellid cychwyn ail ysgol gyda 600 o ddisgyblion. Trefnwyd cyfarfod â Mr Beale, lle y cafodd Dr John Davies, Mr Randolph Jenkins a Mr T. Glanville Jones wybod bod yr awdurdod yn dal i gredu y dylid ehangu addysg ddwyieithog. Addawodd Mr Beale baratoi adroddiad ar yr angen am ail ysgol uwchradd ym mis Hydref. Esboniodd ei fod yn ystyried adeilad Ysgol Llwyn-y-bryn, yn yr Uplands, Abertawe, a rhagwelai rhieni y gellid disgwyl gweld yr ysgol newydd yn cael ei sefydlu erbyn Medi, 1980.

Mewn cyfarfod o'r Pwyllgor Addysg ar yr 21ain o Dachwedd 1978, cyflwynodd Mr Beale ei argymhellion ar gyfer ail ysgol ddwyieithog. Cynigiodd fod y pwyllgor yn ystyried adeilad ysgol ganol Ysgol Gyfun y Sandfields, Port Talbot, lle'r oedd nifer y disgyblion wedi syrthio o 1,900 i 1,200 mewn cyfnod byr, a lle y gallai'r ysgol ganol fod yn wag ymhen blwyddyn neu ddwy. Ymateb Mr Paul Valerio, cynghorydd gyda'r Blaid Doriaidd, oedd bod cychwyn ail ysgol ddwyieithog yn syniad ffiaidd. Yr oedd rhai o gynghorwyr y Blaid Lafur hefyd yn elyniaethus. Ymatebodd Mr Beale trwy ddweud y gellid ymhen amser gael trydedd ysgol gyfun ddwyieithog yng ngorllewin y sir. Yn yr un cyfarfod pasiodd y Pwyllgor Addysg y câi'r Eglwys yng Nghymru agor ysgol 11–16 oed yn adeilad Llwyn-y-bryn.

Dechreuodd rhieni ddeall bod Mr Beale yn feistr ar eiriau teg, ac ar gynhyrfu'r dyfroedd. Yr oedd rhai ohonynt, gan gynnwys Dr John Davies, yn gweld rhinwedd yng nghynllun y Sandfields. Llanwyd Neuadd Llywelyn, YMCA, Abertawe ym mis Ebrill 1979 gan rieni i drafod y cynnig hwn. Mynegodd rhai anfodlonrwydd na fyddai'r ysgol yn datrys problem pellter teithio, ac na fyddai'n ddelfrydol rhannu safle ag ysgol Saesneg. Yr oedd eraill yn bryderus fod yr ysgol yng nghysgod gwaith cemegol B P Bae Baglan. Ni wnaed unrhyw benderfyniad yn y cyfarfod, ond rhoi'r penderfyniad i bwyllgor o rieni. Dadleuodd rhai rhieni, fel Clive Reid, yn ffyrnig yn erbyn Sandfields, gan mai'r rhan Gymraeg fyddai agosaf at y gwaith cemegol.

Erbyn diwedd mis Awst 1979 yr oedd y Pwyllgor Addysg wedi tynnu cynnig y Sandfields yn ôl a gofynnwyd i Mr Beale geisio sefydlu'r ysgol erbyn mis Medi 1981, gan ddefnyddio adeiladau Llwyn-y-bryn dros dro tan fis Gorffennaf 1984. Rhagwelid y pryd hwnnw y byddai 1,507 o blant yn Ystalyfera erbyn 1985. Edrychid ymlaen at adroddiad Mr Beale maes o law.

Pan ddaeth yr adroddiad, ym mis Tachwedd 1979, yr oedd Mr Beale unwaith eto wedi llwyddo i dynnu sawl ysgyfarnog o'i het. Ymateb Mr Beale i'r Pwyllgor Addysg oedd nad oedd ysgol barhaol ar gael ar gyfer addysg Gymraeg ac nad oedd felly'n bwriadu ystyried cychwyn yr ysgol yn adeilad Llwyn-y-bryn. Yn lle hynny yr oedd am ymchwilio i'r posibilrwydd o sefydlu unedau Cymraeg yn glwm wrth ysgolion Saesneg.

Ymatebodd rhieni'n chwyrn, a threfnwyd gorymdaith o Ysgol Llwyn-y-bryn i Neuadd y Sir ym mis Rhagfyr, 1979. Daeth dros fil ynghyd i fynnu ysgol gyfun Gymraeg yn Llwyn-y-bryn. Yr oedd dwy flynedd wedi mynd heibio er cael cydnabyddiaeth gan Mr Beale am yr angen am ysgol arall, ond byddai'r hyn a gynigid yn cyfateb i bolisi'r hen Abertawe cyn cychwyn Ystalyfera.

Ym mis Ionawr 1980 daeth Mr Beale yn ôl at is-bwyllgor o'r Cyngor gyda chynigion diwygiedig. Y tro hwn yr oedd ganddo bedwar cynnig: i) ehangu ysgol Ystalyfera trwy gael cangen o'r ysgol – ar gyfer plant y flwyddyn gyntaf a'r ail – yn Llwyn-y-bryn; ii) sefydlu unedau Cymraeg mewn ysgolion Saesneg; iii) sefydlu'r ysgol ar hanner safle ysgol y Sandfields; iv) newid ysgol a oedd yn cael ei hadeiladu'n newydd ym Mhontarddulais o fod yn ysgol Saesneg i fod yn ysgol Gymraeg.

Mae'n debyg y gwyddai Mr Beale beth fyddai adwaith rhieni di-Gymraeg ardal Pontarddulais i'r cynnig olaf. Gorymdeithiodd rhieni Pontarddulais ar hyd y dref, tref Gymreiciaf Gorllewin Morgannwg, gan gludo sloganau gwrth-Gymraeg, mewn protest yn erbyn ysgol Gymraeg yn eu tref. Casglasant ddeiseb o 4,000 o enwau, ac meddai Mr Kingdom, cadeirydd y Pwyllgor Addysg, na ellid anwybyddu eu barn. Anfonodd y rhieni hefyd lythyr at bob cynghorwr yn annog bod y Sandfields yn cael ei roi i'r ysgol Gymraeg.

Yn y Pwyllgor Addysg gwrthodwyd cynnig gan Aled Gwyn y dylid sefydlu'r ail ysgol yn Llwyn-y-bryn. Gwrthodwyd hefyd gynnig Paul Valerio gyda chefnogaeth Dr Danino (Treforys) na ddylid rhoi unrhyw ystyriaeth i sefydlu ail ysgol. Pleidleisiwyd trwy fwyafrif mawr dros sefydlu'r ail ysgol yn y Sandfields. Yr oedd y rhieni Cymraeg yn ei gweld yn eironig y byddai nifer disgyblion Ysgol Penyrheol, nid nepell o Bontarddulais, yn syrthio ymhen rhai blynyddoedd ac nad oedd adeilad Pontarddulais yn gwbl angenrheidiol.

Erbyn hyn yr oedd y rhieni wedi penderfynu yn erbyn derbyn cynnig y Sandfields, ac anfonwyd at Mr Beale yn dweud nad oedd pwrpas iddo fwrw ymlaen â'r cynllun hwnnw. Erbyn hyn hefyd yr oedd Mr Beale wedi peidio ateb llythyrau gan rieni, a hwythau yn dechrau sôn am gymryd camau mwy milwriaethus. Ym mis Ebrill 1980 gorfu i Mr Randolph Jenkins, ysgrifennydd y rhieni, gydnabod, 'Rwy'n ofni nad yw Mr Beale yn gyfaill i'r iaith Gymraeg yn y sir.' Edrychai ar y frwydr erbyn hyn fel 'brwydr dros ddyfodol yr iaith yng Ngorllewin Morgannwg' yn hytrach nag fel 'brwydr dros ysgol yn unig'.

Mewn cynhadledd i'r wasg ar yr 2il o Ebrill, 1980, cyhoeddwyd bod 24,000 o bobl Gorllewin Morgannwg wedi llofnodi deiseb yn galw am sefydlu'r ail ysgol yn Llwyn-y-bryn. Ymhlith y cefnogwyr yr oedd John Mahoney, a oedd yn gysylltiedig â'r Swans ar y pryd, ac a ddysgodd Gymraeg ar Wlpan yn Abertawe, Clive Rowlands, yr hyfforddwr rygbi, a Max Boyce. Ar y 9ed o Ebrill daeth 500 o rieni i Neuadd y Sir i gyflwyno'r ddeiseb ond pan ddaeth yn bryd i Mr Kingdom ymddangos, gwrthododd wneud hynny. Mewn cyfarfod preifat â Mr John Davies a Mr Randolph Jenkins, cytunodd i ailystyried safle'r Sandfields. Llifodd cannoedd o rieni i mewn i Neuadd y Sir, ond yn y Pwyllgor Addysg ni soniwyd am newid cynllun y Sandfields, ond yn hytrach gofynnwyd i Mr Kingdom siarad â rhieni unigol.

Dyma dacteg newydd ar ran Mr Beale. Erbyn hyn yr oedd am osgoi'r pwyllgor rhieni a chael Mr Kingdom i wneud apêl unigol i rieni gwahanol ysgolion Cymraeg y Sir. Pan gynhaliwyd rhai o'r cyfarfodydd hyn, cafodd Mr Kingdom groeso mwy twymgalon nag y disgwyliai, a sylweddolodd fod barn y rhieni ar y Sandfields yn ddi-syfl.

Protestiodd 200 o rieni eto o flaen Neuadd y Sir cyn cyfarfod y Pwyllgor Addysg ym mis Gorffennaf 1980, ac mewn ymdrech arall i dawelu rhieni, cynigiodd Mr Beale ym mis Awst 1980 fod holl blant 11–13 oed y sir yn derbyn eu haddysg Gymraeg yn Ysgol Glanmôr, Abertawe, mewn hen adeiladau pren a fu'n Ysgol Ramadeg i ferched ar un adeg. Dadleuodd nad oedd angen costau mawr i droi Glanmôr yn ysgol 11–13, ond y byddai angen gwario chwarter miliwn o bunnoedd i'w throi'n ysgol 11–16. Golygai hyn y byddai rhaid i blant Brynaman, yn eu tro, deithio am ddwy flynedd i Abertawe. Ymosododd y Cynghorydd Aled Gwyn yn chwyrn ar y cynnig hwn a chynnig gwelliant bod ysgol gyflawn 11–16 yn cael ei sefydlu ym Mryn-y-môr. Pleidleisiodd 12 o gynghorwyr o blaid ei gynnig.

Cynnig arall Mr Beale i'r cyfarfod hwn oedd na ddylai'r sir wneud dim. Un cynghorydd oedd o blaid hynny. Ar ôl trafodaeth fywiog, derbyniwyd cynnig Mr Wignall (Llafur) yn gofyn i'r Cyfarwyddwr barhau i drafod y sefyllfa â'r rhieni, er mwyn gwneud yn siŵr na fyddai eto yn cynnig ysgol a oedd yn gwbl annerbyniol iddynt.

Cynhaliodd y rhieni gyfarfod unwaith eto yn Neuadd Llywelyn, Abertawe, lle cytunwyd yn unfrydol i dderbyn Glanmôr yn ysgol gyflawn,

Plant Ysgol Gŵyr a fu'n cario'r fflam am ran o'r daith i Gaerdydd i ddathlu hanner can mlwyddiant addysg Gymraeg.

Aelodau o gerddorfeydd ieuenctid Cymru a Phrydain, o ysgol Ystalyfera.

ond nid yn gangen 11–13 o Ystalyfera. Ganol mis Hydref 1980 cyfarfu cynrychiolwyr pwyllgor y rhieni â Mr Beale a Mr Fred Kingdom a throsglwyddo'r neges hon, yn y gobaith y gellid cychwyn yr ail ysgol erbyn mis Medi 1982.

Mewn cyfarfod o'r Is-bwyllgor Addysg ym mis Chwefror 1981, serch hynny, cynigiodd John Beale sefydlu ysgol 11–13 i'r holl sir yng Nglanmôr. Gwrthwynebodd y Cynghorydd Frank Evans (Llafur, Castell-nedd, a oedd yn is-gadeirydd llywodraethwyr Ysgol Gymraeg Castell-nedd ar y pryd) y cynnig gan ddweud bod gwario arian ar ail ysgol gyfun ddwyieithog yn wastraff llwyr. Cefnogwyd ef gan y Cynghorydd Sam John (Glandŵr, Llafur) a ddywedai fod addysg Gymraeg yn creu *ghetto*. Cynigiodd y ddau hyn sefydlu unedau Cymraeg mewn ysgolion Saesneg.

Erbyn hyn dywedai Mr Beale y byddai rhaid gwario chwarter miliwn o bunnoedd i droi Glanmôr yn ysgol 11–13, ond gan iddo wrthod gwario hyn er mwyn i'r ysgol fod yn un gyflawn 11–16, barn rhieni oedd bod ei gynnig yn un twyllodrus a chynllwyngar.

Ni ddaeth dim o gynllun Glanmôr yn y pen draw. Gwerthwyd y safle gan y sir i adeiladwyr preifat godi stad fach o dai. Cyhuddwyd Mr Beale a'r Pwyllgor Addysg o ddiffyg ewyllys da tuag at yr iaith gan y Parchedig Gareth Thomas, Clydach, a oedd droeon wedi cysylltu â Mr Beale, ond heb gael ateb nac ymateb. Yn y pen draw gorfu i Mr Beale ddeall nad oedd diben iddo chwaith fwrw ymlaen â'r syniad o sefydlu unedau Cymraeg oherwydd bod y rhieni yn bendant mai dim ond mewn safle annibynnol y gellid creu ethos gwir Gymreig.

Yn y cyfamser yr oedd y sir yn edrych ar wahanol ddulliau o ailwampio addysg uwchradd yn y sir yn gyffredinol, a Mr Beale yn awyddus i sefydlu colegau trydyddol yng Ngorseinon, Tŷ Coch, a Phort Talbot ac yng Ngholeg Addysg Bellach Abertawe. Yn sgil hyn byddai modd am gyfnod ddefnyddio ysgol gyfun iau Ystumllwynarth, ger y Mwmbwls, a oedd yn wag, a phasiodd y Pwyllgor Addysg fod yr ail ysgol gyfun ddwyieithog yn cael ei sefydlu yno dros dro ym mis Medi 1983, gan symud i safle mwy yn Nhre-gŵyr yn 1986.

Byddai'r ysgol hon yn ysgol i ddisgyblion 11–16 oed, a gwelai'r rhieni'r penderfyniad hwn yn dipyn o fuddugoliaeth. Erbyn mis Ionawr 1983 yr oedd y sir yn barod i fynd ymlaen â'r datganiadau cyhoeddus angenrheidiol i agor yr ysgol, er bod y Cynghorydd lleol, Bill Hughes (Ceidwadwr), yn gwrthwynebu'n ffyrnig. Cymhlethwyd y sefyllfa i ryw raddau gan y cynllun addysg drydyddol – pe na bai hwnnw'n llwyddo, byddai rhan Tre-gŵyr o'r fargen yn syrthio. Anhawster arall fyddai oedi ar ran y Swyddfa Gymreig cyn rhoi caniatâd. Hyd yn oed wedyn, tybiai rhieni y gallai safle Ystumllwynarth, o'i ehangu, fod yn gartref amser llawn i'r ysgol.

Ym mis Mawrth 1983 apeliodd Mr Randolph Jenkins ar rieni i ysgrifennu at Mr Nicholas Edwards, Ysgrifennydd Gwladol Cymru, ac at eu haelodau seneddol i fynegi cefnogaeth i gynllun y sir, ond erbyn mis Mehefin 1983, a'r sir heb glywed gan y Swyddfa Gymreig, nid oedd dim penderfyniad pendant wedi ei wneud, na dim sôn am benodi na phennaeth nac athrawon. Yr oedd mis Medi 1983 fel dyddiad cychwyn yn llithro o'u gafael. Gwireddwyd ofnau rhieni ganol mis Gorffennaf pan wrthododd Nicholas Edwards roi caniatâd i fwrw ymlaen â'r cynllun gan ei fod ynghlwm wrth gynllun sefydlu colegau trydyddol. Ond meddai hefyd nad oedd cynllun ysgol Ystumllwynarth yn un boddhaol, gan nad oedd yno ddigon o gyfleusterau parcio a lle i fysiau. Y tro hwn y Torïaid lwyddodd i rwystro'r ail ysgol.

Yr oedd un llygedyn o oleuni'n dal, serch hynny. Yr oedd Ysgol uwchradd iau Tre Uchaf, Casllwchwr, yn dod yn wag ym mis Medi, ac ynddi le i 500 o blant. Ar y 15fed o Dachwedd ymgasglodd 800 o rieni o flaen Neuadd y Sir pan benderfynodd y Pwyllgor Addysg yn unfrydol agor ysgol gyfun ddwyieithog ar safle Tre Uchaf ym mis Medi 1984, gan symud yr ysgol i safle arall yn Nhre-gŵyr yn 1987. Croesawyd y cynllun yn frwd gan y rhieni.

Ni chafwyd cefnogaeth unfrydol o'r fath o du'r cynghorwyr heb gryn dipyn o dynnu llinynnau y tu ôl i'r llenni, a hynny'n bennaf gan y Parchedig Gareth Thomas, Clydach. Gan sylweddoli nad oedd modd ennill calon Mr Beale, a chan wybod nad oedd cefnogaeth frwd i addysg Gymraeg ymysg cynghorwyr Llafur, gwnaeth apêl bersonol i John Allison, arweinydd y cyngor, yr oedd ei wyrion yn mynychu ysgolion Cymraeg. Y sôn yw bod John Allison wedi ei argyhoeddi'n llwyr gan y Parchedig Gareth Thomas, ac iddo ddweud wrth gynghorwyr Llafur y byddai'n rhoi'r gorau i'w ymwneud â'r cyngor oni bai eu bod yn pleidleisio o blaid ysgol Gymraeg.

Unwaith eto yr oedd rhaid cael caniatâd y Swyddfa Gymreig i'r cynllun, a Mr Randolph Jenkins eto'n apelio ar rieni i ysgrifennu. Y tro hwn cafwyd gwrthwynebiad i'r cynllun gan Gareth Wardell, aelod seneddol Llafur Gŵyr, a ddywedodd wrth rieni Casllwchwr ei fod yn '*disappointed and angry*' ynglŷn â'r cynllun, ac anogodd hwy i wrthwynebu. Y tro hwn, saith mlynedd ar ôl cychwyn y frwydr, y rhieni a orfu, ac agorwyd Ysgol Gyfun Gŵyr yn adeiladau Tre Uchaf, Casllwchwr ym mis Medi 1984.

Ond nid oedd brwydr datblygu'r ysgol hon ar ben eto. Yn fuan wedi ei sefydlu sylweddolwyd y byddai angen cychwyn brwydr arall i gael addysg 16+ i ddisgyblion yr ysgol. Ar y cychwyn y drefn oedd bod y disgyblion yn cael mynd i Ysgol Ystalyfera, a dyna ddigwyddodd gyda sefydlu Canolfan Gwenallt yn yr ysgol honno.

Yr oedd UCAC yn 1986 wedi galw am goleg trydyddol Cymraeg i'r sir a hynny wedi i'r Ysgrifennydd, John Evans, nodi nad oedd sôn am y Gymraeg o gwbl yn adroddiad yr Awdurdod Addysg ar ddatblygiadau posibl mewn addysg drydyddol. Yr oedd Mr Vernon Davies, Cadeirydd y Pwyllgor Addysg, wedi mynegi mewn un cyfarfod y gallai Coleg Gorseinon gynnig rhai pynciau trwy'r Gymraeg.

Ategwyd cais UCAC gan rieni Ysgol Gŵyr mewn cyfarfod a gawsant â'r aelod seneddol, Gareth Wardell. Addawodd yntau gefnogi unrhyw gais i'r perwyl hwn a wnâi rieni i'r sir. Ar y 13eg o Dachwedd galwodd RHAG am ddatblygu addysg 16+ trwy'r Gymraeg wedi i'r sir sôn y gallai coleg a godid ganddynt ym Mhontardawe gynnwys asgell Gymraeg. Cyfaddefodd yr Awdurdod na fyddai coleg Pontardawe'n cael ei godi am flynyddoedd, ac ni chodwyd y coleg hwnnw erioed. Galwodd rhieni am goleg trydyddol Cymraeg yn y gynhadledd a drefnwyd ym mis Rhagfyr 1988 i drafod addysg Gymraeg y sir, ond ymddengys i'r mater hwn gael ei roi o'r neilltu am gyfnod wrth i Ysgol Gŵyr ac Ystalyfera ddymuno gweld llwyddiant Canolfan Gwenallt.

Daeth yn glir, serch hynny, nad oedd digon o ddisgyblion Ysgol Gŵyr yn trosglwyddo i Ystalyfera, a dechreuodd yr ysgol ymgyrch i gael ei chweched dosbarth ei hun. Defnyddiwyd maes Eisteddfod Genedlaethol yr Urdd, Gorseinon, i gychwyn ymgyrch. Ymgasglodd cannoedd o rieni o flaen Neuadd y Sir ar y 25ain o Hydref, 1993 i gyflwyno deiseb o 5,000 o enwau yn cefnogi'r cais.

O dan ofalaeth newydd Mr Gareth Roberts, a chyda Mr Meirion Prys Jones, yr ymgynghorydd iaith, yn teimlo rhyddid newydd wedi ymadawiad Mr Beale, cynhyrchodd y Sir ddogfen strategaeth datblygu addysg Gymraeg am y tro cyntaf erioed ym mis Mai 1994. Yr oedd y ddogfen hon yn awgrymu cysylltu â Chyngor Cyllido Addysg Cymru i drafod y posibilrwydd o ddatblygu addysg 16+ trwy'r Gymraeg. Cynhaliwyd cyfarfod â'r Cyngor Cyllido Addysg Bellach ar y 26ain o Fedi, 1994, ac yr oedd y rhieni'n amlwg am ddilyn y trywydd hwn yn hytrach nag eithrio o ofal yr Awdurdod Addysg.

Canlyniad y trafodaethau oedd bod Ysgol Gŵyr yn mentro ar gynnig cyrsiau Safon Uwch mewn cydweithrediad â Choleg Gorseinon ym mis Medi 1995. Byddai rhaid i rai disgyblion deithio o'r naill safle i'r llall yn ystod y dydd, ond llwyddodd Gŵyr i gynnig saith pwnc i Safon Uwch: Cymraeg, Saesneg, Hanes, Ffrangeg, Mathemateg, Celf a Dylunio a Cherdd. Digwyddodd y datblygiadau hyn heb fawr o gefnogaeth o du'r Awdurdod Addysg.

Er gwaetha'r cychwyn gobeithiol ar yr arbrawf hwn, erbyn mis Mawrth 1996 yr oedd yn amlwg bod y cyswllt rhwng Gŵyr a Gorseinon yn mynd i'r gwellt. Yr oedd y teithio yn anghyfleus i'r disgyblion, a mynnai Ms Penny Ryan, pennaeth Coleg Gorseinon, fod y coleg yn cynnig mwy o bynciau y flwyddyn ganlynol, a Gŵyr yn cynnig llai. Byddai'r arbrawf yn dod i ben gyda'r garfan bresennol o ddisgyblion.

Mynegodd rhieni eu hanfodlonrwydd wrth Mr Brunt, y Cyfarwyddwr Addysg newydd, ond hawliai ef na allai benderfynu ar ddim tan flwyddyn i fis Medi. Yn wyneb hyn, aeth Ysgol Gŵyr ati i ffurfio partneriaeth ag ysgol Tre-gŵyr, a oedd ar safle cyfagos, ac yn llawer mwy hwylus na Choleg Gorseinon.

Blodeuodd y trefniant hwn, a Gŵyr yn cael cyflwyno ystod mwy o bynciau. Serch hynny, ym mis Chwefror 1998, cafwyd datganiad gan Mr Peter Hain, Gweinidog Addysg y Swyddfa Gymreig, y byddai'n caniatáu mwy o ryddid i golegau ac ysgolion gydweithio wrth gyflwyno addysg 16+, a gallai hyn gael effaith ar ddatblygiadau addysg 16+ yn Abertawe.

Wedi ymadawiad Mr Brunt o fod yn Gyfarwyddwr, cyfarfu RHAG ddwywaith o fewn tri mis rhwng 1997 ac 1998 â Mr Richard Parry, y Cyfarwyddwr Addysg gweithredol, a phwyso eto ar yr angen i ddatblygu addysg 16+ academaidd a galwedigaethol.

Pwysodd Ysgol Gŵyr yn gyson dro ar ôl tro er mwyn cael y Cyngor i gydnabod y ddarpariaeth a oedd eisoes ar waith. Lluniwyd adroddiadau manwl, llythyrwyd â chynghorwyr ac apeliodd disgyblion yn uniongyrchol at swyddogion a chynghorwyr. Derbyniwyd y cynllun yn raddol trwy ddrws y cefn, wrth i addysg 16+ yr ysgol gael ei chydnabod yn llyfryn y cyngor i rieni. Er hynny, byddai'r holl ddisgyblion yn cael eu cyfrif yn ddisgyblion Ysgol Tre-gŵyr gyfagos, ac ni fyddai dim ehangu, felly, o ran adnoddau yn Ysgol Gŵyr.

Erbyn diwedd 1999 yr oedd Cyngor Abertawe wedi ildio i'r pwysau cynyddol, ac wedi cyhoeddi cynllun i ganiatáu addysg 16+ yn Ysgol Gŵyr mewn cydweithrediad â cholegau lleol. Mae llawer o'r clod am y datblygiad hwn yn ddyledus i'r prifathro diwyd, Dr Neville Daniel, a lwyddodd i ddatblygu addysg Gymraeg 16+ yn yr ysgol o dan drwynau'r Cyngor, a hynny'n aml yn wyneb gelyniaeth a gwrthwynebiad swyddogion a chynghorwyr.

Erbyn mis Medi 2000, yr oedd 995 o ddisgyblion yn ysgol Gŵyr, a'r Sir erbyn hyn wedi pasio derbyn addysg 16+ yn yr ysgol yn swyddogol o fis Medi 2001. Mae'r Sir hefyd wedi addo darparu 450 o lefydd ychwanegol ar gyfer addysg uwchradd Gymraeg erbyn mis Medi 2002. Bwriad y Sir yw symud Ysgol Gŵyr i safle arall yn Abertawe a ryddheir yn sgil ad-drefnu addysg Saesneg, ond mae RHAG a holl benaethiaid ysgolion Cymraeg y sir am weld sefydlu ail ysgol gyfun Gymraeg yno. Aiff y frwydr ymlaen!

O.N. Wrth fynd i'r wasg (Chwefror 2002), mae'r Cynulliad Cenedlaethol ar fin penderfynu a fydd yn derbyn cynllun Abertawe i gadw Ysgol Gyfun Gŵyr fel y mae, gydag addysg 16+, a sefydlu ail ysgol uwchradd, hefyd gydag addysg 16+, ar safle Pen-lan. Bydd cael dwy ysgol uwchradd yn Abertawe'n gryn fuddugoliaeth i rieni ac i RHAG.

Pennod 14

Ysgolion De Morgannwg
a Chaerdydd

MICHAEL JONES

Yn 1974 daeth Awdurdod Addysg De Morgannwg i fod yn dilyn ad-drefnu llywodraeth leol yng Nghymru. Etifeddodd, o ran tiriogaeth, ardal Cyngor Dinas Caerdydd a rhan dde-ddwyreiniol Sir Forgannwg, ac o ran addysg Gymraeg, un ysgol gynradd, sef Bryntaf o'r hen ddinas, un ysgol gynradd ym Mhenarth, un ysgol fabanod (Sant Ffransis) ac un ysgol iau (Sant Baruc) yn y Barri.

Yr oedd Ysgol Bryntaf, unig ysgol gynradd Gymraeg y ddinas, yn dioddef amgylchiadau enbyd. Erbyn 1972 yr oedd yr ysgol wedi mynd yn rhy fawr i'r adeilad yn Llandaf, a symudwyd y plant i adeiladau hen ysgol uwchradd Viriamu Jones ar ganol ystad Mynachdy, yn ardal Gabalfa. Yr oedd croeso trigolion ystad Mynachdy yn wenfflam. Bu protestiadau cyson yn erbyn dyfodiad y plant estron Cymraeg. Poerwyd arnynt gan famau oedd am hawlio adeiladau Viriamu Jones i'w plant hwy. Rhwystrwyd y bysiau rhag cludo'r plant Cymraeg i'r ysgol. Bu'r sefyllfa yn un drychinebus ac ym mis Medi 1975 bu rhaid i blant Bryntaf symud eto i adeiladau gwag lle bu Ysgol Uwchradd y Merched, Caerdydd. Er eu bod yn hen ac yn anaddas i blant bach, yr oedd y safle yn y Rhodfa yn agos i ganol Caerdydd. Serch y cyfnod cythryblus ym Mynachdy, yr oedd Bryntaf wedi tyfu yno o ysgol ddwy ffrwd i ysgol dair ffrwd. Daeth 92 disgybl newydd i'r Rhodfa yn 1975 i ffurfio tri dosbarth derbyn. Yn y Rhodfa tyfodd nifer y ffrydiau i bedair ar waelod yr ysgol a nifer y plant i gyd i dros 600. Dywed rhai mai hon oedd ysgol gynradd fwyaf Ewrop ar y pryd. Er holl anfanteision yr adeilad, yr oedd y plant yn hynod o hapus yng nghwmni y prifathro, Mr Ian Evans, a'i staff ymroddedig.

Nid oedd gan Awdurdod De Morgannwg unrhyw ddarpariaeth o'i eiddo ei hun ar gyfer addysg Gymraeg uwchradd ac yr oedd yn dibynnu yn llwyr ar anfon plant Cymraeg i ysgolion uwchradd ym Morgannwg Ganol, i Rydfelen yn gyntaf ac wedyn i Lanhari. Daeth y trefniant i ben pan roddodd yr Awdurdod hwnnw rybudd na fyddai modd iddynt dderbyn plant o Dde Morgannwg ar ôl mis Medi 1977, oherwydd y cynnydd parhaus yn y galw am le mewn ysgolion uwchradd Cymraeg o fewn y sir.

Penbleth De Morgannwg oedd dod o hyd i ysgol uwchradd heb godi nyth cacwn fel y digwyddodd ym Mynachdy. Fe fyddai adeilad y Rhodfa wedi bod yn addas ond yn anffodus yr oedd ysgol Gymraeg yno yn barod! Daeth help o gyfeiriad annisgwyl. Aeth Arolygwyr ei Mawrhydi i ymweld ag Ysgol Uwchradd Iau Glantaf, ysgol i blant rhwng 11 ac 16 oed ar lan Afon Taf rhwng Gabalfa ac Ystum Taf. Daethant i'r casgliad fod safon yr addysg yn anfoddhaol a'r ddisgyblaeth yn wael, ac argymell cau yr ysgol a rhannu'r disgyblion rhwng ysgolion uwchradd Catais a'r Eglwys Newydd. Dyma adeilad ar gael felly i addysg Gymraeg, er bod cyflwr yr adeiladau yn wael, er nad oedd yno labordai pwrpasol na darpariaeth ar gyfer anghenion chweched dosbarth, nac ychwaith ddigon o le i dderbyn yr holl blant y byddai angen lle ar eu cyfer pan fyddai'r ysgol yn cyrraedd ei llawn dwf ym mhen saith mlynedd. Cafwyd addewidion am godi bloc newydd i'r chweched yn fuan, ac yn y cyfamser, ym mis Medi 1978, agorwyd Ysgol Glantaf gyda 99 disgybl Cymraeg – ond hefyd weddill y plant Saesneg eu hiaith yn nosbarthiadau 2, 3, 4, a 5. Ar y cychwyn nid oedd pennaeth gan yr ysgol am fod yr awdurdod wedi methu yn eu hymgais i ddenu rhywun addas. Bu rhaid gwahodd Mr Malcolm Thomas, Prifathro Ysgol Catais, i lenwi'r bwlch 'dros dro' am gyfnod o ddwy flynedd. Bu'r arbrawf yn llwyddiant ac fe ddewisodd y prifathro 'dros dro' aros yng Nglantaf am gyfnod hir a hapus hyd ei ymddeoliad yn 1995.

Nid Glantaf oedd unig broblem addysg Gymraeg yng Nghaerdydd. Yr oedd rhieni Bryntaf yn fwyfwy anhapus â'r adeilad yn y Rhodfa. Yr oedd yn hen, heb feysydd chwarae, yn anaddas i blant oedran cynradd ac yn llawer, llawer rhy fach, a'r ysgol yn parhau i dyfu. Yn 1979 bu cyfarfod o'r rhieni yn neuadd yr ysgol a Chadeirydd y Pwyllgor Addysg yn annerch. Yr oedd ei syndod at ddicter cyfiawn y rhieni yn amlwg yn ei wyneb.

Dan bwysau o du'r rhieni fe gytunodd yr Awdurdod Addysg i rannu'r ysgol yn bedair gan greu dalgylchoedd newydd ar gyfer y pedair ysgol. Cynllun delfrydol, pe bai adeiladau yn caniatáu. Yr oedd yr Awdurdod Addysg yn awyddus i osgoi Mynachdy arall a'u hateb hwy i'r broblem oedd darganfod parau o ysgolion cyfagos (iau a babanod) lle'r oedd yn bosibl cywasgu'r ddwy yn un gan ryddhau'r adeilad arall at ddefnydd yr ysgol Gymraeg.

Yn 1980 agorwyd yr ysgol gyntaf yn y cynllun hwn, sef Ysgol Melin Gruffudd, yn adeiladau Ysgol Fabanod Eglwys Wen, a phenodwyd Mr Gareth Evans yn brifathro. Agorwyd Melin Gruffudd o'r cychwyn fel ysgol â phlant o bob oedran rhwng 4 ac 11, mewn lleoliad cyfleus i'r nifer sylweddol o deuluoedd Cymraeg yn yr Eglwys Newydd.

Yn 1981 llwyddwyd i ad-drefnu ysgolion Pentre-baen a Chefn-Onn (Llanisien) ac agorwyd dwy ysgol Gymraeg, sef Ysgol Coed-y-gof â Mr John Evans yn brifathro ac Ysgol y Wern â Mrs Glesni Whettleton yn brifathrawes. Felly y daeth dyddiau Ysgol Bryntaf i ben, 33 o flynyddoedd ar ôl agor yn Sloper Road. Er bod Bryntaf wedi cau yn swyddogol, parhaodd ysgol Gymraeg yn y Rhodfa am ddwy flynedd arall dan yr enw Ysgol y Rhodfa. Bu rhieni'r ysgol hon yn anhapus iawn. Cafwyd addewid y byddai'r Sir yn codi ysgol newydd sbon ar eu cyfer yn agos i ganol y ddinas, ond torrwyd yr addewid. Cwynodd rhieni'r Rhodfa fod eu plant yn cael eu hesgeuluso am eu bod wedi dod o ardaloedd llai cyfoethog y ddinas, a gwelwyd rhai yn ymdrechu i gael lle yn un o'r ysgolion eraill.

Bu'r Is-gyfarwyddwr Addysg, Mr G. O. Pearce, yn wawdlyd o fodolaeth y bedwaredd ysgol 'afraid' hon. Byddai'n well ganddo ef wasgu'r 105/107 plentyn i mewn i'r ysgolion eraill yn hytrach na chael ysgol hanner gwag â ffrwd o 15. Daeth ateb o gyfeiriad arall pan welwyd fod Ysgol Pen-y-wern yn Nhredelerch yn dioddef o ddiffyg plant ac ar fin cau. Yr oedd hon yn ysgol fawr, gymharol newydd, hollol addas i'r galw ac eithrio'r ffaith ei bod yn y lle hollol anghywir, i'r dwyrain o afon

Rhymni mewn rhan o'r hen Sir Fynwy lle nad oedd y Mudiad Meithrin wedi ymdrechu yn llwyddiannus. O'r 120 o blant yn y Rhodfa dim ond chwech oedd yn byw i'r dwyrain o afon Rhymni. Ond ym mis Medi 1983 yno y bu rhaid i blant Pen-y-lan, y Rhath, Plasnewydd a Sblot deithio. Cymaint oedd pryder Cadeirydd y Pwyllgor Addysg, Mr Emyr Currie Jones, am ddyfodol yr ysgol newydd a enwyd Ysgol Bro Eirwg nes i'r Awdurdod agor ysgol feithrin i fwydo'r ysgol. Bu'r fenter yn llwyddiant ysgubol. Gwrthbrofwyd geiriau gwawdlyd Mr Pearce, wrth i ffrwd Bro Eirwg ymlenwi, tyfu yn ddwy ffrwd ac yn dair ffrwd yn yr adeilad helaeth a roddwyd am unwaith i addysg Gymraeg.

Twf fu hanes addysg Gymraeg ar draws y ddinas – 107 yn ceisio lle yn 1980 ond chwe blynedd yn ddiweddarach 172, ymhell tu hwnt i'r ddarpariaeth o 120 lle. Yn y dwyrain yr oedd modd delio â'r twf trwy symud y ffin rhwng ardal Bro Eirwg ac ardal y Wern fwyfwy i'r gogledd gan fod digonedd o le ym Mro Eirwg, ond nid oedd llefydd ar gael yn y gorllewin. Yr oedd Ysgol Coed-y-gof yn orlawn o'r cychwyn. Yn 1983 arweiniodd y ffaith hon at achos enwog Dafydd Hywel. Yr oedd ei fab yn barod yn ddisgybl yng Nghoed-y-gof ac yn naturiol disgwyliai i'w ferch fynychu'r un ysgol, ryw dair milltir o'u cartref ym Mhontcanna. Penderfynodd Mr Pearce taw doethach fyddai iddi fynychu Bro Eirwg, chwe milltir i ffwrdd i'r dwyrain ar draws afonydd Taf a Rhymni. Gwrthododd y tad ufuddhau i'r fath orchymyn ffôl. Apeliodd a methodd yn ei apêl, am fod yr Awdurdod wedi camddehongli'r gyfraith, sef Deddf Addysg 1981. Serch hynny, parhaodd i anfon ei ferch i Goed-y-gof. Aeth yr Awdurdod i'r llys i'w rwystro rhag tresmasu ar dir yr ysgol, a cheisio ei garcharu am wrthod ufuddhau. Gwrthododd y barnwr gais yr Awdurdod ac anogodd Dafydd Hywel i geisio arolwg barnwrol. Cytunodd yr Uchel Lys fod De Morgannwg wedi camddehongli'r gyfraith a dirymodd benderfyniad y pwyllgor apêl. Eto mynnodd yr Awdurdod ymladd achos arall gerbron y pwyllgor, ond y tro hwn penderfynodd y pwyllgor nad oedd yr Awdurdod wedi profi ei bod yn afresymol i Dafydd Hywel anfon ei ferch i'r un ysgol â'i fab, a bu raid i'r Awdurdod ildio a thalu costau cyfreithiol sylweddol. Yn hyn oll yr oedd Dafydd Hywel wedi cael cefnogaeth Rhieni dros Addysg Gymraeg a'u cyfreithiwr.

Disgyblion Ysgol Bryntaf, Caerdydd yn derbyn croeso gan Arglwydd Faer y ddinas 1976-77, Mr Iorwerth Jones – un o gefnogwyr selocaf yr ysgol.

Cân Actol Ysgol Bryntaf yn Eisteddfod Genedlaethol yr Urdd, Barri a'r Fro, 1977.

154

Côr Ysgol Gymraeg Y Rhodfa, Caerdydd, 1981. (Ysgol fyr-hoedlog oedd hon wedi cau ysgol Bryntaf yn 1981 a chyn sefydlu Ysgol Bro Eirwg yn 1983).

Y prifathro, Mr Tom Evans, gyda staff Ysgol Coed-y-gof, Caerdydd, 1982.

Plant Ysgol Coed-y-gof, Caerdydd.

Disgyblion ysgolion cyfun Glantaf a Plas Mawr, Caerdydd ar fin cyrraedd pen Taith y Fflam. Gyda hwy mae Eryl a Delyth Davies, Alun Guy (canol) a Gwilym Roberts (trydydd o'r chwith).

Bu rhaid pwyso yn hir i gael ysgol arall yn y gorllewin. Ceisiodd Mr Pearce osgoi'r broblem drwy anfon plant i unrhyw ysgol oedd â lle yn wag, ar waethaf anghyfleustra cyrraedd yno. Gwrthododd yr Awdurdod yr awgrym y dylai ysgol Coed-y-gof â 230 o blant ffeirio adeilad â'r ysgol drws nesaf, sef ysgol Gynradd Pentre-baen, lle'r oedd 150 o blant mewn adeilad ar gyfer 360. Er mwyn rhoi taw ar y fath awgrym heriol agorwyd uned feithrin i ddenu plant Saesneg o'r ysgolion cyfagos, sef Peterlee a'r Tyllgoed. Mewn un flwyddyn bu 38 o blant yn nosbarth derbyn Coed-y-gof.

Erbyn 1986, yr oedd y sefyllfa wedi mynd yn amhosibl a, dwy flynedd yn rhy hwyr, agorwyd 'dosbarth rhydd', sef dosbarth lle ceid addysg Gymraeg mewn ysgol Saesneg, Ysgol Lansdowne yn Nhreganna, ysgol a oedd yn arbenigo mewn addysg estronol i fewnfudwyr o'r India. Yn y flwyddyn 1986–7 llwyddodd yr Awdurdod i adnewyddu hen ysgol iau Radnor Road gan wario arian mawr ar lawr ucha'r adeilad fel bod modd symud uned y babanod i'r prif adeilad. Yr oedd adeilad gwag ysgol y babanod (heb geiniog wedi'i gwario arno) yn ddigon da i blant Cymraeg y dosbarth rhydd i ffurfio Ysgol Treganna, a agorodd yn 1987.

Yn yr un cyfnod bu helynt am ddyfodol Ysgol Glantaf. Yr oedd y 99 a oedd yn yr ysgol ar y cychwyn wedi tyfu o flwyddyn i flwyddyn a'r tair ffrwd gychwynnol wedi tyfu yn bedair ac yn bump ac yn chwech, ond nid oedd yr adeiladau annigonol ac anaddas wedi tyfu o gwbl, nac ychwaith wedi eu hatgyweirio; gwariwyd yr arian a oedd i dalu am floc i'r chweched dosbarth ar ffordd osgoi newydd. Ond yr oedd gan yr Awdurdod ateb. Yr oedd Ysgol Uwchradd Cantonian wedi mynd yn llai ac felly gellid ei chanoli ar un safle gan ryddhau adeilad hen ysgol Waterhall. Gwnâi'r adeilad anaddas, anghyfleus hwn y tro fel ychwanegiad i Ysgol Glantaf! Hyd yn hyn yr oedd Cymdeithas Rhieni Athrawon Glantaf wedi cadw hyd braich o Gymdeithasau Rhieni yr ysgolion cynradd a oedd yn unedig fel aelodau o Gymdeithas Sir RHAG. Er mwyn cael help yn y frwydr yn erbyn safle hollt ymunodd Cymdeithas Rhieni Glantaf â RHAG, ac er mai aflwyddiannus fu'r ymdrech arbennig honno, o'r amser hwn ymlaen nid oedd pall ar ymdrechion unedig holl rieni'r sir i geisio tegwch i addysg Gymraeg.

Ar ôl cael y bumed ysgol yn Nhreganna yr oedd yn amlwg mai'r ardal â'r anghenion mwyaf dyrys oedd y Waun Ddyfal lle'r oedd y plant yn cael eu hanfon i'r Wern, i Felin Gruffudd neu i Goed-y-gof yn ddigynllun. Bu sibrydion fod yr Awdurdod yn ystyried safle Ysgol Glan-y-llyn ond yn sydyn daeth newyddion fod ysgol arbennig i blant annisgybledig yn symud o'r adeilad yn Llandaf a fu tan 1972 yn gartref i Ysgol Bryntaf. Erbyn hyn yr oedd swyddog newydd â gofal dros addysg Gymraeg, sef Mr Eddie Roberts yn cael cymorth Mr Alun Davies, dau a ddaeth ag agwedd hollol gadarnhaol tuag at addysg Gymraeg ac a enynnodd ymysg y rhieni ffydd newydd yn y swyddfa. Sicrhaodd y ddau fod yr Awdurdod yn neilltuo yr hen Fryntaf unwaith eto yn ysgol Gymraeg, dan yr enw Ysgol Pen-cae, a agorodd yn 1990, sef y chweched ysgol gynradd, ac erbyn hyn yr oedd y plant newydd wedi cyrraedd 223, mwy na dwbl y 107 a ddechreuodd yn 1980.

Ond yr oedd mwy o rieni o hyd yn yn ceisio addysg Gymraeg a'r ardal rhwng y Wern yn Llanisien a Bro Eirwg yn Nhredelerch yn dal i alw am ysgol newydd. Bu sawl cynllun dan ystyriaeth: codi ysgol newydd ym Mhen-twyn, ail-agor hen ysgol Gabalfa, ac eraill mwy annelwig fyth. Nid oedd arian ar gyfer Pen-twyn, ac yr oedd adeilad Gabalfa yr ochr anghywir i groesffordd brysur o'r cyfeiriad lle'r oedd y plant yn byw.

Erbyn 1993 yr oedd 305 o blant yn ceisio lle mewn ysgolion cynradd Cymraeg, 82 o blant yn fwy nag yn 1990. Argyfwng arall! Bu rhaid ymestyn Melin Gruffudd yn swyddogol i dderbyn 45 o blant y flwyddyn yn lle 30, a Bro Eirwg i dderbyn 90. Hefyd agorwyd 'dosbarth rhydd' newydd, y tro hwn heb gysylltiad ag ysgol arall, a bu yn 'gwersylla' yn hen adeilad Ysgol Howardian yn ardal Pen-y-lan. Fe dyfodd yn ddau ddosbarth rhydd yn 1994 cyn cael cartref yn hen adeilad Ysgol Babyddol St. Joseff yn y Waun Ddyfal. Cafodd yr enw Ysgol Mynydd Bychan sydd yn ddaearyddol anghywir, er bod llawer o'r plant yn dod o ardal Mynydd Bychan yn ogystal ag o'r Waun Ddyfal.

Nid oedd agor y seithfed ysgol hon yn ddigon i leoli'r plant i gyd a gofynnodd Mr Alun Davies i lywodraethwyr y Wern a Choed-y-gof gytuno i ymestyn yr ysgolion i dderbyn dwy ffrwd yr un. Erbyn hyn yr oedd y Wern yn gwasanaethu ardal lawer mwy cyfyng, sef Rhiwbeina,

Llanisien a Llysfaen; a Choed-y-gof hefyd wedi'i chyfyngu i Bentre-baen, y Tyllgoed a Threlái ond eto yr oedd y galw yn dal i gynyddu. Nid oedd y llywodraethwyr na'r staff yn awyddus i wynebu ysgolion mawr â dros 400 o blant yn lle 210, ond fe gytunwyd, wedi derbyn addewid y byddai'r adeiladau yn cael eu hymestyn, gan ddechrau ym mis Ionawr 1995.

Erbyn mis Ionawr 1995, yr oedd y cytundeb yn barod i godi estyniadau i'r Wern, Coed-y-gof a Phen-cae wedi ei lunio ond daeth y newydd fod rhaid cwtogi ar wariant, a chynllun Pen-cae yn unig aeth ymlaen am nad oedd modd codi cabanau dros dro ar y safle cyfyng yno. Mae'r Wern a Choed-y-gof yn parhau hyd heddiw (Ionawr 1999) heb yr adeiladau parhaol.

Wrth roi caniatâd i Ysgol Glantaf gael ei hymestyn ar ddau safle nododd y Swyddfa Gymreig y dylai'r Awdurdod Addysg fod yn barod â chynllun i agor ail ysgol yn y sir erbyn 1994 neu 1995. Yn amlwg ddigon yr oedd y trefniadau ar gyfer addysg uwchradd Gymraeg yn y sir yn golygu taith hir iawn i'r ysgol i'r plant a oedd yn byw yn Llanilltud Fawr, y Bont-faen a'r pentrefi o gwmpas a hyd yn oed i blant y Barri a Phenarth. Yr oedd angen ysgol uwchradd mewn lleoliad mwy cyfleus i blant y Fro. Yr oedd tair ysgol uwchradd yn ardal Trelái, un ohonynt yn Ysgol Babyddol. Nid oedd canlyniadau'r ysgolion eraill yn dderbyniol ac yr oedd seddau gweigion yn y ddwy ohonynt. Cafodd yr Awdurdod y syniad o uno'r ddwy ysgol ar safle Ysgol Glanelái a buddsoddi yn helaeth yn yr ysgol honno gyda golwg ar greu canolfan ragoriaeth.

Wrth gau Ysgol Glynderw byddai'r safle yn wag ar gyfer agor yr ail ysgol uwchradd Gymraeg ar ochr fwyaf gorllewinol y ddinas ac ychydig yn nes i blant y Fro. Yr oedd Pwyllgor Sir RHAG a llywodraethwyr Glantaf yn fodlon cydsynio â'r cynnig ond bu gwrthwynebiad cryf o gyfeiriad rhieni plant Glynderw a chan rai o ddarpar-rieni yr ysgol Gymraeg newydd yn arbennig rhai o ddalgylch Penarth nad oeddent yn hoffi'r syniad o weld eu plant yn mynd i ysgol yn Nhrelái, ystad o dai lle'r oedd terfysgoedd wedi digwydd rai misoedd ynghynt – ardal gymdeithasol bur wahanol i Benarth a Dinas Powys syber.

Diwedd y cynllun hwn oedd i'r Ysgrifennydd Gwladol, John Redwood, wrthod ei ganiatâd i unrhyw ran o'r cynllun. Yn anffodus cafodd rhai cynghorwyr sail dybiedig i'w rhagfarn fod addysg Gymraeg yn elitaidd, er bod pwyllgor sirol RHAG wedi cefnogi cynnig y cyngor.

Ni fu rhagor o sôn am ddarparu ysgol arall ar gyfer addysg uwchradd Gymraeg. Rhaid bellach oedd ystyried dwy ysgol, un ar bob un o safleoedd Glantaf. Am fod yr angen am ail ysgol yn tarddu o dwf nifer y disgyblion, yn amlwg ddigon yr oedd eisiau ymestyn yr adeiladau ar y ddau safle ond credai'r Awdurdod, yn erbyn pob synnwyr cyffredin, y gellid cael yr ystafelloedd ychwanegol y tu mewn i gyllideb o ddwy filiwn a hanner o bunnoedd. Yn ofer y dywedodd llywodraethwyr a phrifathro Glantaf fod angen gwario o leiaf bum miliwn o bunnoedd i ddarparu y cyfleusterau angenrheidiol. Yn ffodus, trwy'r *Popular Schools Initiative*', cafodd Glantaf filiwn a hanner o bunnoedd yn uniongyrchol gan y Swyddfa Gymreig i dalu am floc labordai pwrpasol gan ryddhau y lle a gymerwyd gan yr hen labordai 'dros dro' a oedd wedi bodoli ers 20 mlynedd. Cytunodd y Sir i wario miliwn arall ar floc i'r Celfyddydau Mynegiannol ac ar addasu'r hen labordai, ond ni ddaeth yr arian i gwblhau'r gwaith eto.

Yn 1998, dair blynedd yn rhy hwyr i gyflawni'r addewid i'r Swyddfa Gymreig, agorwyd yr ail ysgol uwchradd Gymraeg yng Nghaerdydd, sef Ysgol Plas Mawr, gyda phlant o flynyddoedd 7, 8 a 9 (dosbarthiadau 1, 2 a 3 dan yr hen drefn).

Yn 1996 diddymwyd Sir De Morgannwg ac atgyfodwyd Caerdydd fel Awdurdod Sirol, tra'r aeth y Fro yn annibynnol fel Cyngor Bwrdeistref Sirol Bro Morgannwg, ond hyd yn ddiweddar yr oedd plant y Fro yn dal i gael addysg uwchradd Gymraeg naill ai yng Nglantaf neu ym Mhlas Mawr. Erbyn hyn agorwyd ysgol uwchradd newydd Ysgol Bro Morgannwg yn y Barri (2000).

Yn 1996 hefyd ychwanegwyd at Gaerdydd ardaloedd a oedd gynt yn Nhaf-Elái a chyda'r ardaloedd hyn daeth i Gaerdydd ddwy uned Gymraeg, sef y Creigiau a Gwaelod-y-garth. Yn y ddwy ysgol yr oedd yr unedau Cymraeg yn cynnwys mwy na hanner yr holl ddisgyblion, ac felly yn gryf a llwyddiannus. Yn yr un flwyddyn bu raid i'r Awdurdod newydd yng Nghaerdydd agor uned newydd i ymdopi â'r angen am le ar ochr orllewinol y ddinas lle nad oedd digon o le yn y tair ysgol, Coed-y-gof, Treganna a Phen-cae. Lleolwyd yr uned mewn caban ar safle Ysgol

Uwchradd Saesneg Fitzalan ar gyfer plant de Treganna a'r Grange. Yn 1997 trowyd yr uned yn ysgol swyddogol dan yr enw Ysgol Pwll Coch (er cof am y gwaed a gollwyd ym Mrwydr Sain Ffagan 1648) ac fe ddechreuwyd codi adeilad newydd sbon, y tro cyntaf i ysgol Gymraeg gael adeilad pwrpasol yng Nghaerdydd.

Yn 1998 mabwysiadodd Sir Caerdydd gynllun ar gyfer twf addysg Gymraeg mewn dogfen bolisi i fynd at Fwrdd yr Iaith. Fe'i derbyniwyd ac felly mae'n ofynnol i'r Awdurdod weithredu'r polisi o hyn ymlaen. Mae addewidion am agor ysgolion yn rheolaidd yn y ddinas ac mae sibrydion y bydd dwy ysgol gynradd neu egin-ysgol yn agor ym mis Medi 1999 ond nid oes neb i wybod ym mha le tan ar ôl yr etholiadau lleol ym mis Mai.

Mae'r hanes yn hanes o frwydro parhaus gan y rhieni ac o ddiffyg gweledigaeth a rhagbaratoi ar ran yr Awdurdod. Erbyn hyn mae'r sir yn derbyn na fydd addysg Gymraeg yn edwino a diflannu, ond bydd angen i'r rhieni gadw gwyliadwriaeth dros weithrediadau yr Awdurdod Addysg.

Addysg Anghenion Arbennig Mewn Ysgolion Cymraeg

ETHNI JONES

MAE'N ANODD IAWN inni heddiw ddeall meddylfryd y cyfnod cyn Adroddiad Warnock, cyn Deddf Addysg Arbennig 1981 a chyn y Strategaeth i Gymru i Ddatblygu Gwasanaeth i Bobl ag Anfantais Meddwl. Yr hyn a ddymunai rhieni oedd magu eu plant yn Gymry Cymraeg a rhoi addysg Gymraeg iddynt. Yr ymateb a gaent gan y Gwasanaethau Cymdeithasol, yr Adran Iechyd ac yn wir yr Awdurdodau Addysg oedd: 'Does dim arbenigwyr, does dim meddygon, does dim ysgol arbennig a does dim galw. Fe fydd yn llawer gwell i'r un bach os siaradwch chi Saesneg ag e.' Mae'n anodd amgyffred sut yr oedd pobl broffesiynol, garedig yn methu â gweld bod angen i blant ag anghenion arbennig fod yn rhan o'r un gymdeithas Gymreig â'u brodyr a'u chwiorydd. Yn sgil y diffyg dealltwriaeth hwn ar ran yr awdurdodau, gorfodwyd teuluoedd cyfan i wrthod y Gymraeg a throi'r aelwyd yn Seisnig pan ddeuai plentyn ag anabledd i'r cartref.

Cyflyrwyd cymdeithas i dderbyn y sefyllfa. 'Dyn hurt' oedd ymateb rhai yn Llanybydder i Eben Davies a fynnai gadw ei ferch anabl gartref yn y pum degau am nad oedd yn dymuno iddi gael mynd 'bant' i ysgol Saesneg, er bod Adroddiad Warnock yn ddiweddarach yn cyhoeddi bod gan y rhai ag Anghenion Arbennig yr un hawl i fywyd cyffredin o fewn y gymdeithas â phawb arall. Mae'n ddiddorol mai yng Nghylch Meithrin Llanybydder yr ysbrydolwyd Siân Wyn Siencyn, ysgrifenyddes Pwyllgor Cenedlaethol Anghenion Arbennig y Mudiad Ysgolion Meithrin, i gynhyrchu'r fideo 'Ymbarel', i roi hanes integreiddio dau blentyn bach oedd â Syndrom Downes, ddeugain mlynedd yn ddiweddarach. Fel Eben Davies, dilyn eu greddf a wnaeth Eurwen Davies o Sir Benfro a Meirion Lewis, prifathro Ysgol Ynys-wen yn y Rhondda, a llwyddo i gadw eu plant yn Gymry Cymraeg ar waethaf y gwrth-Gymreictod chwyrn a wynebent ar hyd y daith. Ni phallodd eu hymrwymiad at y rhai na allant siarad drostynt eu hunain. Bu Eurwen yn aelod o Bwyllgor Cenedlaethol AA y Mudiad Ysgolion Meithrin o'r cychwyn ac yn swyddog yn Sir Benfro. Ddechrau'r saith degau, brwydrodd Dafydd ac Elinor Wigley i godi ymwybyddiaeth am blant ag anghenion arbennig, gan sefydlu cymdeithas a enwyd 'Hyder' – am enw da! – a chodi cannoedd o bunnoedd a magu dealltwriaeth am botensial plant a phobl ifanc ag anghenion arbennig, yn ardal Caernarfon. Aeth Gwyn Davies, Waunfawr, Llywydd SCOVO wedyn, ati i sicrhau profiad gwaith i bobl ifanc AA trwy sefydlu Antur Waunfawr. Mae'r gymuned o amgylch Caernarfon wedi cefnogi'r gwaith gwych yno ac wedi denu nawdd sylweddol o goffrau o bob math.

Llwyddodd rhai rhieni i ddarbwyllo Awdurdodau i ganiatáu i'w plant fynd i ysgolion Cymraeg prif-lif. Llwyddodd Richard Jones a'i wraig i gael mynediad i Mared i Gylch Meithrin Borras Wrecsam ac wedyn i ysgolion Bodhyfryd a Morgan Llwyd. Llonnwyd pawb pan glywyd iddi lwyddo i ennill tystysgrifau TGAU a hithau â'r cyflwr Downes. Gweithiodd Richard Jones, sydd bellach yn brifathro Ysgol Hooson, y Rhos, yn ddiflino fel ysgrifennydd Mencap am flynyddoedd. Yng Nghaerdydd llwyddodd dau deulu, sef Hywel a Judith Morris, rhieni Geraint, a Michael a minnau, rhieni Garmon, i argyhoeddi Pwyllgor Addysg De Morgannwg fod hawl i blant AA fynychu Ysgol Gymraeg Bryntaf. Yr oedd hi'n anodd iawn i Fudiad Ysgolion Meithrin ar y pryd fod yn gefn i'r rhieni gan mai newydd ddechrau oedd y mudiad. Mae diolch i arweinyddion a fentrodd ac a dderbyniodd blant AA i'w cylchoedd a herio rhagfarn er mwyn profi i awdurdodau gwrthnysig fod posibilrwydd i'r plant hyn wynebu addysg brif-lif. Diolch i Non Owen, Ysgol Feithrin Llysfaen ac ambell athrawes ysgol arbennig fel Jean Crabbe, Dirprwy Ysgol Arbennig Tŷ Gwyn yng Nghaerdydd, a sibrydodd yng nghlust rhiant petrusgar 'Sticiwch chi ati; fe fydd hi'n llawer gwell ar eich mab yn Ysgol Bryntaf.'

Daeth llythyr gan yr Awdurod Addysg yn dweud bod lle i bob plentyn ar gofrestr Cylch Meithrin mewn Ysgol Gymraeg yn Ne Morgannwg. Pob plentyn? Yr oedd rhaid wrth gyngor hen ben fel Mallt Anderson, Ymgynghorydd AA (Clyw) y Sir, cyn y gellid bwrw'r maen i'r wal. Hi, yn ôl yn 1961 yng Nghynhadledd UCAC yn y Metropôl, Llandrindod, oedd gyda'r cyntaf i dynnu sylw athrawon at yr anghyfiawnder bod plant trwm eu clyw o Gymry yn cael eu cludo i Loegr i gael addysg, a hynny ddim ond am fod problem clyw ganddynt. Pan welodd hi pa mor gyndyn oedd Sir De Morgannwg ddiwedd y saith degau i ganiatáu lle mewn Ysgol Gymraeg, meddai 'Os nad ydyn nhw'n barod i roi lle iddyn nhw, mae hawl gyda chi i diwtor cartre.' Llwyddwyd i gael yr athrawes orau posib ym mherson Beryl Williams, a oedd yn raddedig yn y Gymraeg ac wedi bod yn America i dderbyn hyfforddiant, yn athrawes ar gyfer plant trwm eu clyw. Hi ddaeth yn diwtor cartref yn 1980, yn athrawes yn Ysgol Bryntaf ac wedyn ar yr uned yng Nghoed-y-gof dan y Pennaeth, Tom Evans. Anrhydeddwyd Tom â'r wisg wen yn Eisteddfod Genedlaethol Casnewydd 1988 am ei waith arloesol yn croesawu plant ag AA i'w ysgol. Wrth siarad â'r athrawon ar y bore cyntaf, enwodd y ddau a dweud 'Mae nhw wedi dod i'r ysgol i gael addysg, fel pob plentyn arall sydd yma'. Rhwng gwaith Beryl Williams a Mrs Clee, ei chynorthwy-ydd, ac ewyllys da yr athrawon, yr oedd dyfodol i'r uned. Unwaith bod athrawes wedi ei phenodi neu bod 'dwylo ychwanegol' yn y dosbarth yr oedd y plant yn hapus, a rhieni plant prif-lif yn ymfalchïo bod eu plant yn cael dod i adnabod plant AA ac yn dod yn ymwybodol o'u hanghenion.

Daeth degawd 'Strategaeth i Gymru' i fod yn 1984, Blwyddyn yr Anabl. Yn ysbryd Adroddiad Warnock a Deddf Addysg Arbennig 1981, lansiwyd Strategaeth Cymru i Ddatblygu Gwasanaeth i Bobl ag Anfantais Meddwl. Daeth hyn â gobaith newydd i blant ag AA gael byw bywyd mwy normal o fewn i'w cymdeithas eu hun. Daeth gweithwyr o bob sir yng Nghymru at ei gilydd i weithio yn enw Mudiad Ysgolion Meithrin o dan lywyddiaeth Ifanwy Wiliams. Rhoddodd gyfarwyddyd cadarn i'w phwyllgor ar y gwahanol anfanteision: corfforol, meddyliol a chymdeithasol. Dan y Strategaeth gellid cael nawdd i ariannu cydlynydd prosiect i gysylltu rhieni â Chylch a threfnu cynorthwywyr, sef 'dwylo

Garmon ap Michael a Geraint Morris, y ddau blentyn bach cyntaf i gael lloches yn uned anghenion arbennig Ysgol Coed-y-gof, Caerdydd.

Plant uned arbennig ysgol Coed-y-gof gyda Beryl Williams, eu hathrawes, a'i chynorthwywraig Brenda Jones.

ychwanegol' er mwyn bod wrth law i roi sicrwydd ac ymgeledd personol pan fyddai angen. Gellid cael arian cludiant lle gynt y ceid arian petrol yn unig. Un amod gan y Swyddfa Gymreig ar y cynlluniau hyn oedd bod rhaid i fudiadau tebyg gydweithio wrth gyflwyno cynlluniau, ac fe'u hariennid ar y cyd. Yn wir daeth pobl dwymgalon yn eiriol dros bob carfan o anabledd at ei gilydd i gydweithio ond, cyn Deddf Iaith 1993, nid hawdd oedd eu cael i dderbyn achos defnyddio'r Gymraeg ym myd yr anabl.

Yn Ne Morgannwg penododd Mudiad Ysgolion Meithrin Saesnes o'r enw Margaret Knight yn Swyddog Datblygu ac yn gyfrifol am AAA. Cyflawnodd y ddwy swydd yn ddiflino ac yn ddi-ildio. Dywedodd Brian Jones, Cyfarwyddwr y Mudiad, y byddai ei ddealltwriaeth o ddulliau gweithredu'r Gwasanaethau Cymdeithasol yn allweddol bwysig ac felly y bu. Gwyddai yn iawn pa ddrws i'w gnocio a pha ffurflenni i'w llenwi er mwyn cael nawdd a chyfarpar i blant MYM De Morgannwg. Aeth â chynrychiolaeth o'r Pwyllgor Sir gyda hi i gyfarfod Cyfarwyddwr Gwasanaethau Cymdeithasol y Sir, i drafod ag Ymwelyddion Iechyd, Prif Therapydd Lleferydd y Sir, a'r Cyfarwyddwr Addysg. Sicrhaodd fod MYM yn chwarae rhan bwysig yng Ngweithgareddau Intervol, sef pwyllgor mudiadau gwirfoddol y Sir ar y pryd, pwyllgor a ddeuai'n gefn inni ym mhen amser pan fyddai Seisnigrwydd y PPA (*Preschool Playgroups Association*) yn tanseilio effeithiolrwydd y Cynllun dan bump oed. Mynnodd le creiddiol i'r Gymraeg mewn pwyllgorau nad oeddent erioed wedi meddwl am ddefnyddio'r Gymraeg, heb sôn am sylweddoli bod unrhyw angen am ddarpariaeth cyfrwng Cymraeg ar gyfer plant AAA. Trwy hyn enillodd barch i blant AA, i'w rhieni ac, ar yr un pryd, le i'r Gymraeg.

Eto, disgwyl i'r 'broblem' ddiflannu yr oedd yr Awdurdod Addysg. Nid oedd Cymry Cymraeg i fod i gael plant ag AA, ac fel arbrawf dros dro yn unig yr ystyrid unrhyw ddarpariaeth. Ni chydnabuwyd yr uned yn Ysgol Coed-y-gof yng nghyfeirlyfr Awdurdod Addysg De Morgannwg am flynyddoedd a phan holai rhieni a oedd yn symud i Gaerdydd am ddarpariaeth Gymraeg, dywedid wrthynt nad oedd darpariaeth o'r fath.

Blwyddyn fawr i ni oedd 1988 pan symudodd Garmon a Geraint i Ysgol Glantaf, flwyddyn yn hwyrach na'u hoedran, er mwyn i'r ysgol allu darparu'n iawn ar eu cyfer, ac i sicrhau bod uned Coed-y-gof yn aros ar agor i'r cnwd nesaf o blant ag AA gyrraedd oedran mynd iddi. Dim ond un enghraifft arall o integreiddio plant ag AA dwys i ysgol brif-lif y gwyddai swyddfa Mencap amdani, ac yr oedd honno yn Birmingham. Nid oedd llawer o wybodaeth i'w rhannu felly. Yr oedd plant mewn cadeiriau olwyn eisoes ymysg disgyblion cynradd ac uwchradd Cymraeg: mae sôn bod un fam, Delyth Dafydd, gynt o Ddolgellau, sydd yn byw bellach mewn tŷ o'r enw 'Dim Golwg o'r Gadair' yng Nghaerdydd, wedi casglu cannoedd o bunnau er mwyn sicrhau lifft i Dafydd a phlant anghenus a ddaeth ar ei ôl wedyn.

Erbyn y naw degau cynnar yr oedd rhieni yn fwy hyderus eto am weld eu plant ag AA yn mynd i'r ysgol Gymraeg agosaf at eu cartref. Yr oedd MYM, trwy'r Cynllun Cyfeirio wedi sicrhau bod croeso i bawb. Aeth dau ag AA dwys ac un â phroblem ar ei chalon i Ysgol Melin Gruffydd, yn yr Eglwys Newydd, rhai ag anghenion corfforol fel esgyrn brau neu droed ddiffrwyth i Ysgol Bro Eirwg; ac ymhellach ymlaen, ferch fach annwyl iawn arall â Syndrom Downes. Bu dwy ferch fach hefyd yn Ysgol y Wern, merch fach drwm ei chlyw yn Ysgol Sant Ffransis, y Barri a bachgen ffaeledig, dewr ynghyd â phump arall yn Ysgol Sant Curig. A dyna a fu: ysgolion Cymraeg yn dechrau derbyn plant ag AA yn lleol a'r uned yng Nghoed-y-gof yn derbyn deg ag AA dwys arnynt, dwy â pharlys yr ymennydd yn ddrwg arnynt. Derbyniwyd yn llwyddiannus hefyd ddau o blant â phroblemau ymddygiad. Yr oedd yr integreiddio yn yr ysgol yn syfrdanol. Cofnodwyd hyn gan Bwyllgor MYM mewn fideo, 'Helo, Shwmae'.

Digwyddai'r integreiddio ar ôl oriau ysgol hefyd. Talai arian y Strategaeth am fws addas i gludo'r plant i Adran Trwro'r Urdd a gynhelid yng nghapel Salem, Treganna (daeth yr enw Trwro, sydd yn golygu 'colomen' drwy gysylltiad Gwen Rees Roberts â maes cenhadol yr India). Bu'r plant ar yr un bws dros benwythnos i Dre-saith, gyda phlant o ysgol Glantaf a rhieni yn gynorthwywyr ac yn gwmni i'r anabl. Buont hefyd yn cystadlu gyda'r adran bentref a chyda'r ysgol yn

Eisteddfodau'r Urdd, a chymdeithas gyfan wrth ei bodd yn eu gweld yn gwneud eu gorau glas. Gallwn ddweud bod pob un ohonynt wedi bod yn un o'r gwyliau 'Hwyl Haf' a drefnwyd gan RHAG rhwng 1991 a 2000 gyda nawdd Plant mewn Angen a'r BBC. Erbyn hyn mae llawer o'r plant yn ddisgyblion mewn ysgolion uwchradd, ac mae diolch mawr i athrawon am fod mor barod i arloesi yn y maes yma.

Ar waetha'r ymdrechion a'r llwyddiannau a ddisgrifiwyd yma nid yw'r sefyllfa'n ddelfrydol o bell ffordd. Mae rhai siroedd yn parhau i wrthod integreiddio plant AA i'r prif lif. Gwyddom am un rhiant o Sir Gaerfyrddin sydd eisoes wedi gwario £2,000 mewn tribiwnlysoedd i gael addysg addas ar gyfer ei phlentyn 14 oed. Mae'r galw yn ddiddiwedd am therapyddion lleferydd a phob therapi arall, seicolegwyr, arbenigwyr dyslecsia, athrawon, darlithwyr ac ymchwilwyr sydd wedi eu hyfforddi i weithio trwy'r Gymraeg.

Daeth chwa arall o obaith pan gyhoeddwyd Papur Gwyrdd 'Y Gorau ar Gyfer Addysg Arbennig' yn 1997. Gosododd y papur gwyrdd gwestiwn sylfaenol iddo'i hun: 'Beth ellir ei wneud i sicrhau nad yw disgyblion Cymraeg sydd ag AAA o dan anfantais, a sicrhau y defnyddir adnoddau AAA yn effeithlon?' Fe fynnodd y papur hwn hefyd y dylai pob Awdurdod Addysg ddarparu Uned Arbennig Gymraeg mewn ysgol gyffredin neu dalu am gludo'r plentyn i Awdurdod cyfagos. Yn anffodus, erbyn i'r papur terfynol ymddangos: 'Llunio Dyfodol Addysg Arbennig – Rhaglen Weithredu ar gyfer Cymru' yr oedd y cyfeiriadau at anghenion siaradwyr Cymraeg wedi diflannu yn llwyr. Cawsom gyfarfod pur stormus rhwng swyddogion y Swyddfa Gymreig, Bwrdd yr Iaith a dirprwyaeth o aelodau RHAG yn cynnwys rhieni plant AA a dwy weithwraig broffesiynol ym meysydd dyslecsia a therapi lleferydd. Gwelsom eto duedd swyddogion y Swyddfa Gymreig i honni mai cyfrifoldeb y Bwrdd Iaith yw unrhyw beth sydd yn cyffwrdd â'r iaith, er bod swyddogion y Bwrdd yn dadlau, yn hollol deg, mai cyfrifoldeb y Swyddfa Gymreig yw gweithredu strategaeth addysg ar gyfer Cymry Cymraeg fel ar gyfer pawb arall.

Mae'r Côd Ymarfer newydd yn datgan bod gan bob plentyn dan anfantais hawl i ddarpariaeth arbenigol ym maes ei anabledd personol.

Bydd RHAG yn parhau i ddadlau y dylai'r ddarpariaeth honno fod ar gael drwy gyfrwng y Gymraeg, mewn meysydd fel:

- therapi llafar, lle mae gwir angen canolfan hyfforddi arbenigwyr
- ffisiotherapi a hyfforddiant symudedd i'r rhai sydd â nam ar eu golwg
- dyslecsia ac anawsterau dysgu penodol eraill, lle mae gwir angen profion Cymraeg sy'n cydnabod gwahaniaethau rhwng y Gymraeg a'r Saesneg
- anawsterau emosiynol ac ymddygiadol, yn enwedig mewn ysgolion uwchradd
- unedau arbennig ar gyfer AAA dwys, wedi eu lleoli mewn ysgolion Cymraeg cyffredin, yn gwasanaethu clystyrau o ysgolion Cymraeg
- addysg bellach i baratoi pobl ifanc ar gyfer bywyd fel oedolion.

Pennod 16

YSGOLION CYMRAEG Y BARRI A BRO MORGANNWG

G.ELWYN RICHARDS gydag atodiad gan TIM PEARCE

Atgofion Prifathro – G. Elwyn Richards
Ysgol Gymraeg Sant Ffransis 1961–1974 a Sant Baruc 1974–1984

SEFYDLWYD Ysgol Gymraeg y Barri yn 1952 a deuthum innau yn brifathro arni yn 1961. Pleser i mi yw dwyn i gof y blynyddoedd hapus y bûm yn y swydd honno.

Mae'n anodd i ni, y dyddiau hyn, sylweddoli mor gyndyn oedd yr Awdurdodau Addysg i lacio'r egwyddor sylfaenol mai ysgolion ar gyfer plant o gartrefi Cymraeg ac yn medru siarad Cymraeg yn rhugl oedd yr Ysgolion Cymraeg. Dychmygwch felly'r sefyllfa oedd yn ein hwynebu y bore Llun hwnnw ym mis Medi 1961. Yr oedd yna bymtheg o blant bach yn ceisio am fynediad i Ysgol Sant Ffransis, a dim ond saith ohonynt wedi bod gyda Mrs Clarke yn yr Ysgol Feithrin Gymraeg.

Rheol ac arferiad haearnaidd yr Awdurdod oedd bod Mr Lewis Angell MA, yr Arolygwr Sirol, yn ymweld â'r ysgol y bore cyntaf ac yn ei ffordd hynaws cymerai'r plant bach yma yn ei gôl, gan geisio ganddynt ateb rhai cwestiynau syml – yr arholiad 4+, fel y'i bedyddiwyd hi. Os oeddent yn barod i ateb a sgwrsio, yna yr oedd hawl eu derbyn, ond os na châi ateb, yna fe'u gwrthodid! Rwy'n siŵr bod nifer o blant wedi eu gwrthod yn unig am eu bod yn rhy swil i siarad â dieithryn.

Ar y bore hwnnw ym mis Medi 1961, yr oedd Mr Angell yn sâl ac felly ni chadwodd ei oed â'r ysgol. Mentrais weithredu mewn ffydd a derbyn pob un o'r plant. Pan ddaeth Mr Angell yn ddiweddarach yn y tymor, yr oedd y plant bach yma ar lwyfan yn actio stori'r cynhaeaf, a gorfu iddo gyfaddef na fedrai wahaniaethu rhwng y plant a fu yn yr Ysgol Feithrin a'r rhai na chawsent y fraint honno.

Dyma agor y llifddorau a newid polisi swyddogol yr Awdurdod Addysg heb ganiatâd! Gall Ysgol Sant Ffransis honni mai hi oedd yr Ysgol Gymraeg gyntaf i dderbyn plant bach hollol ddi-Gymraeg. Ni wnaeth yr Awdurdod gydnabod hynny hyd nes i Bwyllgor Gittins ymweld â'r ysgol a chefnogi'r arfer yn ei adroddiad yn 1967.

I gyfarfod â'r ehangu bu rhaid i'r Awdurdod Addysg gynllunio o ddifrif ar gyfer darparu lleoedd ychwanegol. Yr oedd yna bwysau o du'r Awdurdod a'r Weinyddiaeth Addysg ar inni beidio â derbyn unrhyw blentyn i'r ysgol onid oedd naill ai'r tad neu'r fam yn siarad Cymraeg. Ni chymerwyd dim sylw o'r cyngor hwn, er bod yr ysgol dan ei sang, a bod hyd yn oed ddosbarth yn y cyntedd.

Ym mis Medi 1961, adeiladwyd caban yn cydio wrth y neuadd bren a ddefnyddid hefyd fel ffreutur. Wedyn, ar ôl hir frwydro, adeiladwyd dosbarthiadau pwrpasol ar safle Coed-yr-odyn, tua 200 metr o bellter o'r prif adeilad. Pan dyfodd y nifer wedyn ceisiodd yr Awdurdod ddatrys y broblem drwy ofyn inni symud dosbarthiadau allan i festrïoedd yn y dre, er enghraifft festri danddaearol Eglwys Bethel.

Gwrthododd y rhieni yn bendant, ac o ganlyniad gorfu iddynt fynd i'r draul o brynu a chodi adeilad arall ar safle Coed-yr-odyn – yr '*outback*' fel y'i bedyddiwyd. Mae hanes cludo hwn o Fronaber, Sir Feirionnydd, a gosod y seiliau yn saga yn hanes yr ysgol, a dengys yn glir unplygrwydd y rhieni a'u hymroddiad i'r ysgol. Nid oeddem am symud o'r llecyn hyfryd yma ar y bryn uwchlaw'r môr, ac o fewn tafliad carreg i Barc Porthceri, lle gallai'r plant chwarae ac astudio natur yn ei phrydferthwch, a lle cynhaliwyd mabolgampau, picnics a barbeciwiau bob blwyddyn.

Carreg filltir arbennig yn ein hanes oedd sefydlu Ysgol Gyfun Gymraeg Rhydfelen, ger Pontypridd, ym mis Medi 1962, a agorodd bennod newydd a chyffrous yn hanes yr Ysgolion Cymraeg. Gan fod Rhydfelen yn ysgol gyfun penderfynwyd yn unfrydol diddymu'r Arholiad 11+ yn yr ysgol, chwe blynedd cyn i'r drefn newydd ddod i rym yng ngweddill ysgolion y dre. Manteisiwyd ar y cyfle i ehangu ac i ddiwygio'r cwricwlwm yn sgil taflu'r baich hwn oddi ar y plant a'r athrawon. Yr oedd plant Ysgol Sant Ffransis yn hen gyfarwydd â gweithio mewn grŵp ac ymwneud â phrosiectau a siartiau ymhell cyn i hyn ddod yn ffasiynol yn ddiweddarach.

Fe fu yna gyfathrach agos iawn a chydweithrediad rhagorol rhwng Ysgol Sant Ffransis a Rhydfelen, ac wedi hynny â Llanhari a Glantaf.

Mae cysylltiad yr ysgol â'r Urdd a'r eisteddfod yn haeddu pennod os nad llyfryn arbennig. Yr oedd W R Evans wedi gosod sylfeini'r Gân Actol yn gadarn iawn a phan adawodd ef ar ôl dwy flynedd ceisiwyd parhau'r traddodiad, ac yn wir yn y chwe degau enillwyd cwpanau a thystysgrifau lawer ar lwyfan Eisteddfod yr Urdd a'r Eisteddfod Genedlaethol, er enghraifft yn Llanelli. Credwn yn ddi-ffael fod y trwytho yma yn y byd eisteddfodol o werth anghymarol i'r plant i fagu hunan-hyder a datblygu cymeriadau cryf a dawnus. Nid oedd gan yr ysgolion Seisnig ddim i'w gymharu â'r profiad hwn.

Yr oedd rhaglen Eisteddfod yr Urdd yn faes llafur cyfoethog i'r plant, a thrwy hyn caent eu tywys i fyd llenyddiaeth a barddoniaeth a cherddoriaeth werin a chlasurol, ac i fyd y ddawns a'r ddrama. Ni ellir byth werthfawrogi'n llawn aberth a gweithgarwch y rhieni a fu'n gyfrifol am gasglu arian i dalu am gludiant i'r Eisteddfodau Cylch, Sir a Chenedlaethol. Golygai ein hymweliadau â'r Eisteddfod yn y gogledd dri diwrnod i ni, gan y byddem yn trefnu teithiau er mwyn i'r plant gael cyfle i weld gwahanol rannau o'r wlad. Byddai nifer o rieni yn teithio gyda ni, ac yn gymorth mawr i ofalu am y plant. Yr oedd pob oedolyn yn talu ei gostau ei hun, ac ar hyd y blynyddoedd buom yn ffodus iawn o gael y fath rieni hael a chefnogol.

Er prysured y gweithgarwch o fewn a thu allan i'r ysgol, yr oedd yn rhaid bwrw ati i genhadu o blaid manteision addysg Gymraeg, ac i ateb y ceisiadau lu a ddeuai atom o'r ardaloedd eraill am help i sefydlu ysgolion Cymraeg. Felly yn aml gwelid llond bws o blant ac athrawon a rhieni yn teithio i leoedd fel Caerffili, Llanbleddian, Dinas Powys, Sully, Risca, Rhymni a Bryn-Mawr i gynnal cyngherddau ac i siarad â'r rhieni, er mwyn codi cronfeydd i hybu'r gwaith cychwynnol yno. Yn sgil hyn, bu yna berthynas gyfeillgar â'r ysgolion a sefydlwyd dros y blynyddoedd.

Dangoswyd diddordeb mawr yn yr ysgol gan lawer o ymwelwyr o'r cychwyn cyntaf, yn cynnwys swyddogion addysg, arolygwyr, darlithwyr, seicolegwyr a myfyrwyr, am ein bod yn sefydliad unigryw ar lawer ystyr. Yr oedd y plant yn hen gyfarwydd â'r ymwelwyr yma ac â'r sylw a gaent, ymddangosiadau ar y teledu, lluniau yn y papurau ac yn y blaen. Mae rhestri maith yng nghofnodlyfr yr ysgol o'r ymwelwyr a ddaeth atom o bedwar ban y byd.

Ysgol Sant Ffransis oedd yr ysgol Gymraeg gyntaf i fabwysiadu'r cynllun cyfnewid ysgolion oherwydd ein bod am i'r plant gael cyfle i fyw gyda theuluoedd Cymraeg ac i fynychu ysgol mewn ardal Gymraeg. Dewiswyd Ysgol Gynradd y Bontnewydd, ger Caernarfon a thrwy gydweithrediad y plant, yr athrawon a'r rhieni, fe ddaeth dosbarth o'r Bontnewydd i'r Barri tra bu ein plant ninnau yn mwynhau'r profiad arbennig o fyw gyda theuluoedd yn y pentref hyfryd hwn ger yr Wyddfa, a dysgu a chwarae trwy'r Gymraeg ar hyd yr wythnos. Cafodd plant y Bontnewydd groeso mawr yma hefyd, a'r profiad newydd iddynt hwythau o gael eu boddi mewn môr o Saesneg, ar wahân i'r gwersi yn yr ysgol ac ymweliadau â Sain Ffagan.

Estynnwyd y cynllun hwn ymhellach drwy gyfnewid ysgol ag un yn Slofacia. Yr oedd yr Arglwydd Heycock wedi bod draw yno ac wedi ei gyfareddu gan y lle, gan weld tebygrwydd i Gymru yn y berthynas rhwng y Sieciaid a'r Slofaciaid. Felly trefnwyd i Ysgol Sant Ffransis gyfnewid dosbarth ag ysgol yn Bratislava. Daeth parti o 30 o blant gyda dwy athrawes a rhai rhieni draw yma a chytunodd rhieni'r Barri i'w lletya a thalu costau'r ymweliad. Yn y flwyddyn ganlynol aeth criw o blant a'r Prifathro a'r Dirprwy, Mrs Rachel Williams, draw i Bratislava. Cawsom amser bendigedig yn ymweld â'r ddinas a hefyd i fyny ym mynyddoedd y Tatras. Mae'r gyfathrach rhyngom yn parhau o hyd drwy lythyr ac ymweliadau personol.

Fe fu'r ysgol ar delerau da â'r gymdogaeth agos ac â'r dref yn gyffredinol o'r cychwyn cynnar. Er ein bod yn ysgol unigryw, mynnem fod ynghanol llifeiriant addysg y dref a'r sir, gan gymryd rhan mewn gweithgareddau fel y mabolgampau, y gala nofio a chyngherddau. Ystyriai'r plant y tlysau

Plant o ysgol Sant Baruc, y Barri ar ymweliad â Thyddewi.

Plant Ysgol Sant Baruc, y Barri, ar ymweliad â Llanuwchllyn, yn gweld cerfluniau Syr Owen M. Edwards a Syr Ifan ab Owen Edwards.

174

a'r cwpanau a enillent yn y digwyddiadau hyn yn gymaint o werth bron â thystysgrifau'r Eisteddfod! Wrth gwrs, yr oedd agosatrwydd Parc Porthceri yn gyfle i ni gynnal ein mabolgampau ein hunain drwy gyfrwng y Gymraeg. Fe fu yma gangen o'r Sgowtiaid a wnâi bob dim drwy gyfrwng y Gymraeg!

Bu'r ysgol yn cyfrannu'n hael at bob achos da yn lleol ac yn genedlaethol. Gwahoddid yr henoed i'r ysgol ar nifer o achlysuron yn ystod y flwyddyn, ac âi plant i ymweld â'r claf a'r methedig yn eu cartrefi, gan fynd hefyd â chynnyrch eu Gwasanaeth Diolchgarwch i Gartref Plant Amddifad yn Ardwyn, Dinas Powys.

Nid esgeuluswyd erioed yr ochr grefyddol, ac fe fu'r plant yn ymweld ag eglwysi a chapeli'r dre yn eu tro i gynnal gwasanaethau, pasiant a chymanfa ganu, a gwahoddwyd offeiriaid a gweinidogion i'r ysgol o bryd i'w gilydd i gymryd y gwasanaeth boreuol.

Mae'n rhaid canmol Awdurdod Addysg Morgannwg Ganol am sefydlu ail ysgol gyfun Gymraeg yn y sir fel ateb i'r twf yn Rhydfelen a'r galw cynyddol o du'r rhieni yn wyneb sefydlu mwy a mwy o ysgolion cynradd Cymraeg. Yr oedd Mr Merfyn Griffiths, y prifathro cyntaf, yn adnabyddus i mi wedi inni gydweithio yn y Cyngor Ysgolion pan oedd ef yn gyfarwyddwr y Cynllun Mathemateg a Gwyddoniaeth. Yr oedd Ysgol Llanhari mewn safle hyfryd yn y Fro, ychydig yn nes na Rhydfelen, er ei fod yn anghysbell i ryw raddau. Yr oedd rhai o'r rhieni yn awr yn perthyn i Gymdeithasau Rhieni tair ysgol, Sant Ffransis, Rhydfelen a Llanhari.

Daeth tro ar fyd ym mis Medi 1968 pan ofynnwyd i mi gymryd gofal o Gynllun Addysg Ddwyieithog y Cyngor Ysgolion, ac felly bûm yn alltud o Sant Ffransis am gyfnod o saith mlynedd, tra'r oedd fy Nirprwy, Mrs Rachel Williams, yn brifathrawes dros dro. Teimlwn yn hollol ffyddiog y byddai'r ysgol yn parhau i lwyddo dan ei gofal ac felly y bu.

Ysgol Iau Sant Baruc

Ym mis Medi 1974 rhannwyd yr hen Sir Forgannwg yn dair a daeth y Barri yn rhan o Dde Morgannwg. Bu rhaid i minnau adael y Cynllun ac ailgydio yn fy swydd fel prifathro. Gan fod safle Sant Ffransis ym Mhorth-y-Castell wedi mynd yn rhy fach i gynnwys y twf aruthrol a oedd wedi bod, penderfynwyd rhannu'r ysgol yn ddwy, gydag Ysgol Sant Ffransis yn parhau fel ysgol fabanod ar yr hen safle, a'r adran iau yn symud i St Paul's Avenue i gymryd meddiant o Ysgol Gynradd High Street. Cymerwyd yr enw, Ysgol Sant Baruc – nawddsant y Barri, sydd â'i esgyrn yn ôl yr hanes wedi eu claddu ar Ynys y Barri. Dyma wireddu rhan o freuddwyd Mr Raymond Edwards, un o sefydlwyr yr ysgol fach yn festri danddaearol Tregatwg yn 1951, y byddai'r ysgolion Cymraeg yn cymryd meddiant o'r ysgolion Seisnig.

Treuliais ddeng mlynedd hapus iawn yn Sant Baruc, gyda Mrs Freda Evans fel Dirprwy. Yr oedd bywyd yn dawelach i ryw raddau yn awr, gan na dderbyniem blant ond ym mis Medi, ac felly yr oedd y dosbarthiadau yn fwy sefydlog. Gwelem eisiau'r babanod a cheisiem gadw cysylltiad agos ag Ysgol Sant Ffransis. Ar ôl i mi ymddeol daeth Mrs Evans yn brifathrawes, ac ymhen wyth mlynedd fe'i holynwyd hithau gan Mr Dulyn Griffith.

Bedair blynedd yn union ar ôl sefydlu Ysgol Gyfun Llanhari penodwyd Mr Malcom Thomas yn brifathro cyntaf Ysgol Gyfun Gymraeg Glantaf yng Nghaerdydd. Wedi hir frwydro, dyma agor drysau'r ysgol uwchradd Gymraeg gyntaf yn Ne Morgannwg a mawr fu'r gorfoleddu. Fel y bu gyda Rhydfelen a Llanhari, cafwyd cydweithio agos iawn o'r cychwyn cyntaf, nid am fod unrhyw gystadleuaeth rhwng y tair ysgol uwchradd, ond am fod yna ddyhead cryf i brofi i'r byd a'r betws fod ein plant yn elwa'n aruthrol drwy gael yr addysg orau drwy gyfrwng dwy, os nad tair neu bedair o ieithoedd.

Ysgol Gymraeg Sant Curig

O gofio bod yna gynifer â chwech o ysgolion meithrin Cymraeg yn y dre, nid oedd dim syndod bod galw mawr am Ysgol Gymraeg arall ac, ar ôl hir frwydro eto, dyma agor drysau Ysgol Gynradd Gymraeg Sant Curig ym mis Medi 1992, gyda Mrs Eleri Hourahane, a ddaeth atom i Ysgol Sant Ffransis yn 1966, yn brifathrawes. Adeiladau Ysgol Ramadeg y Merched Brynhafren, ar lecyn hyfryd uwchlaw'r dre yn wynebu Môr Hafren, yw safle'r ysgol newydd, sy'n cynyddu yn ei nifer bob blwyddyn.

Gyda thristwch y gwelsom yn 1992 gau Ysgol Sant Ffransis-ar-y-bryn, a symud y babanod i lawr i Ysgol Sant Baruc, ond yr oedd hyn i'w ddisgwyl gan fod yr adeiladau pren ar safle Coed-yr-odyn, ar ôl gwasanaeth o dros 36 o flynyddoedd, wedi dadfeilio y tu hwnt i safonau iechyd a diogelwch.

Rwy'n falch bod fy nghyswllt â'r ysgolion yn dal yn gryf a'm bod yn cael fy ngwahodd yn fynych i gymryd rhan yn eu gweithgareddau, a hir y pery felly gan fy mod erbyn hyn wedi gweld fy wyrion yn ddisgyblion yno.

Ysgolion Cymraeg eraill Bro Morgannwg
Tim Pearce

Trwy gydol y pum degau a'r chwe degau bu Ysgol Sant Ffransis yn gartref i holl blant Bro Morgannwg a fynnai addysg trwy gyfrwng y Gymraeg. Erbyn dechrau'r saith degau yr oedd yn gartref i 320 o blant, ac yn llawn hyd at yr ymylon. Serch hynny, gwyliodd y pennaeth, Rachel Williams, griw o 35 ohonynt yn trosglwyddo i ddosbarth cychwynnol newydd mewn ysgol Saesneg yng Nghogan, Penarth yn 1971 gydag awgrym o dristwch. Nid un teulu clòs fyddai plant y Fro mwyach. Eto yr oedd yn llawenhau o weld ehangu addysg Gymraeg, ac o weld Howard Goodfellow, a fu yn athro yn Sant Ffransis, yn bennaeth ar yr uned newydd yng Nghogan.

Ymhen dwy flynedd yr oedd Sant Ffransis yn orlawn unwaith eto. Y wladfa nesaf i'w sefydlu oedd ffrwd yn ysgol Saesneg y Bont-faen yn 1973, yr addysg Gymraeg gyntaf yn hanner gorllewinol y Fro. Yr oedd hyn yn fendith i rieni a fu'n cludo eu plant yr holl ffordd i'r Barri, ac i rieni eraill a fu'n pwyso am ysgol Gymraeg yn y Bont-faen.

Dal i dyfu wnaeth Sant Ffransis, hyd nes y symudwyd y plant cynradd oddi yno i ysgol High Street yn 1974, gan greu Ysgol Sant Baruc, a gadael y plant bach yn Sant Ffransis fel yr eglurwyd gan Mr Elwyn Richards.

Erbyn hyn, yr oedd gwladfa Cogan wedi hen fwrw gwreiddiau cadarn, ac fe'i gwobrwywyd â safle cwbl newydd ar gyrion Penarth yn 1975. Ceisiodd y rhieni enwi'r ysgol newydd ar ôl Saunders Lewis, a oedd yn byw yn y dref, ond gwrthododd y Sir ar y sail ei fod yn dal yn fyw! Ysgol

Gymraeg Penarth oedd hi felly am y tro, ond newidiodd y rhieni'r enw i Ysgol Pen-y-garth yn 1979 i gydnabod gwir ystyr Penarth, yn hytrach na phen yr anifail a welir ar arfwisg y dref. Y Prifathro, Mr Howard Goodfellow, a ddewisodd yr arwyddair 'Gorau Arf, Arf Dysg' i'r ysgol – arwyddair a fenthyciwyd hefyd ar gyfer y gyfrol hon.

Yn 1978, etifeddodd gwladfa'r Bont-faen yr holl ysgol yr oedd hi ynddi, ac wele sefydlu Ysgol Iolo Morganwg. Nid oedd neb yn gallu dadlau bod yr hen Iolo yn dal yn fyw! Felly yr oedd gan y Fro le i genhedlaeth arall o dwf, ac ni phrofwyd newid mawr eto tan y naw degau.

Soniodd Mr Elwyn Richards am dristwch cau Ysgol Sant Ffransis am y tro olaf yn 1992 pan drosglwyddwyd y babanod yn ôl i ofal Ysgol Sant Baruc. Symudodd Mrs Eleri Hourahane o fod yn bennaeth Sant Ffransis i arwain ysgol newydd Sant Curig ar hen safle ysgol ramadeg y merched, ac yr oedd honno wedi tyfu i dros 400 o ddisgyblion erbyn diwedd y naw degau. Mae'n anodd credu y byddai dwy ysgol Gymraeg y Barri wedi tyfu gymaint yn ystod y naw degau nes y bu'n rhaid i Sir newydd Bro Morgannwg agor ffrwd ar wahân yn 1996 dan gysgod Sant Curig gyda'r bwriad o'i symud cyn gynted ag y deuai'r arian i law i safle newydd yn nwyrain y dref. Dyma'r Ysgol Newydd, a rhaid talu teyrnged i'w rhieni am eu dyfalbarhad yn wyneb ymdrechion y Cyngor i'w chyfuno â Sant Curig fel ateb syml i ddiffyg arian. Dal ati wnaeth y rhieni, ac, er na ddaethpwyd o hyd i ddigon o arian i sefydlu'r ysgol ar safle cwbl newydd, gwireddwyd y freuddwyd o symud yr ysgol i'r dwyrain yn y flwyddyn 2000 gan ddefnyddio hanner safle ysgol Gibbonsdown. Cafodd yr ysgol enw newydd parhaol – Ysgol Gwaun-y-nant. Felly yr aeth un ysgol yn bump trwy waith cenhadol yr hen seintiau.

Yr oedd y galw am ysgol uwchradd ym Mro Morgannwg wedi dechrau ymhell cyn dyfodiad y sir sy'n dwyn yr enw, er bod dyfodiad y sir newydd wedi ennyn eiddgarwch newydd ymhlith rhieni'r Fro. Hyd yma yr oedd ysgolion Cymraeg y Fro wedi anfon plant i Rydfelen, Llanhari a Glantaf. Arferai Mr Alun Davies, Cyfarwyddwr Addysg y sir fach newydd, gwyno yn aml fod Caerdydd wedi cael y rhan orau o'r cyfleusterau pan holltwyd hen Sir De Morgannwg yn ddwy yn 1996. Ac yntau erbyn hyn â phedair ysgol gynradd Gymraeg o dan ei ofal wrthi'n cynhyrchu egin-ddisgyblion uwchradd, edrychai yn hiraethus ar safleoedd o fewn ffiniau Caerdydd. Ble'r oedd Mr Davies yn mynd i osod dros gant o ddisgyblion newydd bob blwyddyn? Yr oedd yn barod i dderbyn unrhyw awgrym. Bu Caerdydd yn ystyried cyfuno dwy ysgol Saesneg yng ngorllewin y ddinas am dro, ac achubodd Mr Davies ar y cyfle i gynnig am yr adeilad a fyddai'n weddill, ysgol Glynderw, Trelái, fel ateb. Enynnodd yr awgrym lid nid yn unig rhieni'r Fro – wedi'r cwbl, yr oedd yr adeilad hwn y tu hwnt i ffiniau'r Awdurdod Addysg o hyd – ond rhieni Glynderw hwythau, a oedd yn ofni colli eu hysgol gymunedol. Nid oedd Caerdydd yn barod i ymladd, ac felly yr oedd y syniad yn fethiant o'r cychwyn.

Yn y diwedd cyhoeddodd Caerdydd y byddai'n rhaid i'r Fro ddarparu ei hysgol ei hun o 1998 ymlaen. Heb os, bu i sawl rhiant gefnu ar addysg Gymraeg yn y cyfnod ansicr hwn, ffenomen gyffredin mewn achosion tebyg sydd yn llesteirio twf y sector. Dan bwysau, cynigiodd Awdurdod y Fro adeiladu ysgol newydd trwy'r Fenter Arian Preifat (*Private Finance Initiative*). Ond un peth oedd cynnig y syniad, peth arall oedd ei wireddu – bryd hynny, dim ond un Fenter Arian Preifat o'r fath oedd mewn bodolaeth ym Mhrydain Fawr, a honno yn swydd Dorset. Yr oedd y rhieni yn gallu gweld bod y cynllun yn mynd i'r gwellt, a dechreuwyd ar gyfres o wrthdystiadau cyhoeddus ynghlwm wrth yr ymgyrch i sefydlu'r ysgol gynradd newydd ar safle parhaol. Er tegwch i Alun Davies, yr oedd ef wedi bod yn gwneud ei orau glas y tu ôl i'r llenni i ddatrys y broblem. Ond llwyddodd y gwrthdystiadau i ddwyn enbydrwydd y sefyllfa gerbron y cynghorwyr, a oedd yn gyndyn o weld y darlun mawr. Serch hynny, bu rhaid i genhedlaeth arall o blant deithio i Gaerdydd wrth i Mr Davies lwyddo i gael un flwyddyn eto o groen y Brifddinas. Dylai'r hanes dalu teyrnged i Alun Davies am ddod o hyd i ateb. Er iddo gynnal trafodaethau mewn hyrddiau gydag ysgol uwchradd y bechgyn yn y Barri, ysgol ar ddau safle, nid oedd llywodraethwyr yr ysgol honno yn barod i ystyried posibiliadau newydd hyd nes y penodid pennaeth newydd i'r ysgol, David Swallow. Trefnwyd yr ariannu ar gyfer estyniad mawreddog i brif safle ysgol y bechgyn, ac o'r diwedd daeth Ysgol Gyfun Bro Morgannwg i fodolaeth ar y safle isaf ym mis Medi, 2000.

Da o beth wedi'r cwbl, efallai, oedd bod ysgol uwchradd Gymraeg gyntaf y Fro yn cael ei sefydlu yn y mileniwm newydd. Ysgrifennodd J. M. Edwards gerdd yn ei gyfrol *Cerddi'r Fro* ar sefydlu Ysgol Sant Ffransis, ac mae'n werth ei chofio yma:

Rhywrai gynt
A fu'n esgeuluso gardd
Gadael i anialwch yr estrondir
Ei llethu.
Edwinodd y pren,
Pla i'w ddifa a ddaeth,
Hen bren y cynefin bridd.

Oni welwch chi'r blagur ifanc yn ymagor,
Cain dwf mewn cynefin dir
A'r nefoedd yn glasu uwchben?
Daw gwawr yfory i dorri'n deg
Ar y brodorol bren.

J. M. Edwards

Addysg Gymraeg Yng Ngwent o 1974 Ymlaen

LILIAN M. JONES

ER MAI 'o 1974 ymlaen' sydd yn nheitl y bennod hon, rhaid olrhain hanes yr hyn a ddigwyddodd o 1951 ymlaen yn y gornel fach hon o Gymru cyn y medrir deall y sefyllfa oedd yn bodoli yn 1974.

Dywed rhai mai cyfuniad o amgylchiadau, personoliaethau ac anghenion sydd yn achosi digwyddiadau hanesyddol pwysig. Dywedir er enghraifft mai'r Ail Ryfel Byd a phresenoldeb yr ifaciwîs yng nghyffiniau Aberystwyth ynghyd â gweledigaeth, gallu a phenderfyniad Syr Ifan ab Owen Edwards i amddiffyn etifeddiaeth Cymry bach yr ardal a arweiniodd at sefydlu'r ysgol Gymraeg gyntaf yn y dref yn 1939, ac wedyn yn 1947 yr ysgol Gymraeg gyntaf dan awdurdod addysg yn Llanelli.

Ta waeth am hynny, ymhell i'r dwyrain, yng Nghasnewydd, bu aelodau a gweinidogion y capeli Cymraeg, Y Deml, Ebeneser a Mynydd Seion, yn hybu'r iaith ae yn cefnogi Cymdeithas Gymraeg y dref ar hyd y blynyddoedd, ond ychydig iawn o Gymraeg a ddysgwyd yn yr ysgolion. O bryd i'w gilydd, o dan ddylanwad athro neu athrawes oedd yn medru'r iaith, cenid 'Hen Wlad fy Nhadau' ac ambell gân werin adnabyddus efallai, ar Ddydd Gŵyl Dewi ond nid oedd yr iaith Gymraeg ar gwricwlwm ysgolion y dref.

Am gyfnod, bu plant bach Ysgol Gynradd Alway yn dysgu Cymraeg dan ofal y Prifathro, Mr George Lloyd-Williams, a'u hathrawes, Mrs Bronwen Evans, a bu'r Parchedig T. Emlyn Evans, Gweinidog Capel

Ebeneser, am gyfnod hir yn cynorthwyo nifer o ddisgyblion ysgolion gramadeg y dref i ymdopi â gofynion maes llafur Lefel 'O' Cymraeg ar ôl oriau ysgol.

Yn 1959, symudodd dau deulu i Gasnewydd a daethant at ei gilydd yn gynnar yn 1962 i drafod y posibilrwydd o sefydlu dosbarth Cymraeg i blant y dref. Yr oedd y Parchedig T. Emlyn Evans yn berson allweddol bwysig yn y digwyddiad oherwydd ef oedd yn gyfrifol am gyflwyno Mrs Sally Hughes a minnau i'n gilydd, ac i un o aelodau Ebeneser, Mrs Gwyneth Hancock, merch oedd yn enedigol o Sir Gâr.

Yr oedd Mrs Hughes a'i gŵr, Dr John Hughes, wedi symud i Gasnewydd o Gaerdydd lle bu eu plant yn aelodau o Gylch Meithrin Heol y Crwys ac Ysgol Gymraeg Bryntaf. Yr oeddynt yn awyddus iawn i ymestyn addysg Gymraeg eu plant yn nhref enedigol Dr Hughes. Un o Gwmafan, nid nepell o Bont-rhyd-y-fen, lle sefydlwyd ysgol Gymraeg lwyddiannus yn y pum degau oeddwn i, a'm gŵr Geoffrey yn frodor o Gwmfelin-fach, Sir Fynwy, yn un o drigolion y sir honnno na chafodd gyfle i ddysgu Cymraeg yn yr ysgol gynradd. Ganwyd ein mab cyntaf yn 1961 ac yr oeddem yn benderfynol o ymladd dros ein hawl i gael addysg Gymraeg iddo. Felly, ar ddechrau 1962 yr oedd pedair merch John a Sally Hughes, dwy ferch Gwyneth Hancock (a oedd yn awyddus iawn i roi'r cyfle ieithyddol i'w phlant nad oedd ar gael ar eu cyfer yn ysgolion y dref) ynghyd â'n babi ni yn ddigon i ddechrau cylch Cymraeg i blant yng Nghasnewydd.

Cynhaliwyd y cyfarfod ffurfiol cyntaf o dan gadeiryddiaeth y Parchedig T. Emlyn Evans ar y 26ain o Fedi, 1962 ac aethpwyd ati i drefnu'r ysgol fach yn festri Capel Ebeneser gyda chymorth y gweinidog, y Parchedig T. Emlyn Evans, a blaenoriaid y Capel, Mr George Lloyd Williams a Mr E. W. (Ted) Jones, prifathrawon ysgolion cynradd yn y dref. Agorwyd yr 'ysgol' ar fore Sadwrn, y 6ed o Hydref, 1962.

Trefwyd nifer o gyfarfodydd i hybu a threfnu'r gwaith a gwelwyd cynnydd sylweddol yn y niferoedd yn fuan iawn. O fewn blwyddyn, yr oedd y festri'n rhy fach a bu'n rhaid chwilio am adeilad a fyddai'n cynnig mwy o le a chyfleusterau. Gyda chymorth Mr Ted Jones, cafwyd caniatâd yn 1963 i ddefnyddio rhan o Ysgol Gynradd Stow Hill lle'r oedd Mr

Jones yn Brifathro. Yr oedd hi'n bosibl nawr rhannu'r plant yn ddosbarthiadau yn ôl eu hoedran a threfnu gweithgareddau addas i'r grwpiau gwahanol.

Erbyn 1963 yr oedd y plant yn dod i'r ysgol o bellter – o Fathern ger Casgwent, o Gwmbrân, a mannau eraill y tu allan i'r Fwrdeistref ac yr oedd ynddi ystod eang o ran oedran. Bu nifer fawr o Gymry Cymraeg yn cynorthwyo (pob un yn wirfoddol, wrth gwrs), rhai ohonynt yn athrawon fel Miss M. Williams, a fu'n Brifathrawes ysgol i fabanod yn y dref, rhai ohonynt yn gynorthwywyr cyffredinol ac yn eu plith yr oedd Mrs Orleana Tyssul Jones, myfyrwraig aeddfed yng Ngholeg Caerllion, un arall o'r criw a oedd yn enedigol o Gwmafan. Rhaid cofnodi ei henw hi'n arbennig oherwydd yr oedd ganddi rôl allweddol i'w chwarae yn y datblygiadau o 1967 ymlaen.

Dengys cofrestri'r 'ysgol' enwau 72 o blant yn ystod y cyfnod 1962– 1967 a bu Ysgol Sant Woolos (Gwynllyw Sant!) yn fan cyfarfod nid yn unig i'r plant ond hefyd i'r rhieni brwdfrydig. Yn 1963 gwahoddwyd Mr Geraint Bowen AEM i Gasnewydd i ymweld â'r ysgol ac i drafod â'r rhieni y posibilrwydd o sefydlu ysgol gynradd Gymraeg yn y dref. Mae cofnodion cyfarfod y rhieni ar yr 11eg o Fedi, 1963 yn nodi sylwadau a chyngor Mr Bowen sef mai gwastraff amser fyddai mynd at Bwyllgor Addysg Bwrdeistref Casnewydd cyn bod criw sylweddol o blant o'r un oedran ar gael i fod mewn dosbarth gyda'i gilydd. Rhaid hefyd oedd pwyso a mesur agwedd Seisnigaidd, hyd yn oed gwrth-Gymreig, rhan helaeth o boblogaeth Casnewydd.

Uned Gymraeg Risca

Ynghanol y chwe degau, symudodd canolfan y gweithgarwch o Gasnewydd i'r cwm sy'n rhedeg i'r gogledd-orllewin tua Risca, Pontllan-fraith a Threcelyn a hynny am fod grŵp o deuluoedd wedi symud i weithio yn yr ardal. Ymgartrefodd Jane a Vaughan Williams yn Nhŷ Rhydychen, Risca; Margaret ac Ivor James ym Mhontllan-fraith, a Geoff a minnau yn Nhrecelyn. Yno, yn frodorion ac yn frodyr, yr oedd Bill a David Harries a'u gwragedd, Sylvia a Mary. Er nad oeddynt yn medru'r Gymraeg, yr oeddynt yn feibion ac yr oedd Mary yn ferch i Gymry

Cymraeg. Yn Cross Keys yr oedd Elwyn a Mafys Treble yn byw, a rhwng y chwe theulu hyn yr oedd un plentyn ar ddeg o dan bump oed. Ffactor arall yn y stori oedd lleoliad rhai o'r tai a adeiladwyd ar gyfer gweithwyr y gwaith dur enfawr a agorodd ddechrau'r chwe degau yn Llan-wern ar gyrion Casnewydd. Symudodd nifer o deuluoedd o ardaloedd Glyn Ebwy, Tredegar a Llanelli i fyw yn Risca ac yr oedd diddordeb gan rai ohonynt mewn addysg Gymraeg i'w plant.

Daeth Tŷ Rhydychen, Canolfan Addysg i Oedolion yn Risca, yn ganolfan naturiol i'r ymgyrchwyr a chynhaliwyd nifer fawr o gyfarfodydd yno er mwyn cynllunio ymgyrch a llunio strategaeth hysbysebu i godi ymwybyddiaeth yn yr ardal. Gwaith torcalonnus yn aml iawn oedd mynd o ddrws i ddrws yn yr ardal yn ceisio esbonio a pherswadio. Mae pob un o'n harloeswyr ledled Cymru wedi rhannu'r un profiadau annymunol, mae'n siŵr.

Dechreuwyd ar y gwaith o geisio perswadio Pwyllgor Addysg Sir Fynwy i gychwyn dosbarth cyfrwng Cymraeg yn yr ardal. Yn wahanol iawn i Gasnewydd, yr oedd yn Sir Fynwy gynsail oherwydd, i fyny yng ngogledd y sir yr oedd Ysgol Gynradd Gymraeg Rhymni wedi bodoli er 1956 ac mae'n rhaid gadael stori Risca am ychydig er mwyn talu teyrnged i arloeswyr Rhymni.

Uned Gymraeg Rhymni - Ysgol Gymraeg Rhymni

Arwr y frwydr i sefydlu'r ysgol Gymraeg yn Rhymni oedd y Parchedig Rhys Bowen, gweinidog Capel Moreia yn y dref. Mae llyfryn a gyhoeddwyd yn 1996 i ddathlu deugeinfed pen-blwydd yr ysgol (sydd erbyn hyn wedi newid safle ac enw i 'Ysgol y Lawnt') yn adrodd digwyddiadau'r pum degau pan aeth nifer o drigolion ati i sefydlu ysgol wirfoddol ar foreau Sadwrn. Y Parchedig Rhys Bowen drefnodd y cyfarfod cyntaf i drafod sefydlu ysgol Gymraeg yn Rhymni, gyda chefnogaeth ei gyfaill Idris Davies, y bardd. Eu huchelgais oedd gweld ysgol Gymraeg yn Rhymni yn debyg i'r ysgol Gymraeg hynod o lwyddiannus honno a sefydlwyd yn y Barri, Ysgol Gymraeg Sant Ffransis.

Siaradodd Aneurin Talfan Davies, Norah Isaac, Alcwyn Evans a Raymond Edwards AEM yn y cyfarfod hwnnw a chafwyd cefnogaeth frwd nifer o weinidogion y dref, sef Mr Lloyd (Penuel), Mr Beynon (Jerusalem) a Mr Grant (Seion).

O ganlyniad i'r cyfarfod hwn a brwdfrydedd rhieni a chefnogwyr, yn 1951 dechreuwyd ysgol wirfoddol a oedd yn cwrdd bob bore Sadwrn yn Ysgol Uchaf y Babanod yn Rhymni dan ofal Mrs Fay Lloyd gyda chymorth Mrs Heulwen Williams, Miss Rita Owen, Mrs T. Francis, Miss Beatrice May Davies, Mrs Morwena Evans, Mrs Rhiannon Williams a Mrs Onwy Beynon. Sefydlwyd dosbarth swyddogol yn 1955 yn adeilad Ysgol Fabanod Canol Rhymni ac Ysgol Feithrin yn 1956 dan ofal Mrs Nansi Jones.

Mrs Wall oedd Prifathrawes Ysgol y Babanod ar y cychwyn ond yn 1971, wrth i'r niferoedd gynyddu, trosglwyddwyd yr adeilad yn gyfan gwbl i'r dosbarthiadau Cymraeg, ac yn 1972 penodwyd Mrs Heulwen Williams yn Brifathrawes.

Aeth Ysgol Gymraeg Rhymni i ofal Morgannwg Ganol yn 1974 ond, erbyn hynny, yr oedd ei lwyddiant wedi dylanwadu'n sylweddol ar antur rhieni Risca.

Uned Gymraeg Risca

Yn dilyn patrwm Rhymni, yr oedd yr 'ysgol' wirfoddol fore Sadwrn yng Nghasnewydd yn dal i ffynnu yn 1967 ond yr oedd nifer sylweddol o'r plant yn byw y tu allan i ffiniau'r Fwrdeistref. Yno yr oedd dyfalbarhad rhai o'r rhieni yn dechrau dwyn ffrwyth. Erbyn diwedd 1966 yr oedd Cyfarwyddwr Addysg Sir Fynwy wedi cytuno, yn groes i'r graen, i sefydlu dosbarth yn Ysgol Risca Town yn Adran y Babanod ar yr amod bod y rhieni'n sicrhau o leiaf bymtheg o blant o'r un oedran i fod ynddo.

Mae pob un sydd wedi bod yn gysylltiedig â sefydlu Ysgol Gymraeg yn hen gyfarwydd â'r gwaith caled o ymgyrchu – y cnocio ar ddrysau o stryd i stryd, trefnu cyfarfodydd a gwahodd siaradwyr, llunio a dosbarthu taflenni, trefnu gweithgareddau o bob math er mwyn codi arian a manteisio ar bob cyfle i siarad â phobl ynghylch manteision dwyieithrwydd. Yn ystod y cyfnod cyffrous hwn, cafwyd cefnogaeth gadarn gan unigolion fel Gwilym Roberts (Rhiwbeina), Dr Noelle Davies (Iwerddon), Lily Richards (Caerffili), Trefor a Gwyneth Morgan (Ystradgynlais), rhieni ac athrawon Ysgolion Cymraeg Rhymni a Sant Ffransis, y Barri, ac eraill.

Ar ddiwedd 1966, dim ond 14 enw oedd ar restr Risca ac yr oedd y rhieni bron â cholli gobaith, ond fe ddigwyddodd un o'r gwyrthiau cwbl annisgwyl hynny – ac enillwyd y dydd. Symudodd teulu o Lanelli i fyw yn Risca. Yr oedd y rhieni'n Gymry Cymraeg, yr oedd ganddynt ddiddordeb mewn addysg Gymraeg ac yn bwysicach na hyn oll – yr oedd ganddynt fab pump oed! Felly ym mis Ebrill 1967, agorodd Uned Gymraeg Risca gyda phymtheg o blant o dan ofal Mrs Orleana Tyssul Jones. Enwau'r criw cyntaf oedd Linda Bateman, Dawn Cox, Eluned Harries, Rhys Harries, Wendy Hewlett, Siân James, Andrew John, Geraint Jones, Hywel Jones, Carol Kendall, Ceri Meacham, David Morgan, Kim Tiley, Meirion Treble a Rhian Williams.

Aeth y gwaith o genhadu ymlaen yn ddi-baid. Ym mis Medi 1967, ymunodd tri phlentyn â'r dosbarth, chwech ym mis Ionawr 1968 ac wyth ym mis Ebrill 1968. Erbyn mis Medi 1968, yr oedd angen ail athrawes a phenodwyd Miss M. Rees i ofalu am y dosbarth hŷn.

Fel rhan o'u hymdrechion i chwyddo'r niferoedd yn yr ysgol, penderfynodd y rhieni dalu am drafnidiaeth i'r plant hynny nad oeddent yn derbyn cluduant rhad gan y Sir. Trefnwyd system 'Gronfa' er mwyn i bob teulu gyfrannu'n wythnosol tuag at gludiant pob plentyn oedd mewn angen. Llogwyd tacsis a cheir ac fe arwyddodd tri o'r tadau, sef Bill Harries, Geoff Jones a Vaughan Williams, gytundeb personol â'r Banc i addalu unrhyw golled ariannol a wneid. Cafwyd cryn dipyn o gymorth ariannol gan Gronfa Glyndŵr ac unigolion selog.

Ffurfiwyd nifer o grwpiau meithrin gwirfoddol yn yr ardal ac yn raddol fe dyfodd yr ysgol nes bod 66 o blant ar y gofrestr yn 1970 gyda thair athrawes yn eu dysgu, sef Mrs Orleana Tyssul Jones, Mrs Marian Evans a Mrs Elizabeth Beese. Ond yr oedd pris i'w dalu am lwyddiant yr Uned ac yr oedd yr un problemau yn wynebu'r plant a'r rhieni yn Risca ag sydd wedi wynebu pob uned Gymraeg ymhob cwr o Gymru, sef gwrthdaro rhwng gofynion ochr Saesneg yr ysgol wreiddiol a gofynion a hawliau'r plant yn y dosbarthiadau Cymraeg.

Yr oedd hi'n eithaf amlwg i bawb fod yr 'arbrawf' yn llwyddo yn Risca a'r niferoedd yn cynyddu fel yr oedd y rhieni wedi rhag-weld. Dengys yr ohebiaeth sydd yng ngofal y gyn-ysgrifenyddes, Mrs Sylvia

Harries, nifer o lythyrau ganddi hi a'i chyd-ysgrifennydd, Mr David Harries, at Gyfarwyddwr Addysg Sir Fynwy yn annog yr AALl i ddarparu adeilad ar wahân i'r Cymry er mwyn creu ysgol Gymraeg.

Gwnaethpwyd y penderfyniad i beidio â sefydlu ysgol ar wahân i'r Cymry heb unrhyw drafodaeth â'r rhieni er eu bod wedi gofyn dro ar ôl tro am gyfle i gyfarfod â chynrychiolwyr y Pwyllgor Addysg. Mae llythyr a ysgrifennwyd ar y 26ain o Fehefin, 1970 yn dweud yn blwmp ac yn blaen, *'after a very full discussion the Committee were unable to agree that their Chairman and Vice-Chairman meet a deputation of parents as the establishment of a Welsh School could not be considered at the present time.'*

Daliodd y rhieni ati i gysylltu â'r Cyfarwyddwr Addysg, Mr T. M. Morgan, gan bwyleisio anaddasrwydd yr hen adeilad a'r cynnydd disgwyliedig yn y niferoedd ym mis Medi 1970. Ar y pryd, yn yr Ysgol Gynradd, yr oedd 34 o Gymry mewn dau ddosbarth a phump o ddosbarthiadau Saesneg; ac yn Ysgol y Babanod yr oedd dau ddosbarth o Gymry. Calonogol felly oedd geiriau'r Cyfarwyddwr mewn llythyr a ysgrifennodd at y rhieni ar y 25ain o Fedi, 1970 wrth iddo sôn am gynlluniau hir dymor: *'Consideration has also been given to long term proposals for the establishment of a Welsh school in the area, and I hope that within the next year or so it will be possible to establish a school in suitable premises, when these become available, so that the four Welsh classes will be able to expand and develop into a reasonably sized school'.*

Uned Gymraeg Cwmbrân – Ysgol Gymraeg Cwmbrân

Erbyn mis Mawrth 1971 aeth si ar led mai bwriad yr AALl oedd rhannu Uned Risca a sefydlu uned yng Nghwmbrân i wasanaethu'r teuluoedd hynny o ochrau dwyreiniol dalgylch Risca. Brwydrodd y rhieni'n ddewr yn erbyn y cynllun, ond er gwaethaf eu hymdrechion, ym mis Medi 1971, symudwyd 14 o blant ac un athrawes, Mrs Marian Evans, i Ganolfan Athrawon Hen Gwmbrân, hen adeilad anaddas a dweud y lleiaf. Penodwyd Mrs Eira Davies i gynorthwyo Mrs Evans. Protestiodd y rhieni yn erbyn y sefyllfa ac fe wrthododd dau deulu anfon eu plant i'r uned newydd am gyfnod, ond yn y pen draw bu'n rhaid derbyn penderfyniad yr AALl, a chydymffurfio. Mae geiriau cyn Gyfarwyddwr Addysg Sir Fynwy, y diweddar Mr T. M. Morgan yn ei lyfr, *Monmouthshire Education 1889–1974* yn anghywir – '*It was not long before there was enough interest in Cwmbrân for the Cwmbrân Welsh Parents' Association to press for Welsh-medium education*'. Nid felly y bu o bell ffordd. Dioddefodd rhai o'r plant, mae'n sicr, gan eu bod ar ddechrau blwyddyn olaf eu haddysg gynradd. Cawsant eu hamddifadu o holl weithgareddau allgyrsiol a bywyd cymdeithasol y gymuned fach yn Risca.

Ymhen blwyddyn, dymchwelwyd y Ganolfan Athrawon a symudwyd yr Uned Gymraeg i Ysgol Gynradd Hollybush, adeilad mawr, modern; ond yn yr adeilad, yn ogystal â'r plant lleol a oedd yn dysgu trwy gyfrwng y Saesneg a'r Uned Gymraeg, yr oedd uned i blant byddar ac uned arall i blant â phroblemau ymddygiad. Erbyn 1976, yr oedd prinder ystafelloedd yn Ysgol Hollybush a symudwyd yr Uned Gymraeg unwaith eto. Ei lleoliad newydd oedd Ysgol y Babanod, St. Dials lle rhoddwyd iddynt ddwy ystafell: Mrs Marian Evans yn dysgu'r babanod a Miss Elizabeth Rees (Mrs James erbyn hyn), athrawes newydd-drwyddedig o Goleg Caerllion, yn dysgu'r plant hŷn.

Llwyddodd yr Uned i ddenu nifer sylweddol o blant ac yn 1991, newidiwyd ei statws a'i throi yn 'Ysgol Gymraeg Cwmbrân'. Penodwyd Mr John Morris yn Brifathro'r ysgol newydd. Erbyn heddiw mae'r ysgol yn llwyddiannus iawn gyda 180 o ddisgyblion ar y gofrestr (50 ohonynt yn y dosbarthiadau meithrin newydd), a chwech o athrawon dan arweiniad sicr Miss Helen Davies.

Uned Pontnewynydd – Ysgol Bryn Onnen

Yn 1985 sefydlwyd Uned Gymraeg Pontnewynydd ar gyfer 35 o blant dan ofal Mrs Gail Baker a Miss Heulwen Smith, a throsglwyddo plant o Gwmbrân iddi. Ymateb cymysg a gafwyd gan y rhieni y tro hwn. Yr oedd staff a rhieni Uned Cwmbrân yn anfodlon iawn colli cynifer o'u plant ond yr oedd rhieni plant Pont-y-pŵl a'r cyffiniau yn weddol hapus â'r cynllun oherwydd yr oedd yn arbed oriau hir o deithio rhwng Pont-y-pŵl a Chwmbrân. Rhoddwyd caniatâd i'r plant hŷn aros yn Uned Cwmbrân i orffen eu haddysg gynradd ac yr oedd hynny'n dderbyniol iawn gan y rhieni.

Disgyblion cyntaf Uned Gymraeg Risca yn 1967, gyda'u hathrawes Mrs Orleana Tyssul Jones.

Yr ysgol wedi tyfu. Dosbarth hŷn gyda Mrs Jones

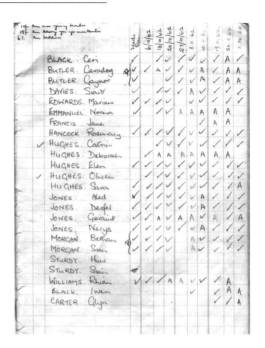

*Tudalen gyntaf cofrestr "ysgol" a gynhaliwyd ar foreuau
Sadwrn yng Nghasnewydd o 1962 ymlaen.*

Staff Ysgol Gwynllyw, Gwent pan agorwyd hi yn 1988.

Aeth yr Uned fach o nerth i nerth gyda chefnogaeth egnïol rhieni a gwaith brwd a thrylwyr Mudiad Ysgolion Meithrin, ac yr oedd hi'n amlwg erbyn dechrau'r naw degau fod eisiau cartref newydd ar yr Uned. Yr oedd cynlluniau ar y gweill gan yr AALl i adeiladu ysgol gynradd newydd yng Ngarndiffaith ac uno dwy ysgol gynradd gyfrwng Saesneg ynddi. Un o'r ysgolion hynny oedd Ysgol Gynradd y Farteg ac ar ôl i'r plant symud allan o'r hen adeilad hwnnw, symudwyd Uned Gymraeg Pontnewynydd yno yn 1995 i ffurfo Ysgol Gymraeg Bryn Onnen. Yr oedd yn yr ysgol newydd 174 o blant, 6 athro a Phrifathrawes, Mrs April Griffiths-Ball.

Uned Gymraeg Casnewydd – Ysgol Gymraeg Casnewydd

Pan agorodd Uned Gymraeg Risca ym mis Ebrill 1967 ysgrifennodd Mrs Sally Hughes, ysgrifenyddes ysgol wirfoddol fore Sadwrn Casnewydd, at Brif Swyddog Addysg y Fwrdeistref yn diolch iddo am ganiatáu i'r plant a'r rhieni ddefnyddio rhan o Ysgol Gynradd Stow Hill a dweud bod yr ysgol fach yn cau am fod Uned Risca wedi agor. Yr oedd rhieni Casnewydd wedi gobeithio cael caniatâd i anfon eu plant i Risca, ryw chwe millitir i ffwrdd, ond nid felly y bu. Gwrthododd Awdurdod Addysg Sir Fynwy gais gan rieni tri phlentyn o Gasnewydd oedd am anfon eu plant i Risca.

Bu'n rhaid dechrau'r ymgyrch yng Nghasnewydd unwaith eto, ac yn 1969 dan arweiniad Mr George Lloyd Williams, sefydlwyd grŵp meithrin yn Ysgol St. John dan ofal Mrs Myfanwy Loudon gyda chymorth Mrs Deilwen Lloyd, Mrs Eirwen Richards a Mrs Rosemary Peploe. Erbyn 1970 yr oedd criw o rieni 'newydd' megis Paul Flynn, Bob Vickery, Jennie Lloyd Griffiths, Peter Lloyd, Ray Morgan, Graham Harrison, Derek ac Elizabeth Jones, Dai Hughes ac eraill – wedi ymuno yn y frwydr ac ym mis Medi 1971, agorwyd Uned Ddwyieithog Casnewydd yn Ysgol Gynradd Clytha gydag 17 o blant dan ofal eu hathrawes, Mrs Anthea Hamilton.

Tyfodd yr Uned dros yr wyth mlynedd nesaf ac erbyn diwedd y saith degau yr oedd hi'n amlwg fod eisiau cartref newydd ar y Cymry, ac felly yn 1981 symudwyd yr 80 o blant i Ysgol Gynradd High Cross gyda thri athro dan arweiniad Mr John Morris.

O fewn deng mlynedd yr oedd poblogaeth yr ysgol wedi tyfu i 250 ac mae hanes y rhieni a'r plant yn ystod y cyfnod cythryblus hwnnw yn haeddu llyfr cyfan, nid paragraff mewn pennod fel hon. Bu'n rhaid iddynt ddioddef pob math o sarhad ac anawsterau di-rif yn ystod y blynyddoedd yn Ysgol High Cross ond o'r diwedd, yn 1993, daeth llwyddiant i'w rhan pan agorwyd Ysgol Gymraeg Casnewydd mewn adeilad newydd sbon ar gyrion y dref a phenodwyd Mr Arwyn Thomas yn Brifathro. Erbyn hyn mae 366 o blant yno, gyda 15 o athrawon dan arweiniad y Brifathrawes, Mrs Gwenda Roberts.

Uned Gymraeg Risca – Uned Gymraeg Pengam – Ysgol Gymraeg Trelyn

Er i'r Uned yn Risca golli nifer sylweddol o'i phlant yn 1971 pan agorwyd Uned Gymraeg Cwmbrân, yn sgil gwaith brwdfrydig y cylchoedd meithrin gwirfoddol ac, yn nes ymlaen, cylchoedd Mudiad Ysgolion Meithrin, cynyddu wnaeth y niferoedd yn ystod y saith degau gan achosi tipyn o ddrwgdeimlad ar ochr rhieni ac athrawon yr ysgol Saesneg. Prinder ystafelloedd addas oedd y broblem fwyaf ac yn wir bu rhaid i un o'r dosbarthiadau Saesneg symud allan o'r prif adeilad a defnyddio neuadd eglwys. Yr oedd y plant ar y ddwy ochr yn dioddef ac yr oedd pwysau o bob cyfeiriad ar yr AALl i ddarparu adeilad ar wahân i'r Cymry. Daeth cyfle i wneud hynny pan agorwyd adeilad newydd ym Mhengam ar gyfer yr Ysgol Gynradd Saesneg gan adael yr hen adeilad yn wag. Felly, ym mis Ebrill 1977, ddeng mlynedd yn union ar ôl iddi gychwyn gyda'i phymtheg disgybl, symudwyd Uned Gymraeg Risca wyth milltir i'r gogledd i Bengam. Yno, er ei bod yn swyddogol yn rhan o ysgol Saesneg, yr oedd y Cymry o dan un to ac yr oedd hi'n bosibl i ryw raddau i'r athrawon hybu Cymreictod a chynnal gweithgareddau trwy gyfrwng y Gymraeg.

Symudodd tua 115 o ddisgyblion a phedair athrawes o Risca i Bengam. Mrs Beryl Virgo oedd Pennaeth yr Uned gan fod Mrs Orleana Tyssul Jones, a wnaethai gymaint o waith arloesol yn y dyddiau cynnar, wedi marw ym mis Hydref 1976. Yr oedd yn athrawes ysbrydoledig a mawr oedd y golled ar ei hôl. Yn 1979 cyflwynwyd tlws coffa yn dwyn ei henw i Eisteddfod Genedlaethol Urdd Gobaith Cymru gan aelodau gwreiddiol Cymdeithas Rhieni Risca fel arwydd o'u parch tuag ati a'u gwerthfawrogiad o'r hyn a wnaeth dros y plant a'r iaith.

Cafwyd amser digon anodd o bryd i'w gilydd ym Mhengam oherwydd agwedd y rhieni a'r staff ar yr ochr Saesneg tuag at y dosbarthiadau Cymraeg. Yr oedd heol yn gwahanu'r ddau adeilad ond yr oedd y Prifathro yn anfodlon caniatáu i'r rhieni Cymraeg gyfarfod a gweithredu fel grŵp ar wahân. Mynnodd mai un gymdeithas rhieni oedd i fod yn yr Ysgol ac yr oedd hi'n anodd iawn i rieni'r Uned Gymraeg drefnu gweithgareddau i hybu'r achos yn yr ardal.

Ond, 'er gwaethaf pawb a phopeth', llwyddo a wnaeth yr Uned ac yn 1991, penodwyd Mrs Anne Hughes i fod yn Brifathrawes yr ysgol Gymraeg newydd a ffurfiwyd gan yr AALl, sef Ysgol Gymraeg Trelyn. Yno heddiw mae 215 o blant a 9 o athrawon ac mae'n cynnwys dosbarth meithrin llewyrchus.

Uned Gymraeg Sofrydd – Ysgol Gymraeg Cwm Gwyddon

Yn 1974, newidiodd dalgylch Uned Risca/Pengam ychydig gan fod Casnewydd a Sir Fynwy bellach yng Ngwent ac fe aeth rhai o blant Risca a'r cyffiniau i Uned Gymraeg Casnewydd oherwydd bod Casnewydd yn nes at Risca na Phengam. Collwyd rhai o'r plant ond dal i dyfu wnaeth Uned Pengam ac unwaith eto yr oedd prinder ystafelloedd. Ymateb yr AALl eto oedd rhannu'r plant a'r tro hwn daethpwyd o hyd i ystafelloedd gweigion yn Ysgol Gynradd Sofrydd nid nepell o Grymlyn a Hafodyrynys. Agorwyd Uned Gymraeg Sofrydd yn 1985 â Mrs Gloria Jones wrth y llyw a Mr Rhys Harries yn ei chynorthwyo. Yr oedd y 22 plentyn a oedd ar y gofrestr yn byw yn ardaloedd Trecelyn, Abertyleri, Aber-carn, Cross Keys a Phentwyn-mawr.

O fewn pum mlynedd yr oedd eisiau cartref newydd ar yr Uned am ei bod hithau wedi tyfu'n sylweddol ac erbyn hynny, yr oedd yr AALl wedi dechrau gweithredu eu polisi newydd o greu ysgolion cynradd Cymraeg. Felly, yn 1992 symudwyd Uned Gymraeg Sofrydd i'r adeilad yn Aber-carn a fu'n gartref i Ysgol Gyfun Gwynllyw rhwng 1988 ac 1991 ac agorwyd Ysgol Gymraeg Cwm Gwyddon yno dan Brifathrawiaeth Mrs Gloria Jones gyda phump o athrawon a 108 o blant. Heddiw mae yno 164 o blant gan gynnwys y dosbarth meithrin a phump athro.

Uned Ddwyieithog Bryn-mawr – Uned Gymraeg Bryn-mawr – Ysgol Gymraeg Bryn-mawr

Yn y saith degau cynnar, lansiwyd prosiect gan Gyngor yr Ysgolion i hybu'r iaith Gymraeg mewn ysgolion cynradd cyfrwng Saesneg drwy gyflwyno cynllun i ddysgu grŵp o blant trwy gyfrwng y Gymraeg am hanner diwrnod ysgol a thrwy gyfrwng y Saesneg am yr hanner arall.

Ymunodd Ysgol Gynradd Bryn-mawr (a oedd ar y pryd yn un o ysgolion Sir Frycheiniog) yn y prosiect a bu'r Prifathro, Mr Aelwyn Williams, a oedd yn Gymro Cymraeg, yn gefnogol iawn i'r arbrawf. Ym mis Medi 1971, penodwyd Mrs Rosemary Williams i ddysgu'r 13 o blant a oedd yn y dosbarth cyntaf. Erbyn 1973 yr oedd dwy athrawes wrth y gwaith gyda 23 o blant ac fe'u symudwyd i adeilad Ysgol y Babanod gerllaw oherwydd prinder ystafelloedd yn yr Ysgol Gynradd.

Yn 1974 ad-drefnwyd siroedd Cymru a daeth Bryn-mawr yn rhan o'r Gwent newydd. Yn 1975 newidiwyd yr Uned Ddwyieithog yn Uned Gymraeg swyddogol fel yr unedau Cymraeg eraill a oedd yn bodoli ar y pryd yn Risca, Cwmbrân a Chasnewydd.

Tyfodd yr uned yn gyflym yn ystod y saith degau a'r wyth degau dan arweiniad cadarn Mrs Rosemary Williams, a phan benderfynodd yr AALl adeiladu ysgol gynradd newydd ym Mryn-mawr/Nant-y-glo er mwyn uno pump o'r ysgolion lleol dan yr un to, trafodwyd y posibilrwydd o gynnal yr Uned Gymraeg fel uned yn yr hen adeilad ond yn rhan o'r ysgol newydd. Ym mis Mai 1987 derbyniodd Awdurdod Addysg Gwent adroddiad oedd yn amlinellu'r sefyllfa ym Mryn-mawr/Nant-y-glo. Paratowyd yr adroddiad gan Mr Vaughan M. Williams, Cyfarwyddwr Addysg Cynorthwyol y Sir. Yn fuan wedyn ar yr 21ain o Fai, cyflwynwyd adroddiad arall i'r Pwyllgor Addysg lle cafwyd y brawddegau hanesyddol hyn:

In presenting his report the Director told us that in response to the draft notice which had been submitted to it on this proposal, the Welsh Office had written to express the view that the proposed Welsh unit would have many of the characteristics of a separate school and would cater for at least 100 pupils. Consequently a proposal to provide a Unit which was detached from a school might not be favourably received while the distance between the buildings was too far for it to be linked with the school as a split site school. In view of those comments by the Welsh Office and having regard to the best interests of the children in securing satisfactory educational standards it appeared to the Director that the only suitable proposal would be the conversion of the Welsh Unit into a school in its own right.

After considering the Director's report and the views expressed by all interested parties, and in the light of the views expressed by the Welsh Office we recommend:

a) that the Authority record its appreciation of the courtesy extended to its representatives...

b) that the Authority place on record its appreciation of the hospitality afforded to its representatives by the staff of Brynmawr County Junior and Infants School, Twyncynghordy Nursery School, Nantyglo County Primary School and Winchestown County Primary School;

c) that the size of the nursery unit be 52 places;

d) that the Brynmawr Welsh Unit be converted into a school in its own right;

e) that notices be published in accordance with the provisions of Section 12 of the Education Act 1980.

Yn sgil y datblygiad hwn daeth penderfyniad i gau Ysgol y Babanod yn St. Dials, Cwmbrân (Medi 1989) er mwyn sefydlu Ysgol Gynradd Gymraeg yn yr adeilad. Yn 1991 y digwyddodd hynny a phenodwyd Mrs Dilys Williams yn Brifathrawes ar Ysgol Gymraeg Bryn-mawr gyda 196 o blant ac wyth o staff. Erbyn heddiw, mae 317 o blant (yn cynnwys 22 yn y dosbarth meithrin) a deuddeg athro yn yr Ysgol ac mae Mrs Rosemary Williams yn ôl wrth y llyw.

Yn yr un flwyddyn sefydlwyd ysgolion Cymraeg Trelyn (Pengam) a Chwmbrân. Felly o fewn dwy flynedd yr oedd polisi yr AALl o sefydlu unedau cyfrwng Cymraeg yn hytrach nag ysgolion wedi newid ac o hynny ymlaen cafwyd trafodaethau ynglŷn â statws yr unedau eraill. Daeth unedau Casnewydd a Chwm Gwyddon yn ysgolion yn 1993 a Bryn Onnen yn 1995.

Mae gorfoledd rhieni Gwent yn ystod y cyfnod cyffrous hwn wedi ei recordio yng nghofnodion RHAG.

Ysgol Gymraeg Y Fenni

Yr oedd gan Uned Bryn-mawr ddalgylch eang iawn: y dref ei hun wrth gwrs, Abertyleri, Cwm, Glyn Ebwy, Tredegar a hyd yn oed y Fenni sydd ryw wyth milltir i ffwrdd ar hyd ffordd beryglus Blaenau'r Cymoedd. Yn 1988 nodwyd yng nghofnodion RHAG (a sefydlwyd yn y Sir yn 1985) fod ymgyrch wedi dechrau ym mis Medi y flwyddyn honno i sefydlu uned Gymraeg yn y Fenni. Aeth yr ymgyrch ymlaen am chwe blynedd ond pan ddaeth llwyddiant, yr oedd y fuddugoliaeth yn felys oherwydd, yn y Fenni, am y tro cyntaf yn hanes addysg gynradd Gymraeg yn y Sir, yn sgil gweithredu polisi newydd yr AALl, sefydlwyd ysgol ac nid uned Gymraeg. Agorodd yr ysgol ym mis Medi 1994 yn hen adeilad ysgol fach y Bryn, bedair milltir i'r de-ddwyrain o'r Fenni, gyda 26 o blant dan brifathrawiaeth Mrs Bronwen Green.

Agorwyd yr ysgol unigryw hon gan Awdurdod Addysg Gwent. Erbyn heddiw, mae'n unigryw am reswm arall sef mai hi yw'r unig un o'r saith ysgol Gymraeg a agorwyd gan Went sydd yn awr dan oruchwyliaeth y Sir Fynwy newydd. Mae'r niferoedd yn cynyddu, gyda 71 o blant ar y gofrestr ac mae'r adeilad yn fach iawn. Cyn bo hir fe fydd rhaid i'r AALl ddatrys y problemau a ddaw yn sgil llwyddiant. Sut tybed?

Addysg Uwchradd – Ysgol Gyfun Gwynllyw

Ysgrifennodd rhieni Uned Gymraeg Risca at Gyfarwyddwr Addysg Sir Fynwy yn 1969 i holi ynglŷn ag addysg uwchradd i'w plant. Yn y flwyddyn honno, yr oedd Ysgol Gyfun Rhydfelen yn wyth mlwydd oed a gobaith rhieni Risca oedd y byddai'r plant yn cael caniatâd gan Sir Fynwy i fynd iddi. Crëwyd cysylltiad agos rhwng y rhieni brwdfrydig a Mr Gwilym Humphreys, Prifathro Ysgol Gyfun Rhydfelen, ac â Mrs Lily Richards, y Ddirprwy Brifathrawes. Gwahoddwyd y rhieni i ymweld â'r ysgol yn swyddogol ym mis Mai 1971 a daeth Mr Humphreys a Mrs Richards draw i Risca i siarad â'r rhieni ar sawl achlysur. O'r diwedd cafwyd caniatâd gan Sir Fynwy ac ym mis Medi 1972, dechreuodd y 'criw cyntaf' yn Rhydfelen. Yr oedd rhai ohonynt yn teithio filltiroedd lawer i gyrraedd Pontypridd, o Fagwyr, Llanmartin, Cwmbrân, Pont-y-pŵl, Trecelyn, Cross Keys a Risca. Pwynt diddorol i'w nodi yw bod y plant hyn wedi sefyll arholiad 11+ Sir Fynwy, a'r rhan fwyaf ohonynt wedi llwyddo. O dan gynllun y Sir ar y pryd, wrth iddynt basio'r arholiad, yr oedd y plant hyn wedi chwyddo 'cwota' Ysgol Gynradd Risca Town ac wedi creu cyfle i nifer o blant y dosbarth Saesneg, nad oeddent wedi llwyddo yn yr arholiad, fynychu'r ysgolion gramadeg lleol. Yr oedd llwyddiant plant y dosbarth Cymraeg yn profi i wrthwynebwyr addysg Gymraeg yn y sir nad oedd dysgu trwy gyfrwng yr iaith Gymraeg yn amharu ar gynnydd y plant.

Yr oedd llwyddiant ysgubol Ysgol Gyfun Rhydfelen yn achosi problemau i'r AALl erbyn diwedd y saith degau ac yn 1981 agorwyd Ysgol Gyfun Cwm Rhymni ym Margoed. I'r ysgol honno yr aeth plant Gwent (yr hen Sir Fynwy a hen Fwrdeistref Casnewydd) o 1981 ymlaen nes i'r ysgol honno hefyd wynebu problemau llwyddiant.

O 1985 ymlaen, bu aelodau RHAG Gwent yn trafod yr angen am ysgol uwchradd Gymraeg yn y sir, gan fod nifer fawr o blant yn teithio'r holl ffordd i Fargoed er mwyn derbyn addysg Gymraeg. Yn 1985 cyhoeddodd AALl Morgannwg Ganol na fyddent yn gallu derbyn plant Gwent yn Ysgol Gyfun Cwm Rhymni ar ôl y flwyddyn 1987 oherwydd prinder lle.

Bu'n rhaid i aelodau Pwyllgor Addysg Gwent ystyried a derbyn y ffeithiau a osodwyd ger eu bron ym mis Tachwedd 1986 gan Gyfarwyddwr Addysg Cynorthwyol y Sir, Mr Vaughan M. Williams, a thrafodwyd cynllun i ddarparu addysg uwchradd trwy gyfrwng y Gymraeg yng Ngwent. Trefnwyd cyfarfodydd ym mis Mawrth 1987 i ddarganfod ymateb y cyhoedd ac ym mis Ebrill 1987 gwnaethpwyd y penderfyniad hanesyddol bwysig i sefydlu ysgol uwchradd Gymraeg yng Ngwent a fyddai'n derbyn plant o fis Medi 1988 ymlaen.

Ym mis Mawrth 1988, wedi rhai blynyddoedd fel Dirprwy Brifathrawes yn Ysgol Uwchradd Llysweri, Casnewydd, cefais fy mhenodi yn Brifathrawes yr ysgol newydd a dechreuodd y gwaith pwysig o staffio. Yn fuan wedyn penodwyd Mr Arwel Owen (Ysgol Rhydfelen) yn Ddirprwy Brifathro, Alun Davies (Ysgol Gyfun Cwm Rhymni) yn Bennaeth Cymraeg, Helen Davies (Ysgol Gyfun Llanhari) yn Bennaeth Mathemateg, Ffion Edwards (Ysgol Gyfun Rhydfelen) yn Bennaeth Saesneg, Alun Evans (Ysgol Gyfun Glantaf) yn Bennaeth Technoleg, Betsan Evans (Ysgol Uwchradd Llysweri) yn Bennaeth Cerddoriaeth, Siân James (Ysgol Gyfun Rhydfelen) yn Bennaeth Ieithoedd Modern, Luned Jones (Coleg Caerdydd) yn Athrawes Dechnoleg, Heather Lewis (Ysgol Gyfun Risca) yn Bennaeth Dyniaethau, Rhian Wyn Williams (Ysgol Gyfun Cwm Rhymni) yn Bennaeth Gwyddoniaeth a Gwenan Parri yn Glerc Ysgol.

Bu dod o hyd i adeilad ar gyfer yr ysgol newydd yn broblem o'r dechrau ond yr oedd niferoedd Ysgol Gyfun Cwm-carn yn lleihau, a daeth hen adeilad (ie, 'hen' unwaith eto!) Y Gwyddon, a fu'n gartref am gyfnod i Flynyddoedd 7 ac 8 Ysgol Cwm-carn, yn wag. Nid oedd yr adeilad yma yn cwrdd â gofynion ysgol gyfun ddiwedd yr ugeinfed ganrif o bell ffordd oherwydd hen ysgol i blant cynradd a babanod y pentref ydoedd cyn i'r Sir ddarparu adeilad newydd ar eu cyfer. Ond yn yr adeilad hwnnw y sefydlwyd Ysgol Gyfun Gwynllyw ym mis Medi 1988 a bu rhaid i'r plant a'u hathrawon deithio i ysgolion eraill megis Trecelyn, Cwm-carn a Chefn Wood er mwyn derbyn gwersi Technoleg ac Ymarfer Corff a Chwaraeon oherwydd diffyg adnoddau ar y safle yn Aber-carn. Bu rhaid i rai o'r staff deithio hefyd er mwyn dysgu yn Ysgol Gyfun Risca fel rhan o'u cytundeb â'r Sir am fod cyn lleied o ddisgyblion yn Ysgol Gyfun Gwynllyw yn y blynyddoedd cynnar. Yr oedd hyn wrth gwrs cyn dyddiau Rheoli Ysgolion yn Lleol, a'r Sir, nid y Llywodraethwyr oedd yn rheoli'r math yma o benderfyniad.

Mewn cynllun datblygu a luniwyd gan Gyfarwyddwr Addysg Gwent yn 1989 datgelwyd y ffaith fod cynlluniau ar y gweill i gau rhai o ysgolion y Sir er mwyn arbed arian. Un o'r ysgolion dan fygythiad oedd Ysgol Gyfun Cwm-carn, ysgol lle'r oedd nifer y disgyblion wedi lleihau'n sylweddol. Yn ôl polisi ad-drefnu newydd y Sir, fe fyddai plant Cwm-carn yn cael eu hanfon i ysgolion cyfun eraill yn yr ardal. Ni ddywedwyd yr un gair yn swyddogol ynglŷn â dyfodol yr adeilad a oedd o fewn milltir i Ysgol Gyfun Gwynllyw.

Yn naturiol ddigon, yr oedd rhieni Cwm-carn yn gwrthwynebu'r cynllun i gau'r ysgol a dechreuodd brwydr hir a chaled rhwng rhieni a Llywodraethwyr yr ysgol a'r AALl. O'r diwedd, yn 1990, ar y funud olaf, rhoddwyd caniatâd gan Y Swyddfa Gymreig i'r ysgol eithrio a throi i fod yn Ysgol a Gynhelir â Grant, ac felly, nid oedd yn bosibl i'r AALl ei chau.

Bu'n rhaid i'r Awdurdod Addysg Lleol chwilio am ddatrysiad arall i broblemau Gwynllyw ac ym Mhont-y-pŵl y daethpwyd o hyd i ateb nad oedd yn dderbyniol gan y Llywodraethwyr, na'r staff na'r rhieni! Yn y dref honno yr oedd Ysgol Gyfun Trefddyn (Trevethin) yn dioddef problemau ariannol dybryd am fod nifer y disgyblion wedi lleihau ac yr oedd yr ysgol yn cael ei rhedeg ar ddau safle. Gofynnodd Llywodraethwyr yr ysgol am ganiatâd gan yr AALl i symud y disgyblion a'r staff i un safle er mwyn arbed arian ac fe gytunodd yr AALl ar unwaith. Yr oedd ganddynt yn awr adeilad gwag i'w gynnig i Ysgol Gyfun Gwynllyw.

Saif yr adeilad, a agorwyd fel ysgol uwchradd fodern ar ddechrau'r chwe degau, i fyny ar fryn uchel uwchlaw Pont-y-pŵl. Erbyn diwedd yr wyth degau yr oedd yr AALl wedi ychwanegu 15 o ystafelloedd dysgu mewn cabanau pren 'dros dro' y tu ôl i'r prif adeilad, rhai ohonynt mewn cyflwr gwael iawn. Yn ogystal â hynny, nid oedd yr adeilad gwreiddiol yn ateb gofynion ysgol gyfun yn y naw degau, ond yr oedd e'n adeilad gwag ar safle eang ac yn y pen draw bu rhaid i Lywodraethwyr Gwynllyw dderbyn y cynllun i ad-leoli'r Ysgol yn Nhrefddyn, Pont-y-pŵl.

Gwnaethpwyd tipyn o waith ar yr adeilad a'r cabanau mewn ymdrech i wella'r cyfleusterau ar gyfer disgyblion Gwynllyw ond cyn bod blwyddyn yn mynd heibio, yr oedd adroddiadau'r Brifathrawes at y Llywodraethwyr yn dangos yn glir fod eisiau buddsoddi swm sylweddol o arian er mwyn darparu adeiladau ychwanegol ar y safle ar gyfer nifer o bynciau.

Yn 1993, yn dilyn brwydr hir, enillodd Gwynllyw yr hawl i gadw disgyblion 16+ yn yr ysgol ac i ddarparu cyrsiau galwedigaethol a Safon Uwch ar eu cyfer. Yr oedd hon yn fuddugoliaeth bwysig am resymau amlwg ond fe esgorodd ar fwy o broblemau ynglŷn â lleoedd dysgu.

Ymateb yr AALl oedd darparu rhagor o gabanau ar y safle. Dengys ffigurau'r Brifathrawes yn 1993–1994 fod 62% o wersi'r disgyblion yn cael eu dysgu y tu allan i'r prif adeilad, mewn cabanau a oedd yn oer, yn wlyb ac yn pydru. Yr oedd amgylchiadau gwaith nifer fawr o'r athrawon yn anodd iawn ac yn wir felly y mae hyd heddiw. Rhaid canmol yr athrawon a'r disgyblion am eu hymroddiad a'u goddefgarwch o dan y fath amgylchiadau.

Clustnodwyd swm o arian gan yr AALl i wella'r adnoddau yng Ngwynllyw a dechreuwyd ar y gwaith o adeiladu estyniad i'r prif adeilad, yn darparu labordai, ystafell dechnoleg ac ystafelloedd dysgu. Wrth i'r gwaith fynd ymlaen, daeth yn amlwg nad oedd yr arian ar gael i orffen y gwaith a rhaid oedd edrych ar y cynlluniau unwaith eto, blaenoriaethu a chyfaddawdu. Hyd yma, yn 1998, dair blynedd ar ôl i'r ddau labordy, a'r ystafelloedd Daearyddiaeth a Drama agor, mae llawr uchaf yr estyniad yn dal i fod yn wag a breuddwyd yw'r cynlluniau ar gyfer dymchwel yr hen gabanau a darparu adeilad newydd yn eu lle o hyd!

Mae Gwynllyw wedi tyfu yn ôl y disgwyl ac ym mis Medi 1998 yr oedd 650 o ddisgyblion ar y gofrestr a 49 o athrawon, gyda Mr H. Ellis Griffiths yn Brifathro a Mr Arwel Owen yn Ddirprwy iddo.

Daeth ad-drefnu llywodraeth leol â bygythiadau newydd i boeni Gwynllyw wrth i Sir Gwent gael ei rhannu. Mae cymoedd gorllewinol yr hen sir wedi ymuno â rhan o'r hen Sir Forgannwg Ganol i ffurfio Bwrdeistref Caerffili. Ffurfiwyd Sir Fynwy yn y dwyrain, Bwrdeistref Sirol Blaenau Gwent yn y gogledd, Bwrdeistref Sirol Casnewydd yn y de a Bwrdeistref Sirol Torfaen yn y canol.

Mae'r ysgolion cynradd a enwyd eisoes yn dal i anfon eu disgyblion i Wynllyw ond mae problemau ar y gorwel. Mae un o'r ysgolion cynradd, sef Ysgol Gymraeg Casnewydd, ym Mwrdeistref Sirol Casnewydd tra bod Ysgol Gymraeg Trelyn ac Ysgol Gymraeg Cwm Gwyddon ym Mwrdeistref Sirol Caerffili, Ysgol Gymraeg Bryn-mawr ym Mwrdeistref Sirol Blaenau Gwent, Ysgol Gymraeg Y Fenni yn Sir Fynwy ac Ysgolion Cymraeg Cwmbrân a Bryn Onnen ym Mwrdeistref Sirol Torfaen.

Hyd yn hyn, mae'r Awdurdodau newydd yn parhau i dalu costau teithio disgyblion Gwynllyw ond bob tro y daw sôn am doriadau ariannol ym myd addysg, mae cludiant disgyblion o dan fygythiad.

Eisoes mae sôn am orfodi plant Trelyn a Chwm Gwyddon i fynd i Ysgol Gyfun Cwm Rhymni (sydd yn un o ysgolion Bwrdeistref Sirol Caerffili) pan fydd ei hadeilad newydd yn cael ei gwblhau yn y flwyddyn 2001 ac mae'r Awdurdodau eraill wedi bod yn trafod 'problem' addysg uwchradd trwy gyfrwng y Gymraeg.

Ie wir, buom yn 'broblem' i'r Awdurdodau o'r cychwyn cyntaf ond mae effeithiolrwydd a phoblogrwydd cynyddol addysg Gymraeg wedi profi iddynt nad breuddwydion ffôl oedd gan yr arloeswyr cynnar, brwdfrydig, hyderus hynny ond gweledigaeth glir ac ymroddiad llwyr i ansawdd addysg plant ein gwlad ac i ddiwylliant cyfoethog bro.

O.N. Agorwyd ysgol Gymraeg gyntaf y ganrif newydd (2001) yng Ngwent. Yng Nghil-y-coed, Casgwent, priodol iawn yw'r enw Ysgol y Ffin gan mai rhyw bedair milltir o'r ffin y mae'r ysgol, yn y gornel fwyaf dwyreiniol hon o Gymru. Gyda deunaw o blant, sy'n deyrnged i waith Mudiad Ysgolion Meithrin yn yr ardal, mae'n siŵr y cawn weld ffrwyth y datblygiad calonogol hwn yn Eisteddfod Genedlaethol Casnewydd yn 2004. −Gol.

SIR FFLINT 1949-74 (CLWYD 1974-96)

GRON ELLIS a WYN OWENS

BLWYDDYN gyffrous iawn oedd 1949 yn hanes addysg Sir Fflint pan sefydlwyd yr ysgolion Cymraeg cyntaf yn y sir, ac yn wir, ac eithrio Ysgol Gymraeg Llanelli, y cyntaf drwy Gymru gyfan. Agorwyd dwy ohonynt, Ysgol Dewi Sant, y Rhyl ac Ysgol Glanrafon, yr Wyddgrug fore dydd Mawrth, y 4ydd o Ionawr, ac yna Ysgol Gwenffrwd, Treffynnon ym mis Mai. Sir amrywiol iawn ei phoblogaeth oedd hi gyda'i harfordir Seisnig o'r Rhyl a Phrestatyn – cyrchfan ymwelwyr o ogledd Lloegr – hyd at ganolfannau diwydiannol glo a dur y dwyrain. Yr oedd traddodiad Cymraeg cryf yn yr ardaloedd gwledig ond yr oedd llai na 10% o'r plant ysgol yn medru'r Gymraeg. Mantais fawr Sir Fflint oedd bod ganddi Gyfarwyddwr Addysg egnïol a oedd yn gefnogol iawn i addysg Gymraeg, sef y Dr B. Haydn Williams, a bod ei ddirprwy, Moses J. Jones, yr un mor frwdfrydig dros yr iaith. Er bod cryn wrthwynebiad i'r syniad o addysg Gymraeg, hyd yn oed o blith Cymry Cymraeg, yr oedd Haydn Williams yn deall ei Bwyllgor Addysg i'r dim a chafodd gefnogaeth barod ganddynt i'w gynlluniau. Fel y dywedodd Einon Evans, Pen-y-ffordd amdano:

> Gŵr annwyl ac arweinydd, – a noddwr
> Byd addysg a chrefydd.
> Ein goludog weledydd;
> Un oedd ef o flaen ei ddydd.

Ie, un oedd ef o flaen ei ddydd! Bu ei farw cynnar yn 1965 yn golled fawr i addysg yng Nghymru, ond erbyn hynny yr oedd wedi gosod sylfeini cadarn i addysg Gymraeg yn y gogledd-ddwyrain.

Ysgol Dewi Sant, Y Rhyl

Fe bwysodd Cymmrodorion y Rhyl ar Awdurdod Addysg Sir Fflint i sefydlu ysgol Gymraeg yn y dref a chawsant gefnogaeth y Dr Haydn Williams a'r Pwyllgor Addysg. Fore dydd Mawrth, y 4ydd o Ionawr 1949, croesawyd deg o blant bach i gartref cyntaf yr ysgol, sef rhan o Morfa Hall, Stryd yr Eglwys. Y mes bychain hyn oedd cnewyllyn addysg Gymraeg ardal y Rhyl. Gweithredodd yr ysgol dan adain Mr A T Williams, pennaeth Ysgol Christchurch, gyda Mrs Dilys Bateman yn athrawes. Erbyn mis Medi 1950 yr oedd 39 o ddisgyblion ar y llyfrau ac 133 erbyn 1960. Penodwyd Mr Glyndwr Richards yn brifathro cyntaf Ysgol Dewi Sant ym mis Medi 1963. Rhoddodd wasanaeth clodwiw i'r ysgol am yr ugain mlynedd nesaf.

Yn 1965 newidiodd Pwyllgor Addysg Sir Fflint ei bolisi gan ganiatáu derbyn i'r ysgol blant o gartrefi lle nad oedd ond un rhiant yn siarad Cymraeg. Ychwanegodd hyn at y niferoedd ac ym mis Medi 1969, symudodd yr ysgol i adeilad hen Goleg Epworth, Ffordd Rhuddlan, sef ei safle presennol. Yno y bu Ysgol Glan Clwyd yn lletya rhwng 1956 ac 1969 cyn symud i Lanelwy. Braf oedd cael adeilad urddasol gyda buarth a chaeau eang, ar ôl treulio ugain mlynedd yng nghyfyngder Morfa Hall. Erbyn cyfnod Clwyd, yn 1974, yr oedd nifer y disgyblion dros 300.

Cafodd yr ysgol enw da o'r cychwyn cyntaf a hynny oherwydd safon arbennig yr athrawon a chefnogaeth rhieni o gylch eang iawn – gan gynnwys Llanelwy, Abergele, Diserth, Rhuddlan a Phrestatyn yn ogystal â'r Rhyl ei hunan. Fe werthfawrogir hefyd gyfraniad Mudiad Ysgolion Meithrin yn y blynyddoedd diweddaraf.

Wedi ymddeoliad Glyndwr Richards penodwyd Gwynfor Jones, a fu'n ddirprwy i Glyndwr am nifer o flynyddoedd, yn olynydd teilwng iddo ym mis Ionawr 1984 a gwelodd yntau'r niferoedd yn carlamu ymlaen heibio'r 400. Daeth Alun Coetmor Jones yn bennaeth ym mis

Medi 1995 a bu Catherine Williams ac yna Gwyneth Littler Jones yn ddirprwyon rhagorol iawn dros y blynyddoedd diwethaf hyn.

Ysgol Glanrafon, yr Wyddgrug

Yr oedd rhieni'r Wyddgrug hefyd yn awyddus i gael Ysgol Gymraeg yn y dref. Fel yn y Rhyl agorwyd yr ysgol ddydd Mawrth, y 4ydd o Ionawr 1949, fel rhan o Ysgol Gynradd Sirol yr Wyddgrug, a hynny yn ysgoldy Capel Bethesda, yr Wyddgrug. Yr oedd yno ystafell fawr ac un fach gyfagos, dodrefn newydd wedi eu pwrcasu'n arbennig, ac athrawes ifanc, Mair Davies, i groesawu'r wyth plentyn a gyrhaeddod y bore hwnnw. Penodwyd hi yn athrawes i ofalu am yr Ysgol Gymraeg hyd nes y penodwyd Ron Parry yn aelod o'r staff yn 1955. Penodwyd ef yn brifathro yn 1962 a bu Mair ac yntau yn cydweithio yn yr ysgol nes iddynt ymddeol yn yr wyth degau.

Ysgol i blant Cymry Cymraeg ydoedd ar y dechrau ond buan y daeth diddordeb o du'r di-Gymraeg yn ogystal. O fewn deng mlynedd, yr oedd nifer y disgyblion wedi cyrraedd 98. Rhoddodd sefydlu ysgol uwchradd Maes Garmon yn 1961 hyder newydd i addysg Gymraeg y fro, ac erbyn 1969 tyfodd nifer y disgyblion i 226. Symudwyd i'r adeilad presennol ar Lôn Bryn Coch yn 1975. Cafodd yr ysgol hon hefyd enw da o'r cychwyn cyntaf yn rhinwedd safon ei hathrawon a'i rhieni cefnogol. Elwyn Parry Roberts oedd olynydd Ron Parry yn 1984 pan oedd y niferoedd wedi codi dros 430. Trosglwyddodd yntau'r awenau i Llinos Mary Jones yn 1997.

Ysgol Gwenffrwd, Treffynnon

Ysgol yw hon a gafodd ei henw ar ôl bardd ifanc o'r enw Thomas Lloyd Jones (1810–34) a arferai ddefnyddio 'Gwenffrwd' fel ffug enw wrth gystadlu. Rhoddodd ei enw yn ogystal i gartref henoed y dref, Llys Gwenffrwd ac i Ffordd Gwenffrwd, er mai marw yn ifanc o'r clwy melyn yn America fu ei hanes.

Yn dilyn brwydro hir, ac yn nannedd gwrthwynebu lleol ffyrnig dros sawl blwyddyn, llwyddwyd, gyda gwelediglaeth heintus y Cyfarwyddwr Addysg, i gael y maen i'r wal megis. Ymddangosodd hysbysiad yn y papurau lleol yng ngwanwyn 1949 yn gwahodd rhieni Cymry Cymraeg y fro i gofrestru eu plant yn Ysgol Gymraeg Treffynnon. Ie, bore cyffrous oedd hwnnw ym mis Mai 1949 yn ysgoldy Capel Rehoboth, Treffynnon – dan adain Ysgol Halkyn Street (Ysgol y Fron bellach) a'i phennaeth, y diweddar W. E. Williams – pryd y daeth wyth o blant bach ynghyd dan ofal athrawes ifanc, Lisa Rowlands (Lisa Erfyl wedyn). Gweithred arall o ffydd oedd hon gan wybod bod yr ysgolion a agorodd eu drysau ym mis Ionawr yn mynd o nerth i nerth. Tyfodd yr ysgol yn gyson ac y mae yno bellach dros 300 o blant.

Dyma ysgol a fu'n eithriadol o ffodus yn ei phrifathrawon dros y blynyddoedd: Bob Roberts, y dramodydd (1958–61), Morien Phillips (1961–67), Wyn Owens (1968–74), Gron Ellis (1975–97) a Moi Parri yn llenwi'r swydd rhwng 1988 ac 1991. Iola Owen yw'r pennaeth presennol.

Erbyn hyn, mae Ysgol Gwenffrwd yn ymgartrefu yn ei chweched adeilad!

Nid hawdd ydoedd cael adeilad newydd i ysgol Gymraeg yn y dyddiau cynnar. O ysgoldy Capel Rehoboth, bu am beth amser mewn *annexe* ar fuarth Ysgol Halkyn Street cyn symud eto i'r *Art Rooms* ger yr Ysgol Ramadeg. Yna i adeilad Ysgol Spring Gardens, adeilad o 'werth hanesyddol' a welir bellach ym Mharc Treftadaeth Dyffryn Maes-glas! Gwellodd pethau yn 1975 pan symudodd dwy ysgol, Ysgol Gymraeg Gwenffrwd ac Ysgol y Santes Gwenfrewi (Ysgol Babyddol y dre) i rannu campws newydd sbon. Adeiladau cynllun agored oeddynt, y rheiny'n plesio ambell un ac yn fwrn ar athrawon traddodiadol. Palas o le oedd hwn, ond oherwydd bod yr ysgol yn tyfu yn gyflym, buan yr aeth yn rhy fach. O ganlyniad, ym mis Ionawr 1985 cafodd yr ysgol feddiannu hen adeilad Ysgol Uwchradd y Cwfaint, Treffynnon. Yr oedd hwn yn adeilad sylweddol a rhagorol iawn ac yn destun cenfigen i athrawon eraill!

Ysgol Gymraeg Coed Talon / Terrig, Treuddyn

Sefydlwyd Ysgol Gynradd Coed Talon fel Ysgol Gymraeg yn 1950 dan y pennaeth, Hywel Roberts, a arferai feicio i'r ysgol bob dydd o Shotton! (Dywedir iddo brynu car ar ôl ymddeol!) Gyda chymorth athrawon brwd fel Caradog Hayes, Cludwen Parry a Harriet Roberts, llwyddwyd i osod sylfeini diogel i addysg Gymraeg yn y fro. O ganlyniad i ad-drefniant yn yr ardal fe benderfynwyd mai Ysgol Terrig, Treuddyn fyddai lleoliad yr Ysgol Gymraeg ac fe sefydlwyd yr ysgol honno yn 1952. Cyd-rhwng y disgyblion hyn o Ysgol Coed Talon ac o Ysgol yr Eglwys, Treuddyn – a oedd yn cau – yr oedd oddeutu 112 o ddisgyblion yn Ysgol Terrig.

Pennaeth cyntaf yr ysgol dan y drefn newydd oedd Kelly Williams (prifathro'r ysgol eglwys, a chymeriad mawr arall) a dilynwyd ef gan Mr Aubrey (1965–68), Derfel Gruffydd (1968–77), Tecwyn Jones (1977–90) a Gwyn Griffiths.

Erbyn mis Medi 1992 gwelwyd addysg y plwyf yn newid unwaith eto gyda dyfodiad Ysgol Parc y Llan (hen ysgol Coed Talon) i rannu'r un safle ag Ysgol Terrig a Chanolfan Ieuenctid y Pentref o dan yr unto, ond erys y ddwy ysgol yn hollol annibynnol. Mawr yw'r gefnogaeth i addysg Gymraeg a'r Gymraeg yn gyffredinol o fewn y gymuned fechan hon, gyda thros 50 o deuluoedd yn bwydo'r ysgol. Er bod un rhiant yn medru'r Gymraeg yn y rhan fwyaf o'r teuluoedd, Saesneg yw prif gyfrwng cartrefi'r plant. Erbyn hyn mae yna 90 o blant yn yr ysgol.

Arbrawf arall gan Haydn Williams yn 1950 oedd sefydlu dosbarth Cymraeg yn Queensferry, yn agos iawn i'r ffin â Lloegr. Cychwynnwyd yn addawol gyda 12 o blant ond ymhen tair blynedd nid oedd wedi cynyddu i fwy nag 16, ac felly trosglwyddwyd y plant i Ysgol Glanrafon, yr Wyddgrug. Erbyn heddiw mae Ysgol Croes Atti, y Fflint yn gwasanaethu'r un ardal.

Ysgol Mornant, Ffynnongroyw (Gwesbyr / Picton)

Ar ddechrau'r pum degau yr oedd ysgol fabanod Saesneg yn Ffynnongroyw ac ynddi nifer o Gymry bach Cymraeg eu hiaith. Bu trin a thrafod brwd rhwng 1949 ac 1953 gyda golwg ar sefydlu ysgol Gymraeg yn y pentref. Yn 1954 fe sefydlwyd Ysgol Gymraeg yn ysgol fabanod y pentref a phenodwyd Rhys Jones, y cerddor a'r cyfeilydd, yn bennaeth cyntaf arni. Yr oedd yno 72 o ddisgyblion, y mwyafrif yn Gymry Cymraeg, dan ofal tri o athrawon. Mabwysiadwyd yr enw Ysgol Mornant yn ddiweddarach.

Yr oedd bwriad i adeilad newydd ym Mhen-y-ffordd, hanner milltir o Ffynnongroyw, fod yn gartref i'r Ysgol Gymraeg yn 1960, ond nis cyflawnwyd. Yn 1961, fe benodwyd Rhys Jones yn ddirprwy bennaeth Ysgol Maes Garmon, yr Wyddgrug – ysgol uwchradd Gymraeg newydd, a daeth Eifion Tudno Jones yn bennaeth Ysgol Mornant a bu yno am ddeng mlynedd. Dilynwyd ef yn ei dro gan Geraint Jones Evans.

Yn 1971 daeth adeilad ysgol yn rhydd ym mhentref Gwesbyr (Picton), ryw ddwy filltir i ffwrdd. Er nad oedd y rhieni yn llwyr gytuno â'r symudiad hwnnw, buan y gwelsant fod y cartref newydd yn welliant mawr. Dyma pryd yr ehangodd yr ysgol ei gorwelion drwy ledu'r dalgylch, a daeth ysgol dau bentref; Ffynnongroyw a Phen-y-ffordd yn ysgol i ddalgylch ehangach o lawer gan gynnwys Glanyrafon, Trelogan, Trelawnyd, Llanasa, Gwesbyr, Gronant, a Thalacre.

Canlyniad hyn oedd i ganran y rhieni di-Gymraeg gynyddu i 98%. Eto, ni fu eu gwell o ran brwdfrydedd a chefnogaeth i'r addysg Gymraeg a gyflwynwyd i'w plant. Yr oedd nifer y plant wedi cyrraedd 80 o fewn yr ugain mlynedd cyntaf. Ymddeolodd Geraint yn 1998 wedi iddo gyflawni 27 o flynyddoedd yn bennaeth ym Mornant, a nifer y disgyblion yn dynesu at y 90. Penodwyd Ann Jones yn ei le.

Ysgol Gymraeg y Fflint
(Ysgol Croes Atti erbyn heddiw)

Fe gychwynnodd addysg gyfrwng Cymraeg yn y Fflint mewn caban yng nghornel buarth Ysgol Babanod Heol Caer ym mis Medi 1964. Y pennaeth oedd Mair H. Richards, gyda Ffuonwen Roberts yn athrawes gyntaf yr Uned Gymraeg a Morwenna Luke yn weinyddes feithrin. Daeth yno 25 o blant rhieni brwd dros addysg Gymraeg. O fewn pum mlynedd yr oedd nifer y disgyblion wedi tyfu i 150, a hynny mewn ardal hollol Seisnig.

O flwyddyn i flwyddyn ac o gaban i gaban fe dyfodd yr Uned Gymraeg o fewn yr ysgol. Sylweddolwyd nad oedd digon o le ar y safle bellach i gynifer o blant. Ym mis Hydref 1986, ar benderfyniad y Swyddfa Gymreig, fe symudwyd plant yr adran Saesneg i Ysgol y Gwynedd, dafliad carreg i fyny'r ffordd.

Yna, aethpwyd ati i adnewyddu'r hen adeilad briciau coch yn gartref teilwng i Ysgol Gymraeg Heol Caer. Cwblhawyd y gwaith hwn yn haf 1987, ac ymgartrefodd y plant ar eu haelwyd newydd ym mis Medi 1987.

Erbyn hyn, yr oedd ganddynt adeilad addas ar gyfer addysg gweddill yr wyth degau a'r naw degau.

Wrth gwrs, yr oedd rhaid i ysgol newydd gael enw newydd. Gyda chymorth y papurau lleol a'r radio cafwyd awgrymiadau di-ben-draw. Yn y diwedd penderfynwyd ar yr enw, Ysgol Croes Atti, ar ôl hen safle hanesyddol oedd nid nepell o leoliad yr ysgol. Erbyn heddiw, mae tua 250 o blant Glannau Dyfrdwy yn derbyn eu haddysg drwy gyfrwng y Gymraeg yn Ysgol Croes Atti cyn trosglwyddo i Ysgol Uwchradd Maes Garmon, yr Wyddgrug.

Mair Richards, y pennaeth cyntaf, fu yn arwain o 1964 hyd 1983. Fe'i dilynwyd gan Ieuan Lloyd Roberts (1984–1989), Alun Coetmor Jones (1989–1995) a John Kerfoot Jones.

Ysgol y Llys, Prestatyn

Agorwyd yr ysgol hon yn gyntaf oll fel Uned Gymraeg Bodnant yn 1972 gyda phymtheg o ddisgyblion dan ofal Beryl Roberts. Symudwyd i'r adeilad presennol, hen adeilad ysgol breswyl St Chads yn Princes Avenue, Prestatyn, yn 1974. Pan ddaeth Clwyd i fodolaeth yr oedd 115 o blant ar y llyfrau ac fe benodwyd Gwilym Hefin Williams yn bennaeth, gyda Beryl Roberts yn ddirprwy iddo.

Tyfodd yr ysgol yn gyson dros y blynyddoedd, ac erbyn mis Medi 1993, pryd yr ymddeolodd Gwilym ac y penodwyd Eurwen Hulmston yn olynydd iddo, yr oedd nifer y plant wedi cynyddu i 240. Daw 95% o blant yr ysgol o gartrefi di-Gymraeg, ffigwr a arhosodd yn sefydlog.

Ugain mlynedd yn ôl gwelai rhieni fod angen neuadd ar yr ysgol. Cawsant afael ar hen neuadd bentref Llanasa, adeilad o goed a sinc, a'i symud bob yn ddarn i'w ailgodi ar safle'r ysgol. Erbyn hyn mae'r rhieni wedi lansio ymgyrch i godi cronfa o £200,000 i gael neuadd newydd i'r ysgol. Mae'r gronfa eisoes yn un sylweddol iawn. Dyma enghraifft wych o weithgarwch ymarferol rhieni cefnogol i addysg Gymraeg ar y glannau.

Ysgol Tremeirchion

Hen ysgol eglwys yw Ysgol Tremeirchion â'r flwyddyn 1867 i'w gweld yn glir ar wal yr ysgol. Bu'n ysgol bentref am ganrif a mwy yn darparu

Mr Peter Thomas, Ysgrifennydd Gwladol Cymru ar ymweliad ag Ysgol Glan Clwyd ar ddechrau'r saithdegau (ar y dde). Y Prifathro (1963-1985) Mr Desmond Healey yn agosaf ato a Mr John Howard Davies, Cyfarwyddwr Addysg Clwyd (yn ddiweddarach) yn y cefn ar y chwith.

Desmond Healey yn cyflwyno tysteb i Gilmor Griffiths, athro cerddoriaeth dawnus Ysgol Glan Clwyd.

209

Rhai o ddisgyblion Ysgol Glan Clwyd yn plannu coeden i nodi ymddeoliad y prifathro, Desmond Healey, 1985. Mae'r goeden bellach dros ddeg troedfedd o uchder!

Agor adeiladau newydd Ysgol Maes Garmon, Yr Wyddgrug, yn 1962. Yn y llun gwelir Y Cyfarwyddwr Addysg, Dr Haydn Williams (8fed or chwith), ei ddirprwy Moses Jones (ail or chwith), y Cyng. Armon Ellis (yn y canol), y prifathro Elwyn Evans(ar y dde iddo) a'r Parch Eirian Davies (ar y pen ar y dde).

Plant Ysgol Maes Garmon yn perfformio'r sioe gerdd 'Y Dewin Oz' yn Theatr Clwyd yn 1984.

Plant Ysgol Maes Garmon yn pefformio'r sioe gerdd wreiddiol "Wilco" – hanes y diwydiannwr John Wilkinson o'r Bers, cerddoriaeth Eirian Williams – yn Theatr Clwyd yn 1994.

Y plentyn hynaf ym mhob dosbarth yn Ysgol Gwenffrwd, Treffynnon yn dathlu hanner can mlwyddiant yr ysgol yn 1999: Rachel, Dafydd, Steffan, Huw, Sam, Dewi a Danielle.

212

Plant Ysgol Heol Gaer, Fflint (Ysgol Croes Atti erbyn heddiw) yn cyflwyno siec sylweddol iawn i Eisteddfod Genedlaethol yr Urdd a gynhaliwyd yn yr Wyddgrug yn 1984.

addysg ar gyfer yr oedran 4–11. Arferai adran y plant bach gael addysg drwy gyfrwng y Gymraeg a'r adran iau drwy gyfrwng y Saesneg. Fe gofia un cynddisgybl mai rhyw un wers Gymraeg y mis fyddai'r drefn arferol.

Gwnaed cynigiad yn 1960 y dylid cau'r ysgol oherwydd y niferoedd isel. Cafodd y pennaeth ei symud i'r Rhyl, ond fe frwydrodd y rhieni i gadw'r ysgol ar agor i'r plant bach. Ac ar agor y bu a'r plant yn derbyn eu haddysg drwy gyfrwng y Gymraeg. Erbyn 1974 yr oedd cynnydd yn nifer y plant yn yr ardal, a'r rhieni yn eu hanfon i ysgolion Rhuallt, Bodfari a Dewi Sant, y Rhyl pan gyrhaeddent eu saith mlwydd oed. Dyna pryd y penderfynodd Awdurdod newydd Clwyd ailagor yr adran iau, a rhoi i'r ysgol statws ysgol Gymraeg benodedig.

Penodwyd Terry C. Bryer yn bennaeth yn 1975 ac fe fu yn y swydd tan 1983. Daeth R. Alun Williams yn olynydd iddo ac ar ei ymadawiad yntau yn 1994 fe benodwyd Geraint Roberts i'r swydd. Tyfodd y 37 disgybl yn nyddiau cynnar Clwyd yn 60 disgybl erbyn diwedd y naw degau.

ADDYSG UWCHRADD

Ysgol Glan Clwyd

Digwyddiad hanesyddol yn wir oedd achlysur agor yr ysgol uwchradd Gymraeg gyntaf yng Nghymru a honno yn yr hen Sir Fflint ym mis Medi 1956. Yr oedd rhai rhieni a chymdeithasau wedi galw am addysg uwchradd Gymraeg i'w plant wedi iddynt adael yr ysgolion cynradd Cymraeg, ond yr oedd angen argyhoeddiad gŵr fel y Dr Haydn Williams i fynd â'r maen i'r wal. Fe welai ef fod angen ysgol uwchradd a fyddai yn drwyadl Gymreig ei hawyrgylch, ei gweinyddiaeth, a'i haddysgu mewn rhai pynciau o leiaf. Do, fe fynnodd y Dr Haydn ddarbwyllo rhieni a chynghorwyr a'r fro yn gyffredinol a sefydlu ysgol o'r fath. Cymwynas oedd hon ar ran Cymru gyfan. Cofiwn pa mor Seisnig eu natur ydoedd ysgolion uwchradd, hyd yn oed yn yr ardaloedd mwyaf Cymreig, yn y cyfnod hwnnw.

Yn adeiladau Ysgol Emmanuel, y Rhyl y cychwynnodd y daith ac yno bu'r ysgol – 95 o ddisgyblion – am gyfnod, cyn symud i adeilad

Coleg Epworth, Ffordd Rhuddlan, pan ddaeth hwnnw yn wag ym mis Medi 1957. Ar y cychwyn ysgol ddwyieithog, ddwyochrog oedd â ffrydiau Gramadeg a Modern. Cyn bo hir, daeth yn ysgol gyfun lawn, ac yn ysgol Gymraeg.

Y pennaeth cyntaf oedd Haydn Thomas, pennaeth Adran y Gymraeg yn Ysgol Ramadeg y Rhyl ar y pryd. Cytunodd i gais y Dr Haydn Williams i ofalu am yr ysgol newydd gyda'i 95 disgybl, 12 o athrawon ac ysgrifenyddes. Bu'n bennaeth arloesol o fis Medi 1956 hyd fis Rhagfyr 1963. Yr adeg honno, hyd yn oed, yr oedd tua 40% o'r disgyblion o gartrefi lle na siaredid y Gymraeg o gwbl. Rhai pynciau'n unig a gynigiwyd drwy'r Gymraeg er nad oedd geirfa addas ar gyfer rhai ohonynt. Astudiwyd y pynciau eraill megis mathemateg a gwyddoniaeth drwy gyfrwng y Saesneg. Y dirprwy dros y blynyddoedd cynnar hyn oedd Norman Williams ac yn ddiweddarach ymunodd Mair Kitchener Davies fel yr ail ddirprwy.

Ar ymadawiad Haydn Thomas, fe benodwyd Desmond Healy i'w olynu ym mis Ionawr 1964, a nifer y disgyblion bellach wedi cyrraedd 365. Tua'r adeg honno, caniatawyd i rai disgyblion groesi'r ffin megis, o Sir Ddinbych i fynychu Ysgol Glan Clwyd.

Yn 1967 y penodwyd Mairlyn Lewis yn ddirprwy ar ymadawiad Mair Kitchener. Cafwyd ail-drefnu addysg uwchradd Sir Fflint y flwyddyn honno gyda'r ysgolion yn troi'n ysgolion cyfun. Fe gaewyd Ysgol Ramadeg Llanelwy a sefydlu Ysgol Uwchradd Gyfun Prestatyn. O ganlyniad, fe drosglwyddwyd Ysgol Glan Clwyd i hen adeilad Ysgol Ramadeg Llanelwy ym mis Medi 1969 gyda bron i 500 o blant, a 27 o athrawon. Cychwynnwyd ar raglen adeiladu sylweddol ac 'yng nghanol sŵn, llwch a llanast' chwedl Desmond Healy, y buont tan 1972.

Pan ddaeth Clwyd i fodolaeth yng ngwanwyn 1974 yr oedd Ysgol Glan Clwyd yn ddeunaw oed ac yn mynd o nerth i nerth dan arweiniad Desmond Healy, a niferoedd y disgyblion ar gyrraedd 1,100. Erbyn hyn yr oedd yn ysgol gyfun gyflawn yn dysgu pob pwnc dan haul trwy'r Gymraeg gan gynnwys gwyddoniaeth, technoleg ac ieithoedd modern.

Cyfnod unigryw yn hanes Ysgol Glan Clwyd oedd y pedair blynedd o 1976 hyd 1980, pan fu rhaid i 204 o ddisgyblion, naw o athrawon, pedair o ferched y gegin ac un gofalwr ymgartrefu yn hen wersyll milwrol Cinmel oherwydd prinder lle ar safle Llanelwy. Dywed Mairlyn Lewis, pennaeth safle Cinmel, mai profiad chwithig iawn oedd gadael y lle rhyfeddol hwnnw yn haf 1980.

Deuai nifer sylweddol o ddisgyblion i Lan Clwyd o Wynedd – o Benmaenmawr, Conwy a Llandudno – a hynny cyn dyddiau'r A55. Cytunodd Clwyd a Gwynedd i agor ysgol uwchradd Gymraeg newydd ar y cyd, ac agorwyd Ysgol y Creuddyn, rhwng Llandudno a Bae Colwyn, yn 1981 (Gweler Pennod 19). Dyma pryd yr ail-ddiffiniwyd dalgylch Ysgol Glan Clwyd. Yr oedd pawb i'r gorllewin o linell a dynnwyd rhwng Abergele a Llansannan mwyach i fynychu Ysgol y Creuddyn. Ysgafnhaodd hynny'r baich ar Lan Clwyd a syrthiodd y niferoedd o 1,200 i tua 900.

Penodwyd Glyn M. Jones yn olynydd i Desmond Healy pan ymddeolodd yn 1985, wedi wyth mlynedd fel dirprwy brifathro cyn hynny. Wynebai gyfnod o newidiadau mawr megis derbyn cyfrifoldeb am gyllid yr ysgol a chyflwyno'r Cwricwlwm Cenedlaethol. Pan ymddeolodd Glyn yn 1993 gallai ymfalchïo yn y ffaith ei fod wedi gosod yr ysgol yn ddiogel ar lwybrau newydd.

A dewis un yn unig o staff ymroddgar ac arloesol Ysgol Glan Clwyd, mae'n werth cofio am gyfraniad unigryw y dewin cerddorol hwnnw, Gilmor Griffiths, un o'r pump athro gwreiddiol, a'r mwyaf gwreiddiol ohonynt i gyd. Dan ei arweiniad daeth côr yr ysgol yn adnabyddus ledled Cymru gyfan drwy gyfrwng y radio a'r teledu. Gwerthwyd mil o gopïau o'r record gyntaf honno, *Ganwyd Crist i'r byd* yn 1975, a hynny o fewn mis. Cofiadwy hefyd ydoedd ei 'Garolau' yn yr Eglwys Gadeiriol bob Nadolig. Rhan o'i gyfrinach ydoedd dawn anhygoel Gilmor i gyfansoddi alawon soniarus a chofiadwy ac, wrth gwrs, ei hoffter o blant. Bu Gilmor ar staff yr ysgol am 26 blynedd, hyd 1982, a bu ei farwolaeth ar y 26ain o Orffennaf 1985 yn golled enfawr i aelwyd, bro a chenedl.

Meurig Rees oedd olynydd Glyn Jones yn 1993. Y nod i'r dyfodol yw sicrhau bod mwy o bynciau yn cael eu dysgu a'u harholi drwy gyfrwng y Gymraeg. Gobeithir hefyd medru cynnal yr ysfa honno am gryfhau'r gweithgareddau allgyrsiol. Ond, yn bwysicaf oll efallai, hyrwyddo awyrgylch gartrefol a chynnig aelwyd gynnes Gymraeg.

Mae ar y genedl ddyled i'r fesen unigryw hon! Chwedl Desmond Healy yn *Llyfryn Dathlu 40 Mlynedd Cyntaf Ysgol Glan Clwyd*: ' Erbyn hyn mae'r fesen fach a blannwyd yn y Rhyl wedi gwreiddio'n ddwfn a thyfu'n uchel gan fwrw'i chysgod dros Gymru gyfan. Oni bai amdani hi, Ysgol Glan Clwyd, ni fyddai Awdurdodau Addysg gweddill Cymru wedi mentro arddel y fath egwyddor addysgol radical.'

Ysgol Maes Garmon, yr Wyddgrug

O ganlyniad i frwydro dwys gan rieni a darpar rieni, ynghyd â'r Cynghorwyr Ifor Morgan, Tom Jones, John Davies ac eraill, ac, wrth gwrs, drwy weledigaeth y Cyfarwyddwr Addysg, y diweddar Ddr B. Haydn Williams a'i olynydd, Moses Jones, y gwireddwyd breuddwyd arall sef sefydlu Ysgol Maes Garmon ym mis Medi 1961. Dilyniant naturiol i sefydlu Ysgol Glan Clwyd oedd hyn i wasanaethu ysgolion Glanrafon, Terrig Treuddyn a Gwenffrwd, Treffynnon. Ei chartref cyntaf oedd hen adeilad Ysgol Glanrafon yn Ffordd Glanrafon, yr Wyddgrug, cyn symud i'r adeilad presennol ar ben Stryd Conwy oddi ar Ffordd Wrecsam.

Elwyn Evans oedd ei phennaeth cyntaf, gyda Rhys Jones a fu'n bennaeth Ysgol Mornant Ffynnongroyw, yn ddirprwy iddo. Gosodwyd yr ysgol ar sylfeini cadarn gan yr arloeswyr hyn cyn i'r pennaeth gael dyrchafiad i fod yn Swyddog Addysg yn 1969. Dyna pryd y penodwyd Aled Lloyd Davies yn bennaeth. Bu wrthi hyd 1985 yn llywio'r fenter arloesol hon yn nhref Daniel Owen. Cynyddodd nifer y disgyblion i 350 erbyn 1972.

Yn 1973 cychwynnwyd cwrs carlam ar gyfer disgyblion a oedd yn dymuno derbyn addysg drwy'r Gymraeg, ond nad oeddent wedi derbyn addysg cyn 11 mlwydd oed drwy'r Gymraeg (ac eithrio mewn gwersi ail-iaith). Tyfodd y cynllun hwn, â 50–60 o ddisgyblion yn manteisio ar y cyfle bob blwyddyn erbyn 1976. Yn naturiol, i gyfarfod â'r gwaith dwys oedd yn angenrheidiol mewn sefyllfa o'r fath, yr oedd angen trefnu cymhareb staffio addas a hyfforddi staff arbenigol i ddysgu pwnc a dysgu iaith ar yr un pryd.

Un o brosiectau mawr cyntaf Awdurdod Addysg Clwyd yn 1975 oedd ychwanegu at yr adeilad hwn a chreu campws mawr ar gyfer dwy ysgol, sef cartref, yn ogystal, i Ysgol Uwchradd yr Alun.

Erbyn 1982 yr oedd niferoedd y disgyblion wedi cyrraedd 930. Ar ymadawiad Aled Lloyd Davies yn 1985 i ymgymryd â phrosiectau cwricwlaidd yn Neuadd y Sir daeth ei olynydd, Huw Lewis, i'r tresi o 1986–1990, a Philip H. Davies (1991–1997) a Huw Alun Roberts yn eu tro.

Y Gymraeg yng Nghlwyd 1974–96
Wyn Owens

Daeth Cyngor Sir Clwyd i fodolaeth yng ngwanwyn 1974. O fewn ffiniau'r cyngor newydd yr oedd yr hen Sir Fflint, y rhan helaethaf o Sir Ddinbych a chornel o Feirion, sef Edeyrnion. Y Cyfarwyddwr Addysg o'r cychwyn oedd John Howard Davies, Cyn-Gyfarwyddwr Sir Fflint, a chefais innau fy mhenodi, o fod yn bennaeth Ysgol Gwenffrwd, Treffynnon, i swydd Uwch-Ymgynghorydd Cymraeg cyn diwedd 1974.

Y gwaith mawr cyntaf oedd llunio Polisi Iaith a fyddai'n hysbys i bawb ac yn dderbyniol mewn sir a oedd yn cynnwys ardaloedd â thros 90% o'r boblogaeth yn siarad Cymraeg ac ardaloedd eraill yng nghyffiniau Wrecsam a Glannau Dyfrdwy â llai na 10%. Gwahaniaethai polisïau'r hen siroedd, â Sir Fflint yn rhoi'r pwyslais ar gynnig addysg yn bennaf drwy gyfrwng y Gymraeg i bawb oedd yn awyddus i ddod yn rhugl yn yr iaith' ond heb fod mor bendant yn yr ysgolion â'u prif gyfrwng yn Saesneg. Addysg Gymraeg i blant o gartrefi Cymraeg a dysgu'r Gymraeg yn dda fel ail iaith yn yr ysgolion eraill oedd amcan Sir Ddinbych, gyda Meirion yn disgwyl i'r Gymraeg fod yn brif gyfrwng ym mhob ysgol.

Derbyniwyd y 'Polisi Iaith Gymraeg i Ysgolion Clwyd' gan y Cyngor ym mis Mehefin 1976, wedi hir drafodaeth, gyda'r pwyslais ar sicrhau bod pawb yn cael cyfle i dderbyn addysg yn bennaf drwy gyfrwng y Gymraeg a bod pob ysgol yn rhoi lle i'r ddwy iaith yn y cwricwlwm.

Yr oedd yr ysgolion prif gyfrwng Cymraeg yn rhoi mwy o groeso i ddysgwyr yn yr hen Sir Ddinbych ac o'r herwydd gwelwyd cynnydd yn y niferoedd gan arwain at sefydlu tair ysgol Gymraeg newydd, a hynny yn aml ar waethaf gwrthwynebiad cryf. Yn 1981 fe agorwyd Ysgol Uwchradd Gymraeg y Creuddyn, ar y cyd â Gwynedd, yn ardal

Llandudno, i dderbyn disgyblion o ogledd-orllewin y sir, a chryfhawyd yr agwedd Gymraeg yn Ysgol Uwchradd Brynhyfryd, Rhuthun i ysgafnhau'r pwysau ar Ysgol Glan Clwyd.

Llwyddwyd i sefydlu tîm o Athrawon Bro Ymgynghorol – pedair athrawes frwdfrydig yn cael eu hariannu gan y Sir ar y cychwyn, ac yna ehangu'r tîm yn 1981 gyda chefnogaeth y Swyddfa Gymreig. Crëwyd deunyddiau a chyrsiau gwerthfawr ar gyfer dysgu'r Gymraeg fel iaith gyntaf ac ail iaith a gwelwyd cannoedd o athrawon yn dysgu'r Gymraeg eu hunain fel y gallent gyflwyno'r iaith i'w disgyblion.

Canolbwynt yr holl waith yn y maes hwn dros y blynyddoedd oedd 'Polisi Iaith i Ysgolion Clwyd'. A lwyddwyd i droi'n ôl y llanw o Seisnigrwydd a oedd yn goddiweddyd gogledd-ddwyrain Cymru ac yn llifo tua'r gorllewin, yn ystod y cyfnod y bu'r polisi mewn grym? Dim ond y dyfodol a ddengys!

Ymdrechion Gorllewin Sir Ddinbych

GERALD LATTER

B U'R NEWID yn y ffiniau yn 1974 o fantais i addysg Gymraeg yn y rhan yma o Gymru ar y cyfan, oherwydd safai yr hen Sir Ddinbych yng nghysgod Sir Fflint, a'r sir honno heb ddim dadl a wthiodd ac a ddatblygodd yr ysgolion Cymraeg cynnar, dan arweiniad ei Chyfarwyddwr Addysg egnïol, y Dr Haydn Williams.

Yr oedd hi'n wahanol iawn yn Sir Ddinbych. Cafwyd yr hyn a gafwyd trwy ymgyrchu rhieni a charedigion y Gymraeg, o ddiwedd y pedwar degau ymlaen, hyd nes y sefydlwyd Ysgol Uwchradd y Creuddyn yn 1981.

Bron yn ddieithriad, 'pobl y pethe' oedd yr arloeswyr yn y gwahanol ardaloedd: Y Cymmrodorion, cymdeithasau Cymraeg y trefi, Undeb Cymru Fydd, yr eglwysi, y capeli. O blith y rhain y ffurfiwyd pwyllgorau i ganfasio ac i gasglu'r enwau. A dim ond dechrau oedd hynny. Wedyn yr oedd rhaid wynebu'r Pwyllgorau Addysg, ac yno yr oedd y brwydro yn cychwyn o ddifri. Rhoddwyd min ar weithgarwch y rhieni a phrofi nad dros nos yr oedd sefydlu ysgol Gymraeg, ond wedi blynyddoedd, weithiau ddegawdau, o waith caled.

Gwelwyd ymgyrchoedd tebyg gan rieni trwy'r Gymru drefol, a rhai yr un mor galed i'w hennill. O hyn y tyfodd Undeb Rhieni Ysgolion Cymraeg (RHAG erbyn hyn). Yn y pwyllgorau cenedlaethol clywsom am lwyddiant ymgyrchoedd eraill ledled Cymru. Fe ddysgwyd llawer.

Sylweddolwyd ein bod yn rhan o fudiad rhieni gwir genedlaethol oedd yn ymgyrchu ac yn llwyddo i ennill lle i'r Gymraeg ym myd addysg Cymru. Sefydlwyd Pwyllgor y Gogledd ac, fel y sefydlwyd mwy a mwy o ysgolion Cymraeg, pwyllgorau sirol. Yr oeddem yn Sir Ddinbych yn ffodus iawn, heb enwi neb, i fod â phwyllgor gweithgar ac ymroddgar.

Yn y bennod hon rhoddwn sylw i rai o'r brwydrau mawr yng ngorllewin Sir Ddinbych: sefydlu Ysgol Glan Morfa, Abergele; sicrhau mynediad i Ysgol Glan Clwyd; sefydlu ysgol Gymraeg Rhuthun; a'r ymgyrch i gael ysgol uwchradd Gymraeg yng ngorllewin Clwyd. Ym mhen dwyreiniol y sir, yn ardal ddiwydiannol Wrecsam a phentrefi'r ffin, yr oedd brwydrau gwahanol yn cael eu hymladd. Mewn pennod arall mae Gareth Vaughan Williams yn adrodd hanes sefydlu ysgolion cynradd Bodhyfryd, Min-y-ddôl, Bryn Tabor, Hooson, Plas Coch, ac Ysgol Uwchradd Morgan Llwyd.

Ysgol Bod Alaw, Bae Colwyn oedd ysgol Gymraeg gyntaf Sir Ddinbych, er ei bod heddiw yn sir newydd Conwy. Fe'i sefydlwyd ym mis Mawrth 1950 fel rhan o'r cyffro cynnar i sefydlu ysgolion Cymraeg. Cynhaliwyd Eisteddfod Genedlaethol 1947 yn y dref a rhoddodd hynny hwb i gymdeithas y Cymmrodorion ddechrau ymgyrch i sefydlu ysgol Gymraeg. Cyflwynwyd cais i'r Pwyllgor Addysg yn gynnar yn 1948 ac erbyn mis Medi yr oedd y cais wedi ei dderbyn. Gwaith adnewyddu adeilad Bod Alaw a barodd fod deunaw mis wedi mynd heibio cyn i'r ysgol agor. Gwelir mwy o hanes Ysgol Bod Alaw ym Mhennod 20 gan Rhisiart Owen.

Os cafodd Bae Colwyn ysgol Gymraeg yn bur ddidramgwydd, nid felly Abergele. Agorodd yr ysgol ym mis Medi 1957 gyda naw plentyn, ond erbyn heddiw mae 140 o blant yn mynychu'r ysgol. Miss Rhiannon Parry-Davies oedd y brifathrawes gyntaf a bu yn y swydd am saith mlynedd ar hugain hyd at ei hymddeoliad ddechrau 1984. Fel yma y dywed hi stori sefydlu'r ysgol.

'Mewn cyfarfod o Gymmrodorion Abergele yn 1951 trafodwyd yr angen am Ysgol Gymraeg yn y dref. Yn deillio o hyn, ffurfiwyd pwyllgor o rieni gyda Mrs Elen Roberts yn Ysgrifennydd. Gweithiodd hi a'i gŵr yn ddyfal am chwe blynedd, drwy lythyru'n ddibaid a mynychu cyfarfodydd gyda'r Cyfarwyddwr Addysg. Yn ystod yr amser yma yr oedd Mr a Mrs Roberts yn pwyso ar rieni Cymraeg yn y dref i roi enwau'r plant i fynychu'r ysgol. Dywedir hefyd eu bod yn mynd ar ôl mamau beichiog a hyd yn oed gyplau oedd newydd ddyweddïo! Yn y cyfamser ffurfiwyd dau ddosbarth Cymraeg, un yn Ysgol y Babanod, a'r llall yn Ysgol y Plant Iau.

'Yn 1956 deallwyd bod gan y Pwyllgor Addysg arian heb ei wario a phenderfynwyd defnyddio £10,000 at adeiladu Ysgol Gymraeg. Nid oedd problem safle gan fod y Pwyllgor yn berchen ar gae helaeth lle'r oedd un ysgol wedi'i hadeiladu'n barod. Gwariwyd £7,000 ar yr adeilad a £2,996 ar ddodrefn a thwymo.

'Yn ystod gaeaf 1956/7 gwylio'r adeilad yn tyfu, ond neb yn gwybod pa bryd byddai'r ysgol yn agor na phwy oedd i ofalu amdani. Dim gwybodaeth o gwbl. Diwrnod olaf tymor yr haf 1957, rhieni'n holi, ond neb yn gallu ateb. Wythnos union cyn i wyliau'r haf ddod i ben, ysgrifennwyd llythyr ataf yn gofyn i mi gymryd gofal dros dro o'r ysgol. Yn anffodus, yr oeddwn ar fy ngwyliau dramor a chefais y neges am 2.00 a.m. y bore yr oedd yr ysgol i agor!

'Mynd yno'n gynnar, adeilad braf yn cynnwys dwy ystafell ddosbarth, ystafell athrawon, ystafell i'r pennaeth, a dwy ystafell ymolchi – ond adeilad gwag ar wahân i saith o gadeiriau ar gyfer yr athrawon – dim desg na bwrdd i'r plant, dim llyfr na phensel. DIM BYD.

'Yn nes ymlaen cyrhaeddodd naw o blant a'u rhieni, chwech o blant rhwng 5 a 7 oed, tri o dan 5 oed. Cael ar ddeall na chawn dderbyn plant o dan 5 oed, felly bu raid anfon tri adref. Erbyn diwedd yr wythnos, diolch i ddyfalwch y rhieni'n mynd at y Cyfarwyddwr Addysg, cefais ganiatâd i'w derbyn ond neb arall o'r un oed. Am fisoedd bu hyn yn anfantais gan fod dosbarth meithrin yn yr Ysgol Babanod Saesneg oedd ar yr un campws.

'Ni chawn ychwaith dderbyn neb dros 7 oed, felly yr oedd plant Hywel ac Elen Roberts, fel llawer un arall oedd â'u henwau ar y rhestr, yn rhy hen. Yn nes ymlaen cefais ganiatâd i dderbyn tri ohonynt – un ohonynt yn fab i Hywel ac Elen.

'Treuliwyd y bore cyntaf yn benthyca byrddau a chadeiriau, llyfrau, ac yn y blaen. Yn araf iawn yn ystod y flwyddyn daeth y dodrefn ac offer, yn cynnwys piano a radio. Ymhen ychydig wythnosau, cefais ganiatâd i wario swm o £12 tuag at adnoddau!

'Yn ystod y blynyddoedd cynnar yr oedd llawer o anawsterau:

1. Yr oedd y ddwy ysgol Saesneg yn elyniaethus iawn. (Yn ddiweddarach daeth y berthynas yn fwy goddefol).

2. Anwybodaeth a rhagfarn llawer o rieni Cymraeg y dref, a oedd o dan yr argraff nad oedd dim Saesneg o gwbl yn cael ei ddysgu. "Rhaid cael Saesneg, ewch chi i unlle heb Saesneg!"

3. Rhieni Cymraeg ofn mentro anfon eu plant i ysgol lle nad oedd ond naw o blant. (Yn ddiweddarach wedi gweld bod yr ysgol yn llwyddo, yn anfon eu plant iau).

4. Colli plant o dan 5 oed i'r Ysgol Babanod Saesneg.

5. Ar y dechrau yr un Rheolwyr i'r tair ysgol, felly eu teyrngarwch yn cael ei rannu.

'Ymhen ychydig flynyddoedd, gwellodd y sefyllfa trwy:

1. Gael caniatâd i dderbyn plant o dan 5 oed. Daeth y caniatâd yn ddisymwth iawn. Mynnodd Cadwaladr Lewis, rhiant i blentyn 4 oed, fod ei ferch i fynd i Ysgol Glan Morfa yn hytrach nag i ddosbarth meithrin Saesneg. Aeth i Ruthun i weld y Cyfarwyddwr Addysg ond cael ei wrthod gan yr ysgrifenyddes gan nad oedd wedi trefnu apwyntiad. Anwybyddodd hi ac eisteddodd y tu allan i'r drws nes daeth y Cyfarwyddwr allan. Gosododd ei achos a chytunwyd bod annhegwch yn y sefyllfa. Felly, megis dros nos, daeth y caniatâd y bu'r Rheolwyr, y pwyllgor rhieni a minnau'n ei geisio trwy'r sianelau swyddogol!

2. Sefydlwyd Ysgol Feithrin Gymraeg yn y dref.

3. Llwyddiant yn yr arholiad 11+.

4. Llwyddiant yn Eisteddfodau'r Urdd – ennill Tarian y Cylch bron yn flynyddol – a'r Sir ambell dro.

5. Ennill cwpanau Mabolgampau Cylch bron yn flynyddol.

6. Ennill mewn amrywiol gystadlaethau a drefnwyd i ysgolion. (Gormod o lawer ohonynt).

7. Yn bennaf oll, cefnogaeth a brwdfrydedd y rhieni.

'Pan yn cofnodi hanes sefydlu Ysgol Glan Morfa, rhaid cydnabod ymdrech ddiflino Hywel ac Elen Roberts, a hefyd deyrngarwch a brwdfrydedd rhieni'r disgyblion cyntaf.'

Yn 1984 daeth John Elwyn Hughes yn Brifathro ar Ysgol Glan Morfa a bu yno am dair blynedd ar ddeg hyd 1997, gan drosglwyddo'r awenau i Robin Llwyd ab Owain. Dywed Mr Hughes:

'Araf fu cynnydd yr ysgol gan mai ychydig iawn o deuluoedd ifanc Cymraeg oedd yn ymsefydlu yn Abergele. Nid oes dim i'w denu yma o ran gyrfaoedd. Erbyn hyn mae 90+% o'r plant o deuluoedd di-Gymraeg.'

Ysgol Gymraeg Dinbych (Ysgol Twm o'r Nant)

O gyfarfod blynyddol Cymdeithas Gymraeg Dinbych yn haf 1958 y daeth yr awgrym i gael Ysgol Gymraeg i Ddinbych. Cafwyd cydweithrediad Cyngor yr Eglwysi Efengylaidd a'r canlyniad oedd galw cyfarfod yn Neuadd y Sir ym mis Medi 1958. Y siaradwyr oedd Miss Norah Isaac a'r Parchedig Glyn Thomas, Wrecsam.

Canlyniad y cyfarfod hwnnw oedd ffurfio pwyllgor a Chymdeithas Rhieni gyda Mr David Jones yn Ysgrifennydd. Yr oedd eisoes gysylltiad wedi ei wneud ag Undeb Rhieni Ysgolion Cymraeg yn genedlaethol, a'r Ysgrifennydd Cenedlaethol ar y pryd hwnnw oedd Mr Raymond Edwards, y Barri. Digon tebyg oedd hwn i ymgyrchoedd Ysgolion Cymraeg eraill oedd wedi eu sefydlu ledled Cymru.

Gobeithiwyd cael cydweithrediad prifathrawon yr ysgolion cynradd eraill yn Ninbych lle'r oedd eisoes ddosbarth Cymraeg. Ofer fu'r ymdrech ac ni chafwyd DIM ymateb ganddynt. Felly bu rhaid dibynnu ar gysylltiadau personol, a thrwy hyn y datblygodd rhestr y plant yr oedd eu rhieni'n awyddus iddynt fynychu'r Ysgol Gymraeg.

Teg yw dweud, ar ôl canfasio di-ben-draw, a chael yr enwau, mai amrywio wnâi hyd y rhestr fel yr âi'r newydd o gwmpas am amrywiol leoliadau yr ysgol arfaethedig. Yn y pen draw, ar ôl ystyried llawer safle, Ysgoldy Capel Mawr Dinbych oedd y man a ddewiswyd. Yr oedd y gweinidog, y Parchedig J. H. Griffith, yn gryf o blaid yr Ysgol Gymraeg, yn nannedd gwrthwynebiad chwyrn rhai o aelodau'r capel. Ond nid oedd yn bosib symud i'r adeilad nes bod gwelliannau wedi eu cwblhau ar gost o £300. Nid oedd y gwaith yn barod erbyn dyddiad agor yr ysgol a bu rhaid symud i mewn dros dro i gaban ar fuarth Ysgol Gynradd Fron Goch, gyda 37 disgybl yn bresennol. Symudwyd i Ysgoldy Capel Mawr ym mis Ionawr 1961 gyda Miss Kate Davies yn Brifathrawes a Mrs Elizabeth Hughes yn athrawes gynorthwyol. Ym mis Medi 1961, cafwyd agoriad swyddogol yr ysgol.

Yn 1963 yr oedd 81 yn yr ysgol, ac erbyn hyn yr oedd Ysgoldy Capel Mawr yn rhy fach. Dechreuwyd pwyso am le mwy. Yn 1968, 100 o blant yn mynychu'r ysgol, cafwyd ysgol gwbl newydd, ac fe'i hagorwyd yn swyddogol gan Kate Roberts, y 23ain o Ebrill, 1968. Dyna'r pryd y rhoddwyd yr enw Ysgol Twm o'r Nant arni. Cynyddodd nifer y disgyblion yn syth – 150 erbyn 197, 160 yn 1980 ac, wedi estyniad pellach, 270 yng nghanol y naw degau.

Dros y blynyddoedd cafodd yr ysgol lwyddiant sawl tro yn Eisteddfodau'r Urdd a'r Ŵyl Gerdd Dant ar ddawnsio gwerin, cerdd dant a llu o gystadlaethau eraill. Yn 1993 Ysgol Twm o'r Nant oedd pencampwyr cenedlaethol Rygbi'r Ddraig Cymru – buddugoliaeth nodedig iawn!

Bu Kate Davies wrth y llyw o 1961 tan 1983 – cyfraniad clodwiw, yn wir! Penodwyd Elis Jones yn olynydd teilwng iddi yn 1983 ac ef sydd yno heddiw. Dylid adrodd un stori arall o hanes Twm o'r Nant. Caiff John Rowland ddweud ei stori ei hun fel yr adroddwyd hi yn y llyfryn, *Glan Clwyd - y ddeugain mlynedd gyntaf*:

Erbyn 1965 daeth yn amser i mi fynd i'r ysgol uwchradd a beth oedd yn fwy naturiol, meddech chi, na chael parhau â'm haddysg Gymraeg yn yr ysgol uwchradd Gymraeg agosaf i'm cartref? Ond yr oedd yr ysgol honno ddeuddeng milltir i'r Gogledd yn nhref glan môr y Rhyl yn yr hen Sir Fflint. Daeth yn amlwg yn fuan na chawn i fynd i Ysgol Glan Clwyd gan ei bod yn haws croesi'r Llen Haearn na chael caniatâd bryd hynny i groesi o un sir i'r llall wrth newid ysgol.

Er iddyn nhw gael eu siomi, penderfynodd fy rhieni a rhieni Non Andrew o Landyrnog a Rolant Wynne o Lanefydd nad oeddan nhw am roi'r ffidil yn y to ac mai brwydro mlaen oedd raid nes i ni gael yr hawl i

fynd i Glan Clwyd. Gwyddai'r Awdurdod petai'r tri ohonom ni yn cael yr
hawl yna byddai'r llifddorau wedi eu hagor. Yr oedd pethau'n dechrau
poethi a minnau'n cael blas ar y frwydr, ond ychydig a wyddwn ar y pryd
am ffyrnigrwydd y dadlau.

Cefais fy nghadw gartref o'r ysgol am wythnosau, nes, yn nechrau mis
Hydref, yr ildiodd Sir Ddinbych, a chafodd y tri ohonom groesi'r ffin, ond
ar ein cost ein hunain – doeddan nhw ddim am ildio'r cyfan, ddim eto
beth bynnag.

Ac yn wir, drannoeth, y llifddorau a agorodd.

Parhaodd yr ymgyrch i sefydlu Ysgol Gymraeg Rhuthun o 1959 hyd
nes y diflannodd yr hen Sir yn 1974, ac am wyth mlynedd wedyn yng
nghyfnod Clwyd. Cyflwynodd rhieni dri chais am ysgol Gymraeg i
Bwyllgor Addysg Sir Ddinbych, yn 1960, yn 1964 ac yn 1967.
Gwrthodwyd y cyntaf. Felly hefyd yr ail, am nad oedd adeilad addas ar
gael. Aeth y drafodaeth ar y trydydd ymlaen am fisoedd ac ar un adeg yr
oedd y rhieni yn ffyddiog y byddai ysgol yn agor ym mis Medi 1968 ond
diflannu wnaeth y gobaith hwnnw. Cyhoeddodd y rhieni bamffledyn yn
crynhoi hanes pob llythyr a chyfarfod ar y siwrnai seithug hon. Er mai
canfod adeilad addas oedd y prif destun trafod, mae'n amlwg nad oedd
gan yr Awdurdod unrhyw argyhoeddiad cryf i gefnogi'r achos a bod
prifathrawon ysgolion y dref hefyd yn wrthwynebus.

Canlyniad yr holl ansicrwydd hwn ymysg y rhieni oedd i'r rhai mwyaf
brwd ohonynt anfon eu plant i Ysgol Twm o'r Nant, Dinbych a oedd
wedi ei sefydlu ers 1960, a sefydlu ysgol feithrin er mwyn cadw'r fflam yn
olau. Methiant fu pob ymgyrchu am y chwe blynedd nesaf ar wahân i
ennill cost cludiant i Ysgol Twm o'r Nant.

Daeth cyfle arall yn 1974 gyda dyfodiad Awdurdod Addysg newydd
Clwyd. Felly ton arall o ymgyrchu a llythyru â phawb a oedd ag unrhyw
ddylanwad, yn cynnwys yr Aelodau Seneddol a'r Swyddfa Gymreig.
Ymunodd Mr Vernon Howell, Ysgrifennydd Undeb Rhieni Ysgolion
Cymraeg, a Mudiad Ysgolion Meithrin yn y frwydr.

Aeth blynyddoedd heibio heb ddim yn digwydd ond, ddiwedd 1978,
llygedyn o obaith. Llythyr oddi wrth y Cyfarwyddwr Addysg at Mr Vernon
Howell, yn dweud bod yna ad-drefnu i fod yn Rhuthun a chynllun i

godi dwy ysgol newydd, gyda'r gobaith y byddai un ohonynt yn Ysgol Gymraeg. Gosodwyd y cais sirol gerbron yr Ysgrifennydd Gwladol, ac ar yr 31ain o Ionawr 1980, daeth y llythyr tyngedfennol bwysig o'r Swyddfa Gymreig yn dangos yn glir fod ymdrechion un mlynedd ar hugain o ymgyrchu wedi llwyddo, a bod Ysgol Gymraeg i'w sefydlu yn Rhuthun.

Mae cynnwys y llythyr hwn o'r Swyddfa Gymreig yn hynod ddiddorol ac yn ateb holl ofnau a rhagfarnau'r gwrthwynebwyr lleol, gan gynnwys y prifathrawon lleol. O'i rannol ddyfynnu, dyma a ddywed. Yn gyntaf rhoir achos y gwrthwynebwyr:

> The views of the objectors are, generally, that the existing arrangements of having one school with English and Welsh streams work well and that the establishment of separate schools on the same site would be socially and educationally divisive. It is contended that the benefits of informal contact between English and Welsh speaking pupils would be lost and would consequently hasten the decline of the Welsh language in the area. Objections were also made on the grounds that the proposed bilingual school would deprive other primary schools in the area of their Welsh speaking pupils, whilst pupils from the new school would be likely to seek their secondary education outside Ruthin, to the detriment of Brynhyfryd Secondary School. Further objections were that the population of Ruthin was insufficient to support a bilingual school of 90 pupils and that the age-range of classes would be too wide.

Rhoir achos y Sir:

> Your Authority's case rests on the 2 main grounds that there is a continuing serious decline in the number of Welsh speakers in the schools in Ruthin which the present proposals are designed to overcome and that declining school rolls would lead to a situation where already small units in the existing schools would become increasingly uneconomic, placing a strain on curricular organisation and teaching resources.

Ac wele ateb yr Ysgrifennydd Gwladol:

> The Secretary of State has noted the considerable volume and variety of objections to the proposals. He considers that the Authority has responded adequately to them. In his view the educational merits of the proposals for a bilingual school to provide a school with a particularly Welsh atmosphere, and so boost the number of bilingual

children in the Ruthin area, cannot be said to be outweighed by any educational disadvantage to their colleagues who will remain subject to the existing arrangements for teaching Welsh as a second language. In his opinion the establishment of two separate schools in the manner proposed is unlikely to contribute materially to the division which already exists between English and Welsh streams.

In general the Secretary of State takes the view that the primary age children of Ruthin, whether English or Welsh-speaking, will be offered educational provision superior to that at present available. Nor does he consider that the proposed bilingual school would have more than a marginal effect on nearby schools or that the proposals will give rise to unduly wide age-ranges in the classes of the bilingual school.

On the related question of the effects the proposals might have on Brynhyfryd Secondary School the Secretary of State takes the view that it is for the school to make the best bilingual provision it can in line with the Authority's bilingual education policy so as to attract Welsh-speaking pupils, and that such provision need not be weakened by the establishment of a bilingual primary school in the town.

Daeth y diwrnod hirddisgwyliedig yn 1982. Penodwyd Alun Edwards yn bennaeth ynghyd â dwy athrawes a gweinyddes feithrin ac fe dderbyniwyd 49 o blant ar draws yr oedrannau. Wrth gwrs, bu rhaid cael cystadleuaeth i ddewis enw i'r ysgol! Yr enw mwyaf poblogaidd o bell ffordd oedd Pen Barras, yn enwedig ymhlith yr henoed, gan mai dyna oedd yr enw ar y rhan yma o'r dref erstalwm – Pen y Bont yn un pen i'r dref a Phen Barras y pen arall iddi. Dywed *Geiriadur Prifysgol Cymru* mai benthyciad o'r Ffrangeg *barrage* neu'r Saesneg *barrier* yw'r ystyr – 'amddiffynfa' i'r Gymraeg erbyn hyn.

O fewn deng mlynedd yr oedd nifer y disgyblion wedi cynyddu i 120 ac erbyn heddiw mae dros 220. Un peth sydd yn gwneud yr ysgol yn wahanol i'r mwyafrif llethol o ysgolion Cymraeg yw bod 80% o'r disgyblion yn dod o gartrefi lle y siaredir Cymraeg fel iaith gyntaf. Fe fu'r ffigwr yn uwch, ond mae'n gostwng fel y mae nifer y plant yn cynyddu yn yr ysgol.

Bellach aiff plant Ysgol Pen Barras i dderbyn eu haddysg uwchradd i'r ysgol uwchradd leol sef Ysgol Brynhyfryd. Yno ceir parhad i'r addysg trwy gyfrwng y Gymraeg – yn ateb yr her a osodwyd gan yr Ysgrifennydd

Gwladol yn ei lythyr ym mis Ionawr, 1980. Gwnaeth y diweddar John Ambrose, prifathro Brynhyfryd o 1984–97 ymdrech arbennig i gynyddu'r ddarpariaeth drwy gyfrwng y Gymraeg ac i hyrwyddo ethos Cymraeg yr ysgol. O ganlyniad i'r ymdrechion hyn, erbyn diwedd yr wyth degau yr oedd y cwricwlwm llawn ar gael drwy gyfrwng y Gymraeg, y Saesneg neu gyfuniad o'r ddwy iaith. Gosododd hyn gryn straen ar yr adnoddau dysgu a buan iawn y bu i'r Awdurdod Addysg gydnabod hynny drwy ddarparu adnoddau ychwanegol. Er nad ydyw Ysgol Brynhyfryd yn Ysgol Gymraeg benodol mae'n ysgol Gymreiciach heddiw nag y bu erioed.

Ysgol Uwchradd Gymraeg

Yr ymgyrch fawr arall a gynhaliwyd gan rieni Gorllewin Dinbych oedd yr un dros sefydlu Ysgol Uwchradd Gymraeg i wasanaethu'r ardal. Yr oedd Sir Fflint wedi agor dwy ysgol, Glan Clwyd a Maes Garmon, ac yn 1964 yr oedd Pwyllgor Addysg Sir Ddinbych wedi agor Ysgol Uwchradd Morgan Llwyd yn dilyn ymgyrch hir gan rieni am ysgol debyg yn Wrecsam. Sbardunodd hyn rieni Gorllewin Dinbych i ddechrau eu hymgyrch eu hunain yn gynnar yn 1964 i gael ysgol debyg.

Yr oedd un teulu eisoes wedi ymgyrchu yn llwyddiannus i anfon eu plentyn hynaf i Ysgol Glan Clwyd, dros y ffin yn Sir Fflint. Brwydr bersonol ac unig oedd hon i'r Parchedig Islwyn Davies a'i wraig, a symudodd o Geredigion i Fae Colwyn gyda'u dau fab, Gronw ac Aled, yn 1962. Mae'n werth gwrando arnynt yn adrodd y stori, oherwydd fe ddengys yr hanes y styfnigrwydd y mae'n rhaid wrtho i orchfygu biwrocratiaeth.

'Ddydd Gŵyl Ddewi 1962, cawsom ein hunain fel teulu yn mudo o ganol glesni Ceredigion i un o fannau hyfrytaf y gogledd, i lanw swyddi ar y cyd fel Warden a Metron mewn cartref preswyl yn Llandrillo-yn-Rhos, Bae Colwyn, Sir Ddinbych. Wrth dderbyn ein hapwyntiad, yr oeddem yn sylweddoli bod y ffin â Sir Fflint yn aros rhyngom a chyfleusterau addysg uwchradd Gymraeg. Erbyn hyn, yr oedd y mab hynaf wedi cael blwyddyn a thymor yn Ysgol Uwchradd Tregaron. Nid oedd yr un rhwystr i'n mab iengaf i barhau â'i addysg Gymraeg gan fod

Ysgol enwog am ei dawnsio gwerin ar hyd y blynyddoedd fu Ysgol Twm o'r Nant, Dinbych. Dyma ddawnswyr a cherddorion yr ysgol wedi cipio'r wobr yn yr Ŵyl Gerdd Dant yn 1987.

Ysgol Bod Alaw wedi ei sefydlu ym Mae Colwyn. Ysgrifennwyd ymlaen llaw i Swyddfa Addysg Sir Ddinbych i ofyn am gyfarwyddiadau ynglŷn â chael cyfleusterau mewn addysg Gymraeg. Mynegwyd yn yr atebiad nad oedd ysgol uwchradd Gymraeg gyfleus ond ei bod yn bosibl i rai pynciau gael eu dysgu trwy gyfrwng yr iaith Gymraeg yn ysgol uwchradd tref Bae Colwyn.

'Er ein bod yn gwbl bendant ein meddwl mai Ysgol Uwchradd Glan Clwyd yn unig fyddai'n ein bodloni, trefnais i gyfarfod â Phrifathro'r ysgol leol. Ni fu'r ymweliad o ddim lles, mwy na'm symbylu i fod yn fwy penderfynol i hawlio'r addysg yn yr iaith y magwyd ein dau fab ynddi.

'O ganlyniad i'r cyfweliad, cysylltais tros y ffôn â'r Adran Addysg yn Ninbych a chwyno am y diffyg cyfleusterau sirol ym maes addysg Gymraeg. Cyfarwyddwyd fi i ymweld ag ysgolion uwchradd eraill yn y cyffiniau. Daeth yn amlwg nad oedd ond un llwybr i'w gymryd bellach. Hysbysais Swyddfa Addysg y Sir na fyddwn yn anfon fy mab i'r un ysgol heb iddo gael addysg yn ei famiaith. Penderfynwyd gennym wynebu'r her am fod Ysgol Glan Clwyd o fewn pellter rhesymol i Fae Colwyn.

'Tros gyfnod o wythnosau bu dadlau trwy lythyru ac ymwelwyd â ni'n gyson gan swyddogion yr Adran Addysg. Er iddynt geisio dwyn pob perswâd arnom, gwnaethom ein hunain yn gwbl eglur trwy ddweud ein bod yn bendant nad oeddem am ildio oni chaem yr hawl ganddynt i gofrestru'r mab yn ddisgybl yn Ysgol Uwchradd Glan Clwyd dros y ffin yn Sir Fflint. Tynnwyd ein sylw at ein torcyfraith, gan ein bod yn amddifadu plentyn o'i addysg feunyddiol a nodwyd bod ganddynt hawl i'n herlyn. Daliem ninnau fod ein hymddygiad yn gyson â'n hawliau, o dan Ddeddf yr Iaith Gymraeg (1947), i gael addysg Gymraeg i'n meibion. Teg nodi i'r holl drafodaethau fod yn foneddigaidd a'r diweddglo'n foddhaol iawn i ni fel teulu.

'Llawen iawn a diolchgar oeddym o dderbyn oddi wrth yr Adran Addysg y caniatâd i Gronw dderbyn ei addysg yn Ysgol Glan Clwyd. Gosodwyd un amod arnom, sef ein bod fel rhieni yn derbyn y cyfrifoldeb am gostau'r daith ddyddiol o Fae Colwyn i'r Rhyl. Pan ddaeth yn amser i Aled, ei frawd, esgyn i addysg uwch yn 1964, ni fu'r un anhawster, er bod yr un amod am gostau teithio yn parhau.'

Nid oedd yn anodd cychwyn yr ymgyrch gan fod Pwyllgor Sirol cryf gan Undeb Rhieni Ysgolion Cymraeg. Yng nghofnodion y Pwyllgor hwnnw, gellir ailgerdded y ffordd ymlaen. Ym mis Mai 1965 cawsom ganiatâd gan y Cyfarwyddwr Addysg i ganfasio rhieni a chasglu enwau plant Cymraeg iaith gyntaf ac ail iaith. Yr oedd 60 ysgol i'w canfasio yn cynnwys tuag 850 o blant. Cawsom ganiatâd hefyd i fynd at brifathrawon yr ysgolion uchod, a chael enwau'r plant a'u cyfeiriadau. Gwrthododd saith, ond aed ati yn un o'r ardaloedd hynny i gasglu enwau o ddrws i ddrws.

Rhannwyd y gwaith yn ôl ardaloedd: Rhuthun, Dinbych, Bae Colwyn a Llanrwst. Ymhob un o'r ardaloedd hyn galwyd cyfarfod cyhoeddus i egluro'r sefyllfa cyn dechrau canfasio. Y siaradwr fel arfer oedd un o brifathrawon ysgolion uwchradd Cymraeg Sir Fflint.

Rhan arall o'r drefn cyn dechrau canfasio oedd anfon ffurflenni arwyddo at bob prifathro a fyddai'n fodlon cydweithredu, ac iddo ef eu hanfon yn nwylo'r plant at eu rhieni. Ychydig iawn o ffurflenni a gafwyd yn ôl trwy ddilyn y dull hwn ac yn y pen draw gorfodwyd y gweithwyr i fynd i'r cartrefi ac egluro a pherswadio cyn cael y llofnodion.

Syrfdanwyd y canfaswyr gan wresogrwydd y rhieni a'u parodrwydd i wrando. Yr unig eglurhad y gellir ei roi yw bod gwybodaeth led eang yn bod am lwyddiant Glan Clwyd a Maes Garmon, a bod yr ysgolion hyn eisoes wedi gwneud y gwaith o arbrofi. Hefyd yr oedd pawb yn gwybod am lwyddiant yr ysgolion cynradd Cymraeg. Y canlyniad oedd casglu enwau 650 o blant â llofnod y rhieni ynghlwm wrth y ffurflenni a'u trosglwyddo i'r Cyfarwyddwr Addysg.

Aeth dirprwyaeth i weld y Dr Elwyn Davies, Swyddfa Addysg Cymru, ar yr 11eg o Dachwedd 1965. Cynrychiolwyd y mudiad gan swyddogion cenedlaethol a sirol Undeb Rhieni Ysgolion Cymraeg, a chan gynrychiolwyr yr ymgyrch casglu enwau yng Ngorllewin Sir Ddinbych.

Trefnwyd bod yna gyfarfod yn y bore i drafod materion cyffredinol a'r Memorandwm a oedd wedi ei baratoi gan Richard Hall Williams ar ran yr Undeb Rhieni ac a anfonwyd ymlaen llaw at y Dr Elwyn Davies.

Yn y prynhawn bu'r drafodaeth yn gyfan gwbl ar fater Gorllewin Sir Ddinbych ac yn benodol ar y 650 o enwau oedd wedi eu casglu yn yr ymgyrch. Yr oedd Cyfarwyddwr Pwyllgor Addysg Sir Ddinbych, Mr T. Glyn Davies, yn bresennol ac yr oedd hyn yn fendith fawr i'r drafodaeth. Cofiwn yn dda am y syndod diffuant a ddangoswyd gan y swyddogion addysg, yn wyneb y 650 o enwau; a'r ewyllys da a'r ddealltwriaeth a ddangoswyd ganddynt. Ein harf pennaf fel Undeb Rhieni oedd llofnodion y rhieni. Hebddynt gallai'r cwbl fod wedi troi mor rhwydd yn siop siarad.

Derbyniwyd egwyddor sefydlu Ysgol Uwchradd Gymraeg yn yr ardaloedd Seisnig, a hefyd egwyddor Cymreigio yr ysgolion oedd yn bodoli eisoes yn yr ardaloedd Cymraeg. Un mater arall y cytunwyd arno oedd y rheidrwydd i dair sir – Fflint, Dinbych, a Chaernarfon – gydweithredu yn yr ymgyrch i sefydlu ysgol a fyddai yn ei hanfod rywle ar y ffin rhwng Caernarfon a Dinbych.

Bu'r ddirprwyaeth felly yn llwyddiant ac yn garreg filltir i addysg Gymraeg yng Ngorllewin Dinbych. Cadarnhawyd y cyfan gan swyddogion Pwyllgor Sir yr Undeb Rhieni a chofnodwyd y ddwy brif egwyddor y cytunwyd arnynt mewn llythyr at T. Glyn Davies ar y 29ain o Dachwedd 1965:

1. Parodrwydd Sir Ddinbych i gydweithredu â Siroedd Fflint a Chaernarfon i sefydlu ysgol neu ysgolion uwchradd Cymraeg i wasanaethu'r cylch ar draws ffiniau'r siroedd.

2. Parodrwydd y Sir i Gymreigio ysgolion uwchradd lle mae'r nifer llethol o'r plant yn Gymry Cymraeg. (Llanrwst oedd yr unig ardal o'i bath yn Sir Ddinbych.)

Yr oeddem yn ymwybodol na ellid sefydlu Ysgol Uwchradd dros nos, ond nid oeddem wedi dychmygu y byddai'n rhaid inni aros am un mlynedd ar bymtheg cyn gweld yr ysgol yn agor. Dim ond dechrau'r daith oedd pennu egwyddorion.

Yr oedd yna gred yn y cyfnod fod rhaid i bopeth da fod yn fawr, a bod angen ysgol gyfun o dros fil o blant i gynnal chweched dosbarth cymeradwy. Codai hyn fraw ar rieni Cymraeg na allent ddychmygu am Ysgol Gymraeg mor fawr â hyn. Daeth neges atom fel Undeb fod yna bosibilrwydd o gael un ysgol fawr mewn canolfan yn Sir Fflint i wasanaethu Dyffryn Clwyd, Gorllewin Clwyd, Gorllewin Fflint, a'r arfordir hyd at Landudno. Ar y campws, byddai lle i chweched dosbarth i wasanaethu

Cymru gyfan. Diolch i'r drefn ni chafodd y syniad yma ei ddatblygu ymhellach ac ni chlywyd sôn amdano wedyn.

Wedi'r codi disgwyliadau, erbyn dechrau 1966 yr oedd y rhieni yn ddiamynedd i fwrw ymlaen. Yr oedd hanes clodwiw Ysgol Glan Clwyd yn symbyliad, ac yr oedd ymgyrch bersonol, unig, y Parchedig Islwyn Davies a'i deulu wedi dangos y ffordd. Felly dyma ddechrau ymgyrch o ddifrif i gael caniatâd i rieni Gorllewin Dinbych anfon eu plant dros y ffin i Ysgol Glan Clwyd.

Fel y soniwyd yn gynharach, yr oedd tri phlentyn o Ysgol Twm o'r Nant hefyd wedi herio'r Sir ym mis Hydref 1965 ac wedi llwyddo. Erbyn haf 1966 yr oedd 35 o blant Gorllewin Sir Ddinbych â'u rhieni yn awyddus iddynt fynychu Glan Clwyd. Canfasiwyd y rhieni eilwaith ac oherwydd sicrwydd yr atebion, gallai'r Undeb Rhieni fod yn ddigon hyderus i anfon yr enwau a'r ffurflenni ymlaen at y Cyfarwyddwr Addysg, a llythyr tebyg ac enwau at Gyfarwyddwr Addysg Sir Fflint ac at Brifathro Ysgol Glan Clwyd. Y canlyniad oedd caniatâd i fynd i Lan Clwyd, ond ar gostau y rhieni.

Yn ardal Bae Colwyn, ffurfiwyd Cymdeithas ac iddi'r enw Cymdeithas Undeb Rhieni y Glannau (Ysgol Glan Clwyd), i ymladd yr anghysondeb ym mholisi cludiant y Pwyllgor Addysg. Yr oedd yr Arolygydd Idris Jones o Heddlu'r Gogledd yn un o'r rhieni:

'Cafodd y Gymdeithas rodd o £100 o Gronfa Glyndŵr yn ogystal â benthyciad o £65. Gyda'r arian hwn prynwyd bws bach am £160 i gludo'r plant i Glan Clwyd. Credaf mai hen ambiwlans wedi ei addasu oedd y bws, ac er braidd yn anghyffordus i'r plant, yr oedd ei gyflwr mecanyddol yn wych. Cafwyd enwau tuag 16 o blant a oedd yn awyddus i fynd i Ysgol Glan Clwyd a threfnwyd rhestr o wirfoddolwyr o blith y tadau a oedd yn barod i yrru'r bws fore a phrynhawn.

'Cychwynnwyd y fenter ddydd Mawrth, y 6ed o Fedi, 1966, gyda'r Parchedig Islwyn Davies yn 'gapten' y bws y diwrnod cyntaf. Cafwyd cyhoeddusrwydd gan deledu'r BBC a TWW a chan y papurau lleol. Yn ystod y tymor cyntaf trefnwyd cyfarfod rhwng aelodau'r Gymdeithas a Mr T. Glyn Davies, Cyfarwyddwr Addysg Sir Ddinbych, a chyflwynwyd dadl gref ar ran y rhieni i gael y Pwyllgor Addysg i newid ei bolisi tuag at y trefniadau cludiant. O ganlyniad, penderfynodd y Pwyllgor Addysg drefnu bws swyddogol i gludo'r plant ar hyd y glannau i Ysgol Glan Clwyd a thacsi i gludo plant y wlad i gyfarfod y bws yn Abergele. Fel un o yrwyr y 'bws bach', yr oedd hyn yn dipyn o ryddhad. Cofiaf fod y siwrnai yn cychwyn tua saith y bore o gartref Tan-y-Bryn, Bae Colwyn lle'r oedd y bws yn cael ei gadw; yna i Ffordd Las, Glan Conwy, yn ôl i Fae Colwyn ac yna i Hen Golwyn, Llysfaen, Llanddulas, Rhyd-y-foel, Betws-yn-Rhos, ac Abergele, lle codid plant o Lanfair Talhaearn a Llansannan – siwrnai yn agos i 20 milltir fore a phrynhawn. Yr oedd y rhieni wrth gwrs yn cyfrannu tuag at y gost.'

Cofiwn hefyd fod rhieni ym Mhrion a'r cylch wedi sefydlu Cymdeithas Rhieni (Ysgol Glan Clwyd) gyda'r bwriad o godi arian i logi tacsi i gludo plant Prion i Ysgol Glan Clwyd. Yn yr achos cawsant fenthyciad dros dro gan Gronfa Glyndŵr. Cymharent eu hunain â Llanefydd (i lawr y ffordd) lle'r oedd costau cludiant yn cael ei dalu. Trwy ddawnsfeydd lleol, codwyd yr arian; talwyd yn ôl i Gronfa Glyndŵr, ac yn y pen draw llaciodd y Sir ei rheolau.

Buwyd yn canfasio rhieni a throsglwyddo enwau i'r Cyfarwyddwr Addysg yn flynyddol: 65 yn 1967, 54 yn 1968 a 54 yn 1969. Yn y cyfnod hwn dim ond yn rhannol yr oedd y rhieni wedi ennill y frwydr i gael costau teithio i gludo eu plant, ac yr oedd y sefyllfa yn waeth oherwydd bod Ysgol Glan Clwyd yn dal i fod ar ei hen safle yn y Rhyl. Symudodd Glan Clwyd i'w safle newydd yn Llanelwy ym mis Medi 1969 a dyna ysgafnhau problemau cludiant i'r rhan fwyaf o Orllewin Dinbych.

Wrth ad-drefnu llywodraeth leol yn 1974 daeth Gorllewin Dinbych yn rhan o Glwyd ac felly nid oedd unrhyw rwystr i blant yr hen sir rhag mynychu Ysgol Glan Clwyd, dim ond bod yr ysgol honno bellach yn orlawn ac yn gorlifo i safle Cinmel. Yr oedd y cynllun gwreiddiol o gydweithrediad rhwng y siroedd yn dechrau dod i drefn, ac erbyn mis Medi 1981 yr oedd Ysgol y Creuddyn yn barod i agor ac i dderbyn ei disgyblion cyntaf, a chyflawni amcanion ymgyrch 1964–1981. Pwy'n well i roi tipyn o hanes Ysgol y Creuddyn hyd heddiw na'r prifathro cyntaf, Roland Jones. Dyma a ddywed am hanes yr ysgol o'r cychwyn:

'Agorodd Ysgol y Creuddyn ym Medi 1981, ar ôl cyfnod o ymgyrchu brwd gan rieni, cynghorwyr, a chyfeillion eraill o siroedd Clwyd a Gwynedd. Deilliodd yr ysgol hefyd o lwyddiant amlwg Ysgol Glan Clwyd, yn Llanelwy, a oedd yn orlawn er bod ganddi estyniad ar Wersyll Cinmel, Bodelwyddan. Daeth pump o athrawon gwreiddiol y Creuddyn o Ysgol Glan Clwyd a buont yn gaffaeliad i'r ysgol oherwydd eu profiad a'u hadnabyddiaeth o'r disgyblion, gan fod tua'u hanner hwy hefyd o Ysgol Glan Clwyd. Bu i sefydlu Ysgol y Creuddyn gau'r bwlch rhwng ysgolion dwyieithog y Gogledd, gan ei bod yn derbyn disgyblion o'r ardal rhwng Ysgol Tryfan ym Mangor, i'r gorllewin, ac Ysgol Glan Clwyd i'r dwyrain.

'Menter ar y cyd rhwng siroedd Clwyd a Gwynedd a greodd yr ysgol newydd ac fe'i lleolwyd ym Mae Penrhyn, yn agos iawn at y ffin sirol. Yr oedd ynddi 218 o ddisgyblion ar y dechrau, cant union ym mlwyddyn 7 o ysgolion cynradd y dalgylch, a'r gweddill ym mlynyddoedd 8 a 9, gyda'r rhan fwyaf ohonynt o Ysgol Glan Clwyd. Deuddeg ystafell ddysgu oedd ar gael bryd hynny a bu'n rhaid eu defnyddio fel labordai a gweithdai nes cwblhawyd yr adeiladu. Un o dasgau cyntaf y Pennaeth Addysg Gorfforol oedd chwilio am ystafelloedd newid i'r plant a gludio darnau mawr o bapur dros y ffenestri plaen. Nid oedd gan yr ysgol gampfa na neuadd yn ystod y tair blynedd gyntaf, ond yr oedd y ffreutur ar gael o'r dechrau.

'Dechreuwyd gyda phedwar ar ddeg o athrawon a phob un ohonynt, a'r staff ategol hefyd, yn rhugl yn y Gymraeg, er gwaethaf amheuon rhai pobl ynghylch prinder staff cymwys. Cytunodd Clwyd a Gwynedd i Awdurdod Addysg Gwynedd weinyddu Ysgol y Creuddyn, gydag Awdurdod Addysg Clwyd yn cyfrannu'n ariannol, fesul nifer y disgyblion o'r sir honno. Cynrychiola'r ysgol ddalgylch eang, sy'n ymestyn o Abergele i Benmaen-mawr ar yr arfordir a chyn belled â Llansannan, Eglwys-bach, a Thal-y-bont yng nghefn gwlad. Er bod yr adeiladwyr (Cwmni Peter Griffiths, Llanrhos) ar safle'r ysgol rhwng 1981 ac 1984 ni fu hynny'n rhwystr oherwydd parodrwydd y gweithwyr i gydymffurfio â gofynion yr ysgol a diogelwch y disgyblion. Codwyd adeilad deulawr gyda tho rhagorol o lechi Gogledd Cymru a neuadd Ddrama, yn hytrach na neuadd fawr i gynnal gwasanaethau ynddi. Dysgwyd Drama yn Ysgol y

Creuddyn o'r dechrau. Mewn ambell ystyr ni ddechreuodd pethau'n rhwydd iawn – bu i eira mawr Rhagfyr 1981 arwain at ddileu ein Gwasanaeth Carolau cyntaf mewn eglwys leol. Yn ogystal bu'n rhaid gohirio'r cyfarfod cyntaf o'r Corff Llywodraethol!

'Agorwyd Ysgol y Creuddyn yn swyddogol yn 1984 gan y Cynghorydd O. M. Roberts, Cadeirydd cyntaf y Corff Llywodraethol, ac un o'r amlycaf o'r ymgyrchwyr a sicrhaodd fodolaeth yr ysgol. Dau Gadeirydd a gafodd yr ysgol hyd yn hyn, gyda'r Parchedig Blodwen Jones yn olynydd i O. M. Roberts er 1988. Bu'r ddau ohonynt yn brifathrawon ysgolion cynradd o fewn dalgylch yr ysgol ac yn gefnogol iddi o'r dechrau ac yn gaffaeliad i'r Prifathro oherwydd eu hynawsedd, doethineb, a phrofiad. Daeth enw'r ysgol o'r Canol Oesoedd pan oedd Creuddyn yn enw ar gwmwd lleol a oedd yn rhan o gantref Rhos, cyn ei drosglwyddo i Sir Gaernarfon.

'Bu cefnogaeth rhieni'r ardal, gan gynnwys y rhai di-Gymraeg, yn allweddol i dyfiant yr ysgol. Erbyn Medi 1984, pan gynigiwyd cyrsiau Safon Uwch i'r chweched dosbarth (o 43 disgybl) am y tro cyntaf, yr oedd 515 o ddisgyblion ar y gofrestr, gyda 35 o athrawon. Cyrhaeddodd yr ysgol 600 cyn hir ar ôl hynny, sef y ffigwr arfaethedig pan gynlluniwyd hi. Bu hyd at 679 ynddi ar adeg o dyfiant mewn cyrsiau galwedigaethol, ond gyda diflaniad y rheini oherwydd toriadau cyllidol, 635 yw'r cyfanswm presennol. Erbyn hyn, mae Ysgol y Creuddyn o dan reolaeth Awdurdod Addysg Conwy, er yr ad-drefnu llywodraeth leol. Mae dalgylch yr ysgol yn hanner gogleddol y sir newydd. Arolygwyd yr ysgol ddwywaith – yn Chwefror 1994 a Hydref 1998. Un disgybl sydd, hyd yma, wedi dod yn ôl i'r ysgol fel athro – Dafydd Rhys o Hen Golwyn – sy'n Ddirprwy Bennaeth ysgol gynradd leol erbyn hyn.

'Ysgrifennodd Alun Llewelyn–Williams yn ei lyfr *Crwydro Arfon*, mai "lle rhyfedd yw'r Creuddyn heddiw". Ymddangosodd ei gyfrol beth amser cyn sefydlu'r ysgol a chyfeirio mae at y "cwmwd diarffordd" gwreiddiol sydd wedi "esgor ar un o'r trefi-glan-môr mwyaf poblog a phoblogaidd yng Nghymru". Mynegodd hefyd mai Seisnigaidd oedd ardal y Creuddyn a bod rhaid "chwilio'n ddyfal am olion ac arwyddion o'r bywyd Cymraeg, ond fe ddeil y bywyd i lifo o dan yr wyneb, ac ambell waith gall greu bwrlwm hoyw o hyd". Hyderwn fod yr ysgol wedi gwireddu breuddwydion yr arloeswyr a'i sefydlodd a bod bwrlwm yr iaith yn llifo yn agos iawn i'r wyneb y dyddiau hyn.'

Mae un rhan arall o frwydr wreiddiol Gorllewin Dinbych i'w hadrodd, sef hanes Ysgol Llanrwst. Yma nid mater o sefydlu Ysgol Uwchradd Gymraeg newydd sbon ydoedd, ond yn hytrach o Gymreigio'r hyn oedd yno'n barod.

Mrs Arianwen Parry, Siop Llyfrau Cymraeg, Llanrwst, fu'n arwain yr ymgyrch dros yr holl gyfnod. I gymhlethu'r sefyllfa, fe gofir bod ardal Llanrwst wedi bod yn rhan o Wynedd rhwng 1974 ac 1996. Mae Mrs Parry yn cydnabod bod addysg trwy gyfrwng y Gymraeg wedi gwella yn sylweddol yn ysgolion Cymraeg traddodiadol y Gogledd, e.e. Brynhyfryd, Rhuthun, a'r Bala er 1974, yn rhannol trwy ddilyn esiampl yr ysgolion Cymraeg penodedig fel Ysgol Glan Clwyd. Felly hefyd yn Llanrwst, fel y dywed Mrs Parry:

'Mae nifer y dosbarthiadau cyfrwng Cymraeg wedi codi, a nifer y plant. Yn y flwyddyn gyntaf (Blwyddyn 7 fel y'i gelwir bellach) fe geir:
   3 dosbarth Cymraeg = 67 o blant
   1 dosbarth dwyieithog (rhai gwersi cyfrwng Cymraeg) = 25 o blant,
     ac 1 dosbarth Saesneg = 27 o blant.
   'Dysgir y cyfan o'r pynciau yn y dosbarthiadau cyfrwng Cymraeg i lefel TGAU.
   Felly mae'r sefyllfa wedi gwella hyd y gwelaf a'r unig golled – ond colled fawr – oedd colli Cymraeg naturiol a hyderus plant Llangwm a Cherrig i'r Bala a Rhuthun. Ond ennill fu hynny i'r ysgolion eraill wrth gwrs.'

Dychwelwn felly at y cyfarfod tyngedfennol hwnnw yng Nghaerdydd ar yr 11eg o Dachwedd, 1964. Dadleuwyd ar ddwy egwyddor, sef sefydlu mwy o Ysgolion Uwchradd Cymraeg yn yr ardaloedd Seisnig trefol, a Chymreigio'r ysgolion traddodiadol yn yr ardaloedd Cymraeg. Gyda balchder y gwelwn fod y ddwy egwyddor bellach wedi eu sefydlu yn gadarn yn ein broydd. Ar ddiwedd canrif, a'r frwydr yn parhau, mae yna lygedyn o obaith.

Sefydlu Ysgol Bod Alaw, Bae Colwyn

RHISIART OWEN

Yr oedd yr Eisteddfod Genedlaethol i'w chynnal ym Mae Colwyn yn 1947. Ynghanol holl brysurdeb y paratoi ar ei chyfer, daeth llythyr at Mr D. I. Thomas, Ysgrifennydd y Cymmrodorion, yn gofyn i'r Gymdeithas alw cyfarfod cyhoeddus i hyrwyddo mudiad i sefydlu Ysgol Gymraeg yn y dref. Mae'n debyg mai Mr Elwyn Roberts, Belgrave Road, Bae Colwyn, a ysgrifennodd y llythyr.

Galwyd cyfarfod o bwyllgor y Cymmrodorion a rhoddwyd cefnogaeth i'r cais. Cymeradwywyd y syniad gan Mr D. R. Hughes, Hen Golwyn yn anad neb. Ef oedd Llywydd Pwyllgor Gwaith yr Eisteddfod Genedlaethol y flwyddyn honno a bu'n Ysgrifennydd yr Eisteddfod Genedlaethol tan y flwyddyn 1946. Penderfynwyd anfon llythyr at ysgrifennydd pob eglwys yn y cylch i gasglu enwau rhieni Cymraeg gyda'r bwriad o anfon cylchlythyr i'w gwahodd i gyfarfod cyhoeddus ar yr 11eg o Orffennaf, 1947.

Daeth oddeutu 60 o rieni i'r cyfarfod yn ysgoldy Capel Engedi. Y siaradwyr gwadd oedd Syr Ifan ab Owen Edwards a Miss Norah Isaac. Eglurodd Syr Ifan mai'r unig obaith i ddiogelu'r iaith Gymraeg yn yr ardal oedd cael ysgol â'r iaith Gymraeg yn iaith swyddogol, a lle'r oedd y Gymraeg yn iaith y buarth chwarae. Rhagwelodd Syr Ifan ysgol Gymraeg ym mhob tref yng Nghymru o fewn pum mlynedd a dywedodd mai ffwlbri oedd cynnal Eisteddfod Genedlaethol ym Mae Colwyn ac amddifadu'r plant o'u hetifeddiaeth ieithyddol. Yna siaradodd Miss Norah Isaac am waith yr Ysgol Gymraeg yn Aberystwyth. Penderfynwyd sicrhau cefnogaeth rhieni lleol yn gyntaf, ac yna gysylltu ag Awdurdod Addysg Sir Ddinbych.

Cafwyd Eisteddfod Genedlaethol lwyddiannus ym Mharc Eirias, Bae Colwyn, y mis Awst hwnnw. Yr oedd y tywydd yn braf ond yn bwysicaf oll rhoddwyd yr Eisteddfod yn ôl ar ei thraed wedi'r Rhyfel, a hon oedd yr Eisteddfod Genedlaethol gwbl Gymraeg gyntaf yn ei hanes. Yn adroddiadau'r Wasg diolchwyd yn arbennig i Mr Elwyn Roberts, yr Ysgrifennydd Cyffredinol, ac i Mr D. R. Hughes, Cadeirydd y Pwyllgor. Y ddau a fu'n gymaint o gefn i lwyddiant yr Eisteddfod oedd y ddau mwyaf blaenllaw yn yr ymgyrch i sefydlu'r Ysgol.

Gwnaethpwyd y gwaith o gasglu enwau plant gan Robert Maclean, R. O. Jones, Trefor Davies a Richard Williams, a bu nifer o rieni eraill yn gymorth iddynt. Yr oedd cymhellion rhieni yn bennaf o blaid addysg Gymraeg, ond yr oedd rhai yn amrywiol iawn. Anfodlonrwydd â safon addysg ysgol y pentref a ysgogodd nifer o rieni Glan Conwy i arwyddo; a phwysodd Brynmor Williams ar ei rieni i gytuno am fod y ferch drws nesaf yn mynd yno. Eisiau addysg ieithyddol gywir yn y ddwy iaith yr oedd fy mam, ac nid oedd y ffaith mai dwy oed yn unig oeddwn yn ei rhwystro rhag arwyddo. Yn wir, ychwanegodd y Parchedig Emlyn Williams, Mochdre, enw ei ferch Caren y dydd y'i ganed hi! Yr oedd Dafydd Andrew Jones, Clobryn yn anhapus iawn yn ysgol Llysfaen oherwydd agwedd filwriaethus, wrth-Gymreig ei athro a oedd yn gyn-swyddog milwrol, ac i'r rhestr yr aeth ar waethaf pryderon ei rieni.

Mae'n amlwg nad oedd yn benderfyniad hawdd i lawer o rieni, gan fod rhai prifathrawon cynradd, a rhai blaenoriaid hyd yn oed, yn wrthwynebus i'r syniad, ac yr oedd teyrngarwch rhieni i brifathro neu i ysgol neu i gapel weithiau yn gryfach nag ystyriaethau addysgol Cymraeg.

Mewn cyfarfod o bwyllgor y Cymmrodorion ar y 6ed o Chwefror, 1948, gyda chynrychiolydd o bob eglwys Gymraeg yn y dre a nifer o rieni, ffurfiwyd pwyllgor i lunio'r cais i'r Awdurdod Addysg. Aethpwyd â'r cais i Ruthun gan Trefor Davies ac E. H. Williams, Hen Golwyn.

Yna ar yr 28ain o Fai, 1948, yng nghyfarfod blynyddol Cymdeithas y

Cymmrodorion nodwyd ymateb yr Awdurdod Addysg eu bod wedi derbyn y cais am Ysgol Gymraeg ym Mae Colwyn, ond eu bod yn disgwyl i weld llofnodion y rhieni. Penderfynwyd y dylai rhai o aelodau'r pwyllgor ymweld unwaith eto â'r rhieni oedd wedi arwyddo ffurflenni er mwyn sicrhau eu hymrwymiad i anfon eu plant i Ysgol Gymraeg.

Erbyn y 4ydd o Fehefin, yr oedd rhieni 75 o blant o ardal Bae Colwyn wedi cadarnhau y byddent yn anfon eu plant i'r ysgol Gymraeg arfaethedig, 57 ohonynt rhwng 4 ac 11 mlwydd oed. Unwaith eto Trefor Davies aeth ag ymateb y rhieni i Ruthun. Penderfynodd yr Awdurdod Addysg gyfeirio'r cais at Bwyllgor Staff ac Adnoddau.

Ar yr 28ain o Fedi, 1948 cyhoeddodd Mr Edward Williams, Cadeirydd Pwyllgor Addysg Sir Ddinbych, fod yr is-bwyllgor wedi cymeradwyo sefydlu ysgol Gymraeg ym Mae Colwyn. Adroddodd fod yr is-bwyllgor wedi cyfarfod â dirprwyaeth o Fae Colwyn ac fe anogwyd y Pwyllgor i dderbyn mai ysgol Gymraeg oedd yr unig ateb a bod rhieni oddeutu 80 o blant wedi cadarnhau eu hymrwymiad i anfon eu plant yno.

Nid yw'n amlwg beth a ddigwyddodd am y saith mis nesaf ond, ar yr 8fed o Fehefin, 1949 aeth is-bwyllgor i weld safle arfaethedig yr ysgol ym Mae Colwyn mewn adeilad o'r enw Bod Alaw, tŷ trillawr a ddefnyddiwyd gan yr Awdurdod i wahanol ddibenion. Archwiliwyd yr adeilad gan y Pwyllgor ac fe benderfynwyd cymeradwyo sefydlu ysgol Gymraeg yno. Yr ystafelloedd gwaelod yn unig oedd i'w defnyddio.

Cytunwyd hefyd ar nifer o faterion perthnasol:

(a) Gwneud ymdrech i ehangu'r buarth chwarae.

(b) Cyfyngu'r ysgol i ddisgyblion Cymraeg eu hiaith.

(c) Rhoi'r ysgol dan ofal Ysgol Douglas Road, Bae Colwyn.

(ch) Ymdrechu i agor yr ysgol ddechrau mis Medi 1949.

Diddorol yw nodi mai hysbysu'r penderfyniad i Bwyllgor yr Eisteddfod Genedlaethol wnaeth yr Awdurdod Addysg ac nid i Fudiad y Rhieni a'r Cymmrodorion. Tybed a fu'r 'deinamo' D. R. Hughes yn hybu'r cynllun ymlaen? Yn ddiweddarach fe'i penodwyd yn aelod anrhydeddus o Bwyllgor yr ysgol.

Yn anffodus yr oedd gobeithion y Pwyllgor i agor yr ysgol ym mis

Parti yn Ysgol Bod Alaw. Y bachgen ar y chwith yw Dafydd Whittall, Cyfarwyddwr Addysg Gwynedd yn ddiweddarach.

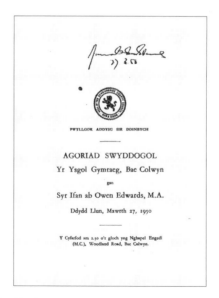

PWYLLGOR ADDYSG SIR DDINBYCH

AGORIAD SWYDDOGOL

Yr Ysgol Gymraeg, Bae Colwyn

gan

Syr Ifan ab Owen Edwards, M.A.

Ddydd Llun, Mawrth 27, 1950

Y Cyfarfod am 2.30 o'r gloch yng Nghapel Engedi
(M.C.), Woodland Road, Bae Colwyn.

*Gwahoddiad i seremoni agoriadol Ysgol Bod Alaw, gyda
llofnod y gŵr gwadd, Syr Ifan ab Owen Edwards.*

Medi 1949 yn amhosibl oherwydd y gwaith adeiladu ac addasu.

Penodwyd Miss Eluned Roberts, brodor o Lanrwst, yn brifathrawes yr ysgol. Gwyddai gymaint oedd y cyfrifoldeb, ond cysurai Miss Roberts ei hun drwy feddwl nad oedd gan neb arall yn y sir y profiad o sefydlu ysgol Gymraeg ac ni allent feirniadu o brofiad.

Trafodwyd enw'r ysgol â Miss Roberts a chan mai enw'r adeilad yn barod oedd Bod Alaw, a'i fod yn enw hyfryd, cytunwyd mai Ysgol Gymraeg Bod Alaw fyddai hi. Trosglwyddwyd Miss Mair Eluned Roberts a oedd yn athrawes yn Ysgol Douglas Road i Ysgol Bod Alaw i gynorthwyo Miss Roberts. Wrth i Miss Roberts baratoi i agor yr ysgol ar y laf o Fawrth, 1950 yr oedd rhai yn ofni methiant. Gofynnodd un person yn yr Awdurdod i Miss Roberts, 'Dach chi'n meddwl ddaw rhywun ar Fawrth laf?'

Ar fore'r laf o fis Mawrth gwireddwyd y freuddwyd o agor ysgol Gymraeg i Fae Colwyn. Daeth 22 o blant rhwng 4 ac 8 oed y diwrnod cyntaf a'u henwau yn ôl cofrestr y bore hwnnw oedd:

Eirian Williams, Selwyn Williams, Brynmor Williams, Raymond Ellis, Jean Ellis, Gillian Ellis, Iorwerth Roberts, Ann Rees Williams, David Andrew Jones, Ellen Lewis, Elizabeth Hughes, Gwyn Williams, Ifor Clwyd Jones, Hywel Gwyn Jones, Beryl Marian Jones, Arthur Ogwen Jones, David Wyn Griffiths, David James Owen, Catherine Humphreys, Gwenda Ellis, David Rees a Beti Edwards.

Yr oedd deg o'r plant yn dod o Lan Conwy, wyth o Fae Colwyn, un o Landdulas, dau o Hen Golwyn ac un o Fochdre. Bu'n fore prysur ac yn llawn ymwelwyr. Wedi cinio blasus anfonwyd y plant adref yn gynnar gan ei bod yn ddydd Gŵyl Ddewi.

Yna ar y 27ain o Fawrth 1950 agorwyd yr ysgol yn swyddogol. Perfformiwyd y seremoni agoriadol yn yr ysgol gan Syr Ifan ab Owen Edwards. I ddilyn, cynhaliwyd cyfarfod cyhoeddus yn Ysgoldy Engedi. Yn ei araith llawenychodd Syr Ifan fod Pwyllgor Addysg Sir Ddinbych wedi gweld yn dda i agor Ysgol Bod Alaw a phwysleisiodd hawl pob plentyn i gael ei hyfforddi yn ei famiaith. Siaradwyr eraill yn y cyfarfod oedd y Parchedig H. V. Morris Jones ar ran y pwyllgor trefnu lleol a Mr Edward Rees ar ran y Pwyllgor Addysg.

Dyma ysgol Gymraeg gyntaf Sir Ddinbych wedi ei sefydlu. Mae ein dyled heddiw'n fawr i'r rhai fu wrthi'n ymgyrchu'n ddyfal dros hanner canrif yn ôl i sicrhau bod plant ardal Bae Colwyn a'r cylch yn cael cyfle i dderbyn eu haddysg trwy gyfrwng yr iaith Gymraeg er diogelu ein hiaith a'n diwylliant.

Pennod 21

YSGOLION CYMRAEG CYLCH WRECSAM

GARETH VAUGHAN WILLIAMS

AR Y 1AF O EBRILL 1996 daeth Bwrdeistref Sirol Wrecsam i fodolaeth dan ddeddf ad-drefnu ffiniau awdurdodau lleol yng Nghymru. Hyd 1974 rhan o Sir Ddinbych ydoedd, ac wedyn rhan o Glwyd, yn rhanbarth gweinyddol â'i nodweddion ei hun. Mae'r ardal yn un gymysg iawn ei natur o ran tirwedd a thraddodiad. Yn nhiroedd amaethyddol gwastad y dwyrain, ym Maelor Saesneg, mae pentrefi Bangor Is-coed, Owrtyn a Hanmer, a fu unwaith mor bwysig i ddiwylliant Cymreig ond sydd bellach yn Seisnig eu naws a'u hagwedd. Tua'r gorllewin mae hen ardaloedd diwydiannol y gweithiau haearn a glo – Rhiwabon, Cefn-mawr, Rhosllannerchrugog a Choed-poeth, cymunedau a fu yn rhai hollol Gymreig ond sy'n newid yn gyflym fel y newidia patrymau gwaith wedi cau'r pyllau glo. Ymhellach i'r gorllewin tua ucheldiroedd mynyddig y Berwyn mae cymdeithas hollol wahanol pentrefi Dyffryn Ceiriog, Pontfadog, Glyn Ceiriog a Llanarmon. Yn ganolbwynt daearyddol a gweinyddol i'r ardal mae tref brysur Wrecsam, tref hanesyddol y ffin, Clawdd Wad a Chlawdd Offa. Heddiw mae'r dref ar sawl ffin: ffin rhwng dwy wlad, dwy iaith a dau ddiwylliant, ffin rhwng dau economi, ffin rhwng ucheldir a gwastadedd, a'r cyfan yn cyfarfod mewn un gymdeithas niferus gosmopolitaidd o 43,000 o drigolion. Cyfanrif trigolion y sir yw 124,000 ac yn ychwanegol at drigolion Wrecsam ei hun, mae 69,000 yn byw yn yr ardaloedd diwydiannol trefol a 12,000 yn yr ardaloedd gwledig.

Codi'r Ddraig Goch Dros Wrecsam – Ysgol Bodhyfryd

Am naw o'r gloch ar y 6ed o Dachwedd 1951 agorwyd yr Ysgol Gymraeg yn Wrecsam gydag 19 o blant ar y gofrestr. Y brifathrawes oedd Miss Beryl Sivell a gafodd ei phenodi wedi cyfnod ar staff Lluest, yr Ysgol Gymraeg yn Aberystwyth, ac fe'i cynorthwyid hi gan Miss Owena Rees. Am ddau o'r gloch y pnawn codwyd y Ddraig Goch i chwifio dros yr ysgol gan ddisgybl hynaf yr ysgol, Gareth Wyn Roberts, yn bump a hanner oed ac agorwyd yr ysgol yn swyddogol gan yr Henadur Emyr Williams, Cadeirydd Pwyllgor Addysg Rhanbarth Wrecsam, o flaen cynulleidfa o reolwyr, swyddogion, rhieni a charedigion, yn cynnwys Kate Roberts, Dinbych. Lleolwyd yr ysgol mewn man digon cyfleus y tu ôl i Ysgol Alexandra ar dir yn perthyn i Gyngor Wrecsam ac yn agos i ganol y dref.

Yn ei araith wrth agor yr ysgol dywedodd yr Henadur Williams fod pum mlynedd wedi mynd heibio er pan ddechreuodd yr ymgyrch dros godi ysgol Gymraeg yn Wrecsam. Un o'r prif anawsterau fu dod o hyd i safle ac adeilad addas ond ar ôl trafodaethau maith derbyniwyd caniatâd y Weinyddiaeth Addysg i godi adeilad parod newydd yn costio hyd at £5,000. Dyma'r tro cyntaf yng Nghymru i adeilad gael ei godi'n arbennig ar gyfer ysgol Gymraeg. Mae'r araith yn cyfeirio at y camsyniadau oedd yn bodoli yn Wrecsam ynghylch addysg Gymraeg wrth i'r Henadur bwysleisio mai nod yr ysgol oedd dwyieithrwydd ac nid dysgu'r Gymraeg yn unig. Er na welai fawr o werth masnachol na diwydiannol i'r iaith ac er bod llawer yn credu y dylai'r iaith gael llonydd i farw, pwysleisiodd fod dwy iaith yn fanteisiol i werthfawrogi'r diwylliant a oedd yn angenrheidiol i fyw bywyd llawn. Gan fod y Gymraeg o dan fygythiad radio, teledu a'r sinema a bod cynifer o bobl ddi-Gymraeg yn symud i fyw i Wrecsam fe welai'r Ysgol Gymraeg fel rhagfur yn erbyn y llif o Seisnigrwydd ac felly yr oedd sefydlu'r ysgol yn ddiwrnod mawr yn hanes y dref.

Tref Saesneg ei hiaith oedd Wrecsam yn ôl Edward Rees, Cyfarwyddwr Addysg Sir Ddinbych, â 98% o'i phlant yn uniaith Saesneg. Dim ond 73 o blant ysgolion cynradd a oedd yn medru'r Gymraeg er bod dros 500 yn dod o gartrefi lle'r oedd o leiaf un rhiant yn siarad yr iaith. Mewn sefyllfa felly yr unig ffordd i gyflawni gobeithion a dymuniadau rhieni Cymraeg eu hiaith oedd sefydlu ysgol newydd. Y gobaith oedd y byddai ysgol o'r fath yn ysgogi adfywiad ym mywyd Cymraeg y fwrdeistref.

Rhaid bod digwyddiadau'r 6ed o Dachwedd 1951 yn destun balchder i'r rhieni a'r caredigion a oedd wedi ymgyrchu mor galed am bum mlynedd i sefydlu ysgol Gymraeg. Ym mis Medi 1946 cyflwynwyd deiseb gan rieni 30 o blant gyda chefnogaeth cangen Undeb Cymru Fydd y dref i Is-bwyllgor Addysg Cyngor Wrecsam yn gofyn am addysg Gymraeg i'w plant. Ar y 10fed o Ionawr 1947 cyhoeddwyd llythyr oddi wrth D. R. Lewis, cyn-lywydd Undeb Cymru Fydd Wrecsam, yn y *Wrexham Leader* yn gresynu at yr oedi cyn ymateb i gais y rhieni, yn enwedig gan fod pamffled y Weinyddiaeth Addysg, *Language Teaching in Primary Schools*, yn argymell sefydlu system o ddysgu drwy gyfrwng y Gymraeg. Yn yr un argraffiad o'r *Leader* ymddangosodd hanes Mrs Janet Jones (Sioned Penllyn) yn codi cwestiwn ar *Seiat Holi* y BBC ynghylch sefydlu ysgolion Cymraeg ac yn adrodd problemau ei hefeilliad uniaith Gymraeg wrth ddechrau'r ysgol yn Wrecsam. Nid oedd yr un aelod o staff yr ysgol yn siarad Cymraeg a'r prifathro'n argymell iddynt newid iaith yr aelwyd.

Cafwyd ymateb cellweirus yn y *Leader* yr wythnos ddilynol gan un 'D. Jawns' ond sy'n dangos ymateb llawer o bobl y dref:

> It come as a big surprise to read how we've been having it on the wireless because there inna no Welsh school in Wrexham. After all you canna say we needed one. You dont hear a eck of a lot of Welsh round town. When I was a lad I never heard no Welsh except when our mam took me to see me taid up by Binnickybanny (Brynycabannau) and I never understood none of it. Well, never yer mind we talk English here and we dinner cur who knows it.

Cafodd deiseb y rhieni ei thrafod mewn cyfarfodydd o Bwyllgor Addysg Rhanbarth Wrecsam ac ar y 3ydd o Fedi, ar ôl derbyn deiseb arall gan 42 o rieni yn cynrychioli 70 o blant oed cynradd, derbyniwyd mewn egwyddor yr angen i sefydlu ysgol Gymraeg. Erbyn y 7fed o Dachwedd yr oedd Pwyllgor Addysg Sir Ddinbych hefyd yn cefnogi'r egwyddor o sefydlu ysgol Gymraeg yn Wrecsam, ond fe gymerodd bedair blynedd o bryder a rhwystredigaeth i'r darpar rieni cyn gweld y drysau yn agor.

Y dysteb orau i ffydd a gwroldeb y rhieni a'u cefnogwyr yw datblygiad a llwyddiant yr ysgol ar hyd y blynyddoedd. Gosodwyd sylfeini cadarn gan Beryl Sivell yn addysgol ac yn gymdeithasol. Yn fuan sefydlwyd Adran o'r Urdd ac erbyn mis Mawrth 1952 yr oedd y plant yn cystadlu yn Eisteddfod y Sir yn Llangollen. Yr oedd Cymdeithas Rhieni'r ysgol yn weithgar iawn, fel y gellid disgwyl, ac ym mis Medi 1953 yr oedd y *Liverpool Daily Post* yn adrodd bod 64 o blant yn yr ysgol a bod rhieni yn rhoi enwau plant bach ar restr aros.

Daeth Miss Mary Jane Davies o'r Foel, Sir Drefaldwyn yn brifathrawes ym mis Ebrill 1954 a pharhau a wnaeth y tyfiant. Mor fuan ag 1955 yr oedd rhai o'r plant yn ddigon hen i sefyll arholiad 11+ a chan nad oedd yna ysgol uwchradd Gymraeg, fe aethant i Ysgol y Bechgyn Grove Park, Ysgol y Merched Grove Park neu Ysgol Fodern Dewi Sant. Yr oedd rhai yn dal i gredu mai anfantais oedd derbyn addysg gynradd drwy gyfrwng y Gymraeg yn enwedig gan mai Saesneg oedd iaith yr ysgolion uwchradd, ond barn yr ysgolion hynny oedd bod plant o'r Ysgol Gymraeg ymhlith y goreuon. Agorwyd Ysgol Morgan Llwyd ym mis Medi 1963 i ddarparu addysg uwchradd trwy'r Gymraeg.

Yr oedd gan yr Ysgolion Cymraeg bolisi iaith pendant yn ystod y blynyddoedd cynnar. Dywed adroddiad Arolygwr ei Mawrhydi, yn dilyn ymweliad ym mis Mai 1958, 'Rhaid i'r plant a dderbynnir fod o gartrefi Cymraeg neu fod yn abl i ymateb iddi'. Dechreuwyd dysgu Saesneg i'r babanod hŷn ac yr oeddynt yn derbyn hanner awr o wers y dydd – ar ôl ysgol. Mae adroddiad yr Arolygwr yn dweud hefyd, 'Mae'r cynnydd yn y niferoedd yn dangos dilysrwydd yr angen y sefydlwyd yr ysgol i'w gyflawni, ac ymddiriedaeth y rhieni yn ansawdd yr addysg'.

Erbyn 1962 yr oedd gan yr ysgol 127 o blant ar y gofrestr ac er bod ystafelloedd newydd wedi eu hychwanegu at yr ysgol nid oedd eu cyflwr yn dda iawn a rhaid oedd brwydro i sicrhau dodrefn, siediau i gadw offer a gwasanaethau cynnal a chadw'n gyffredinol. Fel y dywedodd J. G. Jones, un o Reolwyr yr ysgol, ar ymweliad ym mis Mawrth 1962, 'Pe bai cymaint o raen ar y paent ag sydd ar yr addysg buasai popeth yn gampus'. Fe gafodd yr ysgol ei phaentio ym mis Mai 1964 a rhoddwyd papur ar wal ystafell y brifathrawes, 'am y tro cyntaf yn hanes yr ysgol'! Mabwysiadwyd yr enw, Ysgol Bodhyfryd, gyntaf yn 1969.

Bu cynnydd cyson ym maint yr ysgol er gwaethaf yr holl broblemau ynglŷn â lle, defnyddio cabanau pren, cael benthyg ystafell yn Ysgol Alexandra, a defnyddio'r ystafell fwyta fel dosbarth, ond erbyn i Mary Davies ymddeol yn 1976 yr oedd wedi cyrraedd rhyw fath o nifer gwastad oddeutu 180.

Dilynwyd Mary Davies gan Arwel Jones, brodor o'r Rhos, ac o dan ei arweiniad bu newid mawr yn hanes yr ysgol. Yr oedd yr ysgol bellach dan ofal Clwyd ac arweiniodd hynny at lawer o ad-drefnu yng ngwasanaethau gweinyddol y sir. Yn 1977 symudodd yr ysgol o'r hen safle ym Modhyfryd ar draws y dref i Hightown i swyddfeydd Adran Benseiri yr hen Sir Ddinbych. Er i'r adeiladau gael eu hailfodelu ar gyfer yr ysgol nid oeddynt yn ddelfrydol, ond yr oedd gan ysgol Bodhyfryd gartref newydd ar yr un campws ag Ysgol Morgan Llwyd.

Yn ystod y cyfnod hwnnw newidiwyd polisi derbyn yr ysgol i gyfateb â pholisi iaith yr Awdurdod newydd. Erbyn mis Mai 1981 yr oedd 250 o blant ar y gofrestr ac erbyn gwanwyn 1986 yr oedd y nifer wedi codi i 395. Yr oedd llawer iawn o'r plant erbyn hyn yn ddisgyblion ail-iaith a 67% o holl blant yr ysgol yn dod o gartrefi di-Gymraeg. Yn nosbarthiadau'r babanod deuai 82% o gartrefi di-Gymraeg. Teithiai'r plant o ddalgylch eang iawn hefyd ac fe sylwodd Arolygwr ei Mawrhydi yn 1987 fod y prifathro'n 'treulio mwy o'i amser yn trafod amserlenni cludo cymhleth'. Problem newydd arall oedd bod rhaid i bob gohebiaeth fod yn ddwyieithog. Nid yn unig yr oedd natur yr ysgol wedi newid ond yr oedd y rhieni wedi newid hefyd. Yr oeddynt yn awyddus i'w plant dderbyn addysg Gymraeg ond yn methu rhoi'r gefnogaeth ieithyddol iddynt.

Gan fod maint Ysgol Bodhyfryd wedi mwy na dyblu rhwng 1976 ac 1987, rhoddwyd pwysau mawr ar Awdurdod Addysg Clwyd i sefydlu ail ysgol Gymraeg yn Wrecsam. Erbyn mis Medi 1992 yr oedd tua 660 o blant yn yr ysgol, yn adlewyrchiad o'r galw cynyddol am addysg Gymraeg. Yr oedd maint yr ysgol yn deyrnged hefyd i waith y prifathro a ymddeolodd yn 1993. Ei olynydd oedd Dafydd Roberts ac yn ystod ei gyfnod, hyd 1998, cafwyd gwelliannau mawr yn ansawdd yr adeiladau. Yn 1996 derbyniodd yr ysgol o nawdd y *Popular Schools Initiative* swm sylweddol i ailgynllunio'r adeiladau. Fe gymerodd y gwaith dros flwyddyn i'w gwblhau ac mae Ysgol Bodhyfryd o'r diwedd mewn adeiladau braf. Fe ddechreuodd yr Ysgol Gymraeg yn Wrecsam mewn adeilad pwrpasol ar gyfer 70 o blant yn 1951 ac fe dyfodd i fod yn ysgol i bron i 700 o blant. Does dim dwywaith na chafodd gweledigaeth y sylfaenwyr ei gwireddu a bod y Ddraig Goch yn dal i chwifio.

Y Ddraig Goch ym Mhlas Coch – Ysgol Plas Coch

Yr oedd yn amlwg i gynghorwyr y dref fel Elwyn J. Morris, ac i swyddogion addysg fel Edgar Lewis, mai'r unig ateb i'r galw cynyddol am addysg Gymraeg ac i'r pwysau a roddwyd ar adeiladau Ysgol Bodhyfryd, lle'r oedd hanner y plant mewn cabanau symudol, oedd codi ysgol newydd. Cafwyd tir yn ardal Plas Coch ac fe adeiladwyd ysgol ar gynllun diddorol ar gyfer 210 o blant a 30 mewn uned feithrin. Penderfynwyd ar ddalgylchoedd ar gyfer Ysgol Bodhyfryd a'r ysgol newydd gan rannu'r dref yn ddwy, ond cafodd rhieni â phlant yn Ysgol Bodhyfryd ddewis i ba ysgol y dymunent i'w plant fynd. Ni dderbyniwyd plant i'r dosbarth hynaf ar y cychwyn. Cafodd aelodau staff Ysgol Bodhyfryd y cyfle i ymgeisio am swyddi yn yr ysgol newydd.

Dechreuodd y prifathro, Gwyn Jones, yn ei swydd ym mis Medi 1992 ar ôl dwy flynedd fel dirprwy yn Ysgol Bodhyfryd. Treuliodd dymor unig ond cyffrous yn yr adeilad gwag yn paratoi ar gyfer derbyn y plant ac ym mis Ionawr 1993 agorwyd yr ysgol â 160 o ddisgyblion yn cynnwys 33 yn y dosbarth meithrin. Bu trafod ar enw i'r ysgol a chafwyd cystadleuaeth yn *Y Clawdd*, y papur bro, ond cafodd yr ysgol ei galw'n hollol naturiol ar ôl yr ardal y'i lleolwyd ynddi. Agorwyd yr ysgol yn swyddogol, yr 28ain o Fehefin 1994, gan y Cynghorydd Elwyn J. Morris gan ei henwi'n Ysgol Gynradd Sirol Plas Coch.

Fel ym Modhyfryd derbynnir plant o ddalgylch eang yn ymestyn o Ferffordd, ar y ffin, i Lai, Gwersyllt a Bryn-teg. Oherwydd natur y dalgylch daw 81% o blant yr ysgol o gartrefi di-Gymraeg. Ar ôl pedair blynedd o dyfiant mae nifer y plant yn yr ysgol wedi cyrraedd 220 â 30 ychwanegol yn yr Uned Feithrin. Mater calonogol i'r prifathro a'i staff ac i'r Lywodraethwyr yw trafod problemau gorlenwi wrth weld Ysgol Plas Coch yn dilyn llwyddiant Ysgol Bodhyfryd.

Yr ydym wedi neidio ymlaen braidd yn nhrefn amser heb roi sylw i'r datblygiadau eraill oedd ar gerdded yn ysgolion y cylch.

'Dim Saesneg' – Ysgol Min-y-ddôl, Cefn-mawr

Hen ardal ddiwydiannol yw Cefn-mawr lle datblygodd y diwydiannau haearn a glo yn y ddeunawfed ganrif a briciau a theils yn y bedwaredd ganrif ar bymtheg, ac sy'n enwog am y bont ddŵr a adeiladwyd gan Telford er mwyn cysylltu cynnyrch yr ardal â marchnadoedd ehangach. Wrth groesi Pontcysyllte heddiw o gyfeiriad Froncysyllte, fe welir hen waith cemegau Monsanto a ddenodd lawer o weithwyr i'r fro. Pan gychwynnodd George Borrow ar ei daith yng Nghymru yn ystod haf 1854 fe gerddodd o Gaer i Wrecsam ac ymlaen i Langollen. Ar ôl brecwast yn Wrecsam a chyrraedd Rhiwabon fe welodd ddiwydiannau ardal Cefn ac fe ofynnodd i wraig a oedd yn cerdded i'w gyfarfod beth oedd enw'r lle. 'Dim Saesneg', oedd yr ateb ac meddai Borrow, '*I now feel I am in Wales*'.

Oherwydd datblygiadau diwydiannol yr ugeinfed ganrif yn ystod ac yn dilyn yr Ail Ryfel Byd, fe Seisnigwyd yr ardal, yn enwedig Cefn-mawr lle'r oedd trwch y boblogaeth yn byw. Yn 1953/54 yn dilyn llwyddiant yr ymdrech i sefydlu ysgol Gymraeg yn Wrecsam, fe ddechreuodd grŵp bychan o rieni a chefnogwyr addysg Gymraeg ymgyrch i sefydlu ysgol Gymraeg i wasanaethu'r ardal. Yr oedd Elwyn Davies o'r Garth, Stanley Williams, twrnai a'i gartref yn Nhrefor, a'r Parchedig John Roberts, Pen-y-cae, ymhlith y rhai mwyaf gweithgar ac fe aethant yn ddirprwyaeth i bledio'r achos yn effeithiol iawn gerbron Edward Rees, y Cyfarwyddwr Addysg, a Phwyllgor Addysg Sir Ddinbych yn Rhuthun. Yr oedd y rhan fwyaf o brifathrawon ysgolion cynradd yr ardal, Emrys Charles yn Acrefair, Bartley Williams yng Nghefn-mawr a John Morgan yn y Garth yn bleidiol iawn i'r ymgyrch ac yn gweld mai sefydlu ysgol Gymraeg oedd yr unig ffordd i sicrhau addysg Gymraeg. Yr oedd Edward Rees eisoes wedi dangos ei gefnogaeth i addysg Gymraeg wrth sefydlu ysgol yn Wrecsam ac fe lwyddodd i ennill cefnogaeth Pwyllgor Addysg y Sir unwaith eto.

Y broblem a wynebai'r Awdurdod Addysg oedd sicrhau adeilad a

Y plant yn chwarae ar y buarth yn Ysgol Gymraeg Wrecsam yn 1956. Addysg dda ond adeiladau gwael oedd prif nodweddion yr ysgol yn ei blynyddoedd cynnar.

Mary Jane Davies, prifathrawes Ysgol Bodhyfryd, Wrecsam, yn dangos gwers fathamateg i ymwelydd o Awstralia yn 1966.

safle ar gyfer yr ysgol, ond trwy ffawd yr oedd adeilad ar gael. Yn ystod yr Ail Ryfel Byd yr oedd ffatri arfau fawr iawn ym Marchwiail ger Wrecsam lle'r oedd llawer iawn o ferched y dref a'r pentrefi cyfagos yn gweithio. Yng Nghefn-mawr sefydlwyd *'War Time Nursery'* mewn adeilad dros dro ar gyfer plant y mamau a oedd yn gweithio yn y ffatri. Ar ôl y rhyfel a'r adeilad yn wag, fe'i meddiannwyd gan y Cyngor Sir er mwyn ei ddefnyddio fel ysgol Gymraeg. Rhyddhawyd Miss Bronwen Jones o Ysgol Victoria, Wrecsam i ofalu am yr ysgol. Hanai Bronwen Jones o'r un ardal yn Sir Drefaldwyn â Mary Davies, prifathrawes yr Ysgol Gymraeg yn Wrecsam.

Agorwyd yr ysgol â 12 o ddisgyblion ym mis Medi 1953 ond, gan nad oedd yr adeilad yn barod, bu'n rhaid ymgartrefu am fis mewn ystafell yn Ysgol Gynradd y Bechgyn, Cefn-mawr. Deuai'r mwyafrif o'r plant o gartrefi Cymraeg eu hiaith o ddalgylch gweddol eang ond yn eu mysg yr oedd bachgen di-Gymraeg o Gefn-mawr, David Evans. Er mwyn cael enw i'r ysgol yn lle 'Yr Ysgol Gymraeg', gofynnwyd i'r rhieni awgrymu enwau ac fe ddewiswyd 'Ysgol Min-y-ddôl'. Cynigiwyd yr enw gan blismon y pentref, Bob Griffiths, un o'r rhieni, oherwydd bod yr ysgol yn ffinio ar dir fferm y Dolydd. Fe dyfodd yr ysgol ac erbyn 1957 yr oedd 17 ynddi. Ymhen blwyddyn arall yr oedd gormod o blant i un athrawes ac fe benodwyd Brenda Gibson i fod yn gyfrifol am y Babanod. Â Bronwen Jones yn brifathrawes parhaodd yr ysgol i dyfu'n gyson ac o'r herwydd yr oedd yr adeilad gwreiddiol yn hollol anaddas. Yn ystod y saith degau cafwyd polisi o adeiladu ysgolion Cymraeg ac ysgolion Saesneg eu cyfrwng ar yr un safle. Gwnaethpwyd hyn yng Nghefn-mawr yn 1972 gan adeiladu ysgolion newydd ar gyfer Ysgol y Babanod, Cefn-mawr ac Ysgol Min-y-ddôl. Dyna oedd y sefyllfa pan ymddeolodd Bronwen Jones yn 1981. Yr oedd wedi gweld yr ysgol yn tyfu o 12 o ddisgyblion i 70 ac wedi symud o hen adeiladau dros dro i adeilad newydd sbon.

Fe ddilynwyd Bronwen Jones gan Dafydd Evans, a ddechreuodd yn ddisgybl di-Gymraeg yn yr ysgol yn 1956 ac a aeth ymlaen i Ysgol Uwchradd Morgan Llwyd. Yr oedd yn ymwybodol iawn o rinweddau addysg Gymraeg ac o broblemau ardal fel Cefn-mawr. Er mwyn sicrhau ac atgyfnerthu iaith yr ysgol fe gyflwynodd y prifathro bolisi o dderbyn disgyblion Cymraeg eu hiaith yn unig i'r Adran Iau. Fe fynnodd hefyd dderbyn addewid gan rieni'r plant yn yr Ysgol Feithrin y byddent yn symud eu plant ymlaen i'r Ysgol Gymraeg gan fod tuedd i golli plant yn bump oed i ysgolion eraill yr ardal.

Erbyn 1991 yr oedd ysgolion cynradd Cefn-mawr wedi tyfu'n aruthrol wrth i Gyngor Wrecsam godi stadau tai yn yr ardal. Adeiladwyd ysgol newydd ar gyfer yr Ysgol Gynradd a meddiannwyd adeiladau Ysgol Min-y-ddôl gan Ysgol y Babanod. Symudwyd Ysgol Min-y-ddôl i hen adeiladau Ysgol Gynradd, Cefn Mawr ac er i'r adeilad gael ei atgyweirio a'i foderneiddio yr oedd yn dal yn hen adeilad. Yr oedd cyfnod yr addasu yn gyfnod anodd ac fe gollwyd rhai teuluoedd am fod yr ysgol ar chwâl. Serch hynny erbyn 1993 yr oedd 160 o blant ar y gofrestr.

Er mai ardal ddifreintiedig yw Cefn-mawr, mae'r plant yn chwifio'r faner dros y Gymraeg mewn amrywiol ffyrdd. Maen nhw'n cymryd rhan yng ngweithgareddau'r Urdd ac wedi ennill Cwpan Rygbi'r Gynghrair (*Rugby League*!!) ar gyfer ysgolion cynradd bum mlynedd yn olynol o 1993 hyd 1998. Yn 1996 ac 1997 fe gynrychiolodd yr ysgol y Sir yng nghystadleuaeth Rygbi'r Undeb yn Llanelli. Yr oedd hwn yn brofiad aruthrol i blant o ogledd-ddwyrain Cymru.

Byddai'r rhan fwyaf o blant Ysgol Min-y-ddôl yn dilyn yr un llwybr â'r prifathro ac yn mynd ymlaen i Ysgol Morgan Llwyd. Yn ddiweddar agorwyd ffrwd Gymraeg yn Ysgol Dinas Brân, Llangollen, ac oherwydd lleoliad Cefn-mawr mae rhai plant yn tueddu mynd yno, ond yn parhau i dderbyn addysg Gymraeg. Mae'n debyg y bydd newid ffiniau ar ôl Deddf Llywodraeth Leol 1996 yn effeithio ar yr ysgol gan fod Sir Ddinbych wedi sefydlu Uned Gymraeg yn Ysgol Bryn Collen, Llangollen, a bydd rhai plant yn sicr o fynd yno.

Yn sgil agor Ysgol Min-y-ddôl yn 1956 gwelwyd cynnydd yng ngweithgareddau Cymraeg y fro a brwdfrydedd dros achosion Cymreig. Mae'r prifathro yn gweld bod yr ysgol Gymraeg yn rhoi cyfle i'r ardal ailafael yn ei Chymreictod. Y gobaith yw y bydd ymwelwyr yn medru dweud, fel y gwnaeth George Borrow, '*I now feel I am in Wales*'.

O'r iseldir i'r mynydd-dir – Ysgol Bryn Tabor, Coed-poeth

Pentref ar y briffordd o Ruthun i Wrecsam yw Coed-poeth. Mae'r enw'n awgrymu'r cysylltiad a fu â'r diwydiant haearn a leolwyd yn y Bers yn ystod y ddeunawfed ganrif. Yn yr ardal bu cloddio am blwm yn y Mwynglawdd, o bosib yn ôl i gyfnod y Rhufeiniaid, ac yr oedd chwareli carreg galch ym Mwlch-gwyn a Gwynfryn a phyllau glo yn New Brighton.

Ardal hollol Gymreig oedd hon ddechrau'r ganrif ond dirywiodd y sefyllfa yn enbyd yn dilyn cyfnod o ddirwasgiad a rhyfel, er bod cnewyllyn o Gymry ar ôl a oedd yn benderfynol o gadw'r iaith. Ddiwedd 1965 cynhaliwyd cyngerdd Nadolig yr ysgol leol yn Neuadd y Plwyf, Coed-poeth, a'r gynulleidfa'n mwynhau clywed y plant yn cyflwyno carolau Cymraeg. Wrth gloi'r cyngerdd, cyfeiriodd y prifathro newydd, Huw Llew Lloyd, at y ffaith mai ychydig iawn o'r plant oedd yn medru siarad yr iaith. Bu hyn yn sioc i Gymry'r ardal ac fe'u sbardunwyd i ymdrechu i sefydlu ysgol Gymraeg.

Bu llawer o drafod yn yr ardal ac o dan arweiniad William Hopwood ac Alun Lloyd bu ymgyrch egnïol i sefydlu ysgol. Yn dilyn cyfarfod cyhoeddus yn Neuadd y Plwyf â'r Cyfarwyddwr Addysg, T. Glyn Davies, penderfynodd yr Awdurdod Addysg agor ysgol Gymraeg yng Nghoed-poeth dan ofal aelod o staff Ysgol Gynradd Penygelli. Yr oedd Sir Ddinbych yn gallu symud yn gyflym ar adegau!

Ar y 10fed o Ebrill 1967 agorwyd yr ysgol yn Neuadd y Plwyf, Coed-poeth. Cafodd yr adeilad ei ddodrefnu gan yr Awdurdod Addysg ond bu rhaid i'r athro, Dewi Humphreys, gasglu cymaint o offer ag a fedrai oddi wrth brifathrawon yr ardal, a hynny mewn pedwar diwrnod yn unig, gymaint oedd y brys. Ar y bore cyntaf derbyniodd Dewi Humphreys a'i gynorthwydd, Ivy Williams, 31 o blant, y rhan fwyaf ohonynt yn ddi-Gymraeg, o Goed-poeth a'r pentrefi cyfagos. Trefnwyd bws i'w casglu o Southsea, Tan-y-fron, Lodge, Brymbo, Bwlch-gwyn, Mwynglawdd a New Brighton. Yr oedd y dalgylch yn un eang a mynyddig, ac yn un a oedd yn mynd i achosi problemau, fel ym mis Chwefror 1969 pan gafwyd eira mawr. O'r 48 o blant ar y gofrestr dim ond 17 a lwyddodd i gyrraedd yr ysgol. Bu hyn yn broblem ar hyd y blynyddoedd.

Bu'r wythnos gyntaf yn un gyffrous i'r athrawon a'r plant gydag ymweliadau gan Swyddog Addysg Wrecsam, y Trefnydd Addysg Babanod, Trefnydd Iaith y Sir, ac Arolygwr ei Mawrhydi. I goroni'r wythnos daeth criwiau ffilmio'r BBC a TWW. Yr oedd yr ysgol ar y map.

Yn fuan iawn yr oedd yr ysgol newydd yn cymryd rhan yng ngweithgareddau Cymraeg yr ardal ac yn denu mwy a mwy o blant. Bwydai ysgolion meithrin yn Adwy'r Clawdd ac yn New Broughton yr ysgol ac yr oedd yn amlwg bod Neuadd y Plwyf yn anaddas i gynnal ysgol. Er bod gwresogyddion newydd wedi cyrraedd ym mis Ebrill 1968 yr oedd y lle yn dal yn oer iawn. Ddiwedd 1968 bu tân yn rhan o hen Ysgol Fodern Penygelli a chafodd Dewi Humphreys gynnig dwy ystafell wedi eu hatgyweirio ar gyfer yr Ysgol Gymraeg. Ar y 1af o Fehefin 1970 symudodd y plant allan o Neuadd y Plwyf i'w hystafelloedd newydd mewn adeilad a gawsai ei ddifrodi gan dân. Felly 'gwin newydd mewn hen gostreli' oedd hanes yr ysgol, ond o'r diwedd yr oedd ganddi gartref iddi ei hun a lle i dyfu gan fod ystafelloedd ychwanegol ar gael. Yn ystod haf 1970 chwalwyd llawer o hen adeiladau Penygelli er mwyn diogelwch.

Bu'n rhaid i Dewi Humphreys aros hyd fis Mai 1973 cyn ei benodi'n swyddogol yn brifathro Ysgol Gymraeg Coed-poeth er iddo fod yn gyfrifol am yr ysgol er ei hagor yn 1967. Hefyd cafodd yr ysgol enw swyddogol – Ysgol Bryn Tabor, er na chyrhaeddodd bwrdd enw'r ysgol tan yr 22ain o Fehefin 1977! Dan Awdurdod Clwyd bu'r saith degau'n gyfnod o ddatblygu. Ym mis Medi 1974 yr oedd 4 o athrawon ar y staff ac yn 1976 penodwyd un ohonynt, Gwenda Roberts, yn ddirprwy. Agorwyd ysgol feithrin am ddau ddiwrnod yr wythnos ym mis Ionawr 1977.

Ym mis Mehefin 1978 dechreuodd y Sir gynllunio ysgolion newydd i Bryn Tabor ac Ysgol Babanod Penygelli, cynllun agored â'r ddwy ysgol ar yr un campws yn rhannu'r neuadd a'r ystafell fwyta. Er i reolwyr y ddwy ysgol a'r rhieni wrthwynebu'r cynllun er mwyn cael dwy ysgol ar wahân, symudodd Awdurdod Addysg Clwyd ymlaen ag ef. Symudodd Bryn Tabor i'r ysgol newydd ym mis Ionawr 1984, ac erbyn hynny yr oedd Dewi Humphreys wedi ymddeol, ac wedi gwireddu ei freuddwyd o weld yr ysgol yn cael adeilad newydd pwrpasol.

Cymerodd Eric Richardson at yr awenau ym mis Medi 1983 ac wynebu'n hyderus ddyfodiad y Cwricwlwm Cenedlaethol a'r newidiadau a'i dilynodd. Yr oedd yr ysgol yn parhau i gymryd rhan flaenllaw ym mywyd yr ardal drwy gynnal dosbarthiadau Cymraeg i rieni, cefnogi gweithgareddau Clwb y Felin, eisteddfodau, cymanfaoedd canu a recordio ar gyfer Sain y Gororau. Daliodd yr ysgol i dyfu ac erbyn diwedd cyfnod Eric Richardson fel prifathro yr oedd yr ysgol eto yn rhy fach ac yn gorfod defnyddio nifer o gabanau ar gae'r ysgol.

Ffarweliwyd ag Eric Richardson ym mis Rhagfyr 1993 ac ym mis Ionawr dechreuodd cyfnod newydd ym mywyd yr ysgol gyda Robert Lloyd Jones yn brifathro. Dan ei arweiniad mae'r ysgol yn dal i dyfu ac mae'r tyfiant wedi arwain at newidiadau i'r adeiladau gwreiddiol a chabanau ychwanegol eto. Yn wir byddai Bryn y Cabanau – neu *Binnickybanny* – yn enw digon addas ar gyfer yr ysgol heddiw!

Nid lle ond pobol – Ysgol Hooson, Rhosllannerchrugog

'Yn wir, dywedwyd cyn hyn nad LLE yw'r Rhos ond POBOL', meddai J. T. Jones yn ei ragair i *Raglen Eisteddfod Dyffryn Maelor 1961*, ac mae'n mynd ymlaen i ddisgrifio'r gymdeithas yr oedd yn rhan ohoni fel 'tylwyth heidiol, clebrus, uchel ein cloch, llawn arabedd'. Mae'n priodoli'r nodweddion hyn i, 'neilltuaeth ein safle ... o gyrraedd dylanwadau mwy gwâr, mwy startslyd, Seisnicach y dref'. Mae Hugh Ellis Hughes, cyfaill I. D. Hooson, mewn teyrnged iddo yn *Y Faner* yn 1948, yn sôn am 'Y deffroad addysgol, y diwygiad crefyddol a'r ymwybod ymneilltuol a roddodd rym a lliw a llun i fywyd Cymraeg y Rhos'.

Saesneg oedd iaith Llyfr Log Ysgol Gynradd Sirol Rhosllannerchrugog ym mis Medi 1953 ond yn ddisymwth ar y 30ain o Ebrill 1954 mae'n troi i'r Gymraeg. Bu archwiliad gan Arolygwr Ei Mawrhydi ar y 4ydd o Dachwedd 1953 ac er mai Saesneg yw iaith yr adroddiad mae'n amlwg i bob pwrpas mai ysgol Gymraeg oedd Ysgol Gynradd y Rhos. Yr oedd tair adran i'r ysgol: Ysgol Iau i Fechgyn, Ysgol Iau i Ferched ac Ysgol y Babanod. Yr oedd mwyafrif y plant yn dod o gartrefi Cymraeg eu hiaith, a'r gweddill yn dilyn yr iaith ac yn ei defnyddio heb unrhyw anhawster.

Ym mis Ebrill 1961 ffurfiwyd un ysgol drwy uno Ysgol y Bechgyn ac Ysgol y Merched â Lewis Morris yn brifathro a chwech aelod o staff. Yr oedd 174 yn yr ysgol ond mae'n amlwg bod dylanwadau 'Seisnicach y dref' ar waith yn y gymuned. Yn yr arholiad 11+ ym mis Rhagfyr 1961 yr oedd 31 yn ateb yn Saesneg a 12 yn Gymraeg. Ym mis Hydref aeth dau o'r plant i Ysgol y Wern, y Rhos, oherwydd 'Credai'r fam fod gormod o Gymraeg yn yr ysgol hon'.

Yr oedd yr arwyddion bod sefyllfa'r iaith yn dirywio yn yr ardal yn achosi pryder i garfan gref o athrawon a rhieni ac ym mis Rhagfyr 1975 cynhaliwyd cyfarfod yn Ysgol y Wern i drafod y posibilrwydd o sefydlu ysgol Gymraeg yn y Rhos. Yn bresennol yr oedd prifathrawon ysgolion cynradd yr ardal, prifathro Ysgol Morgan Llwyd, prifathro Ysgol Rhiwabon, y Cynghorwyr Morlais Davies a J. W. Williams a'r Swyddogion Addysg, Keith Evans, Edgar Lewis a Wyn Owens. Cafwyd cefnogaeth frwd i'r syniad.

Ymddeolodd Lewis Morris ac ym mis Rhagfyr penodwyd Edward Richard Jones i'w ddilyn ac i ddechrau ar ei waith ym mis Ebrill 1976. Yn y cyfamser bu cyfarfod cyhoeddus yn yr ysgol â Swyddogion Addysg y Sir i drafod sefydlu ysgol Gymraeg, ond nid oedd barn unfrydol ymysg y rhieni. Bu cyfarfodydd rhwng y Cyfarwyddwr Addysg a'r ddwy garfan o rieni, y rhai o blaid a'r rhai a wrthwynebai, ac ar y 25ain o Fai 1976 rhoddwyd gwybodaeth i Reolwyr yr ysgol y byddai'r Awdurdod yn sefydlu Uned Gymraeg o fewn yr ysgol ar gyfer y plant y dymunai eu rhieni iddynt dderbyn addysg Gymraeg. Lleolwyd yr Uned ym Mhlas yn Rhos, tua hanner milltir o'r Ysgol Gynradd, ac fe fyddai'n ofynnol i'r prifathro a'r athrawon deithio yn ôl a blaen rhwng y ddau safle.

Pan agorodd yr ysgol ym mis Medi ar ôl gwyliau'r haf yr oedd 120 o blant ar y gofrestr. Yr oedd 32 yn Adran y Babanod, 20 yn yr hen ysgol a 12 yn yr Uned Gymraeg. Ym mis Medi 1977 yr oedd 28 yn yr Uned Gymraeg ac erbyn mis Medi 1979 yr oedd 51 ynddi. Er bod yr Uned Gymraeg yn tyfu nid oedd y sefyllfa'n foddhaol a bu cwynion gan rai o'r rhieni fod y prifathro'n treulio gormod o amser yn yr Uned ar draul yr hen ysgol er ei fod yn gyfrifol am ddysgu dosbarthiadau 3 a 4 yn yr Uned.

Ym mis Rhagfyr 1979 gwnaed argymhelliad gan y Swyddogion Addysg y dylid sefydlu dwy ysgol annibynnol a rhoi cyfle i'r prifathro naill ai aros yn Ysgol y Rhos neu symud yn brifathro i'r Ysgol Gymraeg newydd. Derbyniwyd yr argymhelliad gan Reolwyr yr Ysgol ym mis Ionawr 1980 ond yr oedd rhywfaint o ragfarn o hyd yn erbyn ysgol Gymraeg, yn enwedig ymysg rhieni a rhai cynghorwyr. Dewisodd Richard Jones fod yn brifathro ar yr Ysgol Gymraeg gan ei fod yn gweld hyn fel 'y cyfle olaf yn Rhos i adfer y Cymreigrwydd hynny a'i gwnaeth yn enwog hyd yn ddiweddar'. Dechreuodd ar ei waith ar yr 28ain o Awst 1980 gyda 93 o blant yn Ysgol Gymraeg y Rhos.

Trefnwyd cystadleuaeth i ddewis enw i'r ysgol a derbyniwyd 45 o gynigion. Dewiswyd 'Ysgol Hooson', gan adael yr I.D. allan am fod un o'r cynghorwyr yn gwrthwynebu defnyddio enw person! Etholwyd pwyllgor rhieni effeithiol iawn a bu cysylltiad clòs rhwng y rhieni a'r ysgol ar hyd y blynyddoedd.

Yn fuan iawn daeth llwyddiant i ran yr ysgol o sawl cyfeiriad, yn enwedig ym myd cerdd. Bu côr yr ysgol yn cystadlu yn Eisteddfod Genedlaethol yr Urdd yng Nghastellnewydd Emlyn yn 1981 am y tro cyntaf, ac ennill yng Nghaerdydd yn 1985. Bu'n darlledu ar raglen *Sain, Cerdd a Chân* ac fe ddaeth y Blygain yn Eglwys Gymraeg Dewi Sant, y Rhos, yn ddigwyddiad blynyddol nodedig.

Ym mis Tachwedd 1982 derbyniwyd gwybodaeth bod yr Awdurdod Addysg yn bwriadu adeiladu ysgol newydd i'w hagor erbyn 1984. Cynllun oedd hwn eto i sefydlu dwy ysgol, Ysgol y Rhos ac Ysgol Hooson, mewn un adeilad gan rannu neuadd ac ystafell fwyta. Gwrthwynebwyd y cynllun gan y prifathro, y llywodraethwyr a'r rhieni gan eu bod yn credu y byddai'n well adeiladu ysgol newydd ar y safle presennol. Bu llawer o lythyru a phwyllgora a chryn ddrwgdeimlad yn ystod 1983. Lleddfwyd ryw gymaint ar y pryderon wedi cyfarfod y Swyddogion Addysg ac o hynny ymlaen edrychwyd yn bositif iawn tuag at gael adeiladau newydd i'r ysgol Gymraeg. Bu staff Ysgol Hooson yn ymweld ag ysgolion ar yr un cynllun fel Ysgol Bryn Tabor. Caewyd hen Ysgol Hooson ym mis Rhagfyr 1985, 'yr hen ysgol annwyl', ac ar yr 8fed o Ionawr 1986 symudwyd i'r adeilad newydd.

Yr oedd gan yr adeilad newydd lawer o fanteision ond rhai problemau hefyd. Cafwyd trwch o eira ar y diwrnod cyntaf a rhoddodd hynny gyfle i blant y ddwy ysgol bledu'i gilydd â pheli eira – yn Gymraeg a Saesneg! Yn araf fe ddaeth cyd-fyw a chyd-ddealltwriaeth rhwng y ddwy ysgol ac fe dyfodd Ysgol Hooson yn gyflym. Ym mis Medi 1987 yr oedd 140 o blant ar y gofrestr a naw aelod o staff.

Ym mis Medi 1988 bu'r plant yn cyflwyno cerdd I. D. Hooson, 'Y Band Undyn' gan ddilyn band undyn Bucker-Jones o Lanbedr Pont Steffan ar hyd strydoedd y Rhos, o Allt y Gwter hyd at y Groes. Bu gweithgareddau o'r fath yn rhannol gyfrifol am dwf aruthrol yr ysgol o fis Medi 1993 ymlaen. Erbyn 1995 yr oedd 250 ar y gofrestr, ddwywaith gymaint â'r nifer yn yr ysgol Saesneg sydd yn rhannu'r safle.

Yng nghyntedd Ysgol Hooson mae llun ardderchog gan Leonard Appelbee o'r Band Undyn yn cadw cwmni i gerdd I. D. Hooson a gwych yw gweld bod cynifer o 'blant y pentref yn tyrru ato fo'. Wrth gyflwyno addysg Gymraeg gyflawn i bobl Rhos mewn dull mor afieithus, y gobaith yw y byddant yn parhau'n 'dylwyth heidiol, clebrus, uchel eu cloch a llawn arabedd'.

Amser Dyn ei Gynhysgaeth
– Ysgol Morgan Llwyd, Wrecsam

Amser Dyn ei Gynhysgaeth yw arwyddair Ysgol Morgan Llwyd – geiriau y pregethwr a'r bardd ei hun a ysgrifennwyd ganddo yn 1653 wedi iddo ddychwelyd 'i Wrecsam decaf'. Ar ôl sefydlu Ysgol Gynradd Gymraeg Wrecsam yn 1951 y cam naturiol oedd symud ymlaen i sefydlu ysgol uwchradd. Kay Powel Jones yn 1955 oedd y cyntaf o blant yr Ysgol Gymraeg i sefyll yr arholiad 11+ ac ar ôl llwyddo yr oedd wedi mynd i Ysgol y Merched Grove Park. Yn 1958 yr oedd 17 o blant yn sefyll y 11+. Cynhaliwyd cyfarfod ym mis Chwefror 1959 rhwng cangen Wrecsam o UCAC a changen Wrecsam o Undeb Cymru Fydd er mwyn trafod y broblem. Y cam nesaf oedd cynnal cyfarfod cyhoeddus yn Wrecsam ar y 3ydd o Fawrth 1959 â 'r Henadur Cyril O. Jones yn cadeirio. Penderfynwyd ffurfio pwyllgor i arwain yr ymgyrch dros ysgol uwchradd Gymraeg ac etholwyd J. T. Jones, prifathro Ysgol Rhiwabon, i'r gadair a Reg Kendall, darlithydd yng Ngholeg Cartrefle, yn ysgrifennydd. Aeth dirprwyaeth yn cynnwys Geraint Bowen, Reg Kendall, T. Hughes Jones, y Parchedig John Roberts, Pen-y-cae, a Trefor Edwards, athro yn Ysgol Penygelli, i gyfarfod Cyfarwyddwr Addysg Sir Ddinbych, T. Glyn Davies, er mwyn cyflwyno cais am sefydlu ysgol uwchradd Gymraeg yng nghyffiniau Wrecsam.

Cafodd y ddirprwyaeth dderbyniad calonogol ac fe'i cynghorwyd i baratoi dogfen yn cyflwyno'r cais fel y gallai'r Cyfarwyddwr ei osod gerbron Pwyllgor Ad-drefnu'r Pwyllgor Addysg. Fe wnaed hyn a chefnogwyd y syniad gan y Pwyllgor Ad-drefnu gyda'r argymhelliad bod y Pwyllgor Addysg yn derbyn mewn egwyddor yr angen am ysgol uwchradd Gymraeg yn y sir, y lleoliad i'w drafod mewn cyfarfod diweddarach. Yr oedd yn ymddangos bod yr ymgyrch yn symud ymlaen yn gyflym ac yn llwyddiannus, a thrwy gydol haf 1959 bu Reg Kendall, ysgrifennydd y pwyllgor, yn rhoi cyhoeddusrwydd eang i'r datblygiadau ac yn casglu enwau disgyblion ar gyfer agor ysgol ym mis Medi. Daeth enwau a chefnogaeth o ddalgylch eang, o dref Wrecsam ei hun ac o'r pentrefi cyfagos, yn cynnwys y Rhos, Cefn-mawr, Ponciau, Pen-y-cae, Coed-poeth, Bwlch-gwyn, Gwynfryn a Mwynglawdd.

Er yr holl frwdfrydedd a'r holl gefnogaeth, siomwyd yr ymgyrchwyr pan gyhoeddodd y Pwyllgor Addysg na fyddai ysgol yn agor ym mis Medi 1959, nac efallai am rai blynyddoedd, gan nad oedd adeilad addas ar gael. Parhaodd yr ymgyrch gan y pwyllgor a'r rhieni am bedair blynedd arall hyd wanwyn 1963 pan gafwyd gwybodaeth gan y Cyfarwyddwr Addysg ei fod yn gobeithio agor yr ysgol ym mis Medi. Yr oedd yr holl oedi a'r ansicrwydd wedi achosi i rai o'r rhieni golli diddordeb ac yr oedd rhai o'r plant eisoes wedi dechrau addysg uwchradd mewn ysgolion eraill. Yr oedd hefyd rywfaint o wrthwynebiad wedi codi i'r syniad o sefydlu ysgol uwchradd Gymraeg, ond ar y funud olaf, ar y 30ain o Awst 1963, derbyniwyd llythyr gan y Cyfarwyddwr Addysg,

'Ysgrifennaf atoch i'ch hysbysu yn bendant yr agorir yr Ysgol Gymraeg yn Wrecsam ddydd Mawrth nesaf yn Ysgol Victoria. Gan hynny bydd yn dda gan yr athrawon dderbyn eich plentyn yno am ddeng munud i naw o'r gloch fore ddydd Mawrth.'

Agorwyd yr ysgol mewn dau ddosbarth sbâr yn Ysgol Gynradd Victoria ac fe dderbyniwyd 36 o blant gan Mrs Rhiannon Grey Davies a oedd i gymryd gofal o'r ysgol nes y cyrhaeddai'r y prifathro W. J. Davies ym mis Ionawr 1964. Gyda Rhiannon Grey Davies yr oedd Elizabeth

Edwards a Iorwerth Gruffudd-Jones ac yr oeddynt yn gyfrifol am ddysgu holl bynciau blwyddyn gyntaf ysgol uwchradd. Fel y dywedodd un o'r disgyblion rai blynyddoedd yn ddiweddarach, 'dim ond dyrnaid o athrawon oedd yno – fel criw o actorion mewn cwmni drama bach, yn gorfod troi eu llaw at bopeth a newid cymeriad weithiau i gyd-weddu â'r pwnc.' Ymunodd Eirlys Oliver (Owen) â'r staff ym mis Ionawr 1964 i ddysgu gwyddoniaeth ac fe fu yn athrawes yn yr ysgol tan 1994.

Cafodd yr ysgol newydd groeso cynnes gan staff Ysgol Victoria ac fe gafwyd cyfnod hapus a llwyddiannus yno. Ym mis Tachwedd 1963 cyhoeddwyd bod yr ysgol yn symud o Victoria i safle Gwersyll yr Hermitage, hen Storfa'r *Royal Pioneer Corps*. Ym mis Medi y symudodd yr ysgol i'r safle newydd ym Mryn-y-cabanau ac, yn ôl traddodiad, y man lle'r ymgeleddai Morgan Llwyd y cleifion yn ystod ymweliad y pla â'r dref gan adeiladu cabanau iddynt. Felly digon priodol oedd derbyn argymhelliad y Rheolwyr i enwi'r ysgol yn Ysgol Morgan Llwyd, er mwyn coffáu ei gysylltiadau â'r dref.

Er gwaethaf yr adeiladau a'r problemau trafnidiaeth, tyfodd yr ysgol nes cyrraedd y pumed dosbarth yn 1968. Yr oedd amheuaeth ynglŷn â chaniatáu chweched dosbarth yn yr ysgol gan fod Coleg Chweched Dosbarth ar gael yn y dref ond wedi ymgyrch gref gan Bwyllgor y Rhieni ac UCAC cafwyd caniatâd y Pwyllgor Addysg i baratoi a datblygu cyrsiau chweched dosbarth. Bu'r ysgol yn flaenllaw yn arloesi cyrsiau ar gyfer arholiadau Lefel A trwy'r Gymraeg. Yn dilyn hyn datblygodd yr ysgol ymhellach ac ychwanegwyd ardaloedd Dyffryn Ceiriog, Llandegla a Bryneglwys at y dalgylch.

Ymgartrefodd yr ysgol yn hen gabanau'r fyddin am ddeng mlynedd nes cael adeilad pwrpasol newydd ar yr un safle yn 1974. Daeth yr ysgol yn ganolfan addysgol bwysig gan chwarae rhan werthfawr ym mywyd Cymraeg Bro Maelor, yn enwedig gyda'r sioeau cerdd, megis *Branwen o Faelor* gydag enwau adnabyddus bellach yn cymryd rhan; pobl fel Stiffyn Pari, Dafydd Dafis, Elfed Dafis ac Anwen Roberts.

Cafwyd arweiniad cadarn ac unigryw gan y prifathro, W. J. Davis, wrth i'r ysgol ddatblygu a mawr oedd y golled pan ymddeolodd yn 1979. Am ychydig bu'r ysgol dan ofal y dirprwy, John Thomas, nes y dechreuodd

R. Alun Charles ar ei gyfnod yn brifathro yn 1980. Yn 1984 bu'r ysgol yn dathlu ei phen-blwydd yn 21 oed ac ysgrifennodd y Cyfarwyddwr Addysg, John Howard Davies: 'Bu Ysgol Morgan Llwyd yn rhan annatod o ddatblygiad addysg trwy gyfrwng y Gymraeg. Mae'n braf gallu teimlo ei bod wedi dod i'w hoed, ond yn dal i dyfu a datblygu. Mae i'r Ysgol ddyfodol llewyrchus ... '

Yn gynharach yn yr un ysgrif dywedodd y Cyfarwyddwr: 'Mae'n debyg fod yr awyrgylch mewn tref o faint Wrecsam ar y ffin â Lloegr yn gyfrifol am y ffaith na thyfodd yr Ysgol i'r un graddau â'r Ysgolion Cymraeg eraill yng Nghlwyd.' Y rheswm pennaf am hyn oedd y polisi a fabwysiadwyd yn ystod blynyddoedd cynnar yr ysgol o dderbyn Cymry Cymraeg yn unig. Ond fel y datblygodd yr ysgol ac fel y bu tyfiant aruthrol yn yr ysgolion cynradd a oedd yn bwydo Ysgol Morgan Llwyd gwelwyd cynnydd mawr yn y niferoedd a llawer mwy o blant o gartrefi di-Gymraeg. Yr oedd y cymysgedd braf o ddisgyblion o'r dref ac o'r wlad yn ychwanegu at gymeriad yr ysgol ac yn atgyfnerthu'r safon a'r defnydd o'r Gymraeg.

Tyfodd yr ysgol yng nghyfnod Alun Charles nes iddo gael ei benodi'n Arolygwr Ei Mawrhydi yn 1986 ac fe'i dilynwyd fel pennaeth ym mis Ionawr 1987 gan Edward Williams. Oherwydd nifer y disgyblion bu'n rhaid defnyddio llawer iawn o gabanau dros dro fel ystafelloedd dysgu ac er i'r ysgol dderbyn estyniad moethus gwerth 1.2 miliwn o bunnoedd yn 1992 nid oedd, serch hynny'n ddigon mawr i'r holl ddisgyblion heb barhau i ddefnyddio'r cabanau!

Erbyn 1998 yr oedd 640 o ddisgyblion yn yr ysgol a disgwylid i'r nifer gynyddu i 1,050 erbyn y flwyddyn 2002. Er bod carfan gref o blaid datblygu'r safle dangosodd arolwg gan yr Awdurdod Addysg nad oedd hyn yn ymarferol. Felly paratowyd cynlluniau ar gyfer adleoli'r ysgol yn gyfan gwbl i safle hen Goleg Cartrefle gyda'r bwriad o symud yno erbyn 1999.

Siarsia Morgan Llwyd ei gyd-Gymry i: 'Ymofyn â ffynnon dealltwriaeth ac yf di yn fynych ohoni.' Fe fyddai'n falch o weld bod Ysgol Morgan Llwyd yn rhoi cyfle i gynifer o ieuenctid Bro Maelor a'r cylch 'yfed o'r ffynnon' a dysgu mai 'amser dyn yw ei gynhysgaeth'.

Mewn cyfres o atgofion gan gyn-fyfyrwyr Ysgol Morgan Llwyd ar

gyfer dathliad pen-blwydd yr ysgol yn 21 oed ysgrifennodd Buddug
Morgan: 'Rwy'n siŵr bod yr ysgol wedi meithrin ymdeimlad cryf o
genedlgarwch a brogarwch ynof. Mewn ardal mor agos at y ffin dylid
bod yn ddiolchgar fod ambell un tebyg i mi wedi elwa o'r fraint o gael
addysg trwy gyfrwng y Gymraeg ... Wedi cael y profiad o fod mewn
ysgol ddwyieithog gwn beth yw'r problemau, yn enwedig mewn ardal
Seisnigaidd, ond credaf fod yr ysgolion hyn yn gwneud cyfraniad
amhrisiadwy i'r gymdeithas Gymraeg ac i gadw'r iaith.' Mae asesiad
Buddug yn crisialu'n deg iawn gyfraniad holl ysgolion Cymraeg ardal
Wrecsam i fywyd Cymraeg y fro ac maent yn eu tro yn deyrnged i ffydd
a gobaith y rhieni a frwydrodd dros achos addysg Gymraeg ac i'r rhai a
gefnogodd yr ysgolion am bron i hanner canrif.

POLISI IAITH GWYNEDD 1983–94

GWILYM E.HUMPHREYS
Cyfarwyddwr Addysg,1983–94

MEWN PENNOD ARALL yn y gyfrol hon, bûm yn trafod gweithredu polisi iaith mewn un ysgol uwchradd yn y de a hynny o safbwynt prifathro. Yn y bennod hon, lle cyfeirir at gyfnod sy'n dechrau wyth mlynedd yn ddiweddarach, ymdrinnir â pholisi iaith un sir yng ngogledd Cymru a hynny drwy lygaid ei Chyfarwyddwr Addysg ar y pryd. Wrth wneud hynny, sylweddolaf fwy nag erioed fod prifathro yn dipyn nes i'r gweithredu a chyfarwyddwr addysg yn nes i'r polisïau. Credaf ei bod yn berthnasol nodi i mi, rhwng y ddau gyfnod, ddal swydd Arolygydd Ysgolion ei Mawrhydi a chael cyfle drwy hynny i ddod yn ymwybodol o bolisïau iaith, neu ddiffyg polisïau iaith yn amlach na dim, y gwahanol awdurdodau Cymreig, ac i wylio ysgolion unigol yn ymgodymu â dwyieithrwydd, ac athrawon yn ymdopi ag addysgu drwy'r Gymraeg mewn gwahanol sefyllfaoedd. Yr oeddwn yn ymwybodol iawn, er enghraifft, o'r cynnydd mewn pwyslais ar y Gymraeg yn ysgolion Gwynedd o 1975 ymlaen o'i gymharu â'r sefyllfa a fodolai dan yr hen siroedd cyn yr ad-drefnu yn 1974, ac o'r gwaith a wnaed gan fy rhagflaenydd, Tecwyn Ellis. Sicrhaodd fy olynydd, Gwynn Jarvis (Cyfarwyddwr Addysg 1994–96 ac un a fu cyn hynny yn gyd-weithiwr allweddol ac effeithiol â'i ddau ragflaenydd yn y swyddfa addysg), arfarniad o'r polisi iaith ['*Pwyso a Mesur y Polisi Iaith*' – *Cen Williams, Gwyn Lewis, Colin Baker* (cyhoeddiad mewnol)] cyn ad-drefnu Gwynedd yn 1996 yn awdurdodau unedol llai, a chyn gweld datgymalu nifer o'r gwasanaethau arbenigol a chwaraeodd ran mor amlwg yng ngweithrediad y polisi iaith rhwng 1974 ac 1996.

Erbyn 1974, pan ad-drefnwyd ffiniau'r tair sir ar ddeg a chreu wyth awdurdod addysg yng Nghymru, yr oedd y momentwm i agor ysgolion Cymraeg neu ddwyieithog yn cynyddu, yn arbennig yn ne Cymru, a rhieni yn flaengar iawn yn perswadio'r awdurdodau addysg i symud yn hyn o beth. Ymhlith siroedd y gogledd cyn yr ad-drefnu, does dim dwywaith nad Awdurdod Addysg Sir Fflint a fu fwyaf blaengar a chanddi ddwy ysgol uwchradd benodol Gymraeg erbyn 1961 – Glan Clwyd a Maes Garmon. Fe agorwyd Ysgol Morgan Llwyd, Wrecsam yn Sir Ddinbych hefyd yn 1964. Yn dilyn yr ad-drefnu, pan etholwyd i Wynedd garfan o gynghorwyr a chanddynt weledigaeth ar addysg ddwyieithog, newidiodd y pwyslais ieithyddol yn ysgolion y sir. Dyma enghraifft o Awdurdod Addysg yn cyflawni swyddogaeth bwysig ac yn rhoi arweiniad, a hwb a chefnogaeth hefyd, i'r ysgolion wrth iddynt weithredu polisi iaith uchelgeisiol. Ac yr oedd yn uchelgeisiol tu hwnt, yn anelu at sicrhau bod **pob** plentyn yn **drwyadl ddwyieithog**.

Gellir dadlau y dylai Gwynedd fod wedi oedi cyn datgan polisi iaith mor gyfansawdd ac uchelgeisiol – oedi er mwyn cynnig mwy o ganllawiau i athrawon a rhieni ynglŷn â'i weithredu. Ond yn bendifaddau cafwyd mantais o ddangos o'r cychwyn cyntaf, yn glir ac yn groyw, beth oedd agwedd yr Awdurdod tuag at y Gymraeg – ni wnâi parhau 'arferion' yr hen siroedd mo'r tro. Yr oedd gan yr hen siroedd bolisïau ar gyfer y Gymraeg fel pwnc, ond yr oedd Gwynedd yn pwysleisio ei phwysigrwydd mewn gweinyddiad addysg (gan swyddogion, prifathrawon ac athrawon) a'r angen i'w defnyddio, ynghyd â'r Saesneg, yn gyfrwng dysgu.

Felly, yn 1983 pan ddeuthum i i'r sir, yr oedd agweddau wedi newid, ac yr oedd llawer mwy o ddefnyddio ar y Gymraeg yn gyfrwng yn yr ysgol uwchradd o gymharu â'r sefyllfa anfoddhaol a fodolai cyn 1974. Yr oedd defnyddio'r Gymraeg yn gyfrwng wedi ymledu i feysydd cwricwlaidd newydd megis ffiseg, cemeg, mathemateg ac addysg gorfforol. Yr oedd tair ysgol uwchradd newydd wedi eu sefydlu – Tryfan, Bodedern a Chreuddyn – y gyntaf a'r olaf yn benodol Gymraeg, a'r tair yn dangos eisoes gryn flaengaredd o ran datblygu addysg ddwyieithog. Ar ben hyn, yr oedd tîm o athrawon bro cylchynol wedi ei sefydlu yn 1978 i hybu dysgu Cymraeg yn ail iaith, yn yr ysgolion cynradd yn bennaf, ac yr oedd disgwyliadau o ran dysgu ail iaith wedi codi'n sylweddol.

Yn 1985, pan aethom ati fel swyddogion ac ymgynghorwyr iaith i adolygu'r polisi iaith wedi deng mlynedd o'i weithredu, yr oeddem yn ymwybodol bod y sylfeini wedi eu gosod ond bod angen ail-lunio'r polisi oherwydd newid yn yr amgylchiadau addysgol ac ieithyddol: rhoi proffil uchel iddo, a chynnig targedau (ymhell cyn i'r Llywodraeth eu cyflwyno!), canllawiau penodol a hyfforddiant-mewn-swydd addas ar gyfer ei weithredu yn yr ysgolion, cynradd ac uwchradd. Yr oedd angen diffinio dwyieithrwydd yn fwy cadarn ac angen codi safonau Cymraeg a Saesneg y disgyblion yn gyffredinol.

Hefyd, yr oeddem ym ymwybodol bod angen datblygu polisi iaith ar gyfer y sector addysg bellach, sector nad oedd yn gynwysedig ym mholisi 1975, ond prin ein bod wedi dechrau rhoi'r polisi mewn grym pan dynnwyd addysg bellach o reolaeth yr awdurdodau addysg. Mae'n dda deall bod y ddau goleg sydd yng Ngwynedd erbyn hyn, Menai a Meirion-Dwyfor, yn arddel polisi dwyieithrwydd ac yn hybu'r defnydd o'r Gymraeg yn gyfrwng. Ond deallaf mai braidd yn siomedig yw'r galw o du'r myfyrwyr a ddaw i'r colegau o ysgolion uwchradd y sir.

Dyma oedd amcanion cyffredinol polisi iaith 1986:

> ... gweithredu polisi dwyieithog trwy holl ysgolion Gwynedd a ... datblygu polisi dwyieithog ar gyfer y sefydliadau Addysg Bellach.
>
> ... datblygu gallu disgyblion a myfyrwyr y sir i fod yn hyderus ddwyieithog er mwyn eu galluogi i fod yn aelodau cyflawn o'r gymdeithas ddwyieithog y maent yn rhan ohoni.
>
> Dylai holl sefydliadau addysg y sir adlewyrchu ac atgyfnerthu'r polisi iaith yn eu gweinyddiad, eu bywyd cymdeithasol a'u trefn fugeiliol yn ogystal ag yn eu darpariaeth academaidd.

Yr amcanion penodol oedd:

Addysg Feithrin

Sicrhau, trwy ddarpariaeth a threfniadaeth feithrin bwrpasol a sensitif, y rhoddir i bob plentyn **sylfaen gadarn yn y Gymraeg** er mwyn ei alluogi i gyrraedd y nod o ddwyieithrwydd llawn maes o law.

Babanod

Adeiladu ar y sylfeini a osodwyd i'r Gymraeg drwy addysg feithrin, cadarnhau a datblygu mamiaith y plentyn o ddysgwr Cymraeg, ac ymestyn gafael y plentyn o gartref Cymraeg ar y Saesneg.

Iau

Cadarnhau a datblygu **Cymraeg a Saesneg pob plentyn** yn eu holl agweddau goddefol a gweithredol, er mwyn sicrhau ei fod yn gallu siarad, darllen ac ysgrifennu'n rhwydd ac yn hyderus yn y ddwy iaith pan fo'n trosglwyddo i'r ysgol uwchradd.

Ym mha fodd yr oedd **y polisi diwygiedig hyd 11 oed** yn wahanol i bolisi 1975? Un newid sylfaenol oedd na wahaniaethid yn y polisi newydd ar gyfer ysgolion cynradd rhwng yr ardaloedd traddodiadol Gymraeg a'r ardaloedd llai Cymraeg fel y gwnaethid yn y polisi blaenorol. Ar wahân i'r ffaith ei bod yn anodd diffinio'r categorïau hyn, yr oedd yn bwysig bod pob ysgol gynradd yn deall mai'r nod ar gyfer pob disgybl yn ddiwahân, beth bynnag fo'i gefndir cartref, oedd gallu siarad a darllen ac ysgrifennu'n rhugl yn y ddwy iaith pan fo'n trosglwyddo i'r ysgol uwchradd. Er mwyn hyrwyddo hyn, cryfhawyd y pwyslais ar osod sylfaen gadarn i'r Gymraeg drwy addysg feithrin. Hefyd, rhoddwyd mwy o bwyslais ar ddatblygu Saesneg y Cymro Cymraeg; yr oedd 'dylid gwneud pob ymdrech i ddatblygu'r Saesneg' braidd yn amhendant ym mholisi 1975.

Fel atodiad i'r polisi iaith cynhwyswyd **canllawiau manwl i'r ysgolion cynradd** ar weithredu'r polisi. Dyma rai o'r penawdau:

1. Y polisi iaith ar waith yn yr ysgol gynradd.

Yn yr atodiad hwn nodwyd y disgwylid i bob prifathro mewn ymgynghoriad â'i staff, baratoi ac adolygu'n rheolaidd ddogfen yn datgan sut yr oedd yr ysgol yn bwriadu gweithredu polisi iaith yr Awdurdod.

2. Polisi iaith cytunol yn nalgylchoedd ysgolion uwchradd.

Dogfen yn manylu ar strategaeth i hyrwyddo dilyniant o'r cynradd i'r uwchradd.

3. Athrawon Bro.

Yma, nodid blaenoriaethau'r Athrawon Bro a manylid ar eu perthynas â'r prifathro a'r athro dosbarth.

4. Dysgu Cymraeg mewn ysgolion cymysg ieithyddol neu lle mae'r plant i gyd yn ddysgwyr.

Enghreifftiau o'r iaith a allai ddeillio o'r gwahanol sefyllfaoedd.

Yn ychwanegol at yr atodiadau hyn, cynhyrchwyd llyfrynnau i athrawon yn manylu ar weithredu'r polisi, e.e. Siarad i Bwrpas, Ysgrifennu ac Ymateb i waith plant, Denu Plant at Lyfrau.

Yr oedd y newidiadau yn y polisi ar gyfer ysgolion uwchradd yn fwy chwyldroadol nag yn y cynradd. Ychydig o newid sylfaenol oedd mewn perthynas â dysgu iaith ac eithrio bod yr atodiad i'r polisi yn manylu ynghylch disgwyliadau ar gyfer y rhai nad oedd y Gymraeg yn famiaith iddynt. Yr oedd yr hyn a ddywedai'r polisi newydd mewn perthynas â chyfrwng yn newid mwy sylweddol.

Yr oedd polisi 1975 ar ddysgu drwy gyfrwng y Gymraeg yn gofyn am *'sicrhau dilyniant o ddysgu trwy'r Gymraeg mewn nifer o bynciau yn yr ysgolion uwchradd a threfnu fod modd i'r plant sefyll yr arholiadau allanol yn y pynciau hyn trwy gyfrwng y Gymraeg'*. Yr oedd y polisi newydd yn gofyn i'r ysgolion ofalu bod *'pob disgybl yn defnyddio'r ddwy iaith yn gyfrwng i amrywiol raddau yn unol â gofynion pob unigolyn, er mwyn sicrhau parhad i'r addysg ddwyieithog yn yr ysgolion cynradd'*. Sylfaen y polisi hwn oedd y gred mai dim ond wrth ddefnyddio iaith y mae modd gwella hyfedredd yn yr uwchradd, fel yn y cynradd. Bwriad yr Awdurdod oedd gosod nod dwyieithog clir ar gyfer pob un o'u hysgolion uwchradd. Tybid bod angen chwe model i ddisgrifio holl ysgolion uwchradd Gwynedd a chysylltwyd pob ysgol uwchradd ag un o'r modelau hyn.

Model A
Ysgolion a sefydlwyd o'r newydd i ddarparu addysg ddwyieithog.
Model B
i) Ysgolion dros 600 o ran nifer plant mewn dalgylchoedd Cymraeg.
ii) Ysgolion dros 600 o ran nifer plant mewn dalgylchoedd ieithyddol gymysg.
Model C
i) Ysgolion o dan 600 mewn dalgylchoedd Cymraeg.
ii) Ysgolion o dan 600 mewn dalgylchoedd ieithyddol gymysg.
Model CH
Ysgolion mawrion lle nad oes fawr ddim Cymry cynhenid.

Ystyrid bod holl ysgolion uwchradd Gwynedd yn ysgolion dwyieithog o ran eu polisi iaith a'u trefniadau ar gyfer addysg ddwyieithog, ond yr oedd yn rhaid wrth y chwe model hyn i adlewyrchu'r amrywiol sefyllfaoedd a oedd yn bodoli, modelau a oedd yn cymryd i ystyriaeth natur ieithyddol y dalgylch, natur ieithyddol y staff, maint yr ysgol a'i threfniadaeth fewnol a'r ddarpariaeth y gallai'r Awdurdod ei gwneud, o ran adnoddau o bob math, i gynnal y drefniadaeth ddwyieithog. Ystyrid hi'n bwysig fod pob ysgol yn gosod nod ieithyddol perffaith glir iddi ei hun fel rhan o batrwm sirol, gan gofio nad ceisio meithrin dwy iaith yn gyfartal â'i gilydd oedd tasg ysgol ddwyieithog ond meithrin dwyieithrwydd disgyblion unigol i'r graddau uchaf tra'i bod yn addysgu'r disgyblion hynny yn unol â natur, cyrhaeddiad a photensial pob disgybl. Nid oedd cysylltu ysgol â model arbennig yn golygu na allai fod mewn categori gwahanol yn y dyfodol. Gallai newid o ran niferoedd a/neu natur ddwyieithog ei disgyblion neu newid yn natur y staff olygu y byddai model arall yn rhoi gwell disgrifiad o'i nod.

O fewn y modelau, nodwyd targedau, canllawiau bras, ynglŷn â faint o'r cwricwlwm y dylid ei ddysgu drwy'r ddau gyfrwng i ddisgyblion o hyfedredd ieithyddol gwahanol – o 70% cyfrwng Cymraeg i Gymry cynhenid i 30% i ddysgwyr llai llwyddiannus.

Mae'n werth nodi'r hyn a ddywedwyd ynglŷn â chyfrwng Cymraeg ym Model CH. O gofio beth oedd disgrifiad y Model hwn (ysgolion mawrion lle nad oes fawr ddim Cymry cynhenid), yr oedd hwn yn newid sylfaenol o'r sefyllfa flaenorol, sef yr angen i roi cefnogaeth i Gymraeg y dysgwyr yn ystod amser dysgu rhai pynciau eraill fel eu bod mewn cyswllt â'r Gymraeg hyd at 30% o'r cwricwlwm, gan gynnwys y Gymraeg fel pwnc.

Yr oedd edrych ar ddwyieithrwydd yr ysgolion uwchradd yn y dull yma yn ddatblygiad pur chwyldroadol. Nodwyd pwysigrwydd penodi cydgysylltydd iaith, uchel ei statws yn yr ysgol, i arwain datblygiad addysg ddwyieithog yr ysgol, i arfarnu ei lwyddiant ac i fod yn gynhaliaeth i'r adrannau pynciol. Gellid dweud heb lawer o betruster i'r datblygiadau mwyaf arwyddocaol ddigwydd yn yr ysgolion lle penodwyd person a chanddo/i weledigaeth a dealltwriaeth dda o faes dwyieithrwydd a'i anghenion. O gysylltu'r datblygiad hwn â'r prosiect, 'Ansawdd profiadau addysgol mewn sefyllfa ddwyieithog', prosiect a fu'n edrych yn fanwl ar ddulliau addysgu dros y cwricwlwm sy'n hyrwyddo meistrolaeth iaith (y Gymraeg yn benodol ond yr oedd y gwersi yr un mor berthnasol i'r Saesneg), gobeithid gweld grymuso pellach ar weithrediad y polisi iaith yn ysgolion uwchradd Gwynedd. Yr oedd goblygiadau mewn perthynas â hyfforddiant-mewn-swydd i athrawon uwchradd yn bur sylweddol, gan gynnwys darparu cyrsiau Cymraeg i athrawon uwchradd di-Gymraeg.

Ym mis Ionawr 1988 y cynhaliwyd y cwrs cyntaf i athrawon di-Gymraeg. Yn fuan fe ddatblygwyd tri chwrs ar wahanol lefelau ac erbyn 1992 yr oedd tua chant o athrawon uwchradd a darlithwyr y colegau addysg bellach wedi mynd drwy'r felin dan gyfarwyddyd tiwtor profiadol iawn ym maes dysgu iaith i oedolion. Byddai'r athrawon yn cael eu rhyddhau am un diwrnod yr wythnos am 35 o ddyddiau i fynychu'r cwrs ond yn ystod y cyfnod cymharol fyr yma, rhaid oedd sefyll arholiadau 'Defnyddio'r Gymraeg – Safon TGAU', neu 'Defnyddio'r Gymraeg – Safon A' i'r rhai mwy profiadol. O ardaloedd mwy Seisnigedig, ac ysgolion model CH, y daeth y rhan fwyaf ar y cwrs, ynghyd â nifer fach o ysgolion ardaloedd Cymraeg. Manteisiodd nifer o ddarlithwyr colegau addysg bellach ar y ddarpariaeth. Yr hyn sydd yn galonogol yw bod nifer o'r rhai a fu ar y cwrs bellach yn addysgu drwy'r Gymraeg yn eu hysgolion, nifer yn dal swyddi uchel yn eu sefydliadau gan gynnwys un pennaeth, a phob un wedi gallu cyfrannu i gadarnhau a chryfhau'r Gymraeg yn eu hysgolion neu goleg. Ym mis Medi 1991, estynnwyd y cyrsiau i'r sector cynradd a chynnig cyfle i athrawon llanw a di-waith ddysgu'r Gymraeg. Cafwyd dros 160 o geisiadau!

Cafodd y polisi iaith diwygiedig dderbyniad da gan y Pwyllgor Addysg a chan ysgolion fel ei gilydd, a hynny oherwydd yr athroniaeth gymeradwy oedd yn sail iddo. Polisi addysg oedd sail y polisi iaith a phwysleisiwyd na ellid gwahaniaethu addysgu iaith yn llwyddiannus ac addysgu cyffredinol llwyddiannus. Yr oedd y cyfan yn rhesymol ac yn deillio o synnwyr cyffredin mewn sir ddwyieithog!

Wrth gyflwyno'r polisi iaith diwygiedig i'r Pwyllgor Addysg yn 1986, teimlid ein bod ar dir mwy diogel o ran technegau dysgu iaith a hefyd o ran agwedd rhieni nag yr oeddid yn 1975. Ond pwysleisiwyd bod rhaid dwysáu ein hegnïon i egluro'r polisi i rieni, bod rhaid diogelu safonau er mwyn cadw'r gefnogaeth. Ni chyflwynwyd y polisi iaith diwygiedig heb rai trafferthion, ychydig mewn gwirionedd, ond yn aml fe godai'r anawsterau oherwydd i rieni gamddeall ein bwriadau, er inni geisio manteisio ar bob cyfle posib i'w hegluro gan gynnwys defnyddio fideo lle ceid cyfweliadau â rhieni o wahanol gefndiroedd ieithyddol.

Yn y pen draw, dibynnai gweithredu'r polisi iaith yn llwyddiannus ar dri pheth: llwyddiant y pennaeth i egluro'r polisi i rieni, parodrwydd i wrando ar broblemau real y rhieni ac ymateb iddynt, ac ansawdd yr addysgu. Dros y blynyddoedd, deuthum i sylweddoli mai cymharol ychydig o rieni a fyddai'n gwrthwynebu polisi pe byddai eu plant yn hapus yn yr ysgol ac yn llwyddo. Gallaf dystio bod mwyafrif prifathrawon Gwynedd wedi ymdopi'n rhyfeddol o dda yn yr agweddau hyn a hyderaf iddynt deimlo iddynt gael cefnogaeth uniongyrchol yr Awdurdod, drwy fy swyddogion a minnau, pan fyddai angen hynny.

Yn y cyswllt hwn, ni ellir peidio â chyfeirio at un ysgol benodol – Ysgol Caergeiliog, Ynys Môn. Y stori a roed ar led oedd mai oherwydd y polisi iaith yr eithriodd yr ysgol gynradd hon o ofal yr Awdurdod Addysg (yr unig un yng Ngwynedd a'r ysgol gynradd gyntaf i wneud hynny yng Nghymru). Er bod y stori yn hir a chymhleth ac yn un angen ei chofnodi yn llawn ryw ddydd, y gwir yw i'r ysgol ddefnyddio'r polisi iaith yn esgus; yr oedd dylanwadau gwleidyddol y tu ôl i'r eithrio hwn. Mae'n bwysig nodi bod yr Awdurdod, ymhell cyn bod sôn am eithrio, wedi cydnabod sefyllfa arbennig yr ysgol a oedd yn gwasanaethu gwersyll y llu awyr yn Y Fali, gyda'i fynd a dod mynych, drwy lacio gweithrediad y polisi iaith i raddau helaeth. Ond ni fwriadwyd erioed i'r ysgol dderbyn plant o'r tu allan i'w dalgylch am fod eu rhieni am osgoi pwyslais ar ddysgu'r Gymraeg a'i defnyddio'n gyfrwng.

Ond a bod yn deg, nid yng Nghaergeiliog yn unig y digwyddodd hyn. Mewn mannau eraill hefyd, âi disgyblion drwy'r rhwyd wrth i rieni ddewis ysgolion lle na weithredid y polisi iaith yn gadarn, a niferoedd disgyblion yn yr ardaloedd cadarn eu hymrwymiad yn gostwng.

Mewn rhai o'r ardaloedd Seisnigedig, megis Llandudno a Chaergybi,

Cân Actol Ysgol y Garnedd, Bangor, yn Eisteddfod Genedlaethol yr Urdd, Bethesda.

Tîm pêl-droed Ysgol y Garnedd, Bangor, 1986.

273

cafwyd pwysau gan rieni ar brifathrawon ac athrawon ac o ganlyniad cafodd y polisi iaith ei lastwreiddio. Cawsom sawl cyfarfod tanllyd rhyngom, swyddogion yr Awdurdod Addysg a rhieni, yn y mannau hyn. Mewn nifer gymharol fach o ysgolion, cawsom anhawster i ddarbwyllo rhieni o werth dwyieithrwydd er gwaethaf defnyddio tystiolaeth ymchwil ac arbrofion mewn gwledydd fel Canada. (Yr oeddwn bob amser yn ymwybodol o'r ffaith nad oedd digon o ymchwil wrthrychol wedi'i gwneud a'i chyhoeddi yng Nghymru. Mae'r sefyllfa wedi gwella rywfaint erbyn hyn, ond mae angen llawer mwy o ymchwil a chyhoeddusrwydd i lwyddiannau dwyieithrwydd o ran datblygiad cyffredinol addysgol ac ieithyddol plant.)

Yn ôl yr Arfarniad, y cyfeiriwyd ato ar ddechrau'r bennod hon, yr oedd 89% o ysgolion cynradd Gwynedd a atebodd yr holiadur yn credu bod y polisi yn 'dra llwyddiannus' neu'n 'llwyddiannus iawn', ac yr oedd 90% o'r ysgolion uwchradd a ymatebodd yn rhoi canmoliaeth uchel i'r polisi.

Wrth ail-lunio'r polisi iaith, daethom yn ymwybodol na allai'r ysgolion ymgodymu ar eu pennau eu hunain â chyflwyno addysg mewn dwy iaith heb gefnogaeth gan yr Awdurdod. Rhoddwyd y gefnogaeth hon mewn sawl ffurf.

Deuthum yn ymwybodol ar fy nyfodiad i Wynedd ei bod yn anhepgorol, o safbwynt y polisi iaith cael tîm ymgynghorol cryf i fonitro a chefnogi, a bu'r Awdurdod Addysg yn hynod gefnogol wrth inni wneud penodiadau mewn nifer o feysydd allweddol, gan gynnwys penodi Prif Ymgynghorydd ac Ymgynghorydd y Saesneg. O gael tîm cyflawn o ymgynghorwyr, rhaid oedd cael arweinydd profiadol. Chwaraeodd Ronnie Williams swyddogaeth allweddol cyn iddo fynd yn Brifathro'r Coleg Normal a dilynwyd ef gan Alwyn Evans – cynnyrch Ysgol Bryntaf – addysgwr diwyd a goleuedig. Yr oeddwn o'r farn fod cael Ymgynghorydd Saesneg yn gwbl hanfodol i hygrededd awdurdod a oedd yn arddel polisi o ddwyieithrwydd. Ar ben hyn, ystyriwn fod gan bob ymgynghorydd swyddogaeth bwysig ynglŷn â hybu'r Gymraeg a'i defnyddio'n gyfrwng.

Dros y blynyddoedd, ac yn benodol tan gyfnod datganoli cyllid ac yn arbennig yr ad-drefnu, bu'r Tîm Ymgynghorol dan arweiniad y ddau Brif Ymgynghorydd profiadol, ac mewn cydweithrediad llwyr â swyddogion addysg, yn allweddol i weithredu'r polisi iaith ar draws y gwahanol feysydd yn ogystal, wrth gwrs, â datblygu cwricwlwm. Yr oedd y cyfnod o arfarnu ar y cyd â'r ysgol ac o hyfforddiant-mewn-swydd yn ôl gofynion yr ysgolion, ddiwedd yr wyth degau a dechrau'r wyth degau, yn un o'r cyfnodau mwyaf cynhyrfus o ran datblygiadau cwricwlaidd a phroffesiynol, a hynny cyn dyfodiad y Cwricwlwm Cenedlaethol a'i bwyslais pynciol.

Fel y soniwyd eisoes, yr oedd y Tîm Athrawon Bro mewn bodolaeth er 1978 a chyn ei chwalu, oherwydd datganoli cyllid yn bennaf yn ogystal ag effaith ad-drefnu'r siroedd, yr oedd 34 o athrawon yn y tîm gan gynnwys cydgysylltydd.

Yn wreiddiol, o 1978 i 1986, yr oedd y tîm yn gyfrifol am roi gwersi Cymraeg i grwpiau o ddysgwyr yr ysgolion cynradd. Wedi ail-lunio'r polisi iaith, newidiwyd eu swyddogaeth i un o weithio ochr yn ochr ag athrawon dosbarth a gwaith ar draws y cwricwlwm. Targedid ysgolion penodol am dymor neu fwy gan eu paratoi i fod yn hunangynhaliol wedi i'r athrawon bro adael. Amcan y dull hwn o weithio oedd codi disgwyliadau athrawon a gosod patrwm o arfer da o ran dulliau addysgu heriol. Yn ôl yr Arfarniad, gwerthfawrogodd y mwyafrif llethol o ysgolion y dull dwys hwn o weithio. Gyda dyfodiad y Cwricwlwm Cenedlaethol, cynyddodd eu pwysigrwydd a'u defnyddioldeb yn yr ysgolion.

Yr athrawon bro oedd hefyd yn cydgysylltu'r cyswllt cynradd-uwchradd ac yn asesu safon iaith y dysgwyr yn ôl lefelau 1–5. (Yn weddol gyson, yr oedd 80% o'r dysgwyr yn meddu ar lithrigrwydd ffwythiannol yn y Gymraeg.)

Lle caed ymrwymiad ysgolion i weithredu'r polisi iaith, parodrwydd i dderbyn cyngor, i gydweithredu ac i ymgymryd â'r cyfrifoldeb eu hunain yn y man, bu cyfraniad yr athrawon bro yn dra effeithiol ac fe'u gwerthfawrogwyd gan yr ysgolion. Ystyrid y gwasanaeth hwn yn bwysig neu yn bwysig iawn gan ysgolion cynradd y sir, a nododd AEM mewn adroddiad ei fod yn 'werthfawr iawn'.

Gyda chynlluniau i ddatganoli mwy o gyllid i ysgolion unigol ac wrth i fwy a mwy o ysgolion ddefnyddio'r arian datganoledig ar gyfer blaenoriaethau eraill, yr oedd yn anochel nad oedd modd cyllido'r athrawon bro fel cynt. Chwalwyd y tîm a chollwyd yr arbenigedd a oedd wedi'i adeiladu o'i fewn.

Mae'n debyg mai un o'r problemau cynharaf y deuthum ar ei thraws ar ôl dod i Wynedd oedd mewnlifiad y plant di-Gymraeg i ardaloedd Cymraeg y sir. Yn aml, ar ysgolion bach gwledig yr effeithid ac mewn rhai achosion gallai hyd at chwarter y boblogaeth ysgol fod yn fewnfudwyr di-Gymraeg dros nos. Nid oes angen llawer o ddychymyg i sylweddoli effaith debygol y fath fewnlifiad ar iaith yr ysgol ac ar ei natur.

Yr ateb oedd agor canolfan hwyr ddyfodiaid lle câi disgyblion 7–11 dderbyn cwrs dwys yn y Gymraeg yn fuan ar ôl eu dyfodiad i'r sir, ac yna eu cymathu'n hwylus i'r ysgol leol ar ddiwedd tymor yn y ganolfan. Sefydlwyd trefn ar gyfer eu derbyn, yn wirfoddol wrth gwrs, o egluro'r amcanion ac o sicrhau rhieni y câi eu plant ofal gan arbenigwyr iaith a lle cynigid iddynt y cwricwlwm cyflawn. Gan fod y ddarpariaeth a'r cludiant yn rhad, a'r gymhareb disgybl:athro yn well na 10:1 (yr oedd dau athro ym mhob canolfan), nid oedd yn syndod i rieni o fewnfudwyr gytuno'n barod, at ei gilydd, i drefniant o'r fath; ymunodd nifer ohonynt mewn dosbarthiadau nos i ddysgu'r Gymraeg eu hunain. Mae'n werth nodi hefyd fod nifer sylweddol o'r disgyblion a fynychai'r canolfannau ag anawsterau dysgu ganddynt. O ganlyniad i waith y canolfannau, yr oeddynt yn ennill hyder ac yn gwella eu sgiliau darllen Saesneg a rhifedd, yn ogystal â dysgu Cymraeg. Gwelai'r rhieni werth hynny, ac nid oes ryfedd iddynt gefnogi'r canolfannau lle câi eu plant y fath lwyddiant. Ar ôl rhai blynyddoedd o weithredu llwyddiannus iawn, paratowyd fideo yn disgrifio'r gweithredu llwyddiannus a'r ymateb i'r ddarpariaeth, a bu copïau o hon o ddefnydd i brifathrawon wrth iddynt egluro natur y ganolfan i rieni.

Sefydlwyd y ganolfan gyntaf, a'r gyntaf yng Nghymru, yng Nghaernarfon yn 1984; yna Llangybi, Dwyfor (1985), Llangefni (1985), Dolgarrog (1987), Botwnnog (1987 – caewyd yn 1989 oherwydd llai o alw), a Phenrhyndeudraeth (1989). O bryd i'w gilydd, i gyfarfod â galw brys, agorwyd canolfannau dros dro. Bu gostyngiad yn y mewnlifiad o

1991 ymlaen ond parhaodd y galw yn weddol gyson. Rhwng 1984 ac 1993, bu 1,509 o blant yn y canolfannau. Yr oeddem ni yn sicr eu bod yn llwyddiant mawr yn yr amcan a osodwyd iddynt ond braf oedd cael cadarnhad AEM yn 1989 '*cyflawniad sylweddol yn cyflwyno'r ail iaith i'r plant ... hefyd eu llwyddiant yn plannu hyder a sgiliau addysgiadol sylweddol mewn nifer ohonynt.*'

Cyn gadael y sector cynradd, ni ellid peidio â chyfeirio at y cyrsiau preswyl yng Nglynllifon lle rhoid profiad o weithio, chwarae a chymdeithasu yn y Gymraeg i bob disgybl blwyddyn 6 drwy'r sir – y Cymry cynhenid a'r dysgwyr. Yr oedd strwythur pendant i'r cyrsiau a nodau traws-gwricwlaidd wedi'u dethol. Ond ni oroesodd y cyrsiau hyn chwaith ddatganoli cyllid!

Ym maes cyfrwng Cymraeg/Saesneg uwchradd, bu'r Awdurdod yn hyrwyddo dealltwriaeth yr ysgolion o'r drefniadaeth a'r dulliau dysgu angenrheidiol i ymgodymu â threfniadaeth ysgol a sefyllfaoedd dysgu yn y dosbarth.

Wrth osod canllawiau i'r ysgolion uwchradd ynglŷn â'r ganran o'r cwricwlwm y dylid ei haddysgu yn y gwahanol ieithoedd i ddisgyblion o wahanol gefndiroedd ysgol, fe anogwyd yr ysgolion i anelu at y ganran hon drwy amrywiol ddulliau gan gynnwys edrych ar ffyrdd o addysgu elfennau o fewn pwnc drwy'r ddwy iaith yn eu tro. At ei gilydd, dewisodd y mwyafrif o'r ysgolion rannu'r pynciau yn ôl cyfrwng, ond gwelwyd blaengaredd a dyfeisgarwch mewn rhai ysgolion dan anogaeth y prosiectau a gomisiynwyd. Cafwyd enghreifftiau o addysgu dwyieithog tra llwyddiannus i ddosbarth cymysg ei iaith. Cafodd yr ysgolion fudd mawr o brosiectau a gomisiynwyd gan yr Awdurdod: 'Ansawdd profiadau addysgol mewn sefyllfa ddwyieithog', (Dafydd Whittall), a 'Pwnc Iaith – Iaith Pwnc,' (Cen Williams). Byddai angen cryn ofod i wneud cyfiawnder â'r maes hwn sydd mor allweddol i lwyddiant addysg ddwyieithog gyflawn.

Yn ôl yr Arfarniad, gwelwyd yr angen i edrych yn fanylach ar ddulliau o ddatblygu dwyieithrwydd disgyblion a oedd â'r Gymraeg yn ail iaith iddynt yn yr ysgolion uwchradd, ac yn y dull o ffrydio a setio yn achos dysgwyr da yn yr ysgolion uwchradd dros 600 mewn ardaloedd cymysg yn ieithyddol. Er gwaethaf nifer o ymdrechion, ni ddatryswyd y broblem o roi'r Gymraeg am y tro cyntaf i ddysgwyr a oedd yn cyrraedd y dalgylch yn ystod eu cyfnod uwchradd neu ym misoedd olaf y cynradd. Yr oedd cadwraeth diwylliant a chyflwyno'r diwylliant i fewnfudwyr hefyd yn broblem enfawr, ond nid ar ysgwyddau'r Awdurdod Addysg yn unig yr oedd y cyfrifoldeb am barhad y diwylliant Cymraeg. Calonogol, fodd bynnag, oedd yr argymhelliad yn yr Arfarniad y dylai'r Awdurdodau Unedol newydd seilio eu polisïau iaith ar bolisi 1986 Gwynedd.

Ni ellir cloi'r bennod hon heb gyfeirio at y Pwyllgor Datblygu Addysg Gymraeg [PDAG] a ymddangosodd yn 1987, ac a ddiflannodd, ysywaeth, fel seren wib yn 1994, ychydig cyn fy ymddeoliad. Bu aelodau a swyddogion Gwynedd yn flaengar yn eu galw am gorff o'r fath ac yn eu cefnogaeth ohono yn ei oes fer. Pe byddid wedi caniatáu iddo gael ei draed tano, a rhoi iddo arian gan y Llywodraeth flaenorol, credaf y byddai addysg ddwyieithog yng Nghymru yn fawr ei hennill. Nid oes gan yr un corff ar hyn o bryd olwg gyflawn o anghenion a datblygiadau yn y maes ar lefel genedlaethol.

Bu i Ganolfan Astudiaethau Iaith (CAI) Gwynedd a sefydlwyd yn 1988 elwa am gyfnod byr ar yr arian a ddaeth drwy PDAG a chyhoeddwyd toreth o lyfrau lliwgar, graenus i bob sector dan olygyddiaeth J. Elwyn Hughes. Ond nid oedd modd parhau â'r gwaith gan i bolisi'r Swyddfa Gymreig fynnu cystadleuaeth fasnachol na weddai i CAI a oedd yn ddibynnol ar gytundebau cyson i fodoli. Yn ôl *raison d'être* gwreiddiol CAI, yr oedd ganddi swyddogaeth arall, ac fe gyflawnodd hyn am gyfnod byr drwy iddi noddi a chynnal cyfres o ddarlithoedd safonol ar ddatblygiad iaith a chyfrwng gan addysgwyr blaengar yn y maes, ac fe gyhoeddwyd y darlithoedd hyn.

Wrth edrych dros y cyfnod sydd dan ystyriaeth, gellir dweud iddo fod yn un cynhyrfus pan gyflawnwyd llawer o waith datblygol o ansawdd da ym maes addysg ddwyieithog. Credaf i'r polisi iaith fod yn llwyddiant a bod hyn i'w briodoli i dri ffactor – ansawdd y ddogfen bolisi, dulliau llwyddiannus o hyrwyddo gweithredu, a natur y gefnogaeth i'r polisi. Bu llawer o rwystrau a rhai siomedigaethau. Ymhlith y rhwystrau yr oedd prinder ymgeiswyr o safon am swyddi addysgu drwy'r Gymraeg yn yr uwchradd. I raddau, priodolir hyn i'r twf mawr a fu yn y galw am athrawon o'r fath drwy Gymru, a phawb yn pysgota yn yr un pwll, a hwnnw yn un go fas. Y siomiant mwyaf oedd gweld Gwynedd yn cael ei datgymalu, a chwalu'r timau a'r gwasanaethau arbenigol a sefydlwyd yn ofalus dros y blynyddoedd, a thanseilio hefyd ddull o weithio cydweithredol rhwng Awdurdod ac ysgol, er budd addysg ddwyieithog berthnasol. Nid oes ond gobeithio y gall yr awdurdodau unedol llai eu maint a'u pŵer barhau i gynnal elfen o'r hyn a adeiladwyd mor ofalus er 1974.

Caiff adroddiad PDAG, *Datblygiad Addysg Drwy Gyfrwng y Gymraeg 1977–92*, y gair olaf:

Yng Ngwynedd ers dechrau'r wyth degau, ac yn Nyfed erbyn diwedd yr wyth degau, mae blaengaredd polisïau iaith yr awdurdodau wedi arwain at brif gynnydd y cyfnod yn y ddarpariaeth cyfrwng Cymraeg.

Pennod 23

ADDYSG GYMRAEG YN NYFED

W. J. PHILLIPS
(Atgofion cyn-Gyfarwyddwr Addysg)

O S YW Cyfarwyddwr Addysg am brofi bywyd hamddenol fe ddylai osgoi tri pheth. Yn gyntaf, peidied â mentro sôn am gau un o ysgolion bach y wlad. Yn ail peidied â cheisio creu polisi iaith newydd ar gyfer ei Awdurdod Addysg, ac yn drydydd peidied â cheisio sefydlu ysgolion dwyieithog penodedig. Yn ystod fy ngyrfa fel Cyfarwyddwr Addysg yng Ngheredigion ac yna yn Nyfed methais ag osgoi yr un o'r rhain. Pan ddeuthum i'r gorllewin o gymoedd y De yng nghanol y chwe degau, yn ddirprwy i'r Dr John Henry Jones, Cyfarwyddwr Addysg Ceredigion, yr oedd y mwyafrif o'r ysgolion bach gwledig yn dal i fod yn Gymraeg eu hiaith. Serch hynny, dangosodd arolwg iaith a wnaed gan yr Awdurdod Addysg yn 1967 fod newidiadau'n digwydd hyd yn oed yng nghadarnleoedd yr iaith. Nid oedd gan yr Awdurdod Addysg bolisi iaith ysgrifenedig fel y cyfryw. Mae'n debyg i lawer dybio nad oedd angen un gan fod y Gymraeg yn gyfrwng mor naturiol o fewn yr ysgolion ac yn iaith chwarae y plant ar yr iard. Gyda'r newidiadau ieithyddol o fewn yr ysgolion hyn teimlwyd bod angen rhywbeth ar bapur er mwyn diogelu lle'r Gymraeg. Pan aed ati i lunio polisi iaith a'i osod gerbron y Pwyllgor Addysg cafwyd storm o brotest. Bu'r gwrthwynebiad pennaf yn nhref Aberystwyth. Ffurfiwyd y *Language Freedom Movement* i wrthwynebu'r 'polisi gormesol' hwn a fyddai'n mynnu bod y Gymraeg yn cael ei chyflwyno i bob plentyn cynradd o fewn y sir. Bu llawer o lythyru yng ngholofnau'r *Cambrian News*, ac o'r diwedd galwyd cynrychiolwyr o'r Awdurdod i'r Swyddfa Gymreig i esbonio'r polisi. Er yr holl bwysau o du'r gwrthwynebwyr, glynodd y Pwyllgor Addysg yn gadarn wrth y polisi. (Ni allai wneud fawr o ddim byd arall o gofio bod Mari James, Llangeitho, Casi Davies, Heulyn Roberts ac amryw o Gymry pybyr eraill yn aelodau.) Tawelodd pethau dros dro, ond cododd storm arall yn 1971 pan gyhoeddwyd y bwriad i sefydlu ysgol uwchradd ddwyieithog yn Aberystwyth. Ffurfiwyd yr *Aberystwyth Education Campaign* i wrthwynebu'r cynllun a chafwyd llawer o'r rhai fu'n elyniaethus i'r polisi iaith ymhlith yr arweinwyr. Ceir hanes y ffrwgwd a gododd yn y bennod nesaf yn y gyfrol hon gan Mr Gerald Morgan, Prifathro cyntaf Ysgol Penweddig.

Gyda diflaniad Ceredigion yn 1974, yr oedd gofyn creu polisi iaith ar gyfer Dyfed a oedd yn uniad o'r tair sir yn y gorllewin. Yr oedd agwedd sir Gaerfyrddin tuag at yr iaith rywfaint yn wahanol i'r hyn a fodolai yng Ngheredigion, ac fe fyddai'n rhaid ystyried y sefyllfa yn y rhan Saesneg o sir Benfro. Byddai'n anodd, felly, llunio polisi iaith cyfansawdd a fyddai'n dderbyniol yn mhob rhan o'r sir newydd. Ond heb fawr o drafferth llwyddwyd i gael gan y Pwyllgor Addysg dderbyn polisi iaith Ceredigion fel yr un ar gyfer Dyfed. Bu'n rhaid eithrio gwaelod sir Benfro o ofynion y polisi, ond ar yr un pryd byddai'r Gymraeg yn cael ei chynnig i'r ysgolion yno a phob cefnogaeth yn cael ei chynnig i'r rhai fyddai'n dymuno ei dysgu. Ar y cyfan cafwyd cryn lwyddiant, a ffrydiau Cymraeg yn cael eu sefydlu mewn trefi megis Penfro, Dinbych-y-pysgod ac Arberth. Eisoes sefydlwyd ffrwd gref yn Hwlffordd a da yw gweld bod hon wedi datblygu yn ysgol Gymraeg annibynnol erbyn heddiw. Yn awr, wrth gwrs, mae gofynion y Cwricwlwm Cenedlaethol yn golygu bod y Gymraeg ar amserlen pob ysgol yn '*Little England beyond Wales*' ac ychydig o wrthwynebiad a gafwyd pan fu rhaid gweithredu'r polisi hwnnw.

Bu brwydr hir yn nhref Caerfyrddin cyn 1974 wrth i rieni geisio perswadio Pwyllgor Addysg Sir Gaerfyrddin i sefydlu ysgol uwchradd ddwyieithog yn y dref. Yr oedd yr arholiad 11+ yn dal mewn rhannau helaeth o sir Gaerfyrddin ac ysgolion gramadeg ac ysgolion modern yn dal mewn bodolaeth. Derbyniodd Dyfed egwyddor addysg gyfun ac aed ati i baratoi cynlluniau ar gyfer ad-drefnu addysg uwchradd ar draws y sir.

Ynghlwm wrth y datganiad hwn o bolisi ychwanegwyd cymal yn mynnu bod ystyriaeth yn cael ei rhoi i sefydlu ysgolion uwchradd dwyieithog os oedd digon o rieni'n dymuno hynny. Pan ddaeth dirprwyaeth o rieni i gwrdd â'r Cynghorydd D. G. E. Davies, Llandysul, Cadeirydd y Pwyllgor Datblygu, a minnau yn 1975 yr oedd yn amlwg eu bod am barhau'r frwydr i gael ysgol uwchradd ddwyieithog yng Nghaerfyrddin. Credaf iddynt gael peth syndod o weld eu bod yn gwthio yn erbyn drws a oedd yn awr yn gilagored a bod modd ystyried y posibilrwydd hwnnw. Cafwyd sefyllfa debyg yn Llanelli wrth i'r Awdurdod Addysg fynd ati i ad-drefnu'r ysgolion uwchradd. Er bod carfan o rieni brwdfrydig yn ymgyrchu dros ysgolion dwyieithog yn y ddwy dref, yr oedd amheuon yn dal ymhlith llawer o rieni eraill Cymraeg eu hiaith. Er mai Ysgol Dewi Sant, Llanelli oedd yr ysgol gynradd Gymraeg gyntaf i'w sefydlu dan nawdd Awdurdod Addysg, ac er bod ysgol gynradd Gymraeg gref yng Nghaerfyrddin, byddai defnyddio'r Gymraeg fel cyfrwng dysgu mewn ysgol uwchradd yn beth hollol wahanol!

Tan hynny cysylltid ysgolion uwchradd dwyieithog yn bennaf ag ardaloedd Saesneg eu hiaith megis Sir Fflint a Sir Forgannwg. Mae'n wir bod ffrydiau Cymraeg mewn amryw o ysgolion uwchradd o fewn 'Y Fro Gymraeg', ond bu'n frwydr gyson i gael y niferoedd i'w cynnal mewn amryw ohonynt. Ond yr oedd yna amheuaeth hefyd ymhlith llawer a oedd yn gefnogol i'r iaith. Gofidient y byddai sefydlu ysgolion penodedig ddwyieithog yn siŵr o Seisnigo yr ysgolion eraill. Yr oedd yna sail bendant i'r ddadl hon ac fe fyddai'n rhaid ystyried o ddifrif effeithiau sefydlu ysgolion uwchradd dwyieithog ar y gweddill. Mynnai rhai nad oeddent mor gefnogol i'r iaith, mai cynllwyn gwleidyddol oedd tu ôl i'r cyfan, a fyddai'n arwain yn y pen draw at bolareiddio cymdeithas a chreu *ghettos* Cymraeg. (Taflwyd yr un cyhuddiadau at Ifan ab Owen Edwards yn y pedwar degau pan agorwyd Ysgol Lluest yn Aberystwyth, a lysenwyd yn ysgol i'r *Welsh Nats.*) Yr oedd y garfan hon yn hoff o sôn am 'apartheid ieithyddol', ac yn darogan y byddai sefydlu ysgolion dwyieithog yn arwain at sefyllfa debyg i'r hyn a gafwyd yn Ulster. Wrth annerch cyfarfodydd rhieni cafwyd y dadleuon hyn i gyd o bryd i'w gilydd, ond yr oedd yn amlwg hefyd nad oedd gan y rhan fwyaf o'r rhieni unrhyw amgyffred beth a olygid wrth 'ysgol uwchradd ddwyieithog'. Datgelwyd bod yna ddiffyg hyder ymhlith llawer o'r rhieni ynglŷn â dysgu pynciau i'w plant drwy gyfrwng y Gymraeg. Drwy'r Saesneg y dysgwyd y rhieni hyn mewn ysgolion a geisiodd greu 'ethos' cwbl Seisnig fel mater o bolisi. Yr oedd ofn y byddai cael gwersi drwy gyfrwng y Gymraeg yn andwyol i addysg y plant ac yn eu rhwystro rhag cael swyddi da a dod ymlaen yn y byd. Am ryw reswm, mynegwyd yr amheuaeth bennaf ynglŷn â dysgu pynciau fel gwyddoniaeth a mathemateg drwy'r Gymraeg. Gallai llawer o'r rhieni dderbyn dysgu pynciau fel hanes, daearyddiaeth, ieithoedd modern ac ati drwy'r Gymraeg ond yr oedd fel petai rhyw arwyddocâd arbennig yn perthyn i'r pynciau gwyddonol. Cafwyd hynny dro ar ol tro yn y cyfarfodydd rhieni. Felly, bu'n rhaid cyfaddawdu yn yr ysgolion cyntaf i'w sefydlu yn Nyfed a chytuno bod gwyddoniaeth a mathemateg yn dal i gael eu dysgu drwy gyfrwng y Saesneg, er bod gweddill y pynciau'n cael eu cyflwyno yn y Gymraeg. Ar adegau gallai hyn greu anawsterau i blant a symudai o ysgolion dwyieithog mewn siroedd eraill lle dysgid yr holl bynciau drwy'r Gymraeg. Yr oedd yn anodd ceisio esbonio na fyddai hynny'n bosib o fewn 'Y Fro Gymraeg'. Yn raddol, mae'r sefyllfa'n newid wrth i'r ysgolion gael llwyddiant academaidd ac wrth i rieni gyfarwyddo â'r syniad fod y Gymraeg yn ddigon hyblyg i gyflwyno'r holl bynciau drwyddi; ond eto mae peth o'r hen ddrwgdybiaeth yn parhau.

Sefydlwyd Ysgol y Strade (Llanelli) yn 1977 ac Ysgol Bro Myrddin (Caerfyrddin) yn 1978. Ni chafwyd gwrthwynebiad tebyg i'r hyn a gawsid yn Aberystwyth ychydig flynyddoedd ynghynt. Cododd tipyn o ffrwgwd, serch hynny, wrth sefydlu Ysgol Maesyryrfa (Cefneithin) yn 1983 ac Ysgol Dyffryn Teifi (Llandysul) yn 1984. Mynegodd yr Aelod Seneddol, y Dr Roger Thomas, a fu hefyd yn aelod o'r Cyngor Sir, ei wrthwynebiad i'r egwyddor o rannu plant ar sail iaith. Unwaith eto codwyd yr un hen fwganod ynglŷn â chanlyniadau echrydus polisi o'r fath. Ond daliodd Pwyllgor Addysg Dyfed at y bwriad a llwyddwyd i sefydlu'r ysgolion hyn. Yn Ysgol y Preseli, serch hynny, y cododd y drwgdeimlad gwaethaf. Yn 1976 cafodd y Pwyllgor Addysg gais gan nifer o rieni i droi'r ysgol yn un benodedig ddwyieithog. Byddai hynny'n golygu newid cymeriad ysgol gyfun a fodolai'n barod a hynny heb fod ynghlwm wrth unrhyw gynllun

Cyflwyniad diweddar o'r Sioe Gerdd Iesu Grist Siwpyrstar gan Ysgol Gyfun y Strade, Llanelli yn Theatr y Grand, Abertawe.

Ysgol y Strade, Llanelli. Buddugwyr cystadleuaeth saith bob ochr yr Urdd, a gynhaliwyd ar Barc y Strade, 2001.

284

O'r fesen, derwen a dyf
Hanes Ysgol Gymraeg Caerfyrddin
1955-1985

Ysgol Pentrepoeth

Ysgol y Grange

Adeilad Newydd Ysgol y Dderwen

Fel y gwelir ar glawr llyfryn dathlu pen blwydd Ysgol y Dderwen, Caerfyrddin yn 30 oed cafodd yr ysgol dri chartref. Yn gyntaf dan adain Ysgol Y Merched, Pentrepoeth o 1955-67; yn ail fel ysgol annibynol yn hen adeilad Ysgol y Grange (pan fabwysiadwyd yr enw Ysgol y Dderwen) o 1967-85, ac wedi hynny mewn adeilad newydd pwrpasol.

285

i ad-drefnu addysg uwchradd yn yr ardal. Rhwygwyd y gymuned a mynegwyd gwrthwynebiad chwyrn i'r bwriad gan garfan o rieni. Bu'n rhaid trefnu tri chyfarfod gyda'r nos o rieni'r ysgol gyfun a rhieni ysgolion cynradd y dalgylch. Yr oedd neuadd yr ysgol yn orlawn, a dyma rai o'r cyfarfodydd mwyaf tanllyd a wynebais yn ystod fy ngyrfa fel Cyfarwyddwr Addysg. Yn gwmni i mi yr oedd W. R. Evans, y Trefnydd Iaith ac un a wnaeth waith gwych wrth gyflwyno'r Gymraeg yng ngwaelod sir Benfro. Yn frodor o ardal y Preselau, yr oedd yn ymgorfforiad o ddiwylliant cyfoethog y fro unigryw hon. Bu'r profiad o wrando ar gynifer o'i bobl ei hun yn gwrthod y syniad o gael ysgol ddwyieithog yng Nghrymych yn un trist iawn iddo. Pan wnaed arolwg i fesur y gefnogaeth ymhlith y rhieni, ychwanegwyd at ei siom. Gwelwyd mai 170 o blant yn unig fyddai wedi mynychu'r ysgol ddwyieithog a hynny yn un o ardaloedd Cymreiciaf Dyfed ar y pryd. Bu'n rhaid rhoi'r gorau i'r cynllun gan fod y nifer yn rhy fach i gynnal ysgol uwchradd.

Dangosodd y profiad hwn yn amlwg fod angen argyhoeddi llawer iawn o rieni Cymraeg fod modd dysgu pynciau drwy gyfrwng yr iaith honno. Pan ailgyflwynwyd y cynllun dros ddeng mlynedd yn ddiweddarach cafwyd gwrthwynebiad yr un mor ffyrnig gan nifer o rieni. Ond y tro hwn bu'r ymateb o blith y Cymry Cymraeg a'r rhai di-Gymraeg dipyn yn fwy positif, ac yn 1991 newidiodd Ysgol y Preseli i fod yn ysgol benodedig ddwyieithog. Bu'r newid agwedd o fewn degawd yn rhyfeddol, ond erbyn hyn yr oedd effaith y mewnlifiad yn fwy amlwg ar yr ardal, a llawer wedi eu hargyhoeddi bod angen ysgol o'r fath er mwyn sicrhau dyfodol i'r Gymraeg ym mro'r Preselau.

Er mai'r nod yn y pen draw oedd rhoi'r dewis o addysg uwchradd ddwyieithog i bob plentyn yn Nyfed, ni wireddwyd hynny bob tro. Pan ad-drefnwyd ysgolion Hendy-gwyn a Sanclêr gwrthododd y Swyddfa Gymreig gynllun i sefydlu ysgol ddwyieithog am fod y niferoedd yn rhy fach. Serch hynny, cytunodd y Pwyllgor Addysg i gynnwys yr ardal hon, a threfi fel Penfro, Hwlffordd a Dinbych-y-pysgod o fewn dalgylch Ysgol Bro Myrddin, a derbyn y gost o gludo'r plant iddi. Ni lwyddwyd, ychwaith, i sefydlu ysgol o'r fath yng nghanolbarth Ceredigion. Er bod cryn frwdfrydedd ymhlith y rhieni, methwyd â chael cytundeb ynglŷn â lleoliad yr ysgol. Peth chwithig i rieni Aberaeron, Llambed a Thregaron oedd derbyn y byddai dwy ohonynt yn ysgolion cyfrwng Saesneg i raddau helaeth petai ysgol ddwyieithog yn cael ei sefydlu. Bu ymgyrchu caled gan rieni Tregaron a Llambed er mwyn sicrhau mai eu tref hwy fyddai'n gartref i'r ysgol ond yn y pen draw methwyd â chael cynllun derbyniol.

Yn wahanol i'r ysgolion uwchradd dwyieithog a sefydlwyd yn ardaloedd poblog De Cymru, sydd ag ysgolion cynradd Cymraeg mawr o fewn eu dalgylchoedd, dibynna ysgolion Dyfed yn bennaf ar nifer o ysgolion bach gwledig. Erbyn heddiw mae'r rhan fwyaf o'r rhain yn gymysg iawn o ran iaith yn sgil y mewnlifiad aruthrol a fu yn ystod yr wyth degau. Digwyddodd hynny'n bennaf o fewn 'Y Fro Gymraeg' ac yn arbennig yn ardaloedd gwledig Ceredigion, Caerfyrddin a gogledd Penfro. Mynnodd rhai o'r prifathrawon nad oedd y polisi iaith presennol yn gymwys ar gyfer y sefyllfa newydd o fewn eu hysgolion.

Daeth yn amlwg hefyd fod angen cymorth ar yr athrawon cynradd i ymdopi â'r problemau. Penodwyd nifer o athrawon bro i'w cynorthwyo a sefydlwyd canolfannau iaith ar draws y sir er mwyn cymathu'r plant di-Gymraeg a symudodd i mewn. Cyhoeddwyd polisi newydd yn 1989 a fyddai'n categoreiddio'r ysgolion yn ôl cefndir ieithyddol eu dalgylchoedd. Yn yr ardaloedd traddodiadol Gymraeg gosodwyd yr holl ysgolion yng Nghategori A, a'r Gymraeg fyddai'r prif gyfrwng dysgu ynddynt.

Cododd storm yn syth ymhlith rhai rhieni, a ffurfiwyd y mudiad '*Education First*' i wrthwynebu polisi'r Pwyllgor Addysg. Cawsant gefnogaeth gref gan Aelod Seneddol Caerfyrddin, y Dr Alan Williams, a ddisgrifiodd y polisi fel un 'Stalinistaidd'. Cododd y tymheredd yn aruthrol a brithwyd colofnau'r *Western Mail* a'r papurau lleol gan lythyrau dros ac yn erbyn y polisi. Cafwyd cyfeiriad at y frwydr hyd yn oed yng ngholofn olygyddol *The Times*, ond yr oedd sylwadau'r golygydd ar y cyfan yn ffafriol. Cafwyd erthygl llai cefnogol o lawer gan Bernard Levin yn yr un papur. Bu diddordeb drwy Brydain gyfan yn y ffrwgwd iaith yn Nyfed. Un wythnos ymddangosais ar S4C, BBC(Wales), BBC1 a 2, ITV a Theledu Sky, heb sôn am gyfweliadau radio, yn amddiffyn y polisi. Byddai'n anodd ar adegau argyhoeddi ambell ohebydd fod y Gymraeg yn iaith fyw yn Nyfed. Ar ôl ymgyrchu'n galed am rai misoedd methodd *Education First* â pherswadio'r

Pwyllgor Addysg i newid y polisi a phenderfynwyd mynd â Dyfed i gyfraith. Dros y blynyddoedd nesaf bu'r mater o flaen yr Uchel Lys, Y Llys Apêl, a hyd yn oed gerbron Tŷ'r Arglwyddi, a bu'r Cyngor Sir yn fuddugol bob tro. Mae'n deyrnged i ddycnwch y Cynghorwyr eu bod wedi cytuno i ymladd yr holl achosion llys a daflwyd at y Cyngor dros gyfnod mor hir. Ni ddilynodd y garfan Lafur arweiniad y Dr Alan Williams, a bu cytundeb rhyngddynt â'r grŵp Annibynnol, a oedd yn y mwyafrif ar y Cyngor, i gefnogi'r polisi. Fel swyddog bûm innau'n ffodus iawn i gael cefnogaeth lwyr Cadeirydd y Pwyllgor Addysg, y diweddar Gynghorydd A. D. Lewis, cyn brifathro Ysgol Ramadeg Ardwyn, Aberystwyth. Mae'n deg nodi hefyd fod y Cyngor Sir wedi cael cefnogaeth gan y Swyddfa Gymreig ac, yn hyn o beth, bu arweiniad Syr Wyn Roberts a oedd yn Weinidog â chyfrifoldeb dros addysg yn bwysig iawn. Bu'r mwyafrif helaeth o brifathrawon cynradd y sir y tu cefn i'r polisi ac felly hefyd undebau'r Athrawon. Pan drafodwyd y sefyllfa yn y cyfarfodydd rhieni a gynhaliwyd ym mhob ysgol gwelwyd mai lleiafrif mewn gwirionedd oedd y gwrthwynebwyr o fewn y sir. Trefnwyd cyfarfod cyhoeddus gan fudiad 'Pont' yng Nghaerfyrddin ac yr oedd Neuadd Sant Pedr dan ei sang. Pasiwyd cynnig yn cefnogi'r polisi iaith bron yn ddiwrthwynebiad. Wedi dychweliad siroedd Caerfyrddin, Ceredigion a Phenfro yn 1996, penderfynodd y tair sir fabwysiadu polisi iaith Dyfed, ac ni fu fawr o gynnwrf yn dilyn y penderfyniad hwnnw.

Erbyn 1996 yr oedd chwe ysgol uwchradd ddwyieithog yn Nyfed, yn rhan o'r patrwm a ledodd dros Gymru oddi ar y cam arloesol a gymerwyd gan y Dr Haydn Williams, Cyfarwyddwr Addysg Fflint, yn y pum degau. Myn rhai o hyd fod eu llwyddiant wedi bod ar draul Cymreictod yn yr ysgolion eraill. Ni ellir gwadu bod tipyn o wirionedd yn hynny. Gwnaed ymdrech lew yn rhai o'r ysgolion 'naturiol Gymraeg' i ehangu'r ddarpariaeth ar gyfer dysgu drwy'r iaith ond tasg go anodd fu hon yn aml wrth i'r cydbwysedd ieithyddol newid. Gallai hynny ynddo'i hun greu tensiynau pan fyddai nifer y plant yn y dosbarthiadau Cymraeg yn llai na'r niferoedd yn y rhai Saesneg. Bu'r gost o gynnal ffrydiau yn dreth ychwanegol ar gyllid rhai o'r ysgolion ac, mewn cyfnod o gwtogi cyffredinol, bu'n anodd iddynt ddod o hyd i'r adnoddau ychwanegol i'w cynnal. Gwn fod llawer o brifathrawon yn brwydro i gadw ethos Cymreig o fewn eu hysgolion a bod y dasg yn fwy anodd wrth i blant Cymraeg eu hiaith ddewis mynd i ysgolion dwyieithog y tu allan i'w dalgylchoedd. Ond beth bynnag a ddaw o'r dadleuon addysgol yn y dyfodol, mae'n galondid gweld na wireddwyd proffwydoliaethau mwyaf pesimistaidd rhai o wrthwynebwyr yr ysgolion dwyieithog. Ni chrëwyd y *ghettos* Cymreig a ragwelai rhai ohonynt. Llwyddodd yr ysgolion hyn i estyn gorwelion y plant a chyflwyno addysg eang a chyflawn, gan sicrhau bod lle dyledus yn cael ei roi hefyd i ddiwylliant Cymru. Ni welwyd ychwaith, unrhyw raniadau cymdeithasol yn sgil eu sefydlu, ac ni fu anghydfod rhwng y plant sy'n mynychu'r gwahanol ysgolion. Efallai fod plant ar adegau'n gallach nag oedolion! Erbyn heddiw mae asiantau megis Bwrdd yr Iaith yn gwarchod buddiannau'r iaith yn gyffredinol a'r Maes Llafur Cenedlaethol yn sicrhau ei lle fel pwnc o fewn ysgolion. Ni ddaw llwyddiant, serch hynny, os ynysir yr iaith o fewn y dosbarth. Rhaid dangos bod y Gymraeg yn berthnasol i bob math o weithgareddau, ac ar y cyfan llwyddodd yr ysgolion penodedig ddwyieithog i wneud hynny. Ond bydd yn drist os edrychir ar eu bodolaeth hwy fel rheswm i laesu'r cyfrifoldeb am feithrin yr iaith yn yr ysgolion eraill.

O.N. Yn ogystal â'r Ysgolion Uwchradd a enwyd yr oedd yn Nyfed nifer o Ysgolion Cynradd Cymraeg penodedig: Ysgol Gymraeg Aberystwyth (1939/1952); Ysgol Dewi Sant, Llanelli (1947); Ysgol Brynsierfel, Llanelli (1953); Ysgol y Dderwen, Caerfyrddin (1955); Ysgol Teilo Sant, Llandeilo (1957); Ysgol Parcytywyn, Porthtywyn (1965); Ysgol Gymraeg Rhydaman (1967); Ysgol Gwenllian, Cydweli (1968); Ysgol Glancleddau, Hwlffordd (1995). −*Gol.*

CYCHWYN YSGOL PENWEDDIG

GERALD MORGAN
Prifathro, 1973–89

PAN OEDDWN yn byw yng Ngheredigion rhwng 1963 ac 1967, yr oedd yn amlwg i rai ohonom fod Aberystwyth yn lle naturiol ar gyfer Ysgol Uwchradd Ddwyieithog/Gymraeg. Onid yma y sefydlwyd Ysgol yr Urdd yn 1939, a honno wedi hen ennill ei lle ym mywyd y dref? Yr oedd yn amlwg y byddai'n rhaid i'r ysgolion uwchradd oedd ohoni ar y pryd, sef Ardwyn a Dinas, gael eu had-drefnu ar ryw batrwm cyfun, ac yn hytrach na ffurfio un ysgol fawr, byddai datblygu dwy ysgol o faint mwy cymedrol, ac un ohonynt yn ddwyieithog, yn beth hollol naturiol.

Ysywaeth, y pryd hwnnw nid oedd ond ychydig o bobl yn rhannu'r freuddwyd. Cyn 1973 nid oedd ond pump ysgol uwchradd ddwyieithog yng Nghymru, a'r rheiny'n gwasanaethu ardaloedd trefol/diwydiannol ymhell o Aberystwyth. Yng ngolwg rhai, yr oedd Aberystwyth yn ardal naturiol Gymraeg, heb angen ysgol neilltuol. Yr oedd cryn elyniaeth ymhlith rhyw nifer o drigolion y dref yn erbyn gwersi Cymraeg yn yr ysgolion, heb sôn am ddatblygu rhywbeth mor eithafol a pheryglus ag ysgol uwchradd ddwyieithog. Yr oedd rhai rhieni yn yr ardal yn defnyddio ysgolion preifat er mwyn osgoi'r Gymraeg. Yr oedd elfen lafar ymhlith staff Coleg y Brifysgol yn gwrthwynebu'n ffyrnig unrhyw ddefnydd cyhoeddus neu addysgiadol o'r Gymraeg, un ohonynt yn ŵr a oedd gynt wedi ysgrifennu gwerslyfr gwyddonol yn Gymraeg ar gyfer ysgolion uwchradd, ar adeg pan nad oedd marchnad ar gyfer y fath beth. Ymhlith addysgwyr callach yr oedd rhai yn canmol ysgolion uwchradd mawr, am y byddai modd iddynt gynnig amserlen ehangach, a defnyddio ystod ehangach o gyfleusterau. Dadleuent felly o blaid ffrydiau cyfrwng-Cymraeg o fewn ysgolion ardal. Poenai rhai nad oedd llyfrau ysgol addas ar gael, ac eraill na fyddai cyflenwad digonol o athrawon wedi eu hyfforddi i ddysgu trwy'r Gymraeg. Yr oedd toreth o esgusodion dros ohirio neu wrthwynebu unrhyw symudiad tuag at addysg uwchradd ddwyieithog.

Ond yr oedd blynyddoedd cynnar y chwe degau, fel y gŵyr pawb, yn gyfnod o ddadeni ymhlith Cymry Cymraeg. Yr oedd Cymdeithas yr Iaith yn dangos bod sefyll yn gadarn yn dwyn ffrwyth; yr oedd Gwynfor wedi cyflawni'r hyn a ystyriai cynifer ohonom yn amhosibl, sef ennill sedd yn San Steffan. Yr oedd y Cymry yn magu asgwrn cefn, a hyder. Felly yr oedd yn amlwg y byddai cryn ymrafael ynghylch unrhyw addewid a wnâi Awdurdod Addysg Sir Aberteifi i sefydlu ysgol ddwyieithog yn Aberystwyth. Ac yn wir, fe fu brwydr eithaf ffyrnig a diflas. Yr hyn sy'n hynod yw fel y mae'r cof amdani wedi pylu. Er imi ymgynghori â rhai a fu ar flaen y gad, y maent yn achwyn na allant gofio fawr ddim! Un rheswm am hynny, mi gredaf, yw bod y gwrthwynebwyr wedi tewi ar ôl iddynt golli'r dydd a gweld yr ysgol ddwyieithog bellach yn ffaith.

Yr oedd y cymhellion a sicrhaodd sefydlu ysgolion uwchradd dwyieithog yn Siroedd Fflint a Morgannwg yn amrywio. Yn Sir Fflint, y Cyfarwyddwr Addysg, y Dr Haydn Williams, oedd yn gyfrifol; ym Morgannwg yr oedd rhieni a chynghorwyr yn llawer mwy dylanwadol. Yn Sir Aberteifi yr oedd y ddwy ochr, megis, yn symud i'r un cyfeiriad. Y Cyfarwyddwr Addysg yn ystod y pum degau a'r chwe degau oedd y Dr John Henry Jones. Ei ddirprwy a'i olynydd oedd Mr W. J. Phillips, a ysgwyddodd lawer o'r pwysau yn ystod salwch y Dr Jones ac wedi iddo ymddeol. Aeth Mr Phillips ymlaen i fod yn Ddirprwy ac wedyn yn Gyfarwyddwr Addysg Dyfed, lle sefydlwyd rhwydwaith o ysgolion uwchradd dwyieithog yn sgil llwyddiant Penweddig. Mae dyled y mudiad addysg Gymraeg i John Phillips yn fawr.

Yn araf deg iawn y bu'r symud tuag at drefniant cyfun yng ngogledd Sir Aberteifi, ac yr oedd ynghlwm wrth ymgais yr Awdurdod Addysg i sefydlu polisi iaith i'r Sir. Erbyn 1968 yr oedd rhyw fath o drafodaeth ar ad-drefnu wedi digwydd rhwng yr Adran Addysg a Gwyddoniaeth a Phwyllgor Addysg Sir Aberteifi, heb unrhyw addewidion ffurfiol, ond yr adeg honno nid oedd y Pwyllgor Addysg yn ystyried mwy nag un ysgol gyfun, gyda ffrwd Gymraeg petai galw amdani. Yn 1969 gwyddai'r Pwyllgor Addysg na fyddai'r Adran Addysg yn barod i ariannu ysgol newydd sbon, oherwydd prinder arian. Ym mis Medi 1970 galwodd y Pwyllgor ar yr Is-bwyllgor Datblygu i ailystyried polisi ad-drefnu ysgolion Aberystwyth, a gofynnwyd i'r Cyfarwyddwr Addysg gyfarfod ag athrawon Ysgolion Ardwyn a Dinas, er mwyn trafod ad-drefnu'n gyffredinol, gan gynnwys y posibilrwydd o Ysgol Ddwyieithog. Rhoddwyd awdurdod i'r Cyfarwyddwr gylchlythyru rhieni'r ysgolion cynradd er mwyn gwybod faint ohonynt fyddai'n barod i yrru eu plant i ysgol ddwyieithog. Yr unig beth a darddodd o'r cyfarfod â'r athrawon ac a nodwyd yng nghofnodion y Pwyllgor Addysg oedd y dylid ystyried gyrru plant a ddymunai gael addysg ddwyieithog i Ysgol Tregaron.

Yr oedd datganiad y Pwyllgor Addysg o'i pholisi iaith yn 1969 wedi cynhyrfu'r dyfroedd; cychwynnwyd y *Language Freedom Movement* i wrthwynebu'r bwriad i ddysgu'r Gymraeg i bob disgybl cynradd, a daeth Vincent Kane i Aberystwyth i ffilmio dadl ynghylch y mater. Mewn ymgais i ymateb i ddyheadau rhai rhieni, cychwynnodd prifathro Ysgol Ardwyn, Mr A. D. Lewis, ffrwd Gymraeg yno. Ond cyfaddefodd ei hun mor anodd ydoedd i'r arbrawf lwyddo mewn awyrgylch a oedd mor gynhenid Seisnigaidd. Erbyn ei ymddeoliad yr oedd Mr Lewis yn bleidiol i sefydlu ysgol ddwyieithog yn Aberystwyth, ac wedi iddo gael ei ethol i Gyngor Sir Dyfed, a dod yn gadeirydd y Pwyllgor Addysg, yr oedd yn gefnogwr cadarn i addysg Gymraeg.

Erbyn mis Ebrill 1971 yr oedd yr Is-bwyllgor Datblygu yn benderfynol y dylid sefydlu dwy ysgol, ac un ohonynt yn ysgol ddwyieithog, ar safle Erw Goch, sef y tir agored rhwng Ysgol Dinas (bellach Penglais) a'r ffordd o Lanbadarn Fawr i Gapel Dewi. Dylid agor y ddwy ysgol newydd ym mis Medi 1973. Byddai gweithredu felly, ym marn y pwyllgor, yn galluogi'r ddwy ysgol i rannu cyfleusterau megis labordai a meysydd chwarae. Ym mis Ebrill hefyd yr aeth y swyddogion ati i gylchlythyru rhieni'r ysgolion cynradd, a chafwyd bod 951 rhiant (ag 1,369 o blant rhyngddynt) o blaid addysg gyfun, hyd yn oed petai'n rhaid i'r cynllun newydd fod yn un dros dro. Yr oedd 319 o rieni (â 488 o blant) o blaid i'w plant gael addysg mewn ysgol ddwyieithog.

Pan ddaeth cynllun yr Is-bwyllgor o flaen y Pwyllgor Addysg cyflawn ym mis Gorffennaf 1971, yr oedd yn amlwg na fyddai arian ar gael i sicrhau ysgolion newydd ar Erw Goch. Penderfynwyd felly y dylid mabwysiadu cynllun dros dro; sef defnyddio'r ddwy ysgol, Ardwyn a Dinas, â'r disgyblion hŷn mewn un a'r rhai iau yn y llall, a gohiriwyd penderfynu ar fater llosg yr ysgol ddwyieithog hyd nes y cynhelid cyfarfod arbennig o'r Pwyllgor Addysg. Y mae cofnod moel iawn yn nodi i'r cyfarfod arbennig benderfynu o blaid ysgol ddwyieithog, gan gyhoeddi bod yr Adran Addysg a Gwyddoniaeth yn clustnodi £280,000 ar gyfer y newidiadau.

Y cam nesaf oedd gosod manylion y cynllun gerbron Ysgrifennydd Gwladol Cymru, y Ceidwadwr Peter Thomas, a brofodd yn gyfaill da i addysg ddwyieithog. Erbyn mis Gorffennaf 1972 rhoddwyd gwybod i'r Pwyllgor Addysg fod yr Ysgrifennydd Gwladol yn barod i weld cau ysgolion Dinas ac Ardwyn, a sefydlu dwy ysgol newydd ar yr hen safleoedd, un ohonynt yn ysgol ddwyieithog. Y disgwyl oedd y byddai 1,000 o ddisgyblion yn yr ysgol gyfun gyfrwng Saesneg, a 450 yn yr ysgol ddwyieithog. Yr oedd yr amser – a'r arian – yn brin, o ystyried yr addewid i agor erbyn mis Medi 1973. Ond daliodd yr olwynion i droi, ac erbyn mis Chwefror 1973 yr oedd llywodraethwyr yr ysgol ddwyieithog wedi cyfarfod, ac wedi cytuno mai Penweddig fyddai enw'r ysgol, sef enw cantref gogleddol hen frenhiniaeth Ceredigion. Yr oedd yr ysgol newydd yn hynod ffodus mai hi a etifeddodd safle ysgol Ardwyn. Mae'n wir fod llawer iawn o'i le ar y safle; yr oedd yn wirion o fychan a heb le i ymestyn; yr oedd yn serth, a'r adeiladau yn lobscows o bob dull a ffasiwn adeiladu, a'r maes chwarae yn bell ac yn gwbl annigonol. Ond yr oedd y safle'n gyfleus i'r dref, ac yn cael ei gysgodi rhag y gwynt.

Rhaid torri ar rediad yr hanes am funud i ystyried y ffynonellau. Ceir y ffeithiau uchod yng nghofnodion Pwyllgor Addysg Sir Aberteifi. Maent yn ddibynadwy iawn, ond nid ydynt yn rhoi manylion y datblygiad, dim ond y sgerbwd megis, ac nid ydynt chwaith yn adlewyrchu'r teimladau a oedd yn corddi ymhlith swyddogion, cynghorwyr a'r cyhoedd yn gyffredinol. Y mae'r *Cambrian News* hefyd yn siomedig braidd. Ceir cyfres o lythyrau oddi wrth y rhai a wrthwynebai'r Gymraeg fel pwnc gorfodol yn yr ysgolion uwchradd. Ond cyhoeddwyd un llythyr neilltuol o gyfrwys oddi wrth aelod o'r *Language Freedom Movement,* sef y Dr John Hughes, Cymro Cymraeg a meddyg mawr ei barch yn y dref, yn dadlau y gellid cefnogi Ysgol Ddwyieithog petai rhieni o'i phlaid, am y byddai'n ddatblygiad democrataidd – a disgwyliai yr un ddemocratiaeth ar gyfer y rhieni na ddymunent i'w plant ddysgu Cymraeg. *'I admire and salute the educational success of the existing bilingual schools',* meddai.

Ceir adroddiad sylweddol ar gyfarfod ym mis Chwefror 1971 lle bu Gwilym Humphreys, prifathro ysgol Rhydfelen, yn siarad. Dyma un arall a gafodd ddylanwad mawr ar ddatblygiad addysg uwchradd Gymraeg. Nid yn unig yr oedd Rhydfelen, dan ei arweiniad, yn ysgol arloesol a hynod lwyddiannus, ond y mae Mr Humphreys yn siaradwr huawdl, diffuant a chanddo ddawn i ysbrydoli ei wrandawyr, a bu gofyn mawr amdano i siarad mewn cyfarfodydd tebyg ledled Cymru. Yr Athro Geraint Gruffydd oedd cadeirydd y cyfarfod, a phasiwyd yn unfrydol y dylid cael ysgol ddwyieithog yn Aberystwyth.

Os oedd gan y cynllun gyfeillion da, yr oedd ganddo elynion hefyd, a'r amlycaf ohonynt yn sicr, oherwydd ei safle, oedd Aelod Seneddol Sir Aberteifi, Elystan Morgan (bellach yn aelod o Dŷ'r Arglwyddi). Yr oedd wedi ymladd sawl etholiad dros Blaid Cymru, ond wedi'r siom a gafodd ym Meirionnydd yn 1964, trodd at y Blaid Lafur, a chael ei ethol dros Sir Aberteifi yn 1966. Cyn etholiad 1970 yr oedd wedi ei ddewis yn Weinidog yn y Swyddfa Gartref, ac yr oedd yn amlwg fod gyrfa ddisglair o'i flaen. Ymddangosai fod teyrnasiad y Blaid Ryddfrydol dros Sir Aberteifi ar ben am byth, ac er i Lafur golli etholiad 1970, yr oedd sedd Sir Aberteifi yn ddiogel.

Yn anffodus, yr oedd elfennau yn y Blaid Lafur yng Ngheredigion yn erbyn sefydlu ysgol ddwyieithog. Penderfynodd cyfarfod Plaid Lafur Ceredigion ym mis Chwefror 1971 ei bod yn gwrthwynebu ysgol ddwyieithog fel *'an unnecessary dispersal and duplication of resources'.* Yr oedd, ar un lefel, yn rheswm dilys; nid oedd yr adwaith yn erbyn ysgolion mawr wedi cychwyn eto, ac nid oedd neb wedi dadlau o blaid dwy ysgol gyfun gyffredin yn Aberystwyth. Ond clywid dadleuon eraill hefyd, megis mai 'ysgol ramadeg' dan enw arall fyddai'r fath ysgol. Ymddengys mai rhyw ofn a blannwyd yn eu calonnau gan elfennau ym Mhlaid Lafur de-ddwyrain Cymru oedd hwn; yno, er gwaethaf cefnogaeth y Llafurwr blaenllaw Llewellyn Heycock, cadeirydd Cyngor Sir Morgannwg, yr oedd rhai yn amheus iawn o'r mudiad addysg ddwyieithog – yn enwedig oherwydd ei lwyddiant. Dadleuwyd y byddai ysgolion felly yn fagwrfa ar gyfer Plaid Cymru. Dadleuai rhai y byddai'r sefyllfa yn Aberystwyth yn debyg i Ogledd Iwerddon.

Felly perswadiwyd Aelod Seneddol Sir Aberteifi i gymryd ochr y gwrthwynebwyr, a dywedir iddo ddefnyddio'r gair *'ghetto'* i ddisgrifio unrhyw ysgol uwchradd ddwyieithog a sefydlid yn Aberystwyth. Soniai am *'incredulity and anger amongst parents'*. Boed fel y bo am hynny, yr oedd yn barod iawn i weld bai ar y Pwyllgor Addysg, a defnyddiodd y *Cambrian News* i gyhuddo'r Awdurdod o lusgo traed a cholli'r cyfle i ad-drefnu'r ardal yn ôl yn 1968, ond chwalwyd ei ddadleuon gan y Dr John Henry Jones. Yr oedd gwrthwynebiad yr Aelod Seneddol yn sioc ac yn siom i'r rhai a fuasai'n barod i dderbyn ei fod o hyd yn 'Gymro da' er gwaethaf newid ei blaid. Yr oedd y Rhyddfrydwyr yn y cyfamser yn gefnogol i'r cynllun dwyieithog (a'r Torïaid hwythau hefyd), ac yr oedd ymgeisydd seneddol newydd y Rhyddfrydwyr, Geraint Howells (yntau bellach yn aelod o Dŷ'r Arglwyddi), yn un o Lywodraethwyr Penweddig ac yn ddarpar riant.

Ar y 5ed o Fai 1973, fe'm penodwyd yn brifathro Ysgol Penweddig. Yr oedd yn fraint ac yn her sylweddol, swydd yr oeddwn wedi dyheu amdani. Yr oedd yr amser yn brin; yn wir, bu'n rhaid i Sir Aberteifi ofyn i Sir Fôn fy rhyddhau o'm swydd yn Llangefni gan ei bod, yn swyddogol, yn rhy hwyr i brifathro roi rhybudd ei fod yn symud. Dywedai pawb wrthyf mor chwyrn y buasai'r frwydr, fod cymdogion a theuluoedd wedi cweryla, a bod pobl wedi symud o'r ardal yn eu siom a'u cynddaredd. Ond ni phrofais i ddim oll o hyn; yr oedd y gwrthwynebwyr fel petaent wedi sylweddoli y byddai'n gwneud drwg i blant diniwed petaent yn dal i ymgyrchu.

Yr oedd amser yn gwasgu'n boenus. Yr oeddwn yn dal yn gyfrifol am Ysgol Gyfun Llangefni, a rhaid oedd creu ysgol newydd o fewn wythnosau. Ysgrifennais dros hanner cant o lythyron, a llosgi petrol yn ôl ac ymlaen rhwng Llangefni ac Aberystwyth er mwyn mynychu cyfarfodydd o lawer math. Ar y cychwyn nid oedd dim i'r ysgol ond myfi ac un *box-file*. Yr oedd Sir Aberteifi, wrth gwrs, yn wynebu misoedd olaf ei bodolaeth cyn geni Cyngor Sir Dyfed, a'r swyddogion dan bwysau aruthrol i ymaddasu i'r drefn newydd; nid oedd Penweddig ond mater bychan yn ymyl y fath ddatblygiad.

Serch hynny, daeth newid yn fuan. Bu rhaid dewis yr athrawon cyntaf o blith staff ysgolion Ardwyn a Dinas (a dylid sylwi mor gyson y bu Pwyllgor Addysg Sir Aberteifi a'r swyddogion wrth ymgynghori â'r athrawon). Mewn un prynhawn penodwyd dau ddirprwy, Gareth Emanuel a Rhiannon Roberts, a grŵp bychan o athrawon, Keith Lewis, Ann Hughes a Nest Lewis. Rhyngddynt rhoesant dros gan mlynedd o wasanaeth ardderchog i'r ysgol – ac yr oedd Ann Hughes yn dal yn ei swydd chwarter canrif wedi agor yr ysgol. Erbyn dechrau'r tymor cyntaf, trefnwyd ein bod yn cael cymorth rhan amser gan Mrs Megan Jones a Mrs Rosemary Nicholas, a chyn hir daeth Eirwen Lewis yn athrawes Saesneg amser llawn.

Os oedd amser yn brin, yr oedd arian yn brin hefyd. Gwnaeth y swyddogion eu gorau drosom, ond yr oedd y prinder a fu ac y sydd yn gymaint o heth ar addysg gyhoeddus yn gwasgu'n galed. Colled neilltuol oedd y grantiau yr arferai Llyfrgell Sir Aberteifi eu rhoi i'r ysgolion uwchradd. Eto, gwnaeth y swyddogion bopeth a allent, a llwyddwyd i ffurfio llyfrgell sylfaenol, ond yr oedd ei datblygu a'i chynnal yn anodd iawn.

Os oedd amser ac arian yn brin, yr oedd gofod yn brinnach byth. Gwyddem y byddai'n rhaid i Benweddig rannu safle Ardwyn ag Ysgol Penglais am ddwy flynedd, a'n cyfran ni o'r safle oedd saith ystafell symudol, ystafell fechan gerllaw ar gyfer yr athrawon, a swyddfa yn y prif adeilad i'r prifathro a'r ysgrifenyddes, Mrs Anona Rees. Ar gyfer gwyddoniaeth a chwaraeon, bu'n rhaid rhannu cyfleusterau â Phenglais, a chael rhai gwersi hefyd gan athrawon Penglais. Caem ddefnyddio'r neuadd ddwywaith yr wythnos ar gyfer gwasanaethau boreol. Gellir priodoli llawer o'r clod am y cydweithrediad hwn i ddoethineb yr Awdurdod Addysg yn ymgynghori ag athrawon Ardwyn a Dinas.

Er gwaethaf anawsterau'r sefyllfa, yr oedd manteision hefyd. Â ninnau wedi'n gwasgu i gornel, megis, yr oedd yn hawdd i ysbryd iach, cymdogol dyfu ymhlith y disgyblion. Ac am ein bod yn byw ymysg athrawon a disgyblion hŷn Penglais, buan y byddai modd profi a oedd proffwydi gwae yn gywir yn eu hofn (gobaith?) y byddai disgyblion y ddwy ysgol yn ffraeo. Da oedd darganfod, nid am y tro cyntaf, fod plant a phobl ifainc yn gallu bod gymaint callach nag oedolion. Da hefyd oedd y cydweithrediad a gawsom gan Mr Charles Suff, prifathro Penglais, a'i ddirprwyon.

Pwy felly oedd y Penweddigion? Derbyniais restr o 165 a fyddai'n bresennol ym mis Medi, 67 ohonynt yn gadael yr ysgolion cynradd, a'r gweddill yn ddisgyblion o Ardwyn a Dinas yr oedd eu rhieni wedi dewis addysg ddwyieithog ar eu cyfer. Ni allaf fyth ganmol y rhieni hynny'n ddigonol. Ar yr adeg pan fu'n rhaid iddynt ddewis, ni wyddent pwy fyddai'r prifathro a'r athrawon – cymerasant naid mewn ffydd. Yr oeddwn yn awyddus i gyfarfod â'r disgyblion yn ystod tymor yr haf, ond gan mor brysur oedd y rhaglen ni lwyddais i weld neb ond y rhai a oedd eisoes yn Ardwyn, a phlant Ysgol Tal-y-bont ar fy ffordd adref i Fôn. Hefyd fe gefais gyfle i annerch rhieni a chyfeillion yr Ysgol Gymraeg, ac yn eu plith yr oedd yr Athro Jac L. Williams, a oedd ar ei ffordd adref o Lundain, ond ei bod yn well ganddo ddod i'r cyfarfod na chael ei swper.

Cynifer o bethau yr oedd yn rhaid eu cofio! Ni ellid dychmygu am Ysgol Ddwyieithog heb delyn – ac o ble y deuai'r fath offeryn, a ninnau heb arian? Ond atebwyd apêl trwy'r *Cambrian News* gan Mr Dafydd Oliver, prifathro ysgol Llanilar. Rhoes fenthyg telyn i'r ysgol, a bu ugeiniau lawer o blant yn ymarfer arni, a Mrs Delyth Evans yn eu hyfforddi. A beth am wasanaeth agoriadol yr ysgol? Rhaid oedd paratoi ar gyfer hwnnw. Yr oedd diwrnod agor Penweddig, y 4ydd o Fedi 1973, yn gofiadwy. Gan na fyddai 165 o blant yn llenwi'r neuadd, gwahoddwyd eu rhieni i gyd i'r achlysur, a chyfeillion hefyd. Gwahoddais Elystan Morgan, AS, mewn ysbryd o heddgarwch, a chwarae teg, fe ddaeth, ond nid achubodd hynny ei sedd iddo y flwyddyn wedyn. Pan gododd y gynulleidfa i ganu 'Efengyl tangnefedd' gydag arddeliad neilltuol, a'r adeilad cadarn yn crynu, fe wyddwn i sicrwydd mai llwyddiant fyddai Ysgol Penweddig.

Da yw rhoi'r gair olaf i Mr John Phillips. Meddai ef: 'Roedd llwyddiant Penweddig yn anhraethol bwysig i ddatblygiad addysg ddwyieithog yn Nyfed. Petai hi wedi methu mae'n amheus a fyddai yr ysgolion eraill wedi eu sefydlu. Mae ein diolch, felly, yn fawr i brifathro a staff yr ysgol am eu hymdrechion glew yn y blynyddoedd cynnar.'

Hanes Sefydlu Ysgol Bro Myrddin

IFAN DALIS DAVIES a CENWYN REES

Ymdrechion Cynnar – Ifan Dalis Davies

Yr oedd addysg gynradd Gymraeg wedi ffynnu yng Nghaerfyrddin er 1955, ond nid oedd unrhyw argoel am ysgol uwchradd i gynnig dilyniant i blant Ysgol y Dderwen pan ddaeth ychydig ohonom at ein gilydd ynghanol y chwe degau i geisio unioni'r cam. Cyfarfod yn nhai ein gilydd a wnaem ar y cychwyn: Siân a minnau, Islwyn Ffowc Elis ac Eirlys, T. James Jones a'i Eirlys yntau, a'r diweddar D. Tecwyn Lloyd a Frances. Daeth eraill i ymuno â ni wrth i'r ymgyrch ddatblygu.

Yr oedd yna gryn wrthwynebiad o du'r Awdurdod Addysg. Mae'n bosib nad oedd hynny'n ddyfnach nag amharodrwydd i newid pethau, a swyddogion a oedd yn agosáu at ymddeol yn edrych am seibiant. Onid oedd hen ysgolion gramadeg y dre wedi darparu addysg dda dros y blynyddoedd? Pa angen newid? Prin bod y sir eto wedi mynd i'r afael â gofynion y Llywodraeth i sefydlu ysgolion cyfun yn lle'r ysgolion gramadeg a'r ysgolion modern.

Er hynny ni chawsom unrhyw wrthwynebiad, gan swyddogion nac aelodau'r Awdurdod Addysg, i weithredu trwy rwydwaith yr ysgolion cynradd. Gwahoddwyd dau gynrychiolydd o ddalgylch pob ysgol gynradd yn y cylch i ymuno â ni yn bwyllgor sefydlog o 70 o aelodau, sef Pwyllgor Llywio Ysgol Uwchradd Ddwyieithog Caerfyrddin a'r Cylch. Trefnwyd cyfarfodydd i rieni plant pob ysgol gynradd, i egluro manteision addysg ddwyieithog i blant sydd â'r

Gymraeg yn iaith gyntaf iddynt. Cafwyd cydweithrediad parod yr holl brifathrawon.

Lluniodd Islwyn Ffowc Elis bamffledyn yn dangos manteision addysg ddwyieithog ac addysg gyfun, a nodi'r pynciau y gellid eu dysgu trwy'r Gymraeg, a pha rai trwy'r Saesneg i gyrraedd dwyieithrwydd llawn. Anfonwyd y pamffledyn hwn ganol 1967 at rieni plant Ysgol y Dderwen, Caerfyrddin, gyda holiadur i'w ateb. Cafwyd 105 o atebion cadarnhaol, 14 rhiant yn unig yn gwrthwynebu. Rhoddodd hyn hyder i'r Pwyllgor fwrw ymlaen ac ar ddiwedd mis Tachwedd 1967 anfonwyd holiadur cyffelyb at holl rieni ysgolion cynradd y cylch. Eto yr oedd yr ymateb yn gadarnhaol, yn rhyfeddol o gadarnhaol yn wir—rhieni 1,207 o blant yn awyddus i gael addysg uwchradd Gymraeg i'w plant, a rhieni 1,081 yn gwrthod.

Ym mis Mawrth 1968 lluniwyd cais ffurfiol yn gofyn i Awdurdod Addysg Sir Gaerfyrddin sefydlu ysgol uwchradd ddwyieithog yn nhref Caerfyrddin. Anfonwyd Memorandwm yn dangos yn glir niferoedd y plant yn y 37 ysgol gynradd yn y dddalgylch yr oedd eu rhieni wedi galw am addysg ddwyieithog iddynt mewn ysgol uwchradd. Yr oedd tair ysgol uwchradd yng Nghaerfyrddin eisoes, dwy ysgol ramadeg ac un ysgol fodern, a dwy ohonynt ar safleoedd yn ffinio â'i gilydd. Credai'r Pwyllgor y gellid creu ohonynt ddwy ysgol ar newydd wedd, un ddwyieithog ac un gyfrwng Saesneg. Cyflwynwyd argymhellion ynghylch cwricwlwm yr ysgol ddwyieithog, gan nodi pwysigrwydd penodi athrawon dwyieithog hyd yn oed ar gyfer y pynciau a ddysgid trwy'r Saesneg.

Diwrnod pwysig iawn yn hanes yr ymgyrch oedd diwrnod cyfarfod y Pwyllgor Addysg, ddydd Iau, yr 11eg o Orffennaf 1968. Aeth teuluoedd cyfan a cherdded yn fintai fawr trwy dre Caerfyrddin, gan gyrraedd Neuadd y Sir fel y deuai aelodau'r Pwyllgor Addysg i'r cyfarfod. Fe ddarllenwyd cais yno gan y Pwyllgor Llywio am sefydlu ysgol uwchradd ddwyieithog yn y dref erbyn mis Medi 1969, ac am baratoi at hynny trwy ddechrau dysgu rhai pynciau trwy gyfrwng y Gymraeg yn nosbarthiadau'r flwyddyn gyntaf ym mis Medi 1968. Methu wnaeth y cais gan i'r aelodau benderfynu mai cyfrifoldeb yr Awdurdod Addysg oedd cynllunio ar gyfer y Sir gyfan, ac na ellid trafod achos tre Caerfyrddin ar ei phen ei hun. Penderfynwyd cyflwyno'r cais i drafodaeth is-bwyllgor.

Aeth amser heibio heb newid dim ar agweddau swyddogion ac aelodau'r Pwyllgor Addysg. Gwrthodwyd cais arall am sefydlu ysgol uwchradd ddwyieithog ym mis Tachwedd ac yr oedd pennawd yn y *Carmarthen Times* yr wythnos ganlynol (15/11/68) yn dweud y cyfan: '*Fanatics have tried to push us*' – geiriau'r Henadur Frank Thomas, arweinydd grŵp Llafur y dydd, wrth gyfeirio at hanes sefydlu ysgol gynradd Gymraeg Cydweli. Derbyniodd y Pwyllgor Addysg ddeiseb gan rieni 85 o blant, ond pan gynhaliodd yr Awdurdod Addysg ei arolwg ei hun yr oedd y nifer wedi disgyn i 40. Eto fe agorwyd yr ysgol yn 1968 ond ar y pryd nid oedd ond naw o blant yn yr adran iau, ac un o'r rheiny dros yr oed. (Afraid dweud bod yr ysgol honno, fel pob ysgol Gymraeg arall, wedi tyfu yn sylweddol erbyn hyn.)

Dair blynedd yn ddiweddarach cawn hanes yn *Y Cymro* (17/11/71) am Gadeirydd Pwyllgor Addysg Sir Gaerfyrddin, yr Henadur Ifor Evans, yn gwrthod caniatâd i Gwynfor Evans siarad o blaid ei gynnig i sefydlu ysgol uwchradd ddwyieithog yng Nghaerfyrddin yn ddi-oed. Unwaith eto anfonwyd y cynnig i ystyriaeth is-bwyllgor, ond gohirio'r penderfyniad o flwyddyn i flwyddyn a wnaeth yr Awdurdod gan nodi bod rhaid i ad-drefnu ysgolion uwchradd Caerfyrddin ddigwydd o fewn cynllun datblygu y sir gyfan.

Yn 1972 penderfynodd y Pwyllgor Addysg brofi dilysrwydd yr holiadur a anfonasai'r Pwyllgor Llywio ddechrau 1968, ac anfon ei holiadur ei hun at rieni plant ysgolion uwchradd Caerfyrddin. Erbyn dechrau 1973 yr oedd y gwaith wedi ei gyflawni ac fe adroddwyd i'r Pwyllgor Addysg fod yna ddigon o blant i sefydlu dau ddosbarth ym mhob blwyddyn ysgol a sicrhau ysgol o 400 o blant ymhen pum mlynedd. Er hyn fe fethodd y cynnig i sefydlu ysgol uwchradd ddwyieithog yn y cyfarfod hwn eto, o 36 o bleidleisiau i 9. Yr oedd y gwrthwynebu'n parhau.

Pan ddaeth Eisteddfod Genedlaethol Cymru i Gaerfyrddin yn 1974 yr oedd saith mlynedd o ymgyrchu dros addysg uwchradd Gymraeg wedi methu â dwyn unrhyw ffrwyth.

Ailgydio – Cenwyn Rees

Rwy'n cofio'r dydd yn iawn; bore Sul ydoedd yn 1974 a chriw bach ohonom yn sgwrsio tu allan i gapel y Priordy yng Nghaerfyrddin ar ôl gwasanaeth y bore. Dyma Peter Hughes Griffiths yn awgrymu, yn sgil penderfyniad Pwyllgor Addysg Dyfed i ad-drefnu ysgolion uwchradd yn y cylch, fod cyfle gennym i ddwyn y maen i'r wal ynglŷn ag addysg uwchradd ddwyieithog. Yr oeddem wedi ymgyrchu yn aflwyddiannus yn y chwe degau, ac efallai mai hwn fyddai'r cyfle olaf am flynyddoedd lawer.

Hyd y mae'n bosibl cofio, neu ddarganfod yng nghofnodion pwyllgorau'r Sir, nid oedd unrhyw sôn am sefydlu ysgol ddwyieithog yng Nghaerfyrddin fel rhan o'r newidiadau. Ond yr oedd lle i gredu bod canran uchel o'r arian a glustnodwyd ar gyfer yr ad-drefnu i'w wario yn Llanelli a Hwlffordd, ond ychydig yn unig yng Nghaerfyrddin, felly yr oedd angen symud yn gyflym.

Aethom ati i alw cyfarfod cyhoeddus, a gynhaliwyd yng nghanolfan HTV yn y dre, ac yn hwnnw dewiswyd y pwyllgor gweithredu canlynol: Peter Hughes Griffiths, Malcolm Jones, Maldwyn Jones, Gareth Matthews yn ysgrifennydd a minnau yn gadeirydd. Cyfetholwyd Gwyn Davies, Gwyneth Evans a Wynne Jenkins yn ddiweddarach.

Penderfynwyd yn gynnar y byddai'n rhaid dylanwadu ar swyddogion y Pwyllgor Addysg, y Cynghorwyr, a rhieni'r plant yn y dalgylch. Felly, yn y lle cyntaf, cafwyd cyfarfod â swyddogion a chadeirydd y Pwyllgor Addysg i drafod y cynlluniau anfoddhaol ynglŷn â'r polisi newydd. Nid oeddynt yn barod i roi unrhyw fath o ymrwymiad i sefydlu ysgol ddwyieithog a'r unig beth a gynigiwyd inni oedd yr hawl i ymweld â rhieni drwy'r ysgolion a cheisio dylanwadu arnynt. Rhoddwyd yr addewid inni, petaem yn medru sicrhau digon o blant i lenwi tair ffrwd yn y flwyddyn gyntaf, y byddent yn barod i ailystyried. Felly, er mai prin fu'r gefnogaeth gan y Swyddfa Addysg, yr oeddem yn ddiolchgar nad oedd y drws wedi'i gau yn gyfan gwbl.

Rhaid cofio bod 1974 yn flwyddyn brysur iawn yng Nghaerfyrddin oherwydd yr oeddem yn croesawu'r Eisteddfod Genedlaethol i'r dref ym mis Awst y flwyddyn honno ac, wrth reswm, yr oedd llawer ohonom yn brysur gyda'r Steddfod. Er gwaethaf hynny, aethpwyd ati yn ystod yr haf i gasglu deiseb ac erbyn diwedd wythnos yr Eisteddfod yr oeddem wedi casglu pum mil o enwau ac fe gyflwynwyd y ddeiseb i'r awdurdodau ym mhabell Sir Dyfed ar y maes. Dangoswyd felly fod gennym gryn gefnogaeth i'r cais, ac erbyn diwedd y flwyddyn yr oedd yr hinsawdd o ochr y Sir yn dechrau newid. Ym mis Rhagfyr 1974 cyflwynodd y Cyfarwyddwr Addysg, Mr Henry Thomas, adroddiad yn awgrymu y dylid sefydlu ysgol ddwyieithog yng Nghaerfyrddin fel rhan o gynllun tymor hir ad-drefnu addysg. Nid oedd hynny'n foddhaol inni fel pwyllgor ac aethpwyd ati yng ngwanwyn 1975 i geisio dylanwadu o ddifrif ar y tri dosbarth y soniais amdanynt eisoes: swyddogion y Pwyllgor Addysg, y Cynghorwyr, a rhieni plant y dalgylch. Penderfynwyd y byddai'n rhaid argyhoeddi'r rhieni bod addysg uwchradd ddwyieithog yn gweithio'n llwyddiannus a pha batrwm gwell i'w ddilyn na'r hyn a welwyd yn Sir Forgannwg? Felly, aeth dau aelod o'r pwyllgor i ymweld ag ysgolion Rhydfelen a Llanhari a chael cryn groeso gan y ddau brifathro, Mr Gwilym Humphreys a Mr Merfyn Griffiths.

O'r deunydd a gafwyd gan y ddwy ysgol gwnaethpwyd arddangosfa symudol ar fyrddau polystyren wyth troedfedd wrth bedair troedfedd. Yr oedd pob bwrdd yn adlewyrchu rhyw agwedd arbennig ar fywyd yr ysgolion: er enghraifft, llwyddiant mewn arholiadau, llwyddiant ym myd chwaraeon, sut y gellid dysgu gwyddoniaeth trwy gyfrwng y Gymraeg, ac ati. Ymwelwyd â bron pob ysgol yn y dalgylch a fyddai'n debygol o anfon plant i ysgol ddwyieithog. Trefnwyd cyfarfodydd gyda'r nos a gwahoddwyd y rhieni i weld yr arddangosfa ac i ofyn cwestiynau. Y cwestiwn oesol oedd, 'Ond beth am Saesneg y plant?' Yr oedd hefyd gryn amharodrwydd ar ran rhieni plant o'r wlad i dderbyn y byddai addysg ddwyieithog yn fantais i'w plant. Ambell waith byddem yn dychwelyd o'r cyfarfodydd hyn yn ddigalon iawn.

Ym mis Mehefin 1975, fe gylchlythyrwyd rhieni'r dalgylch gan yr Awdurdod Addysg er mwyn tafoli'r galw am ysgol ddwyieithog ac fe ddisgwylid atebion erbyn yr hydref. Yn y cyfamser aethpwyd ati i ganolbwyntio ar y Cynghorwyr. Fe gylchlythyrwyd pob aelod o'r Pwyllgor Addysg ac fe ymwelwyd â nifer fawr ohonynt. Derbyniad amrywiol a gawsom ond erbyn hyn yr oedd nifer o'r Cynghorwyr yn gefnogol: D. T. Davies, Ellis Powell, Arthur Harries o Gaerfyrddin, y Parchedig D. S. Grey o Frechfa, a D. G. Davies o Landysul. Un gwrthwynebydd ffyrnig oedd y Cynghorwr Cooke o Frynaman, un yr oedd ei ddylanwad ar y Blaid Lafur yn gryf. Pan ddychwelwyd atebion y rhieni, yr oedd yn amlwg bod digon o blant ar gyfer sefydlu tair ffrwd yn y flwyddyn gyntaf. Felly, mewn cyfarfod o'r Pwyllgor Addysg rywbryd tua diwedd y flwyddyn 1975, yr oedd ein tynged yn y fantol, ac yr oedd peth tystiolaeth gennym fod rhai Cynghorwyr yn ffafrio sefydlu ysgol yn Hwlffordd yn hytrach nag yng Nghaerfyrddin. Trefnwyd torf o bobl yn cario placardiau i groesawu'r Cynghorwyr wrth iddynt fynd i mewn i Neuadd y Sir. Yr oedd yr oriel gyhoeddus yn orlawn o gefnogwyr yn gwrando ar y drafodaeth yn y Siambr a mawr fu'r banllefau pan gyhoeddwyd y bleidlais o gadarnhad bod ysgol ddwyieithog i'w sefydlu yng Nghaerfyrddin gyda thair ffrwd yn y flwyddyn gyntaf. Yn gynnar yn 1976 penderfynodd y Sir gyflwyno'r Rhybuddion Statudol i gau'r ysgolion a oedd yn bodoli eisoes, sef Ysgol Ramadeg y Bechgyn, Ysgol Ramadeg y Merched, ac Ysgol Fodern Ystrad Tywi; yr oedd y ddwy olaf wedi'u lleoli o fewn canllath i'w gilydd ac yr oedd hyn yn peri cryn gymhlethdod.

Yn ystod yr ymgyrch trefnwyd nifer o gyfarfodydd cyhoeddus ac fe erys sawl un yn y cof. Cynhaliwyd un yng Ngholeg y Drindod â chaws a gwin a'r gwesteion oedd y Barnwr Dewi Watkin Powell a Mrs Powell. Bu'r ddau yn gefnogol iawn i bob ymdrech. Cynhaliwyd cyfarfod arall yn Neuadd Sant Pedr, yn nhre Caerfyrddin, a'r lle dan ei sang i glywed anerchiad Mr Gerald Morgan, Prifathro Ysgol Penweddig.

Yr oedd hi'n amlwg bod nifer o rieni o lefydd y tu allan i'r dalgylch, megis Llandeilo, yn awyddus i anfon eu plant i'r ysgol newydd. Gwrthodwyd eu cais ar y dechrau, ond wedi iddynt apelio i'r Swyddfa Gymreig fe gafwyd caniatâd yn y diwedd.

Un broblem fawr a wynebwyd gennym oedd penderfynu pa fath o gynllun y dylid ei gefnogi parthed y tair ysgol. Paratowyd nifer o gynlluniau ac fe awgrymwyd, er enghraifft, adeiladu ysgol newydd i'r dwyrain o Gaerfyrddin. Er mwyn esbonio'r cynlluniau trefnwyd cyfarfod i'r cyhoedd gan y Sir yn neuadd Ysgol Ramadeg y Merched. Anerchwyd y cyfarfod gan Brifathro Ystrad Tywi a Phrifathrawes Ysgol Ramadeg y Merched.

Amlygwyd yn fuan ragfarn y cyfnod yn erbyn addysg Gymraeg ac fe orffennodd mewn cryn ddiflastod.

Erbyn 1977 yr oedd pethau wedi dod i drefn, ac fe dderbyniodd Mr John Phillips, y Dirprwy Gyfarwyddwr ar y pryd, ddirprwyaeth i drafod penodiad prifathro i'r ysgol. Ym mis Hydref 1977, fe gadarnhaodd y Pwyllgor Addysg benodiad Mr Gareth Evans o Ysgol Rhydfelen yn brifathro ar yr Ysgol Ddwyieithog. Dechreuodd ar ei waith ym mis Ionawr 1978. Tua'r gwanwyn y flwyddyn honno trefnwyd noswaith o adloniant a chinio yn neuadd Coleg Pibwrlwyd, Caerfyrddin, i ddathlu dyfodiad yr ysgol a phenodiad y Prifathro. Rwy'n siŵr fod llawer o bennau tost yn yr ardal y bore wedyn!

Daeth yr Ysgol i fodolaeth ym mis Medi 1978, â thair ffrwd yn y flwyddyn gyntaf, a dwy ffrwd yr un ym mlynyddoedd 2 a 3. Tynnwyd disgyblion blynyddoedd 2 a 3 o'r hen ysgolion ac, felly, yr oedd tua 300 o blant yn yr ysgol ym mis Medi 1978. Lleolwyd yr ysgol yn adeiladau hen Ysgol Ramadeg y Bechgyn ond, er 1996, mae ganddi adeilad newydd sbon ar gyrion y dref.

Mae llwyddiant digamsyniol yr ysgol yn golygu bod nifer y disgyblion yn codi o flwyddyn i flwyddyn ac yn awr yn agosáu at y fil. Mae'r adeiladau eisoes yn rhy fach a disgwylir dau gaban newydd ar y safle ym mis Medi, 1998! Wrth weld y twf hwn mae'n anodd deall diffyg gweledigaeth yr Adran Addysg a'r Pwyllgor Addysg yn Nyfed ugain mlynedd a rhagor yn ôl.

Adeilad newydd Ysgol Bro Myrddin, Caerfyrddin.

Pennod 26

ADDYSG GYMRAEG YM MHOWYS – MALDWYN, BRYCHEINIOG A MAESYFED

T. A. V. EVANS

PAN SEFYDLWYD Sir newydd Powys yn 1974, unwyd tair sir o gymeriadau a thraddodiadau ieithyddol ac addysgol tra gwahanol. Yn fuan ar ôl sefydlu'r Sir newydd, yn 1976 cyhoeddodd yr Awdurdod Addysg ddogfen gynhwysfawr ar 'Yr Iaith Gymraeg Mewn Addysg – Powys', yn cyfeirio at natur ieithyddol y gwahanol ardaloedd ac yn rhoi esboniad o bolisïau'r cyn-awdurdodau ynghyd â disgrifiad llawn o'r ddarpariaeth ar y pryd ar gyfer y Gymraeg ac addysg gyfrwng Cymraeg yn ysgolion cynradd ac uwchradd y Sir. Nodir mai 22% o boblogaeth y Sir oedd yn siaradwyr Cymraeg ond ei bod yn gamarweiniol ystyried canrannau. Yn hytrach dylid ystyried daearyddiaeth y Sir â'i dwy ardal Gymraeg eu hiaith – sef ardal wledig gogledd-orllewin Maldwyn, ac Ystradgynlais a'r ardaloedd cyfagos ym Mrycheiniog – a'r sefyllfa ieithyddol hon yn cael ei hadlewyrchu yn yr ysgolion. Yng ngweddill y sir yr oedd y siaradwyr Cymraeg yn y prif drefi marchnad yn bennaf, ac yn cynyddu'n raddol yno.

Yr oedd awdurdodau Maldwyn a Brycheiniog wedi ceisio mabwysiadu egwyddorion Adroddiad Gittins ynghylch addysg ddwyieithog a'r 'Cylchlythyr 2/69' o'r Swyddfa Gymreig a'i dilynodd. Ym Maldwyn y polisi oedd ymdrechu i ddiogelu cymeriad ieithyddol yr ysgolion cynradd yn yr ardaloedd naturiol Gymraeg a darparu'n ddwyieithog, naill ai i bob plentyn yn yr ysgolion gwledig llai, neu drwy ffrydio Cymraeg/Saesneg yn ysgolion y trefi.

Yn ne Sir Frycheiniog, yn ardal Ystradgynlais, dilynwyd patrwm cyffredinol y cymoedd diwydiannol trwy ddynodi Ysgol Gymraeg i'r ardal, gan roi'r dewis i'r rhieni. Yr oedd y rhan fwyaf o'r ysgolion yn rhai cyfrwng Saesneg, gan gynnwys ysgolion gwledig gorllewin Brycheiniog, er bod rhai ohonynt yn darparu'r ail iaith yn llawn ac yn ymroddgar.

Ym Maesyfed yr oedd y sefyllfa'n wahanol a'r Sir heb ddim addysg gyfrwng Cymraeg, a'r Gymraeg yn cael ei dysgu fel ail iaith mewn pump yn unig o'r 24 ysgol gynradd ac mewn un o'r ddwy ysgol uwchradd. Ym Maldwyn a Brycheiniog yr oedd pob ysgol gynradd ac uwchradd yn dysgu'r Gymraeg fel iaith gyntaf ac/neu ail iaith er ei bod yn ddewisol ar ôl y drydedd flwyddyn mewn rhai ysgolion uwchradd yn yr ardaloedd di-Gymraeg.

Dangosodd arolwg yn y Sir yn 1976 fod y mwyafrif neu ganran sylweddol o'r disgyblion yn siaradwyr Cymraeg mewn 21 o'r 140 o ysgolion cynradd, a'r ysgolion hynny'n cael eu hystyried yn ysgolion dwyieithog. O'r rhain yr oedd 14 ym mro Gymraeg Maldwyn, â phump yn cynnwys ffrydiau/unedau a naw yn ysgolion naturiol Gymraeg. Yr oedd y saith ysgol arall yn ardal Ystradgynlais a Chwm Tawe ym Mrycheiniog – tair ohonynt yn Ysgolion Cymraeg swyddogol a'r pedair arall yn gweithredu'n ddwyieithog i raddau. Nid yw'r ffigyrau'n cymharu'n rhwydd â'r presennol am eu bod yn cynnwys rhai ysgolion iau ac ysgolion babanod ar wahân lle mae un ysgol unedig erbyn hyn. Yr oedd Unedau Cymraeg swyddogol yn bod hefyd mewn tair o'r prif drefi tu allan i'r broydd hyn, yn y Drenewydd a'r Trallwng, ac yn Aberhonddu.

O'r deuddeg ysgol uwchradd yr oedd pedair yn cynnig cyrsiau trwy gyfrwng y Gymraeg, tair ym Maldwyn ac un ym Mrycheiniog, yn bennaf ym maes y dyniaethau – addysg grefyddol, hanes a daearyddiaeth, a hyn yn amrywio o gyrsiau llawn pum mlynedd mewn un ysgol i gyrsiau blynyddoedd cynnar yn y lleill.

Mesurau i Ddatblygu

Bwriad yr Awdurdod oedd parhau â'r un polisïau a cheisio arferiad unedig i'r Sir, gan estyn dysgu'r Gymraeg ym Maesyfed trwy ymgynghori â'r rhieni, ac ystyried estyn addysg ddwyieithog gynradd gan dderbyn bod sefydlu Cylch Chwarae Cymraeg neu ddwyieithog mewn ardal yn fesur o faint y galw ymysg rhieni. Cytunwyd hefyd i barhau i ehangu'r gwasanaeth Athrawon Bro yn ôl yr angen, a bod angen Staff Ymgynghorol â'r cymwysterau a'r profiad i gynorthwyo a chynghori ysgolion ac athrawon ar ddysgu'r Gymraeg a dysgu drwy gyfrwng y Gymraeg. Cytunwyd i gyfrannu, ar gyfer y Sir yn gyfan, i Gynllun Llyfrau a Chylchgronau Cymraeg y Cyd-bwyllgor Addysg.

Rhagwelwyd y byddai'r angen a'r galw am addysg uwchradd ddwyieithog yn tyfu o ganlyniad i'r twf cynradd, ond nad oedd tebygolrwydd sefydlu ysgol uwchradd ddwyieithog ym Mhowys, hyd y gellid rhag-weld, â'r niferoedd yn rhy fach mewn unrhyw un ardal. Tybid fodd bynnag y byddai'n ymarferol sefydlu ffrwd gyfrwng Cymraeg yn Ysgol Uwchradd Caereinion yn y gogledd, ac ar gyfer y de byddai cysylltu ffrwd ddwyieithog efo Ysgol Uwchradd Llanfair-ym-Muallt yn bosiblrwydd.

Gan fod y ddogfen yn ymwneud â dysgu'r Gymraeg yn ogystal ag addysg ddwyieithog, teg yw nodi i'r Awdurdod newydd ddatgan polisi o gryfhau ac estyn yr ail iaith a'r gweithgareddau Cymraeg a Chymreig mewn 20 o ysgolion cynradd eraill cyfrwng Saesneg mewn ardaloedd lle'r oedd y Gymraeg, er yn iaith y lleiafrif, yn dal yn fyw yn y gymuned.

DATBLYGIADAU CYNRADD

Gogledd Powys – Maldwyn

Cychwynnodd addysg ddwyieithog o ddifrif ym Maldwyn yn y chwe degau, ac erbyn diwedd y degawd, yn 1971, yr oedd adroddiad i'r Pwyllgor Addysg ar ysgolion cynradd yn nodi:

Dysgu'n bennaf trwy'r Saesneg	41
Dysgu'n bennaf trwy'r Gymraeg	17
Gydag unedau/ffrydiau Cymraeg	5

Disgynnodd y niferoedd hyn yn y blynyddoedd i ddilyn oherwydd cau a chyfuno ysgolion bychain i greu ysgolion ardal newydd, ac uno ysgolion iau/babanod; yn 1976 wedi'r ad-drefnu, yr oedd yr ysgolion canlynol yn dysgu'n bennaf yn Gymraeg neu â ffrydiau neu unedau.

Ysgolion Cymraeg traddodiadol
Llanwddyn
Pennant, Pen-y-bont-fawr – ysgol ardal a agorwyd yn 1971
Y Banw, Llangadfan
Llanerfyl
Llanfihangel-yng-Ngwynfa
Carno
Llanbryn-mair – ysgol ardal a agorwyd yn 1974
Pontrobert
Glantwymyn – ysgol ardal a agorwyd yn 1971

Ffrydiau
Ysgol Gynradd Llanfair Caereinion
Ysgol Gynradd Llanfyllin
Ysgolion Iau a Babanod Machynlleth

Unedau
Ysgol Hafren – Y Drenewydd
Ysgolion Ardwyn (Babanod) a Maes-y-dre (Iau) – Y Trallwng
Ysgol Trefeglwys – ar gyfer ardal Llanidloes a'r cylch

Mae pob un o'r ysgolion uchod yn dal ar agor heddiw ond bod y ddwy ysgol ym Machynlleth wedi uno yn 1991. Yn y cyfamser agorwyd un Uned Gymraeg newydd, sef Ysgol Rhiw-Bechan yn Nhregynon, ysgol ardal a agorwyd yn 1995 trwy gau pedair ysgol gynradd wledig. Yn 1996 trosglwyddwyd ysgol gynradd arall mewn ardal naturiol Gymraeg o Glwyd i wasanaeth Powys, sef Ysgol Llanrhaeadr-ym-Mochnant.

Yr hyn a newidiodd yn sylweddol dros y blynyddoedd oedd niferoedd y plant a oedd yn derbyn addysg ddwyieithog, yn arbennig yn yr unedau a'r ffrydiau, a strwythur ac ansawdd yr addysg ddwyieithog.

Ysgolion Cymraeg Traddodiadol
Rhaid pwysleisio cyfraniad yr ysgolion cynradd Cymraeg traddodiadol, prif ddarparwyr addysg gyfrwng Cymraeg ym Maldwyn yn y saith degau, ac yn cynnwys Ysgolion Ardal newydd a sefydlwyd bryd hynny. Wynebwyd mewnlifiad cryf o blant oedran ysgol i'r cymunedau naturiol Gymraeg yn 1970 a phenderfynodd Pwyllgor Addysg Maldwyn, mewn

ymateb i'r 'Cylchlythyr 2/69', wneud pob ymdrech i ddiogelu cymeriad ieithyddol yr ysgolion cynradd hyn, trwy sicrhau mesurau hyfforddi, strwythuro'r dysgu, a chael athrawon rhugl ddwyieithog. Cadarnhawyd y polisi hwn gan Bwyllgor Addysg Powys yn 1976.

Cadarnhawyd y drefn eto, yn ddiweddarach, pan gyflwynwyd y Cwricwlwm Cenedlaethol yn 1988, â'r rheidrwydd i ddynodi'n swyddogol y prif gyfrwng dysgu hyd saith mlwydd oed. Cynhaliwyd cyfarfodydd brys rhwng swyddogion yr Awdurdod Addysg a'r rhieni a'r llywodraethwyr yn yr ysgolion hynny lle dangoswyd ansicrwydd ar ran y rhieni. Derbyniwyd y sefyllfa ymhobman, a'r Awdurdod yn eu cadarnhau yn Ysgolion Cymraeg, yn ôl y diffiniad newydd, gan ddiogelu addysg Gymraeg i'r plant a'r cymunedau unwaith yn rhagor.

Ond gan mai trwy ddefnyddio ffrydiau ac unedau Cymraeg y llwyddwyd yn bennaf i ddatblygu cyfleoedd addysg Gymraeg newydd ym Mhowys, rhown sylw yn awr i'r ysgolion hynny lle gwnaed darpariaeth.

FFRYDIAU

Llanfair Caereinion

Bu'r ysgol yn un o'r cyntaf i sefydlu ffrwd Gymraeg yn y chwe degau cynnar, ac erbyn 1964, yr oedd 30 o blant, oddeutu chwarter yr ysgol, yn dilyn addysg gyfrwng Cymraeg. Cynyddodd y rhifau dros y chwarter canrif nesaf, trwy fewnlifiad ac oherwydd cau ysgolion Llangynyw, Rhiwhiriaeth a Chwm Llanllugan. Trwy arweinyddiaeth gadarn tyfodd y ffrwd Gymraeg yn ogystal, ac erbyn 1988 yr oedd mwy na hanner y 200 o blant a fynychai'r ysgol yn y ffrwd, a hyn yn dylanwadu'n fawr ar yr ansawdd a'r gweithgaredd yn gyffredinol. Agorwyd adeilad newydd i'r ysgol ar yr un safle yn 1983 â chyfleusterau da a gofod digonol i'r strwythur ffrydio.

Niferoedd 1998 : – Y Ffrwd – 91 (yr ysgol gyfan – 209)
Prifathrawon: Mr Elfed Thomas 1964–89: Mrs Sioned Bowen 1989–
91: Mrs Rona Evans er 1991

Llanfyllin

Agorwyd adeilad newydd yn 1968 i uno'r cyn-ysgolion Babanod ac Iau; ddwy flynedd yn ddiweddarach sefydlwyd y dosbarth dwyieithog cyntaf gyda 14 o blant. Diffyg lle digonol oedd y rhwystr ar y cychwyn ond yn fuan darparwyd ystafell symudol, ac o hynny ymlaen tyfodd y ffrwd gydag ymroddiad y staff. Dros amser bu angen adlunio ac estyn adeiladau'r ysgol yn llwyr ddwywaith, oherwydd y twf yn y boblogaeth ac i gydweddu â gofynion y strwythurau ffrydio.

Niferoedd 1998: – Y Ffrwd – 80 (yr ysgol gyfan – 180)
Prifathrawon: Mr E. T. Edwards at 1982: Mr E. W. John 1982–87:
Mr D. Roy Griffiths er 1987

Machynlleth

Unwyd dwy ysgol, Babanod ac Iau, yn 1991 a chawsant gartref mewn adeilad newydd ar safle Ysgol y Babanod yn 1995. Bu cydweithrediad agos cyn hynny ar drefnu a datblygu addysg ddwyieithog er pan gychwynnwyd dosbarth babanod cyfrwng Cymraeg yn y chwe degau, ac erbyn 1969 yr oedd 20 o blant yn ffrwd y Babanod. Rhoddwyd hwb i ddwyieithrwydd y ddwy ysgol o 1968 ymlaen trwy iddynt ddilyn Cynllun Dwyieithog y Cyngor Ysgolion a datblygu'r Gymraeg yn gyfrwng dysgu mewn rhai dosbarthiadau. Er yr amheuon arferol ynghylch blaenoriaethau a'r defnydd o adnoddau, tyfodd yr addysg ddwyieithog yn gryf trwy arweinyddiaeth gadarn ac ymroddiad. Aeth niferoedd y ffrwd Gymraeg dros hanner y nifer yn yr ysgol yn 1994, ac mae'n dal i dyfu.

Niferoedd 1998: – Y Ffrwd – 164 (yr ysgol gyfan – 295)
Prifathrawon: Yr Ysgol Fabanod: Miss Avona Williams 1968–90.
Yr Ysgol Iau: Mr Griff Roberts 1972–79: Mr Arwel Peleg Williams
1979–88: Mr Dilwyn Jones er 1988 ac yn Brifathro'r
Ysgol Gynradd er 1991.

UNEDAU

Y Trallwng – Ysgol Ardwyn (Babanod) ac Ysgol Maes-y-dre (Iau)

Gyda dwy ysgol fabanod ac un iau yn y dref yr oedd modd dewis ymhle i gychwyn Uned Gymraeg, ar gais rhieni'r cylch meithrin, a dewiswyd Ysgol Ardwyn, gan gychwyn yno yn 1973 gydag wyth o blant. Diffyg lle oedd yr anhawster pennaf, â'r ysgol yn tyfu'n gyflym, hyd nes yr agorwyd trydedd ysgol fabanod i'r dref yn 1974. Wrth i'r Uned dyfu bu trafodaethau â'r rhieni i ddarganfod ai datblygu un Uned i'r dref yn Ardwyn fyddai orau neu gychwyn Uned ddilynol i'r plant iau yn Ysgol Maes-y-dre, a bron yn unfrydol dewis y rhieni oedd i'r plant gael y cwmni a'r cyfleusterau priodol i'r ystod oed, ac agorwyd yr Uned ddilynol ym Maes-y-dre yn 1978. Bu'r twf yn parhau yn Ardwyn, gyda dau ddosbarth, y naill â 15 a'r llall â 13, erbyn hyn â chyfleusterau fel buarth chwarae neilltuol. Mwy araf fu'r twf ym Maes-y-dre, gan fod rhai plant o Ardwyn yn trosglwyddo i'r ffrwd yn Llanfair Caereinion, ond disgwylir i Faes-y-dre gynyddu hefyd yn y dyfodol:

Niferoedd 1998: Uned Ardwyn – 28 (yr ysgol gyfan – 81)

Uned Maes-y-dre – 11 (yr ysgol gyfan – 269)

Prifathrawon:

Ardwyn: Miss L. M. Griffiths at 1984; Mrs Rona Evans 1984–91: Mrs E. G. Brown 1992–95: Mrs E. M. Hall er 1997. Maesydre: Mr T. Elwyn Davies at 1984; Mr D. Petley Jones 1984–93: Mr David Griggs er 1993

Ysgol Hafren, Y Drenewydd

Â chylch meithrin brwd yn y dref, cychwynnwyd Uned Gymraeg yn 1965 yn Ysgol y Babanod, Penygloddfa, â phump o blant mewn caban ar y safle. Nid cyd-ddigwyddiad oedd cychwyn yr Uned ym mlwyddyn ymweliad yr Eisteddfod Genedlaethol â'r Drenewydd, a'r Cyfarwyddwr Addysg ar y pryd, Dr J. A. Davies, yn Cadeirio'r Pwyllgor Gwaith. Dan ofal bugeiliol da ym Mhenygloddfa tyfodd yr Uned i 30 erbyn 1968, pan ddaeth yn amser i'r Awdurdod ystyried sefyllfa plant hŷn, a phenderfynwyd datblygu un Uned oedran 4–11 i'r ardal yn Ysgol Hafren. Trosglwyddwyd 38 o blant yno yn 1970 i ystafelloedd symudol newydd.

Gyda'r Drenewydd yn datblygu'n gyflym dan Gorfforaeth Tref Newydd, daeth nifer o deuluoedd a geisiai addysg ddwyieithog i'r ardal, a chododd y nifer i 50 erbyn 1972. Agorwyd adeilad newydd iddi yn 1974, ychwanegwyd ystafelloedd meithrin yn 1981 a bloc newydd eto yn ddiweddarach, gyda'r Uned ar safle neilltuol ar faes yr ysgol, a pharhau i dyfu fu ei hanes dan arweinyddiaeth egnïol a bywiog. Yn 1979 gwnaeth y rhieni gais am droi'r Uned yn Ysgol Ddwyieithog, ac arolwg a phleidlais yn dangos y mwyafrif o blaid, ond wedi trafodaethau ac awgrym gan y Llywodraethwyr i enwi'r ysgol gyfan yn ysgol ddwyieithog, nid aeth y bwriad ddim pellach ar y pryd. Yn 1979 dangosodd arolwg fod 75% o'r plant o gartrefi di-Gymraeg.

Niferoedd 1998: – Uned Hafren – 120 (yr ysgol gyfan – 292)
Prifathrawon: Mr J. E. J. Davies at 1984; Mr D. Penri Roberts er 1984 (gynt yn Bennaeth yr Uned)

(O.N. Agorwyd Ysgol Dafydd Llwyd ym mis Medi, 2001. *–Gol.*)

Trefeglwys (ac ardal Llanidloes)

Daeth bwrlwm Eisteddfod Genedlaethol yr Urdd i Lanidloes yn 1970, a nifer frwd o rieni a chefnogwyr yn awyddus i gael addysg ddwyieithog i'r dref a'r ardal. Yr oedd hyn yn cyd-daro â chau Ysgol Gynradd Llawr-y-glyn – ysgol naturiol Gymraeg, ac â'r trefniadau a oedd ar y gweill i ad-drefnu Ysgol Gynradd Trefeglwys, lle'r oedd nifer o blant o deuluoedd Cymraeg yn barod. Teimlid bod gan yr Awdurdod ateb delfrydol a phoblogaidd, nid lleiaf oherwydd arweiniad Ysgol Trefeglwys a bod cyn-Bennaeth ysgol Llawr-y-glyn ar gael ar gyfer yr Uned. Ar ôl cyfarfod cyhoeddus – nid heb amheuon gan rai, oherwydd adnoddau – derbyniwyd y syniad, a chychwynnwyd â 22 o blant mewn dau ddosbarth. Dringodd y nifer i 38 erbyn 1979, eu hanner o gartrefi di-Gymraeg, a pharhau i dyfu fu'r hanes. Gwasanaethu ardaloedd Llanidloes a Chaersŵs y mae'r Uned ac yn y naw degau cododd ei niferoedd eto. Ar y daith bu rhaid ychwanegu ystafelloedd, ac addasu. Erbyn hyn mae gan yr ysgol a'r Uned adeilad a chyfleusterau safonol newydd. Daeth cais gan Lywodraethwyr Ysgol Gynradd Caersŵs am sefydlu Uned Gymraeg yno, ond ystyrid bod cyfleusterau ac adnoddau gwell gan Uned Trefeglwys.

Niferoedd 1998 : Yr Uned – 91 (yr ysgol gyfan – 154)

Prifathrawon: Mr Arthur Hughes at 1984; Mrs Sioned Bowen 1984–
89; Miss Nia Evans 1989–92; Mr David Williams er
1992.

Rhiw-Bechan, Tregynon

Agorwyd yr ysgol ardal newydd hon yn 1995, drwy gau ysgolion cynradd Betws, Tregynon, Manafon a Phant-y-crai. Cafwyd y caniatâd cyntaf i godi ysgol ardal yn 1973, ond collwyd hynny wrth ad-drefnu'r siroedd yn 1974 oherwydd newid blaenoriaethau adeiladu. Er nad oedd addysg ddwyieithog yn y cyn-ysgolion, yr oedd awydd o'r cychwyn ymysg rhieni a'r darpar-Lywodraethwyr i ymgorffori Uned Gymraeg yn yr ysgol newydd – yr unig ysgol gynradd rhwng y Drenewydd a Llanfair Caereinion â pheth dalgylch naturiol Gymraeg iddi. Yn arwydd o'r newid agwedd, sefydlwyd yr Uned, y ddiweddaraf ym Mhowys, heb amheuon a chyda cytundeb cyffredinol. Mae canran uchel o staff yr ysgol, yn athrawon a chynorthwywyr, yn ddwyieithog.

Niferoedd 1998 : Yr Uned – 24 (yr ysgol gyfan – 128)

Prifathro: Mr Bob Davies 1995–98; Mr Nigel Hughes er 1998

Canol Powys – Maesyfed a Buallt

Sefyllfa anaddawol a wynebai addysg gynradd ddwyieithog yn ardal Canol Powys yn 1974. Yr oedd Maesyfed yn bellennig o'r iaith Gymraeg a'i thraddodiadau o ran amser a daearyddiaeth, er yn Gymreigaidd yn ei diwylliant gwledig. Prin bod ysgolion yr hen sir wedi dechrau dysgu'r Gymraeg fel ail iaith, ond erbyn 1986 sefydlwyd y Gymraeg fel ail iaith yn holl ysgolion cynradd Maesyfed dan drefniadau Powys a'r Ymgynghorydd Iaith.

Yr oedd hadau addysg ddwyieithog wedi'u plannu hefyd. Yn 1974, ar gais rhagflaenydd Mudiad Ysgolion Meithrin, sef Cymdeithas Genedlaethol yr Ysgolion Meithrin Cyfrwng Cymraeg, penderfynodd

Pwyllgor Addysg Powys 'ystyried yn ffafriol unrhyw alw i ddatblygu addysg ddwyieithog yn llawnach lle mae tystiolaeth fod galw', gan dderbyn bod sefydlu ysgol feithrin yn dystiolaeth.

Rhan fwyaf poblog yr ardal wasgaredig yw'r dref Sirol, Llandrindod, a dyffrynnoedd Gwy ac Irfon yn cynnwys trefi marchnad Llanwrtyd, Rhaeadr Gwy a Llanfair-ym-Muallt, ac o'r trefi hyn y daeth y ceisiadau cyntaf, ganol y saith degau, am sefydlu unedau Cymraeg. Rhwng 1978 ac 1992 sefydlwyd pedair uned i'r ardal, gan fywiogi gweithgareddau'r trefi a'r ardal, megis yr Urdd, yn ogystal â phlannu addysg gyfrwng Cymraeg ar dir newydd.

Llandrindod – Uned yr Onnen

Â Chylch Meithrin bywiog mewn bod, ac ar ôl cyfarfod rhieni, cytunodd yr Awdurdod yn 1978 i sefydlu Uned yn Ysgol Trefonnen, a chychwynnwyd ym mis Medi â deg o blant (pump llawn amser). Sefydlwyd ail ddosbarth, i blant iau, yn 1983. Yr oedd pwysau mawr o ran lle yn yr ysgol, gan beri symudiadau i'r Uned, ond er hynny parhau i ddenu a thyfu'n gyson fu'r hanes, gyda phlant yn dod o'r dref a'r dalgylch gwledig, ac o deuluoedd di-Gymraeg yn arbennig. Yr oedd y rhieni a'r llywodraethwyr yn pwyso am adeilad newydd, yn arbennig i'r Uned, a chodwyd Uned newydd tri dosbarth ar safle'r ysgol a'i hagor yn 'Uned yr Onnen' yn 1994, â 53 o blant pan oedd y nifer ar ei uchaf. Oherwydd symud teuluoedd o'r ardal, disgynnodd y nifer wedi hynny, ond disgwylir i hyn fod dros dro yn unig. Mrs Eirlys Hodges fu'n gofalu am yr Uned o 1981–97.

Niferoedd 1998 : Yr Uned – 36 (yr ysgol gyfan – 235)
Prifathrawon: Mr Gwyn Jones at 1981; Mr Vernon Morgan 1981–
87; Mrs V. Whately er 1988.

Ysgol Dolafon, Llanwrtyd

Ardal draddodiadol Gymraeg yw Llanwrtyd, ond â'r siaradwyr Cymraeg yn y lleiafrif erbyn hyn. Cyfarfod rhieni yno yn 1978 a gychwynnodd y cais am Uned Gymraeg yn yr ysgol gynradd, mewn hen adeilad ar gyrion y dre. Pump o blant 4–7 oed oedd yn yr Uned ar y cychwyn ym mis

Medi 1978, ac yn ôl y drefn arferol addaswyd lle i'w cartrefu, hyd nes y tyfodd yr Uned a chael caban neilltuol ar y safle, ac ail athrawes a dau ddosbarth erbyn 1986. Un trafferthus oedd yr hen adeilad a'i leoliad, a symudodd yr ysgol a'r Uned i adeilad newydd yn agos at ganol y dref yn 1990, gan fabwysiadu'r enw 'Ysgol Dolafon' – oherwydd ei safle. Tyfodd yr Uned i'r brig o 38 yn 1997, ac ehangwyd peth ar ystafelloedd yr Uned a oedd yn gyfyng i'r nifer uchel. Gyda thwf sylweddol yn nifer yr ysgol gyfan – o 31 i 128 dros ugain mlynedd oherwydd twf poblogaeth yn bennaf, mae'r prinder lle yn parhau. Daeth rhai plant i'r Uned pan gaewyd Ysgol Tirabad.

Niferoedd 1998 : Yr Uned – 35 (yr ysgol gyfan – 120)
Prifathro: Mr Bryn Davies er 1974.

Rhaeadr Gwy – Uned Caban Coch

Daeth ymdrechion cynnar yn 1978 i gychwyn addysg gyfrwng Cymraeg, ar ôl sefydlu'r cylch meithrin cyntaf, i ben yn fuan, heb ddigon o alw cynyddol ymysg rhieni'r ardal. Ar yr ail gynnig aeth pethau yn well, wedi ailgychwyn Cylch Meithrin yn 1990. Yn fuan cafwyd cyfarfod rhwng rhieni'r Cylch ac eraill, a swyddogion yr Awdurdod a Phrifathro'r Ysgol Gynradd, gyda chymorth Mr Cennard Davies, ac o ganlyniad anfonwyd cais at yr Awdurdod a'r Llywodraethwyr am sefydlu'r Uned Gymraeg yn yr ysgol leol. Ar ôl cytuno'r trefniadau â'r Llywodraethwyr, gosodwyd y 'caban coch' cyntaf ar y safle ac agorodd yr Uned ym mis Medi 1991 â chwech o blant yng ngofal Athrawes Fro brofiadol ar secondiad i'r ysgol, ac erbyn diwedd y flwyddyn tyfodd y nifer i un ar ddeg. Yr ail flwyddyn daeth twf eto, i 23 o blant a dau ddosbarth, a chafwyd cynorthwyes at y staff wedi hynny. Erbyn 1997 yr oedd 47 o blant a thair athrawes mewn uned dair ystafell gerllaw'r ysgol. Ni ddaeth y twf heb dyndra o ran adnoddau a blaenoriaethau, ond cam arbennig oedd sefydlu Uned Gymraeg lwyddiannus yn un o drefi hanesyddol Maesyfed; a'r plant o ddeuluoedd di-Gymraeg heblaw am dri theulu oedd ag un rhiant Cymraeg.

Niferoedd 1998 : Yr Uned – 46 (yr ysgol gyfan – 241)
Prifathro: Mr John Humphreys er 1981.

Llanfair-ym-Muallt – Uned Tanycapel

Uned Tanycapel yw'r ddiweddaraf o Unedau Cymraeg Canol Powys. Trefnwyd cyfarfod rhieni yn 1978, ond gan fod peth diddordeb gan rai ohonynt yn yr uned arfaethedig yn Llandrindod, nid aed ymlaen â'r achos ar yr adeg honno. Daeth yr ail gais fel rhan o'r ymdrech i ailsefydlu Cylch Meithrin yn y dref, gan fod y rhieni'n awyddus i sicrhau dilyniant cynradd ar yr un pryd. Cynhaliwyd cyfarfod o'r rhieni a'r llywodraethwyr, ynghyd â'r Swyddogion Addysg, a Mr Cennard Davies eto, yng ngwanwyn 1992, pan oedd y llywodraethwyr yn fwy amlwg yn y trafodaethau yn dilyn diwygio'r drefn addysg a gweithredu Rheolaeth Leol. Trefnwyd ar frys i gael Uned, ac addasu ystafell sylweddol ei maint yn festri Capel Horeb yn gyfochrog â'r Ysgol Gynradd er mwyn cael y lle yn barod erbyn mis Medi 1992. Cychwynnwyd Uned Tanycapel â phump o blant 4–7 oed. Disgwyliwyd mwy o blant ond yn fuan daeth rhai eraill o'r newydd, gan gyrraedd un ar ddeg erbyn y gwanwyn canlynol a deuddeg ym mis Medi 1993. Gwelwyd twf graddol i gyrraedd 24 yn 1996 ac yna'r cyflymu i 34 a sefydlu dau ddosbarth llawn a pharhau i dyfu. Symudodd yr ysgol i adeilad newydd sbon yng ngwanwyn 1998, yn ymgorffori'r Uned, ond 'Tanycapel' yw'r enw o hyd. Disgwylir sefydlu'r trydydd dosbarth ym mis Medi 1998.

Niferoedd 1998 : Yr Uned – 45 (yr ysgol gyfan – 231)
Prifathro: Mr Bill Bain er 1989.

De Powys – Brycheiniog

Ardal ieithyddol gymysg yw Brycheiniog gyda thref hynafol, urddasol Aberhonddu a'i chyffiniau, a Chwm Wysg, a'r gororau o'r Gelli i Grucywel yn draddodiadol Saesneg ers amser. I gyfeiriad Pontsenni a'r pentrefi ar gyrion y Mynydd Du a Chwm Tawe ceir ardaloedd traddodiadol Gymraeg, sy'n parhau felly, er mai lleiafrif bellach yw'r teuluoedd Cymraeg yn Nhawe Uchaf a'r tir gwledig i'r gogledd, gyda thrwch y siaradwyr Cymraeg yn y cwm diwydiannol yn Ystradgynlais.

Cyn dyddiau Powys yn 1974 yr oedd darpariaeth addysg ddwyieithog wedi'i sefydlu yng nghylch Ystradgynlais mewn tair ysgol, sef Ysgol Gymraeg Ynysgedwyn, ar gyfer dalgylch y dref a'r Cwm, ac Ysgolion

Babanod ac Iau Cwmtwrch – ysgolion traddodiadol lleol. Nid oedd trefniadau swyddogol yn ysgolion eraill y cylch, er bod dysgu dwyieithog anffurfiol mewn rhai ysgolion, Ysgol Cynlais yn arbennig, sydd yn parhau. Newydd agor yr oedd yr uned ddwyieithog gyntaf ym Mrycheiniog yn 1973, sef dosbarth babanod yn Ysgol Babanod Llan-faes, Aberhonddu. Gan fod cylchoedd meithrin wedi'u sefydlu yn Ystradgynlais, Pontsenni, Aberhonddu a Llangynidr, yr oedd hadau datblygu wedi'u plannu yn 1974. Gan fod Aberhonddu yn ganolbwynt i ardal eang iawn, aeth y prif ymdrechion i'r datblygiad yno, ac ym Mhontsenni. Mae amser trefi'r gororau, fel ym Maesyfed, eto i ddod.

Ysgol y Bannau, Aberhonddu

Hanes crwydrol fu i'r Uned Gymraeg a gychwynnwyd yn 1973 ar gais rhieni'r Cylch Meithrin yn Ysgol Babanod Llan-faes, â 12 o blant. Symudodd yn fuan i Ysgol Iau Mount Street yn uned ddau ddosbarth gan gynyddu i 32 o blant erbyn 1975. Bu'r rhieni'n ceisio'n gynnar gael ysgol neu uned ar wahan, ond pan symudwyd i adeiladau gweigion hen ysgol eglwys Postern yn 1976, yr oedd yn dal yn uned dan ofal Ysgol Mount Street a nifer y plant yn cynyddu i 50 erbyn 1979, tri chwarter ohonynt o gartrefi di-Gymraeg. Gyda'r llywodraethwyr yn pwyso am wella'r cyfleusterau ar frys, a'r nifer yn codi, cyhoeddodd yr Awdurdod yn 1979 ei fwriad i sefydlu Ysgol Gynradd Ddwyieithog, a chafwyd caniatâd yr Ysgrifennydd Gwladol, a phenodi'r llywodraethwyr a phrifathro yn 1980.

Yn 1981 rhoddwyd yr enw 'Ysgol Postern' iddi ond efo'r les yn tynnu i ben yr oedd yr Awdurdod yn edrych am gartref mwy parhaol, ac yn paratoi cynlluniau i addasu ac ad-drefnu hen ysgol Llan-faes ar ei chyfer, ynghyd â Chanolfan Athrawon. Symudwyd yno yn 1982 gyda thri dosbarth a 63 o blant gan fabwysiadu awgrym y rhieni a'r llywodraethwyr i'w henwi yn 'Ysgol y Bannau'. Yr oedd yr adeiladau'n ddigonol o ran lle ac ystafelloedd ond â diffyg cyfleusterau, fel maes chwarae ar safle cyfyng, a braidd yn salw ei olwg. Er hynny twf cyson fu'r hanes o hynny ymlaen yn Llan-faes dan arweinyddiaeth frwd a sicr. Ddiwedd yr wyth degau dechreuwyd cynllunio a dewis safle ar gyfer adeilad newydd, i'w agor ddiwedd 1998, ar feysydd braf uwch Pen-lan, nid nepell o'r ysgol uwchradd a'r Coleg Addysg Bellach, ac

yn tystiolaethu i lwyddiant addysg gyfrwng Cymraeg yn y cylch.
Nifer 1998 – 144
Prifathrawon: Mr John Meurig Edwards 1980–97; Mrs Marian Hughes
er 1997.

Ysgol Gynradd Pontsenni – Uned Gymraeg

Yr oedd cylch meithrin yn bod ers peth amser ar safle'r ysgol, cyn ceisio sefydlu Uned Gymraeg ym Mhontsenni. Yr arferiad oedd teithio i Ysgol y Bannau ar gyfer addysg gynradd ddwyieithog, ond aeth grŵp o rieni i ymweld ag Uned Gymraeg sefydlog, a'u bodloni, ac anfonwyd y cais am Uned. Ar y cychwyn, bu peth anghydfod, yn bennaf oherwydd camddeall bwriad, ond pan ystyriwyd y cais gan y Pwyllgor Addysg yn 1987, derbyniwyd yr egwyddor o sefydlu'r Uned pan fyddai'r amser yn briodol. Yn y gwanwyn canlynol clywyd bod y llywodraethwyr yn barod i weithredu a bod y trefniadau mewn llaw, ac agorwyd yr Uned ym mis Medi 1988 ag un ar ddeg o blant 4–7 oed. Cadeirydd y llywodraethwyr, a llaw gadarn ar y llyw oedd y Cynghorydd H. Glyn Jones, a ddaeth yn ddiweddarach yn Gadeirydd y Pwyllgor Addysg. Erbyn 1990 yr oedd 24 o blant ac athrawes ran amser ychwanegol, ac yna ddau ddosbarth llawn amser yn 1991 pan aeth y rhif dros y 30. Er mai un fechan yw, mae'r Uned yn sefydlog ac yn ffynnu, ac yn ffodus cartrefwyd hi mewn ystafelloedd da o fewn yr ysgol o'r cychwyn. Mae mwyafrif y plant o deuluoedd di-Gymraeg.
Niferoedd 1998: Yr Uned – 35 (yr ysgol gyfan – 115)
Prifathro: Mr Ashley Richards er 1983.

Ysgol Gymraeg Ynysgedwyn

Y gyntaf, a'r fwyaf o ysgolion cynradd dwyieithog Powys, sefydlwyd yr ysgol yn 1956, ddwy flynedd ar ôl ymweliad yr Eisteddfod Genedlaethol ag Ystradgynlais, ac i ateb gofynion rhieni'r cylch. Cartrefwyd yr ysgol yn adeiladau hen ysgolion Ynysgedwyn, ar lan yr afon ag heb fod ymhell o ganol y dre. Fe'i sefydlwyd i ddarparu addysg gynradd ddwyieithog ar gyfer holl ddalgylch yr ysgol uwchradd. Cychwynnwyd ag 84 o blant a bu'r nifer yn weddol sefydlog dros amser, gydag 87 yn 1979, eu hanner o gartrefi di-

Gymraeg. Yn y saith degau bu rhaid i'r ysgol gystadlu i raddau â'r addysg ddwyieithog anffurfiol a'r elfen Gymreig mewn ysgolion eraill, Cynlais yn arbennig, a dylanwadodd hyn i raddau ar y niferoedd yn yr wyth degau. Ond trwy'r blynyddoedd cadwodd yr ysgol ei lle fel ysgol gynradd ddwyieithog swyddogol y dre a'r Tawe Uchaf, yn disgleirio mewn gweithgareddau allgyrsiol, a'r nifer wedi codi'n sylweddol yn y naw degau. Addaswyd adeilad yr ysgol a'i adnewyddu yn helaeth ddechrau'r naw degau, i ddarparu cartref teilwng i ysgol sy'n bwysig i'r holl ardal.

Nifer 1998 – 170.

Prifathrawon: Mr Gwenallt Rees 1956–70; Mr Howard Roberts 1970–90; Miss Helen Williams er 1990.

Ysgol Gynradd Cwm-twrch

Ysgol Gynradd Cwm-twrch yw'r unig ysgol naturiol Gymraeg yn y gornel hon o Bowys, cornel a arhosodd ym Mhowys pan ad-drefnwyd llywodraeth leol er bod plant yr ysgol, ac Ysgol Ynysgedwyn, yn tueddu i ddewis croesi'r ffin i Ystalyfera am eu haddysg uwchradd. Bu'r ysgol yn llwyddiannus dros amser yn meithrin Cymreictod ac addysg ddwyieithog plant y cwm, â'r niferoedd yn 60 ar gyfartaledd. Er bod y nifer wedi disgyn yn ddiweddar oherwydd amgylchiadau lleol, mae'n debygol o gynyddu eto.

Prifathrawon: Mr Phil Rees 1974–86; Mr Hywel Williams 1986–1994; Mrs Ann Evans er 1998.

Y Cynnydd dros y blynyddoedd

Disgyblion yn derbyn addysg gynradd Gymraeg			
	1968	1998	Cynydd
Maldwyn (Gogledd Powys)			
Ysgolion Naturiol Gymraeg *	428	481	+ 53
Ffrydiau/Unedau	85	537	+ 452
Cyfanswm	513	1,018	+ 505
(* heb gynnwys ysgolion gynt yng Nghlwyd)			
Maesyfed a Buallt (Canol Powys)	0	162	+ 162
Brycheiniog (De Powys)	140	380	+ 240

Mae'r datblygiad yn sylweddol, mwy felly o gofio mai teuluoedd ac ardaloedd di-Gymraeg sydd bennaf yn derbyn y gwasanaeth, ac i'r cynnydd gyd-ddigwydd â gostyngiad yn y boblogaeth ysgol yn gyffredinol. Yn 1998, 13.6% o boblogaeth ysgolion cynradd ym Mhowys sy'n derbyn addysg gyfrwng Cymraeg, a'r ffigyrau ar gyfer yr ardaloedd oedd:

Gogledd Powys (Maldwyn)	18.3%
Canol Powys	6.8%
De Powys	11.0%

Mae dau o bob tri disgybl cyfrwng Cymraeg mewn ysgol neu ffrwd/ uned benodedig, ac un o bob tri mewn ysgol naturiol Gymraeg.

Addysg Uwchradd

Yn nyddiau cynnar Powys yr oedd peth darpariaeth Gymraeg o fewn pedair ysgol uwchradd yn yr ardaloedd traddodiadol Gymraeg – Bro Ddyfi, Caereinion a Llanfyllin ac am gyfnod yn Ystradgynlais, er bod y galw yno wedi lleihau o ganlyniad i sefydlu Ysgol Gyfun Ystalyfera, a daeth y ddarpariaeth yn Ysgol Maesydderwen i ben am gyfnod ar ôl 1982. Erbyn yr wyth degau cynnar yr oedd cyrsiau wedi cychwyn hefyd yn y Drenewydd ac Aberhonddu, yn dilyn adroddiad i'r Pwyllgor Addysg yn nodi awydd y rhieni am ddarpariaeth yn yr ysgolion lleol yn hytrach na gorfod teithio allan o'r dalgylch i'w chael.

Erbyn 1983 yn wyneb y twf cynradd a'r galw am ddilyniant llawnach, galwodd y Pwyllgor Addysg am adroddiad cynhwysfawr ar y ddarpariaeth uwchradd. Cyfeiriodd yr adroddiad at gyhoeddiad yr Ysgrifennydd Gwladol ar 'Y Gymraeg yn y Cwricwlwm' (1980) yn cymeradwyo'r defnydd o'r Gymraeg fel cyfrwng dysgu pynciau. Aeth ymlaen i amlinellu'r twf yn y ddarpariaeth uwchradd yng Nghymru, yn yr ysgolion uwchradd penodedig a'r rhai traddodiadol, gan sôn fod yr olaf yn arferol yn cynnig llai o bynciau trwy'r Gymraeg na'r cyntaf, a hynny yn y dyniaethau yn bennaf.

Ystyriwyd tri phosibilrwydd ar gyfer polisi i Bowys sef:

1. Trefn Ysgol Ddalgylch. Byddai hyn yn golygu bod pob ysgol uwchradd a dderbyniai blant o ysgolion neu unedau Cymraeg yn darparu

cyrsiau cyfrwng Cymraeg ar eu cyfer. Y pryder, a'r anhawster pennaf, oedd gallu rhai ysgolion i gynnal a datblygu'r ddarpariaeth i'r safon angenrheidiol heb fanteision niferoedd.

2. Ysgol Ddwyieithog Benodedig. Soniwyd am fanteision addysgol yr ysgol benodedig i ddatblygiad ieithyddol pob disgybl. Awgrymwyd y gellid archwilio'r drefn ar gyfer Powys, ond y byddai'r dalgylch yn eang iawn ac o ganlyniad byddai'n rhaid ystyried a oedd y cynllun yn ymarferol.

3. Darpariaeth Estynedig o fewn Ysgolion Detholedig. Estyn y trefniadau presennol a wnâi cynllun o'r fath.

Barn y Pwyllgor Addysg oedd mai polisi'r Ysgolion Detholedig fyddai'r mwyaf addas i Bowys, a thrafodwyd yr anghenion staffio a lle i weithredu'r drefn. Penderfynwyd cynnal cyfres o gyfarfodydd cyhoeddus i esbonio'r syniadaeth ac i holi barn.

Gogledd Powys – Maldwyn

Yn ystod haf 1983 trefnwyd cyfres o gyfarfodydd cyhoeddus yng ngogledd-ddwyrain Powys. Daeth 150 i gyfarfodydd yn Llanfair Caereinion a Llanfyllin, a rhyw 50, rhieni yn bennaf, i'r Drenewydd, y Trallwng a Llanidloes. Cofnodwyd y trafodaethau'n fanwl i'r Pwyllgor Addysg. Ymhob cyfarfod dangoswyd barn o blaid sefydlu ysgol ddwyieithog benodedig, ac yn arbennig yn y Drenewydd. Ond mynegwyd amheuon ynghylch pellteroedd teithio a'r oedi tebygol cyn cael ysgol benodedig pan oedd brys i wella ac estyn addysg ddwyieithog uwchradd. Yr oedd llawer o rieni'n feirniadol o'r cyrsiau byr, cychwynnol, ac yn gofyn am ddatblygiad llawnach yn y tymor byr â sicrwydd o gwrs pum mlynedd o leiaf.

Ar yr adeg yma cafwyd y cyfarfod cyntaf rhwng swyddogion yr Awdurdod ac aelodau Mudiad Addysg Ddwyieithog Gogledd Powys – (Rhagflaenydd RHAG Gogledd Powys) a oedd yn trefnu ei arolwg ei hun o ddymuniadau'r rhieni. Dywedodd y Mudiad i'r arolwg ddangos bod 360 o blant yn barod am addysg ddwyieithog, 83% o oed cynradd neu'n ieuengach, a'r rhieni yn barod iddynt deithio bron 18 milltir ar gyfartaledd bob ffordd; yr oedd y mwyafrif sylweddol am weld ysgol ddwyieithog benodedig. Serch hynny teimlid y byddai'n dderbyniol yn y tymor byr i sefydlu unedau yn Ysgolion Uwchradd Llanfyllin a Chaereinion ar gyfer gogledd-ddwyrain Powys, ond darparu yn arbennig yn Ysgol Uwchradd Llanidloes oherwydd y pellter o'r unedau hyn. Byddai Ysgol Bro Ddyfi yn parhau i ddarparu cwrs dwyieithog cyflawn ar gyfer y dalgylch. Ond, er sefydlu a hyrwyddo'r polisi a'r trefniadau, ni fodlonwyd pawb. Daeth y Mudiad Addysg Ddwyieithog yng Ngogledd Powys at yr Awdurdod yn 1986 i ddweud bod arolwg o 120 o deuluoedd yn dangos bod 103 ohonynt yn anfodlon â'r polisi ac am gael ysgol ddwyieithog; ac eto yn 1987 yn gofyn i'r Awdurdod gynnal arolwg ffurfiol yn y gogledd-ddwyrain. Ymateb yr Awdurdod oedd cynnig dwyn y Mudiad i mewn i drafodaethau ar asesiad o addysg ddwyieithog yng Ngogledd Powys ac yn 1988 sefydlwyd panel gan yr Awdurdod ar gyfer y trafodaethau i ystyried adroddiadau gan yr Ymgynghorydd Iaith ar y ddarpariaeth bresennol ac ymarferoldeb sefydlu Ysgol Uwchradd Ddwyieithog benodedig ym Mhowys.

Trefnwyd yr arolwg yn 1989 ymysg rhieni plant a oedd eisoes yn derbyn addysg ddwyieithog, cynradd neu uwchradd, yng ngogledd-ddwyrain Powys a'r rhan o Glwyd o fewn dalgylch Ysgol Uwchradd Llanfyllin. Gofynnwyd i'r rhieni ddewis un o dri mesur – ysgol ddwyieithog, canoli'r ddarpariaeth yng Nghaereinion, neu barhau â'r drefn Ysgolion Detholedig. Derbyniwyd ymateb gan 86%, sef 488 teulu, yn cynnwys 724 o blant, gyda'r canlyniad:

O Blaid	Teuluoedd	Disgyblion
A. Ysgol Benodedig Ddwyieithog	136	203
B. Canoli ar Ysgol Uwchradd Caereinion (gan gadw darpariaeth gyfyngedig yn Llanidloes a Llanfyllin)	67	103
C. Y Drefn Ysgolion Detholedig bresennol	285	418

O'r pump ardal, un – y Drenewydd – a ddangosodd fwyafrif dros yr ysgol benodedig.

Bu'r Panel yn ystyried y canlyniadau, yr ohebiaeth a dderbyniwyd a barn Llywodraethwyr, ac o ganlyniad gwnaethpwyd y penderfyniad i gadw at bolisi'r Ysgolion Detholedig a'i adolygu'n rheolaidd, gydag adnoddau arbennig i'w ddatblygu. O hynny ymlaen gosodwyd arian penodedig yn y gyllideb ar gyfer Powys gyfan, yn ychwanegol at y pwysedd staffio dwyieithog arbennig. Penderfynwyd trafod ymhellach â rhieni'r Drenewydd; bu'r drafodaeth honno'n fuddiol i dynnu sylw at y ddarpariaeth yng Nghaereinion, ac er i rai o'r rhieni sôn am ailgychwyn y ddarpariaeth yn ysgol Uwchradd y Drenewydd bu cynnydd sylweddol yn y nifer a âi i Gaereinion o hynny ymlaen, yn sicrhau parhad trefn yr Ysgolion Detholedig yng Ngogledd Powys.

Canol Powys – Maesyfed a Buallt

Yn 1984 cafwyd cais gan rieni'r Uned Gymraeg yn Llandrindod, am ddilyniant yn yr ysgol uwchradd leol, a chyda chefnogaeth y llywodraethwyr cychwynnwyd darpariaeth yno yn y dyniaethau, trefn sy'n parhau hyd heddiw. Darperir y dilyniant yn bennaf, yn ôl dewis y rhieni, i blant sy'n trosglwyddo o'r Unedau Cymraeg yn Llandrindod a Rhaeadr Gwy.

Yn ddiweddarach, yn 1992, cychwynnwyd y cyrsiau cyfrwng Cymraeg cyntaf yn Ysgol Uwchradd Llanfair-ym-Muallt, yn y dyniaethau i gychwyn, gan ychwanegu'r gwyddorau a mathemateg yn fuan wedyn. Mae'r rhaglen yn dal i ymestyn, i bynciau eraill ac i'r Lefel A, â Ffrwd Gymraeg neilltuol erbyn hyn yn darparu ar gyfer y plant sy'n trosglwyddo o'r Unedau Cymraeg yn Llanwrtyd a Llanfair-ym-Muallt, ynghyd â rhai o Landrindod a Rhaeadr Gwy.

Am gyfnodau, cyn sefydlogi'r ffrwd yn Llanfair-ym-Muallt, bu nifer fechan o blant Llanwrtyd yn trosglwyddo i Ysgol Uwchradd Aberhonddu ac i Ysgol Maes-yr-Yrfa, Cefneithin.

De Powys – Brycheiniog

Yn fuan yn hanes Powys, yn 1976, daeth cais gan rieni Uned gynradd Gymraeg Aberhonddu am sicrhau dilyniant uwchradd, a chychwynnwyd y cyrsiau cyfrwng Cymraeg cyntaf yn Ysgol Uwchradd Aberhonddu yn 1977. Bu twf araf ond sicr wedyn yn y ddarpariaeth (yn y dyniaethau) i gyrsiau pum mlynedd erbyn 1987. Cynhaliwyd cyfarfod rhwng yr Awdurdod Addysg a rhieni'r ardal yn 1990 pan drafodwyd ymarferoldeb sefydlu ysgol uwchradd ddwyieithog, neu deithio i un o ysgolion dwyieithog de-ddwyrain Cymru, ond yr oedd y mwyafrif yn derbyn nad oedd y niferoedd na'r pellteroedd yn cyfiawnhau hyn, ac mai'r hyn oedd yn ymarferol oedd cryfhau a datblygu yn Ysgol Uwchradd Aberhonddu. Ar ôl hynny cyfeiriwyd adnoddau ychwanegol i gefnogi'r ddarpariaeth, gan estyn y meysydd dysgu i'r gwyddorau, celf a cherddoriaeth, gyda'r trefniadau datblygu'n cynnwys cyrsiau Lefel A ynghyd â gweithgareddau atodol. Sefydlwyd un dosbarth mynediad yn ffrwd Gymraeg â phlant Ysgol y Bannau ac Uned Gymraeg Pontsenni yn trosglwyddo iddi.

Ar gyfer Ystradgynlais a Thawe Uchaf mae'r brif ddarpariaeth uwchradd ar gael yn union ar draws y ffin yn Ysgol Gyfun Ystalyfera, ac yn agos i 100 o blant yr ardal yn derbyn addysg yno, a darpariaeth gyfyngedig yn Ysgol Uwchradd Maesydderwen yn Ystradgynlais. O dde-ddwyrain Brycheiniog mae nifer fechan iawn yn mynychu Ysgol Gwynllyw yng Ngwent.

Y Cynnydd, a'r Cyrsiau 1997

Nifer y disgyblion yn dilyn pynciau cyfrwng Cymraeg mewn ysgolion uwchradd:

1977	1987	1997
34	144	547

Nifer y Pynciau trwy'r Gymraeg mewn Ysgolion Uwchradd – 1997:

Blwyddyn	7	8/9	10/11	6ed Dosbarth
Bro Ddyfi	13	14	14	11
Caereinion	13	14	12	7
Llanfyllin	13	13	6	1
Llanidloes	4	4	3	0
Llandrindod	3	3	1	0
Llanfair-ym-Muallt	6	6	4	0
Aberhonddu	9	9	6	0
Maesydderwen	1	0	1	0

Sylweddol eto fu'r cynnydd, yn arbennig dros y degawd diwethaf, a bellach, o'r naw ysgol uchod, mae Bro Ddyfi yn ddwyieithog lawn, Caereinion â dau o'r pum dosbarth mynediad yn ddosbarthiadau cyfrwng

Cymraeg, a thair ysgol arall wedi sefydlu ffrydiau cyfrwng Cymraeg neilltuol. Mae'r 547 o ddisgyblion sy'n dilyn cyrsiau cyfrwng Cymraeg yn cynrychioli bron 7% o boblogaeth uwchradd y sir.

Cydnabyddiaeth

Un o benderfyniadau cynnar Powys oedd penodi Mr D. Gwynfor Evans, Pennaeth Adran Gymraeg Ysgol Uwchradd Llanfair-ym-Muallt, i swydd newydd Ymgynghorydd Iaith yn 1976. Cychwynnodd ar ei waith ym mis Ionawr 1977 a hyd ei ymddeoliad ar ad-drefnu llywodraeth leol yn 1996, cafodd ei waith a'i ymroddiad ddylanwad allweddol bwysig ar holl hynt a datblygiad addysg Gymraeg a dwyieithog ym Mhowys. Cafodd yntau gefnogaeth frwd nifer o gyd-weithwyr, yn swyddogion ac yn gynghorwyr. Yn 1996 pan sefydlwyd yr Awdurdod newydd (heb newid fawr ddim ar ei ffiniau), daeth Mr Clifford Davies ar secondiad o'i swydd fel prifathro Ysgol Bro Ddyfi i arwain gweithgor i adolygu polisïau'r Sir ar gyfer y Gymraeg ac addysg gyfrwng Cymraeg er mwyn paratoi Cynllun Iaith Addysg Statudol.

Mae'r Cynllun yn cynnwys mesurau, amcanion a thargedau pwysig, i gyfarfod anghenion gwahanol ardaloedd, i gryfhau a strwythuro'r hyn sydd gennym ac i fentro i feysydd newydd o ddarpariaeth, partneriaeth a chydweithrediad. Ymysg amcanion eraill, mae'r Cynllun yn cynnwys sefydlu ysgolion dwyieithog, partneriaethau rhwng Unedau, prosiectau addysg feithrin gyfrwng Cymraeg mewn ardaloedd newydd, a phartneriaethau ar gyfer addysg bellach, galwedigaethol a chymunedol. Mae'r cyfnod newydd yn cychwyn ar sylfaen dra gwahanol i'r hadau a blannwyd yn y cyn-siroedd a'r Bowys gynnar.

Hoffwn gydnabod holl wasanaeth ac ymroddiad y rhai a gyfrannodd at ddatblygiad addysg gyfrwng Cymraeg ym Mhowys a'r cyn-siroedd, er nad oes modd gwneud hynny trwy enw yn y gofod sydd ar gael yma.

Hyfrydwch yw gweld a chlywed plant a phobl ifanc yn mwynhau eu meistrolaeth o'r ddwy iaith, ac mewn ardaloedd lle mae'r Gymraeg yn ail afael ac ailgychwyn. Calonogol hefyd yw gweld nifer o bobl ifanc a fu'n ddisgyblion yma mewn ysgol ac uned yn dychwelyd fel athrawon ac i swyddi eraill.

AR BILI MAE'R BAI - RHIENI DROS ADDYSG GYMRAEG 1982 - 1988

MEURIG ROYLES

Ym mis Ionawr 1982, fel Cadeirydd Cymdeithas Rhieni Ysgol Glan Clwyd, fe'm henwebwyd i fod yn gynrychiolydd Sir Clwyd yng nghyfarfod cenedlaethol Undeb Rhieni Ysgolion Cymraeg yn Aberystwyth. O'r diwedd, wedi blynyddoedd o fân bwyllgorau ar lefel cymuned a sir, dyma fi yn cyrraedd y llwyfan cenedlaethol, y '*big time*'. Edrych ymlaen yn eiddgar i'r diwrnod, darllen y papurau sawl gwaith a threfnu teithio gyda Gerald Latter, Llywydd yr Undeb, i'r cyfarfod. Mae'n amlwg bod Gerald wedi synhwyro fy mod hwyrach yn or-frwdfrydig, ac yn ystod y daith, cofiaf ambell frawddeg ddethol ganddo. 'Cofia mai criw gymharol fach ydyn ni ... fydda i ddim yn disgwyl llawer yma heddiw ... mae yna gymaint o alwadau eraill,' ac yn y blaen.

Ar waetha'r rhybuddion, siom oedd yr achlysur – degau o ymddiheuriadau a dim ond wyth ohonom yn bresennol. Talu teyrnged i gyfraniad y diweddar Reg Kendall, darllen y cofnodion, adrodd ar y sefyllfa yn Ne Morgannwg, Morgannwg Ganol a Chlwyd (dyna'r unig siroedd oedd wedi eu cynrychioli). Gohirio'r penderfyniad ar swyddi is-gadeirydd a thrysorydd a thrafod enw'r mudiad. Pe bai busnes y cyfarfod wedi gorffen yn y fan yna, fuaswn i erioed wedi mynychu cyfarfod arall – mae gan y Sais ddywediad, '*flogging a dead horse*', a heb os, yr oedd y mudiad yn marw ar ei draed. Diolch nad oedd yr RSPCA o gwmpas!

Ond yr eitem olaf ar yr agenda oedd trafod Cynhadledd 1982. Yr oedd Mr Islwyn Parry, Bangor wedi ffonio'r ysgrifennydd i ofyn iddi drosglwyddo i'r cyfarfod ei ofid am y diffyg bywyd yn y Pwyllgor Cenedlaethol. Ameniwyd hyn yn daer gan Bili Raybould a minnau. Ym marn Mr Parry, yr oedd y cysylltiad rhwng y siroedd a'r Corff Cenedlaethol yn holl bwysig, a heb seiliau cadarn yn y siroedd, nid oedd dim gobaith i'r Corff Cenedlaethol. Yn ôl y cofnod, bu trafodaeth hir a phenderfynwyd trafod y mater fel prif weithgaredd cyfarfod blynyddol 1982, a chynnal y cyfarfod yn Llanidloes (i roi tipyn o gefnogaeth i Wayne Williams yn ei drafferthion efo Powys). Ond yr hyn sy'n aros yn y cof hyd heddiw yw dadansoddiad treiddgar Bili Raybould o'r sefyllfa. Yr oedd sawl Cymdeithas Rhieni yn y de-ddwyrain yn ymladd ar dalcen caled iawn i gael addysg Gymraeg i'w plant, yn y sicrwydd bod trefniadaeth sirol yr Undeb yno i'w cynorthwyo a bod Pwyllgor Cenedlaethol ar gael i amddiffyn buddiannau addysg Gymraeg ar lefel strategol genedlaethol. Ym marn Bili, yr oedd y sefyllfa bresennol yn anonest. Llawer gwell dirwyn yr Undeb i ben a gadael i Gymdeithasau Rhieni, ar lefel ysgol a sir, ddatblygu strwythur newydd yn ôl y galw. Cytunodd Mair Owen, ysgrifennydd yr Undeb, i anfon holiadur ynglŷn â dyfodol yr Undeb i'r holl ysgolion.

Nid oeddwn i yn edrych ymlaen at y cyfarfod blynyddol yn Llanidloes – dydw i erioed wedi rhoi llawer o ffydd mewn *no-hopers* er pan gollais bunt bob ffordd ar *Cambrian Way*, 33 i un, yn rasys Caer flynyddoedd yn ôl. Mae'n siŵr y buasai William Hill wedi rhoi *odds* o dros 333 i un ar unrhyw lwyddiant yn deillio o'r Undeb Rhieni, ac o weld y presenoldeb yn y cyfarfod, buasai hyd yn oed wedi estyn hyn i 666 i un. Yn y cyfarfod, 28 o ymddiheuriadau, a dim ond 14 o bobl yn bresennol i drafod mater mor dyngedfennol.

Fel ym mhob pwyllgor arall, materion dibwys oedd yn cael eu trafod gyntaf sef materion yn codi o'r cofnodion, adroddiadau'r siroedd, ac ati, ac ati, a dim ond ar ôl cinio y daethpwyd at y prif waith, sef trafod nod yr Undeb ar gyfer y naw degau. Cafwyd trafodaeth lawn, ac unwaith eto Bili yn rhoi'r her – os oedd y gynhadledd i bleidleisio dros barhad yr Undeb, yr oedd rhaid i bawb a oedd yn bresennol dderbyn eu cyfrifoldeb am yr Undeb yn y dyfodol. Hefyd, fe'n rhybuddiodd ni yn erbyn un o'r triciau Cymreig, sef enwebu yn swyddogion y corff pobl nad oeddynt yn bresennol a chael gwybodaeth yn y cyfarfod nesaf nad oeddynt yn barod i dderbyn. Wedi rhagor o drafod, cytunwyd yn unfrydol fod yr Undeb i barhau, a phenodwyd John Reynolds, Caerfyrddin, yn Gadeirydd, Wyn Rees, Morgannwg Ganol, yn Ysgrifennydd, ac er mwyn cael ychydig o gydbwysedd rhwng de a gogledd, minnau yn Is-Gadeirydd.

Penderfynwyd cynnal cyfarfod arbennig arall. Hawdd meddwl ein bod wedi dilyn un arall o reolau sefydliadau Cymru, sef, os nad oes gennych chi syniad sut i gael allan o dwll, galwch gyfarfod arall. Ond nid gohirio oedd nod Wyn Rees a John Reynolds ond sicrhau ein bod yn cael cynrychiolaeth o bob sir yng Nghymru yn y gynhadledd arbennig a bod y cynrychiolwyr wedi eu dewis o blith swyddogion Cymdeithasau Rhieni am y flwyddyn 1982–83. Yr oedd cyfrifoldeb arnom i annog pobl eraill i ddod i'r cyfarfod fel bod cynrychiolaeth deg o bob rhan o Gymru. Yn rhyfedd iawn, chefais i fawr o drafferth i berswadio Nesta Ellis a Gwennan Jones o Glwyd i ddod efo mi i Lanidloes, ond dim ond wedyn y sylweddolais nad fy swyn naturiol i ond siop Laura Ashley oedd yr atyniad.

Cafwyd ymateb da iawn o bob rhan o Gymru, dim ond De Morgannwg a Phowys oedd heb gynrychiolydd a chafwyd trafodaeth dda a manwl ar swyddogaeth, amcan a chyfeiriad yr Undeb. Pwysleisiodd John Reynolds bwysigrwydd cael cymdeithas i amddiffyn buddiannau addysg Gymraeg ar lefel genedlaethol, yn arbennig o ystyried bod cangen Cymru o Undeb Cymdeithasau Rhieni Ysgolion Lloegr a Chymru bellach wedi ei sefydlu ac yn cael arian o'r Swyddfa Gymreig, a hefyd y tueddiad i ganoli mwy o gyfrifoldebau am addysg yn y Swyddfa Gymreig. Cytunwyd mai prif wendid y mudiad ar lefel genedlaethol oedd bod cyn lleied o bobl yn mynychu'r cyfarfodydd a bod cynrychiolwyr yr ysgolion yn newid o flwyddyn i flwyddyn. Yn sgil hyn, yr oedd yn angenrheidiol cael dilyniant o ran datblygu polisïau a gweithgaredd a chynrychiolaeth. Penderfynwyd, felly, sefydlu gweithgor cenedlaethol i weithredu ar ran yr Undeb rhwng y cyfarfodydd blynyddol. Cyn cyfarfod blynyddol 1983 yr oedd y gweithgor i archwilio ac argymell newidiadau i'r cyfansoddiad, i ystyried sefyllfa addysg drydyddol a'r diffyg cyflenwad digonol o lyfrau trwy gyfrwng y Gymraeg yn y sector uwchradd, a'r prinder athrawon i ddysgu trwy gyfrwng y Gymraeg.

Erbyn cyfarfod blynyddol 1983 yng Nghastellnewydd Emlyn, yr oedd y gweithgor wedi ehangu i sicrhau cynrychiolaeth o bob sir yng Nghymru ac yr oedd holiadur wedi ei anfon allan i holi am ddarpariaeth gwerslyfrau yn y sector uwchradd ac am brinder athrawon. Mynychodd dros 30 o bobl y cyfarfod a phrif waith y cyfarfod oedd addasu'r cyfansoddiad a newid enw'r corff i 'Rhieni Dros Addysg Gymraeg'. Hefyd, etholwyd Gerald Latter yn Llywydd y mudiad i gydnabod ei gyfraniad gwerthfawr dros y blynyddoedd.

Ystrydebol fyddai ceisio rhestru pob cyfarfod blynyddol a phob gweithgaredd gan RHAG, ond, heb os, aeth y mudiad o nerth i nerth. Yr oedd cyfarfodydd blynyddol yn Abertawe 1984, Wrecsam 1985, Pontypridd 1986 a Bangor 1987 yn llwyddiannus. Ym Mhontypridd cafwyd anerchiad gan Syr Wyn Roberts, yr Is-Ysgrifennydd Gwladol gyda chyfrifoldeb am addysg, ond yr hyn a dynnodd sylw'r wasg a'r genedl, wrth gwrs, oedd y gwrthdaro wedi'r cyfarfod rhwng car swyddogol y Swyddfa Gymreig a Steffan Webb o Gymdeithas yr Iaith.

Heb os, enillodd RHAG ei blwy yn ystod y cyfnod yma. Cafwyd cymorth ariannol gan HTV, y Swyddfa Gymreig, Cyllideb Ieithoedd Lleiafrifol y Gymuned Ewropeaidd, a Chronfa Glyndŵr yr Ysgolion Cymraeg. Bu sawl cyfle i drafod anghenion addysg Gymraeg â'r Swyddfa Gymreig ac yr oedd dylanwad RHAG yn allweddol mewn nifer o ymgyrchoedd, fel y gwelir yn y gyfrol hon. Bu'r gweithgor, gyda chymorth y pwyllgorau sir, yn cynnal stondinau yn Eisteddfodau'r Urdd a'r Genedlaethol i hybu'r mudiad, a bu nifer o gyfarfodydd cyhoeddus mewn Eisteddfodau Cenedlaethol i drafod pynciau addysg. Lluniwyd taflen wybodaeth Rhieni Dros Addysg Gymraeg a thaflen arall ar fanteision addysg Gymraeg. Hefyd, gyda chymorth y Gymuned Ewropeaidd, a Chronfa Glyndŵr, cyhoeddwyd *Rhagolwg*, cylchlythyr dwyieithiog i rieni ysgolion Cymraeg.

Rhaid talu teyrnged i holl aelodau'r gweithgor cenedlaethol dros y blynyddoedd, ond bu dau aelod yn hollol allweddol. Yn gyntaf, John Reynolds yn Gadeirydd, a lwyddodd i reoli pob cyfarfod mewn ffordd mor gwrtais-ddiymhongar ac effeithlon, ac mae hynny yn dipyn o gamp. Yr oedd gan John storfa o straeon difyr dros baned o de. Yr oedd o hefyd yn *front-man* arbennig o dda mewn cyfarfodydd efo'r Swyddfa Gymreig ac efo gwleidyddion. Fo oedd y Moses a'n harweiniodd o'r anialwch i'r wlad newydd. Ond os oes rhaid cyplysu llwyddiant RHAG ag un person, wel, Wyn Rees oedd hwnnw. Yr oedd y gweddill ohonom yn mynychu'r cyfarfodydd a rhai ohonom yn gwneud gwaith ar rai dogfennau cyn y cyfarfodydd, ond sut y llwyddodd Wyn i wneud holl waith y mudiad yn ei oriau hamdden, dwn i ddim. Mae'n amlwg bod Jill a'r merched yn amyneddgar iawn! Os John oedd y Moses, Wyn oedd y Nehemeia a ailadeiladodd Rhieni Dros Addysg Gymraeg i fod yn gorff cenedlaethol strategol yr oedd yr Awdurdodau Addysg, y Swyddfa Gymreig a gwleidyddion yn fodlon gwrando arno. Cyfraniad allweddol ac unigryw i Gymru.

Wrth edrych yn ôl, bu'r cyfnod 1982–88 yn llawn bwrlwm ar waetha ambell siom. Ymgyrchu dros gael cyflenwad digonol o athrawon i ddysgu trwy gyfrwng y Gymraeg, cyflenwad o werslyfrau Cymraeg, sefydlu PDAG a'r Ddeddf Iaith. Y llwyddiant mwyaf oedd dylanwad RHAG ar y Cwricwlwm Cenedlaethol gan sicrhau bod y Gymraeg yn bwnc craidd statudol yn y cwricwlwm. Bu cannoedd o oriau o waith gwirfoddol ac o deithio yn ddi-dâl gan aelodau'r gweithgor yn sail i'r llwyddiant. Er aberthu sawl Sadwrn, yr oedd manteision hefyd – datblygu rhwydwaith cenedlaethol o gysylltiadau, dod i adnabod priffyrdd Cymru'n well, ac i mi yn bersonol y profiad anhygoel o gydweithio â rhieni Gwent yn stondin RHAG yn Eisteddfod Casnewydd.

I chi blant druan a gafodd eich amddifadu o gwmpeini'ch mam neu eich tad ar sawl Sadwrn glawog heb ddim ond *Pot Noodles* neu ffa pob i ginio, i chi'r tadau oedd yn gorfod aberthu'r gêm rygbi i warchod y plant tra'r oedd eich partner yn mynychu'r b....i gweithgor cenedlaethol yna eto, cofiwch mai ar Bili mae'r bai.

O.N. Dyrchafwyd Bili Raybould yn Arolygwr ei Mawrhydi yn 1984. Mae'n syndod bethwnaiff rhai pobl i ddianc o'r gweithgor cenedlaethol!

Y Cefndir: Undeb Rhieni Ysgolion Cymraeg

RICHARD HALL WILLIAMS A JOHN REYNOLDS

Ffurfiwyd Undeb Rhieni Ysgolion Cymraeg mewn cyfarfod ar faes Eisteddfod Genedlaethol Cymru yn Aberystwyth ar y 7fed o Awst 1952. Amcanion yr Undeb oedd:

a) Uno Cymdeithasau Rhieni lleol fel y rhoddir cyfle iddynt gyfnewid syniadau a phrofiadau ymhlith ei gilydd.

b) Llefaru ar faterion o bwys yn ymwneud ag addysg a threfniadau Ysgolion Cymraeg.

c) Sefydlu rhagor o Ysgolion Cymraeg a chynorthwyo cwmnïau o rieni mewn lleoedd felly i ffurfio cymdeithasau a'u cysylltu â'r Undeb.

ch)Cefnogi'r ymgyrch am addysg uwch trwy gyfrwng y Gymraeg.

d) Cyhoeddi llenyddiaeth a ffilmiau gydag apêl at rieni Cymru i'w hargyhoeddi o werth cyfundrefn addysg drwyadl Gymraeg.

Dyfynnir yma o dystiolaeth Undeb Rhieni Ysgolion Cymraeg i'r Cyngor Canol ar Addysg Gynradd Cymru (Pwyllgor Gittins) Mawrth 1965:

Addysg Gynradd yng Nghymru – Egwyddorion

'Braint gwlad waraidd yw seilio addysg ei phlant ar draddodiadau'r genedl, ar iaith a diwylliant y gymdeithas gysefin. Yr egwyddor honno sydd wrth wraidd y mudiad a ddaeth i fri yn ystod yr ugain mlynedd ddiwethaf i sefydlu ysgolion Cymraeg yng Nghymru, mudiad a ddibynnodd hyd yn hyn, gydag eithriadau prin iawn, ar weledigaeth ac ymroddiad rhieni. Ymgais yw'r Ysgolion Cymraeg Arbennig i sicrhau i blant Cymru yr unig addysg sydd yn deilwng ohonynt sef addysg wedi ei seilio ar werthoedd oesol bywyd y genedl. Fe gydnabyddir mai iaith a diwylliant a thraddodiad gwlad yw sylfaen yr egwyddorion addysgol sicraf ac ar yr egwyddor honno y ceisir gan rieni yng Nghymru heddiw seilio'r addysg a gyfrennir i'w plant yn yr ysgolion.'

'Tua chanrif yn ôl, fe orfodwyd ar blant Cvmru gyfundrefn addysg sydd wedi tanseilio prif werthoedd diwylliant y genedl, sef ei hiaith, ei hanes, ei llenyddiaeth a'r holl draddodiadau sydd ynghlwm wrth ddatblygiad cymdeithas gwlad ar hyd y canrifoedd.'

'Pan ddaeth Deddf Addysg 1944 i rym, felly, fe fanteisiodd rhieni ar y cyfle i sicrhau i'w plant addysg Gymraeg a Chymreig. Er mwyn sicrhau ysgolion i gyfrannu'r fath addysg, bu raid i rieni frwydro'n hir ac yn ddygn ac aberthu'n gyson a sylweddol. Yn Lloegr fe seilir addysg plant cenedl y Saeson ar yr iaith Saesneg ac ystyrir hynny'n beth teilwng. Pan geisir seilio addysg plant Cymru ar y Gymraeg, y duedd yw galw hynny'n orfodaeth. Rhaid cydnabod mai teilwng a naturiol yw addysg Gymraeg yng Nghymru.'

'Credwn mai un o'r pethau mwyaf arwrol yn hanes ein cenedl yw ymroddiad rhieni yn ein hoes ni i chwyldroi'r gyfundrefn addysg yn ein gwlad. Ond nid teg na chyfiawn disgwyl i'r rhieni ddal i ddwyn y beichiau a'r cyfrifoldeb. Dyletswydd a phriod waith arbenigwyr byd addysg yw arwain yn deilwng yn y maes hwn. Daliwn mai braint yr awdurdodau addysg yng Nghymru yw datblygu cyfundrefn addysg gwbl Gymraeg ar gyfer ein plant, ac y dylid cychwyn ar y gwaith yn ddiymdroi.'

I fudiad yr Ysgolion Cymraeg 'Cymal 76' yn Neddf Addysg 1944 yw rhan bwysicaf y ddeddf. Dyfynnwyd y cymal hwn dro ar ôl tro gan ddirprwyaethau:

'Pupils are to be educated in accordance with the wishes of their parents.'

Rhieni Dros Addysg Gymraeg – Cyfansoddiad (1983)

ENW Enw'r mudiad yw "Rhieni Dros Addysg Gymraeg."

AMCAN Amcan y mudiad yw cenhadu dros addysg Gymraeg ac uno Cymdeithasau Rhieni a Rhieni unigol sydd â'u plant yn derbyn addysg Gymraeg fel y rhoddir cyfle iddynt (a) gyfnewid syniadau a phrofiadau ymhlith ei gilydd, a (b) llefaru ag un llais ar faterion o bwys yn ymwneud ag addysg a threfniadau addysg Gymraeg.

GWAITH Er mwyn hyrwyddo'r amcan uchod bydd y mudiad yn gweithio'n benodol i ddylanwadu ar rieni ac Awdurdodau Addysg Cymru i roddi mwy o gefnogaeth i addysg cyfrwng Cymraeg a bydd yn rhydd i weithredu'r cynlluniau a ganlyn ymhlith eraill:

(a) Trefnu cynadleddau, cyfarfodydd cyhoeddus a chylchoedd trafod ar gyfer y Cymdeithasau ar raddfa leol, sirol, ranbarthol neu genedlaethol.

(b) Gweithredu ar ran y Cymdeithasau oll mewn perthynas â chyrff megis y Swyddfa Gymreig, yr Adran Addysg a Gwyddoniaeth, Cyd-Bwyllgor Addysg Cymru, Awdurdodau Addysg Lleol, Undebau Athrawon, ac ati, trwy ohebu, darparu adroddiadau a memoranda, ethol dirprwyaethau, etc.

(c) Symbylu sefydlu rhagor o Ysgolion Meithrin ac Ysgolion Cynradd Cymraeg, ehangu darpariaeth addysg Gymraeg yn yr Ysgolion Cynradd, a chynorthwyo cwmniau o rieni mewn lleoedd felly i ffurfio Cymdeithasau a'u cysylltu â'r mudiad.

(ch) Cymreigeiddio Ysgolion Cynradd.

(d) Dylanwadu ar yr awdurdodau addysg, canolog a lleol, i sefydlu Ysgolion Uwchradd Cymraeg ym mhob cylch lle bo'r galw, i ehangu darpariaeth addysg Gymraeg yn yr Ysgolion Uwchradd, a chynorthwyo'n ymarferol yn y trefniadau.

(dd) Cymreigeiddio Ysgolion Uwchradd.

(e) Cefnogi'r ymgyrch dros sefydliadau Addysg Uwch a chyrsiau Prifysgol trwy gyfrwng y Gymraeg, gan ystyried hynny'n ddatblygiad naturiol sy'n dilyn darparu addysg gynradd ac uwchradd Gymraeg

(f) Cyhoeddi llenyddiaeth - pamffledi, llyfrynnau, etc. - gydag apêl arbennig at rieni Cymru, i'w hargyhoeddi o werth cyfundrefn addysg drwyadl Gymraeg.

(ff) Cydweithredu yn llawn â Mudiad Ysgolion Meithrin.

Undeb Rhieni Ysgolion Cymraeg 1952–1982
Rhieni Dros Addysg Gymraeg 1982–2000

Swyddogion

Cadeiryddion

1952–1957	Gwyn M. Daniel, Caerdydd
1957–1960	Norah Isaac, Caerfyrddin
1960–1963	Tudur Jones, Bangor
1963–1967	Maxwell Evans, Caerdydd
1967–1969	Reg Kendall, Wrecsam
1970–1975	Gerald Latter, Bae Colwyn
1976–1979	Geraint Gruffydd, Aberystwyth
1980–1982	Eleri Betts, Caerffili
1982–1985	John Reynolds, Caerfyrddin
1985–1988	Meurig Royles, Trelawnyd
1988–1991	Eric Jones, Aberdâr
1991–1995	Michael Jones, Llanbedr-y-Fro
1995–2000	Rhisiart Owen, Llanymynech
2000–	Heini Gruffudd, Abertawe

Ysgrifenyddion

Chwefror - Rhagfyr 1952	R E Griffith, Aberystwyth
Rhagfyr 1952 - Mai 1960	T Raymond Edwards, y Barri
Mai 1960 - Mai 1962	Hywel Jones, Aberystwyth
Mai 1962 - Medi 1969	Richard Hall Williams, Sgeti, Abertawe
Medi 1969 - Mai 1981	Vernon Howell, Creigiau, Caerdydd
Mai 1981 - Mawrth 1982	Mair Owen, Rhiwbeina, Caerdydd
Mawrth 1982 - Mai 1988	Wyn Rees, Pentyrch, Caerdydd
Mai 1988 - Mai 1991	Meurig Royles, Trelawnyd
Mai 1991 - Mai 1992	Medwyn Hughes, Caerfyrddin
Mai 1992 - Mai 1996	Illtyd Lewis, Caerdydd
Mai 1996 - Medi 2000	Gwyn Pritchard Jones, Llanbedr-y-fro, Bro Morgannwg
Medi 2000 -	Michael Jones, Llanbedr-y-fro, Bro Morgannwg

335

Taith Fflam Yr Iaith – Gorffennaf 1999

Penderfynodd Pwyllgor Gwaith RHAG fod diwedd canrif yn gyfle da i ddathlu twf addysg Gymraeg, ac yn benodol i ddathlu sefydlu deg ysgol Gymraeg erbyn 1949.

Penderfynodd y pwyllgor roi gwedd Olympaidd i'r dathlu, trwy drefnu cario fflam o le i le yng Nghymru, i goffáu fel yr aeth neges addysg Gymraeg ar led trwy Gymru. Comisiynwyd Nia Wyn Jones, cyn-ddisgybl o ysgolion Bryntaf a Rhydfelen, i gynllunio'r ffagl a fyddai'n cario'r fflam. Fel y gwelir mewn nifer o luniau yn y gyfrol mae'r ffagl ar ffurf corn, a hwnnw wedi ei adeiladu fel sbiral, a phob tro yn y sbiral yn fwy na'r un o'i flaen i adlewyrchu twf addysg Gymraeg. Lluniwyd tair ffagl fawr, a nifer o rai llai i bob ysgol a gymerodd ran yn y dathlu.

Cyneuwyd dwy fflam yn Aberystwyth, lle sefydlwyd ysgol yr Urdd, a chychwynnodd un am y gogledd a'r llall am y de. Gorffennodd fflam y gogledd ei thaith ar y nawfed o Orffennaf yn ysgol Glan Clwyd, yr ysgol uwchradd Gymraeg gyntaf yng Nghymru. Yno y gorwedd y ffagl hon.

Aeth fflam y de ar ei thaith heibio Gwyl y Cnapan, i Lanelli, lle sefydlwyd yr ysgol Gymraeg gyntaf dan awdurdod addysg lleol – a lle cedwir un ffagl yn barhaol, ac ymlaen i Abertawe a Phen-y-bont ar Ogwr, y Barri, Caerffili a Chaerdydd. Bu ffagl arall hefyd ar daith yng Ngwent, o Gasnewydd i'r Fenni ac yn ôl i ysgol Gwynllyw.

Yng Nghaerdydd ar y nawfed o Orffennaf cyfarfu'r holl deithwyr yn ysgol Glantaf a chyflwynwyd y Ffagl i ofal Rhodri Morgan, Prif Weinidog y Cynulliad Cenedlaethol ac un o ddisgyblion cyntaf Ysgol Fore Sadwrn Caerdydd. Bydd y Ffagl hon yn gorwedd yn y Cynulliad fel symbol o dwf a hyder addysg Gymraeg a dyfodol yr iaith. –*Gol.*

Plant Ysgol Dewi Sant Llanelli yn y Cynulliad yn 1999 ar achlysur seremoni Fflam yr Iaith i ddathlu hanner can mlwyddiant addysg Gymraeg. Mae AC Llanelli, Helen Mary Jones y llun isod.

Fflam yr Iaith. Y Ffagl yng Ngŵyl Werin Y Cnapan, Haf 1999, ar ei ffordd i Gaerdydd, yn ystod y daith a drefnwyd trwy Gymru gan RHAG.

Y Fflam ar y ffordd

Y Fflam yn Llandaf

Atodiad 1: Yr Ysgolion Cymraeg 1939-2000

1. Ysgolion Cymraeg y Gogledd

Sir Fflint
1949 Ysgol Dewi Sant, y Rhyl
1949 Ysgol Glanrafon, yr Wyddgrug
1949 Ysgol Gwenffrwd, Treffynnon
1950 Ysgol Coed Talon > Ysgol Terrig, Treuddyn (1952)
1950 Ysgol Queensferry (dosbarth) > trosglwyddwyd i Ysgol Glanrafon (1953)
1954 Ysgol Ffynnongroyw > Ysgol Mornant, Gwespyr/Picton (1971)
1964 Ysgol Croes Atti, y Fflint
1972 Ysgol y Llys, Prestatyn
1974 Ysgol Tremeirchion (Clwyd) (newid o fod yn ysgol draddodiadol)
1956 Ysgol Glan Clwyd, y Rhyl > Llanelwy (Uwchradd)
1961 Ysgol Maes Garmon, Yr Wyddgrug (Uwchradd)

Sir Ddinbych
1950 Ysgol Bod Alaw, Bae Colwyn
1951 Ysgol Bodhyfryd, Wrecsam
1953 Ysgol Min-y-ddôl, Cefn Mawr
1957 Ysgol Glan Morfa, Abergele
1960 Ysgol Twm o'r Nant, Dinbych
1967 Ysgol Bryn Tabor, Coedpoeth
1976 Ysgol Hooson, Rhosllannerchrugog (Clwyd)
1982 Ysgol Pen Barras, Rhuthun (Clwyd)
1993 Ysgol Plas Coch, Wrecsam (Clwyd)
1998 Ysgol Glyn Collen (uned), Llangollen
1964 Ysgol Morgan Llwyd, Wrecsam (Uwchradd)
1981 Ysgol y Creuddyn, Llandudno (Uwchradd–Clwyd a Gwynedd)

Sir Gaernarfon
1949 Ysgol Morfa Rhianedd, Llandudno
1953 Ysgol Sant Paul, Bangor > Ysgol y Garnedd (1975)
1974 Ysgol y Morswyn, Caergybi (Gwynedd)
1980 Ysgol Maelgwn (uned), Cyffordd Llandudno
1978 Ysgol Tryfan, Bangor (Uwchradd) (Gwynedd)

2. Ysgolion Cymraeg Dyfed a Phowys

Dyfed
1939 Ysgol yr Urdd, Aberystwyth (Ysgol Lluest 1946–1952)
1947 Ysgol Gymraeg, Llanelli > Ysgol Dewi Sant (1953)
1952 Ysgol Gymraeg Aberystwyth
1953 Ysgol Brynsierfel, Llanelli
1955 Ysgol Gymraeg Caerfyrddin > Ysgol y Dderwen (1967)
1958 Ysgol Llandeilo (uned) > Ysgol Teilo Sant (1965)
1965 Ysgol Parcytywyn, Porthtywyn
1967 Ysgol Gymraeg Rhydaman
1968 Ysgol Gwenllian, Cydweli
1995 Ysgol Glancleddau, Hwlffordd
1973 Ysgol Penweddig, Aberystwyth (Uwchradd)
1977 Ysgol y Strade, Llanelli (Uwchradd)
1978 Ysgol Bro Myrddin, Caerfyrddin (Uwchradd)
1983 Ysgol Maes-yr-yrfa, Cefneithin (Uwchradd)
1984 Ysgol Dyffryn Teifi (Uwchradd)
1991 Ysgol y Preseli (Uwchradd)

Powys
1956 Ysgol Gymraeg Ynysgedwyn, Ystradgynlais
1965 Ysgol Hafren, y Drenewydd (uned) > Ysgol Dafydd Llwyd (2001)
1970 Ysgol Trefeglwys, Llanidloes (uned)
1973 Ysgol Ardwyn, y Trallwng (uned fabanod)
1978 Ysgol Maes-y-dre, y Trallwng (uned iau)
1978 Uned yr Onnen, Ysgol Trefonnen, Llandrindod
1978 Ysgol Dolafon, Llanwrtyd (uned)
1980 Ysgol y Bannau, Aberhonddu
1988 Ysgol Gynradd Pontsenni (uned)
1991 Uned Caban Coch, Rhaeadr Gwy
1992 Uned Tanycapel, Llanfair-ym-Muallt
1995 Ysgol Rhiw-Bechan, Tregynon (uned)

Ceir ffrydiau Cymraeg hefyd yn ysgolion cynradd Llanfair Caereinion, Machynlleth a Llanfyllin ac yn ysgolion uwchradd Bro Ddyfi, Caereinion, Llanfyllin, Llanidloes, Llandrindod, Llanfair-ym-Muallt ac Aberhonddu.

3. Ysgolion Cymraeg Gorllewin Morgannwg ac Abertawe

1949 Ysgol Lôn-las, Llansamlet, Abertawe
1952 Ysgol Pontybrenin, Gorseinon
1954 Ysgol Gymraeg Glyn-nedd
1954 Ysgol Bryn Iago, Pontarddulais
1954 Ysgol Pont-rhyd-y-fen > Ysgol Rhosafan, Aberafan (1987)
1956 Ysgol Gymraeg Castell-nedd
1961 Ysgol Gymraeg Blaendulais
1961 Ysgol Cwmbwrla, Abertawe > Ysgol Bryn-y-môr (1976)
1967 Ysgol Gymraeg Pontardawe
1989 Ysgol y Wern, Ystalyfera (ysgol draddodiadol yn troi'n ysgol Gymraeg)
1989 Ysgol Trebannws (ysgol draddodiadol yn troi'n ysgol Gymraeg)
1991 Ysgol Login Fach, Waunarlwydd (dewis rhieni i droi'n ysgol Gymraeg)
1994 Ysgol Tirdeunaw, Abertawe
1995 Ysgol Felindre, Abertawe (ysgol draddodiadol yn troi'n ysgol Gymraeg)
1995 Ysgol Garn-swllt (ysgol draddodiadol yn troi'n ysgol Gymraeg)
1997 Ysgol Gellionnen, Clydach (Sir Abertawe)
1999 Ysgol Tyle'r Ynn, Llansawel (Sir Nedd ac Afan)
1964 Ysgol Gyfun Ystalyfera (Uwchradd)
1985 Ysgol Gyfun Gŵyr (Uwchradd)

4. Ysgolion Cymraeg De Morgannwg a Chaerdydd

1949 Ysgol Bryntaf, Caerdydd (1949-81)
1952 Ysgol Sant Ffransis, y Barri (1952–1992) (Babanod yn unig 1974–1992)
1971 Ysgol Gymraeg Penarth > Ysgol Pen-y-Garth (1975, enw 1979)
1973 Ysgol y Bontfaen > Ysgol Iolo Morgannwg (1978)
1974 Ysgol Sant Baruc, y Barri (7-11 yn unig 1974–1992)
1980 Ysgol Melin Gruffudd, Caerdydd
1981 Ysgol Coed-y-gof, Caerdydd
1981 Ysgol y Wern, Caerdydd
1981 Ysgol y Rhodfa, Caerdydd (1981–83)
1983 Ysgol Bro Eirwg, Caerdydd
1987 Ysgol Treganna, Caerdydd
1990 Ysgol Pen-cae, Caerdydd
1992 Ysgol Sant Curig, y Barri
1994 Ysgol Mynyddbychan, Caerdydd
1996 Ysgol Pwll Coch, Caerdydd
1996 Ysgol Newydd, y Barri > Ysgol Gwaun-y-nant (2000)
1996 Ysgol Gwaelod-y-garth (uned, o Forgannwg Ganol)
1996 Ysgol Creigiau (uned, o Forgannwg Ganol)
1978 Ysgol Glantaf, Caerdydd (Uwchradd)
1998 Ysgol Plasmawr, Caerdydd (Uwchradd)
2000 Ysgol Bro Morgannwg, y Barri (Uwchradd)

5. Ysgolion Cymraeg Gwent

1967 Risca (dosbarth) > Pengam (uned)(1977) > Ysgol Trelyn,
Pengam (1991)
1969 Casnewydd (dosbarth) > (uned) (1981) > Ysgol Gymraeg
Casnewydd (1993)
1971 Cwmbrân (dosbarth) > Ysgol Gymraeg Cwmbrân (1991)
1971 Bryn-mawr (dosbarth) > (uned) (1975) > Ysgol Gymraeg
Bryn-mawr (1991)
1985 Sofrydd, Crymlyn (uned) >Ysgol Gymraeg Cwm Gwyddon,
Aber-carn (1993)
1985 Pontnewynydd (uned) > Ysgol Gymraeg Bryn Onnen, y Farteg (1995)
1994 Ysgol Gymraeg y Fenni
1988 Ysgol Gyfun Gwynllyw, Aber-carn > Trefddyn, Pont-y-pŵl (Uwchradd)

6. Ysgolion Cymraeg Morgannwg Ganol

Rhondda
1950 Ysgol Ynys-wen, Treorci
1950 Ysgol Pont-y-gwaith > Ysgol Llwyncelyn, Porth (1979)
1979 Ysgol Bodringallt, Ystrad
1985 Ysgol Llyn y Forwyn, Ferndale
1990 Ysgol Bronllwyn, y Gelli

Cwm Cynon
1949 Ysgol Gymraeg Ynys-lwyd, Aberdâr
1976 Ysgol Penderyn (uned)
1989 Ysgol Gymraeg Abercynon

Taf Elái
1951 Ysgol Pont Siôn Norton, Pontypridd
1955 Ysgol Cwmlái, Trethomas (uned) > Ysgol Gymraeg Tonyrefail (1970)
1960 Llanilltud Faerdref (uned) > Ysgol Gartholwg, Pentre'r Eglwys (1966)
1968 Ysgol Gwaelod-y-garth (uned)
1971 Ysgol y Dolau, Llanharan (uned)
1974 Ysgol Heolycelyn, Pontypridd (uned)
1976 Ysgol Gymraeg Llantrisant
1977 Ysgol y Creigiau (uned)
1985 Ysgol Evan James, Pontypridd
1985 Ysgol Castellau, Beddau

Cwm Rhymni
1955 Ysgol Gymraeg Rhymni
1961 Ysgol Ifor Bach, Senghennydd
1963 Ysgol Bargoed (uned) > Ysgol Gilfach Fargod (1970)
1970 Ysgol Gymraeg Caerffili

1977 Ysgol Llanbradach (uned fabanod 1977–1995)
1984 Ysgol Tir-y-berth (uned fabanod 1984–1993)
1993 Ysgol Bro Allta, Ystradmynach
1994 Ysgol y Castell, Caerffili
1996 Ysgol Cwm Gwyddon, Aber-carn (yn symud o Went)
1996 Ysgol Trelyn, Pengam (yn symud o Went)

Ogwr
1948 Ysgol Tyderwen, Maesteg
1962 Ysgol Coety (uned) > Ysgol Gymraeg Penybont (1974)
1982 Ysgol y Ferch o'r Sger, Corneli
1988 Ysgol Cwmgarw, Pontycymer

Merthyr
1972 Ysgol Santes Tudful, Merthyr Tydfil
1976 Ysgol Rhyd-y-grug, Mynwent y Crynwyr

Uwchradd
1962 Ysgol Gyfun Rhydfelen (Uwchradd)
1974 Ysgol Gyfun Llanhari (Uwchradd)
1981 Ysgol Gyfun Cwm Rhymni (Uwchradd)
1988 Ysgol Gyfun y Cymer (Rhondda) (Uwchradd)
1995 Ysgol Rhyd-y-waun, Aberdâr (Uwchradd)

O.N. 1 Symud o le i le fu hanes llawer o'r ysgolion Cymraeg, a newid eu henwau hefyd. Ni lwyddwyd ym mhob achos i ddarganfod pryd y mabwysiadwyd yr enw presennol. Dynoda > newid safle neu newid statws ysgol.

O.N. 2 Gan fod enwau lleoedd ac ysgolion hefyd yn amrywio ceisiwyd cadw at y sillafiad a geir yn yn y gyfrol *Rhestr o Enwau Lleoedd*, Elwyn Davies (1957) neu, os nad yw yr enw yn y gyfrol, cadw at y rheolau sillafu a defnyddio cyplysnod a geir yn y gyfrol honno. −*Gol.*

ATODIAD 2: CYFRANWYR

Ifan Dalis Davies (Pennod 24)

Cardi o Giliau Aeron a fu'n athro yn Ystalyfera a Phort Talbot cyn ei benodi'n ddarlithydd yn adran Gymraeg, Coleg y Drindod, Caerfyrddin. Bu'n ymgyrchydd brwd dros bopeth Cymreig yn ei ardal fabwysedig, ac yn gadeirydd Cyngor Cymuned Llangynnwr.

Gron Ellis (Pennod 18)

Brodor o bentref Eryrus, Sir Fflint, ac yn y sir honno y bu'n athro ar hyd ei yrfa, wedi hyfforddiant yn y Coleg Normal. Bu'n brifathro Ysgol Gymraeg Gwenffrwd am ugain mlynedd cyn ymddeol. Aelod gweithgar o bwyllgorau RHAG ar hyd y blynyddoedd a threfnydd dathlu 1999 yn ei sir.

G. Maxwell Evans (Pennod 8)

Yn hanu o sir Benfro, yng Nghaerdydd y cafodd ei addysg uwchradd. Wedi cyfnod fel gweinidog dychwelodd i Gaerdydd yn athro yn yr Eglwys Newydd. Ymgyrchydd brwd dros sefydlu ysgol uwchradd Rhydfelen, a chadeirydd Undeb Rhieni Ysgolion Cymraeg o 1963-67. Bu'n Drefnydd Iaith yn yr hen Forgannwg ac wedyn ym Morgannwg Ganol.

John Albert Evans (Pennod 4)

Brodor o Fwlch-y-llan, Ceredigion. Wedi hyfforddiant yn y Coleg Normal ac yn Aberystwyth bu'n athro yng Nghaerdydd cyn ei benodi'n Ymgynghorydd yr Iaith Gymraeg ym Morgannwg Ganol. Cynhaliodd lawer o gyrsiau Cymraeg i oedolion – ef a ddysgodd Gymraeg i Ron Davies A.S.

T.A.V.Evans (Pennod 26)

Yn hanu o gylch Abergele, graddiodd mewn Saesneg ym Mangor ac wedi cyfnod fel athro bu'n Swyddog Addysg yn Llundain. Dychwelodd i Gymru yn Gyfarwyddwr Addysg yr hen Sir Drefaldwyn, ac wedi ad-drefnu Llywodraeth Leol yn 1974 bu'n Ddirprwy Gyfarwyddwr ym Mhowys.

Merfyn Griffiths (Pennod 10)

Yn enedigol o Lanegryn, Sir Feirionnydd, graddiodd mewn Mathemateg ym Mangor. Bu'n athro mewn dwy ysgol ym Mhontypridd, ysgolion gramadeg y bechgyn a'r merched, cyn ei benodi'n ddarlithydd yng Ngholeg Addysg Cyncoed. Am dair blynedd bu'n arwain Prosiect Gwyddoniaeth a Mathemateg Gynradd y Cyngor Ysgolion, cyn ei benodi'n brifathro cyntaf Ysgol Gyfun Llanhari yn 1974. Ymddeolodd yn gynnar oherwydd afiechyd a bu farw ym mis Chwefror 1998.

Heini Gruffudd (Penodau 12 ac 13)

Wedi graddio yn y Gymraeg ym Mhrifysgol Cymru Aberystwyth, bu'n athro ail iaith, iaith gyntaf ac Almaeneg ac yn gyfieithydd cyn dod yn ddarlithydd yn adrannau Addysg Barhaol Oedolion a Chymraeg, Prifysgol Cymru Abertawe. Dysgodd y Gymraeg i oedolion am flynyddoedd, ac mae'n awdur nifer o lyfrau i rai sy'n dysgu'r iaith, tair nofel a chyfrol o astudiaeth lenyddol. Ysgrifennodd ym maes cynllunio iaith, gan gynnwys sawl astudiaeth ar y defnydd o'r Gymraeg ymysg pobl ifanc. Y mae'n un o sefydlwyr Tŷ Tawe, canolfan Gymraeg Abertawe, yn gyd-olygydd *Wilia*, a bu'n ysgrifennydd sir RHAG yn Abertawe ers sawl blwyddyn. Ef yn awr yw cadeirydd cenedlaethol y mudiad.

Gwilym E. Humphreys (Penodau 9 a 22)

Brodor o'r Rhos a raddiodd mewn Cemeg ym Mangor. Wedi bod yn athro yn Llangefni, ac yn ddarlithydd yng ngholeg Caerllion, fe'i penodwyd yn brifathro cyntaf Ysgol Rhydfelen ac yntau'n 29 oed, yn 1963. Wedi gosod seiliau cadarn i addysg uwchradd Gymraeg yn Ne Cymru symudodd i fod yn Arolygwr Ysgolion yn 1975 ac yn ddiweddarach yn Gyfarwyddwr Addysg Gwynedd o 1983 hyd 1994. Addysgwr arloesol a dylanwadol ac un o gewri addysg Gymraeg. Cyhoeddodd ei hunangofiant dan y teitl 'Heyrn yn y Tân'.

Ben Jones (Pennod 7)

Brodor o Gwm-gors, Cwm Tawe, a ysbrydolwyd gan Eic Davies yn Ysgol Ramadeg Pontardawe. Wedi hyfforddi yng ngholeg Caerllion bu'n athro Cymraeg yng Nghaerdydd a Chaerffili cyn ei benodi'n ddirprwy brifathro Ysgol Gilfach Fargod ac yna'n brifathro ysgolion Ynys-wen, y Rhondda, ac Ysgol Gymraeg Caerffili. Bu'n weithgar iawn gydag UCAC a RHAG.

Elenid Jones (Pennod 3)

Un o ddisgyblion cynharaf Ysgol Dewi Sant, Llanelli, yr oedd ei thad, Dr Matthew Williams, wedi chwarae rhan mor bwysig yn ei sefydlu. Bu'n fyfyriwr ac yn ddarlithydd mewn Ffrangeg yn Aberystwyth ac yn yr Iseldiroedd, lle ganed ei phedwar plentyn. Symudodd y teulu i Gaergrawnt yn 1979, ond wedi marwolaeth drist ei gŵr Dyfrig yn 1989 dychwelodd i Gaerdydd i weithio i'r mudiad Cymorth Cristnogol. Golygodd Elenid gyfrol dathlu hanner can mlwyddiant Ysgol Dewi Sant.

Ethni Jones (Pennod 15)

Yn ferch i Gwyn Daniel, nid oes syndod fod Ethni a'i gŵr Michael wedi bod ar flaen y gad yn natblygiad addysg Gymraeg yng Nghaerdydd, ac ym mudiad RHAG. Cymerodd ran flaenllaw mewn ymdrechion i ddarparu ar gyfer disgyblion ag anghenion addysgol arbennig.

Lilian M. Jones (Pennod 17)

Yn hanu o Gwmafan, wedi graddio mewn Cerddoriaeth yn Aberystwyth treuliodd hi a'i gŵr Geoff eu gyrfaoedd ym myd addysg yng Ngwent. Hwy a'u cyfeillion a sefydlodd y dosbarth Cymraeg cyntaf yng Ngwent, yn Risca. Fe'i penodwyd yn brifathrawes Ysgol Gyfun Gwynllyw yn 1988. Derbyniodd yr OBE ac MA Prifysgol Cymru am wasanaeth i addysg a diwylliant yng Nghymru, ac wedi ymddeol yn 1996 mae'n parhau yn weithgar mewn llawer maes, yn enwedig gyda Menter Iaith Caerffili.

Michael Jones (Penodau 4 ac 14)

Magwyd yn Sgiwen. Astudiodd yn Rhydychen cyn dod yn gyfreithiwr i Gaerdydd. Gŵr Ethni a mab yng nghyfraith Gwyn Daniel. Ymladdodd nifer o achosion cyfreithiol dros rieni addysg Gymraeg, a dangosodd hyn i amheuwyr a gwrthwynebwyr fod y mudiad o ddifri. Bu'n Ymgynghorydd Cyfreithiol i RHAG ers 1983, yn Gadeirydd o 1991 i 1995, ac yn Ysgrifennydd ers 2000.

Gerald Latter (Pennod 19)

Brodor o Fancffosfelen, Cwm Gwendraeth, a raddiodd fel Pensaer ym Mhrifysgol Lerpwl. Fel rhiant ym Mae Colwyn aeth ei blant i Ysgol Bod Alaw a dechreuodd ei gysylltiad hir ag Undeb Rhieni Ysgolion Cymraeg, RHAG a Mudiad Ysgolion Meithrin. Llanwodd brif swyddi'r mudiadau hyn a chodwyd ef yn Llywydd Anrhydeddus RHAG yn 1982. Mae yn awr yn bensaer yng Nghaerdydd.

Gareth Miles (Pennod 5)

Magwyd yn y Waunfawr, Sir Gaernarfon ond ym Mhontrhydyfen y mae ei wreiddiau. Athro Saesneg, yn Wrecsam a Dyffryn Nantlle, ond un o sefydlwyr Cymdeithas yr Iaith Gymraeg. Bu'n Ysgrifennydd UCAC ac ymsefydlodd ym Mhontypridd cyn troi'n llenor ac yn ddramodydd llawn amser.

Gerald Morgan (Pennod 24)

Ganed yn Brighton, i rieni o Gymru. Graddiodd yng Nghaergrawnt a Rhydychen, lle dysgodd Gymraeg. Bu'n athro Saesneg yn yr Wyddgrug ac Aberteifi, ac yn diwtor- lyfrgellydd yng Nghyfadran Addysg Coleg Aberystwyth cyn ei benodi yn brifathro Ysgol Gyfun Llangefni. Oddi yno daeth yn brifathro cyntaf i Ysgol Gyfun Penweddig, Aberystwyth, yn 1973.

Iorwerth Morgan (Pennod 1)

Brodor o Fancffosfelen a hyfforddwyd fel athro yng Ngholeg y Drindod, Caerfyrddin. Bu'n athro yng Nghaerdydd ac yn ddarlithydd yng Ngholeg Addysg Cyncoed. Bu hefyd yn Ysgrifennydd UCAC am flynyddoedd pan oedd y swydd honno'n waith gwirfoddol ac iddo ef y mae'r diolch fod archifau UCAC wedi eu gosod yn drefnus yn Llyfrgell Salesbury ym Mhrifysgol Cymru Caerdydd.

Rhisiart Owen (Pennod 20)

Brodor o Lansanffraid Glan Conwy ac un o ddisgyblion cyntaf Ysgol Bod Alaw, Bae Colwyn. Graddiodd yn filfeddyg ac wedi cyfnod yn darlithio yn Canada dychwelodd i Gymru a sefydlu practis yn Llanymynech, Powys. Bu'n arweinydd RHAG am flynyddoedd ym Mhowys ac yn Gadeirydd Cenedlaethol o 1995 hyd 2000.

Wyn Owens (Pennod 18)

Er yn enedigol o sir Gaernarfon treuliodd Wyn ei yrfa yn sir Fflint. Fe'i galwyd o fod yn brifathro ysgol Gwenffrwd, Treffynnon, i fod yn uwchymgynghorydd Cymraeg pan sefydlwyd Awdurdod Addysg Clwyd, a bu yn y swydd honno tra bu Clwyd yn bod. Gwnaeth waith rhagorol i ddatblygu polisïau cadarnhaol dros yr iaith yn y sir.

Tim Pearce (Pennod 16)

Un o Stoke on Trent a ddaeth i Gymru yn 1988 i weithio fel newyddiadurwr ar y *Western Mail*. Yr oedd eisoes yn rhugl mewn Sbaeneg a Ffrangeg ac yn awyddus i'w blant gael addysg ddwyieithog felly penderfynodd ddysgu Cymraeg ei hun. Erbyn 1995 roedd yn Gadeirydd RHAG Bro Morgannwg ac yn gynrychiolydd y Fro ar y Gweithgor Cenedlaethol. Mae'n Swyddog y Wasg, yn olygydd Rhagolwg, ac yn gyfrifol am Safle We RHAG.

W.J.Phillips (Pennod 23)

Brodor o'r Alltwen. Graddiodd mewn Hanes a'r Gyfraith yn Aberystwyth a bu'n Swyddog Addysg mewn Awdurdodau Lleol. Fe'i dyrchafwyd yn Is-Gyfarwyddwr Addysg Ceredigion, Cyfarwyddwr Addysg Dyfed ac wedyn yn Brif Weithredwr Cyngor Sir Dyfed.

Cenwyn Rees (Pennod 25)

Brodor o Landudoch ac arbenigwr mewn technoleg. Bu'n gweithio gyda'r awyrlu yn Aberporth ac yn darlithio mewn colegau ym Mryste a Chaerfyrddin. Cadeirydd pwyllgor yr ail ymgyrch i sefydlu Ysgol Gyfun Gymraeg yng Nghaerfyrddin, a llywodraethwr Ysgol Bro Myrddin am ddeuddeng mlynedd.

John Reynolds (Pennod 27)

Brodor o Donpentre, y Rhondda. Cyfreithiwr mewn practis preifat, ac yna gyda Gwasanaeth Erlyn Awdurdod Heddlu Dyfed-Powys. Aeth ei blant i Ysgol y Dderwen ac Ysgol Bro Myrddin a bu yntau'n aelod o bwyllgorau rhieni'r ddwy ysgol ac yn llywodraethwr ar Ysgol y Dderwen. Cadeirydd Cenedlaethol RHAG 1982–85 a Llywydd Anrhydeddus wedi hynny.

G. Elwyn Richards (Pennod 16)

Yr oedd yn brifathro ysgol Sant Ffransis, y Barri o 1961 hyd 1974, ac ysgol Sant Baruc, yn yr un dref o 1974 hyd 1984. Treuliodd saith mlynedd ar secondiad gyda'r Cyngor Ysgolion, rhwng 1968 a 1974, fel cyfarwyddwr y Cynllun Addysg Ddwyieithog a wnaeth gymaint i hybu'r Gymraeg mewn ysgolion nad oeddent yn ysgolion Cymraeg penodol. Gyda thristwch y clywsom am farw Elwyn Richards yn 2001.

Lily Richards (Pennod 7)

Yn enedigol o Ferthyr bu Lily Richards yn dysgu cerddoriaeth yn Aberdâr, Dolgellau a Chaerdydd. Bu'n byw yng Nghaerffili o 1950 ymlaen, gan ymroi i bob achos Cymraeg, sefydlu dosbarth meithrin yn 1959 ac Ysgol Gymraeg yn 1961. Fe'i penodwyd yn athrawes gerddoriaeth yn ysgol Rhydfelen pan agorodd yn 1962 a daeth yn ddirprwy brifathrawes yn fuan. Bu'n ysbrydoliaeth i'r ysgol drwy gydol ei gyrfa. Ei chymwynas olaf i addysg Gymraeg oedd cwblhau ei chyfraniad i'r gyfrol hon. Bu farw ar Fawrth 26ain, 1998.

Wendy Richards (Pennod 11)

Wedi symud o i Gastell Nedd ar ddechrau'r pum degau bu Wendy Richards a'i gŵr, y meddyg Bryn Richards, yn gefn i bob mudiad Cymraeg yn y dref. Hi oedd ysgrifennydd cyntaf pwyllgor rhieni Ysgol Gyfun Ystalyfera. Yr oedd ei siop Gymreig yn gyrchfan i Gymry'r ardal ac iddi hi y mae'r diolch am Gymreigio arwyddion rhai o'r archfarchnadoedd. Bu farw yn 1999. Mae ei mab Gareth yn berchen argraffdy yn y dref.

Meurig Royles (Pennod 27)

Brodor o Drelawnyd, Sir Fflint, a mab yng nghyfraith arall i Gwyn Daniel. Gadawodd lofa'r Parlwr Du a graddio mewn Peirianneg Mwyngloddio yng Nghaerdydd, ond daeth yn ôl i'w filltir sgwâr i weithio ym myd Llywodraeth Leol yn Delyn, cyn cael ei benodi'n Brif-weithredwr Cyngor Dwyfor. Bu'n Gadeirydd Cenedlaethol RHAG o 1985 hyd 1988 ac yn Ysgrifennydd o 1988 hyd 1991, cyfnod pan godwyd proffil RHAG yn sylweddol ac y sefydlwyd perthynas weithredol â'r Swyddfa Gymreig a'r Gymuned Ewropeaidd.

Dafydd Wigley (Pennod 6)

Ganwyd yn Lloegr ond symudodd y teulu i Gaernarfon ac yno y mae ei gartref o hyd. Graddiodd mewn Ffiseg ond, gyda'i lygad ar ddyfodol gwleidyddol aeth i swyddi rheolaethol gyda chwmniau fel Mars a Hoover. Yn Merthyr cafodd ei ethol yn gynghorydd dros Blaid Cymru ac ennill brwydr nodedig i sefydlu Ysgol Gymraeg yno. Yn fuan wedyn cafodd ei ethol i'r Senedd dros Gaernarfon, ac yn ddiweddarach i'r Cynulliad. Bu'n arweinydd ei blaid ac yn ymgyrchydd dygn dros yr anabl.

Gareth Vaughan Williams (Pennod 21)

Brodor o Lanrhaeadr ym Mochnant a raddiodd mewn Hanes yng Ngholeg Bangor. Bu'n athro yn Ysgol Tywyn, Meirionnydd ac yn ddarlithydd yng Ngholeg Cartrefle ac yna yn Athrofa Gogledd Ddwyrain Cymru. Bu'n Gadeirydd Cymdeithas Athrawon a Rhieni Ysgol Morgan Llwyd, Wrecsam a'r cyntaf i'w ethol yn rhiant-lywodraethwr yn yr ysgol.

Iolo Wyn Williams (*Golygydd*)

Brodor o'r Bermo a raddiodd mewn Cemeg yn Aberystwyth. Bu'n ddarlithydd mewn Addysg yn Abertawe cyn ei benodi'n Athro Addysg yng Ngholeg Bangor. Daeth felly i adnabod ysgolion y de a'r gogledd yn ystod cyfnod datblygiad yr ysgolion Cymraeg, a bu'n aelod o gymdeithasau rhieni tair ysgol: Bryniago, Pontarddulais, Ysgol y Garnedd ac Ysgol Tryfan, Bangor.

Richard Hall Williams (Pennod 28)

Magwyd ef yn y Barri a chafodd ei addysg brifysgol yn Aberystwyth. Dechreuodd weithio yn Lloegr ond daeth â'i deulu ifanc yn ôl i Gymru er mwyn iddynt gael addysg Gymraeg. Tra yn ddarlithydd yn Abertawe bu'n Ysgrifennydd Undeb Rhieni Ysgolion Cymraeg, yn ymgyrchydd dros sefydlu Ysgol Ystalyfera, ac yn gyfrifol am dystiolaeth yr Undeb ar 'Le'r Gymraeg mewn Addysg Gynradd' i Bwyllgor Gittins. Wedi symud i Gaerdydd bu'n aelod o Bwyllgorau Rhieni Rhydfelen a Glantaf.

Cyfranwyr eraill

Dymunaf ddiolch i'r canlynol am gyfraniadau gwerthfawr na ellid eu cynnwys yn y gyfrol, oherwydd prinder gofod, ond sydd wedi goleuo llawer ar waith y golygydd:

Wynford Bellin, Tecwyn Ellis, Tom Evans, Emyr Hywel, Dafydd Hampson Jones, Illtyd Lewis, Anthony Packer, Wyn Rees, a Ron Thomas.

Diolch i bawb a fu mor barod i ymateb i'm ceisiadau am enwau, dyddiadau, hanesion a darluniau. Hefyd i Michael ac Ethni Jones, Nia Royles a Huw Roberts am y gwaith a wnaed ganddynt cyn i mi erioed weld y deunyddiau, a diolch yn arbennig i Illtyd Lewis, Ysgrifennydd RHAG o 1992 hyd 1996 a freuddwydiodd am weld cyfrol fel hon yn ymddangos 'fel nad elo ymdrech gwerin gwlad ledled Cymru yn angof'. Clefyd y galon yn unig a'i rhwystrodd rhag golygu'r gyfrol ei hun. Gobeithiaf fod y gwaith gorffenedig yn deilwng o'r freuddwyd honno.
Hoffwn gydnabod cyfraniad amhrisiadwy Meinir MacDonald am ei gwaith i sicrhau cysondeb ieithyddol y gyfrol, yn enwedig ynghylch enwau lleodd. Diolch i'r wasg am argraffiad glân a graenus, ac i Lefi Gruffudd am ei ofal a'i hynawsedd bob amser.

Iolo Wyn Williams (Golygydd)

Am restr gyflawn

o gyhoeddiadau'r Lolfa,

mynnwch gopi o'n Catalog newydd sbon

– neu hwyliwch i mewn i'n gwefan:

www.ylolfa.com*!*